COMMENTAIRE SUR
LE CANTIQUE DES CANTIQUES

SOURCES CHRÉTIENNES

N° 403

NIL D'ANCYRE

COMMENTAIRE SUR LE CANTIQUE DES CANTIQUES

EDITION PRINCEPS

TOME I

INTRODUCTION, TEXTE CRITIQUE, TRADUCTION ET NOTES

par

Marie-Gabrielle **GUÉRARD**

*Ouvrage publié avec le concours du
Centre National de la Recherche Scientifique*

LES ÉDITIONS DU CERF, 29, Bd de Latour-Maubourg, Paris 7ᵉ
1994

La publication de cet ouvrage a été préparée avec le concours
de l'Institut des « Sources Chrétiennes »
(U.R.A. 993 du Centre National de la Recherche Scientifique)

AVANT-PROPOS

Le *Commentaire sur le Cantique des cantiques* publié ici pour la première fois est, avant celui de Théodoret de Cyr, le seul à être complet dans la tradition grecque : le texte biblique y est expliqué du premier au dernier verset. Par une suite d'infortunes qui tiennent aux problèmes liés à sa transmission, à son caractère, à la personnalité de son auteur, au hasard aussi, il n'avait jamais été édité.

Pourtant l'existence d'un ouvrage de Nil sur le *Cantique des cantiques* est connue depuis le xvie siècle. L'unique œuvre exégétique de cet auteur a peu retenu l'attention des savants. En effet, jusqu'à ces toutes dernières années ce texte n'était connu qu'à travers les chaînes exégétiques [1]. D'autre part le nom de Nil a servi à transmettre nombre de textes qu'il faut rendre à Évagre le Pontique. Les travaux contemporains d'A. et C. Guillaumont, en débrouillant la tradition manuscrite d'Évagre [2], ont permis de commencer à apercevoir la véritable personnalité de Nil d'Ancyre [3].

Dans l'histoire de l'édition, le nom de Nil apparaît pour la première fois lié à un commentaire du *Cantique des cantiques* dans des chaînes traduites en latin par Pier

---

1. Voir Devresse, « Chaînes », et *Chaîne palestinienne, SC* 189, p. 7-13.
2. Cf. *SC* 170, p. 29-37.
3. Cf. *DSp s. v.* « Nil d'Ancyre ».

Francesco Zini, la première publiée à Rome en 1563, la seconde à Venise en 1574[1]. C'est celle qui est reprise à Paris et, cette fois, accompagne le texte grec publié par Fronton du Duc en 1624[2]. Quelques années plus tôt, en 1617, Johannes van Meurs avait produit un texte proche, dont le titre grec mentionnait aussi Nil[3]. Néanmoins, aucun de ces livres ne permet réellement de lire le texte de Nil. Le dernier comporte un grand nombre de confusions d'auteurs — cités de façon très partielle — et d'erreurs. Celui de Fronton du Duc concerne la *Chaîne des trois Pères*[4] qui amalgame les commentaires des différents auteurs en les récrivant et ne permet pas de rendre à chacun ce qui lui revient. Cette situation de confusion[5] a duré jusqu'à la mise au jour d'un autre fonds caténique. En 1837, le Cardinal Mai publie, à partir du manuscrit *Vat. gr. 1442*, l'*Épitomé* de Procope sur le *Cantique des*

---

1. *Commentarius in Canticum canticorum latine ex versione Francisci Zini, ex codice Ms Maximi, Nili et Pselli notationes interspersas habente*, Rome 1563 ; *Expositio Cantici canticorum, ex Nysseni Gregorii, Maximi commentariis, carminibus politicis Michaelis Pselli, latine ex versione Pietr. Franc. Zini*, Venise 1574.

2. Il s'agit du tome II de l'*Auctarium bilbiothecae veterum patrum graeco latinum*, repris dans *Magna bibliotheca veterum patrum, Morellianae edit.*, t. XIII, Paris 1654.

3. *Eusebii, Polychronii, Pselli in Canticum canticorum expositiones, Joannes Meursius primus nunc e tenebris eruit et publicavit, Lugduni Batavorum* = Leyde 1617 ; c'est la chaîne dite de Polychronius, type D de Faulhaber (*art. cit.*, p. 47).

4. L'édition de van Meurs appartient aux types D et E (Polychronius et Ps.-Eusèbe), celle de Fronton du Duc au type B^2 de Faulhaber (cf. n. 3 p. 9). Sur la *Chaîne des trois Pères*, cf. J. Kirchmeyer, « Un commentaire de Maxime le Confesseur sur le Cantique? »

5. Lenain de Tillemont écrit dans le chapitre consacré à Nil : « Il a fait sans doute quelque ouvrage considérable sur les *Cantiques*. Car nous avons un commentaire sur ce livre, dont le titre porte qu'il est tiré des expositions que S. Grégoire de Nysse, S. Nil et S. Maxime ont faites. Mais elles y sont jointes en un seul corps, sans qu'on puisse savoir ce qui vient de lui ou d'un autre. » (*Mémoires*, p. 213).

cantiques[1]. Il s'agit cette fois, après chaque verset biblique, d'une suite de scholies attribuées à Grégoire de Nysse, Nil, Origène, Apollinaire, Cyrille d'Alexandrie, Philon de Carpasia, Théodoret, ou anonymes. Soixante-deux extraits sont attribués à Nil. Leur longueur varie de cinq lignes à deux pages. Cet ouvrage est le seul qui, jusqu'à présent, ait permis de lire des fragments du commentaire sur le *Cantique* attribué à Nil. L'édition de Mai a été réimprimée dans la Patrologie grecque de Migne (*PG* 87,2, 1545A-1753C). Les noms de plusieurs auteurs de scholies anonymes chez Mai ont pu être ajoutés, d'autres corrigés, par la comparaison avec le manuscrit *Bruxellensis 3896* : soixante quatorze extraits y reviennent à notre auteur.

Notre édition offre le commentaire complet de Nil, sous une forme au moins trois fois plus étendue que les fragments de l'*Épitomé* de Procope[2].

En effet, en classant les chaînes sur le *Cantique*, Faulhaber a attiré l'attention sur la présence d'importants fragments attribués à Nil dans l'un des cinq groupes qu'il détermine[3] : le groupe A. Il s'agit d'une chaîne à deux auteurs, représentée par deux manuscrits, le *Ven. Marc. 22* (= **V**) et *Vat. gr. 2129* (= **R**) : les *Homélies* de Grégoire de Nysse sur le *Cantique* y alternent, par morceaux, avec des textes attribués à Nil. Comme le manuscrit de Venise donne l'intégralité du commentaire de Grégoire, l'auteur pense qu'on a de bonnes chances, compte tenu de la longueur des scholies, d'y trouver un

---

1. A. Mai, *Classici Auctores*, Rome 1837, t. 9, p. 257-430.
2. On trouvera en annexe à la fin du second volume un tableau permettant de mesurer les apports du texte que nous éditons par rapport à celui que fournit l'*Épitomé* de Procope.
3. Le premier classement des manuscrits des chaînes exégétiques est dû à Karo et Lietzmann. La même année (1902), Faulhaber publie à Vienne un classement plus spécialisé des chaînes sur le *Cantique* (p. 1-73), les *Proverbes* et l'*Ecclésiaste*.

autre commentaire complet, au moins jusqu'à l'explication de *Cant.* 4, 1, après quoi le texte de Grégoire continue seul.

Partant de cette étude, et avec la conviction qu'il était possible de reconstituer ce commentaire nilien, Sovič a publié en 1921 un classement des manuscrits [1] qui contiennent les textes sur le *Cantique* attribués à Nil. Entre les groupes A (Grégoire-Nil) et C (Épitomé de Procope) de Faulhaber, il intercale le groupe B, représenté par un unique manuscrit *Oxon. gr. Auct. E. II. 8* (XVIe s.). Celui-ci paraît être un témoin plus complet que A, puisqu'il contient des fragments importants attribués à Nil jusqu'à la fin du texte biblique, suivis de passages très résumés de Théodoret et Grégoire de Nysse. L'étude de cette question a été reprise il y a une trentaine d'années, par H. Ringshausen, en vue d'une édition du *Commentaire* mis sous le nom de Nil [2]. Grâce au catalogue de Rahlfs, ce savant a identifié le modèle du manuscrit d'Oxford : *Cantab. Trin Coll. O. I. 54* (= C). Enfin, en 1979, S. Lucà signalait à Gênes, dans la collection Durazzo, un manuscrit fournissant, cette fois en tradition directe, la fin du *Commentaire* de Nil [3] (*Cant*, 6, 8 — 8, 14). Il s'agit du *Genuens. Bibl. Durazzo-Giustiniani A.I. 10* (= G).

1. A. Sovič, « Animadversiones de Nilo monacho Commentario in Canticum canticorum reconstruendo », *Biblica* 2 (1921), p. 45-52.
2. Sa thèse a été soutenue devant l'Université de Francfort-sur-le Main en 1967. Seule la 3e partie est publiée, cf. bibliogr. Nous devons d'autre part à l'obligeance de Mme Harl la communication de deux autres éléments dactylographiés de son travail, intitulés : *Arbeitsbericht von Harald Ringshausen über Rekonstruktion und Edition des Kommentars Nili Ancyrani in Canticum canticorum* (20 p.) et *Einführung in die Arbeit von H. Ringshausen : Nili Ancyrani in Canticum canticorum.* Ces deux documents contiennent un résumé du recensement et du classement des manuscrits, mais aucune étude sur l'auteur ou le contenu du texte.
3. Ce manuscrit est décrit dans le catalogue de D. PUNCUH, *I manoscritti della raccolta Durazzo*, Gênes 1979, p. 72-73. Il a été publié par S. LUCÀ : « La fine inedita... ». Nous le présenterons dans la notice du second volume.

On dispose donc pour juger de l'état du *Commentaire sur le Cantique des cantiques* de Nil d'Ancyre, outre ce témoin de la tradition directe, de trois manuscrits qui fournissent des textes plus longs que ceux de l'*Épitomé* de Procope.

L'intuition de Faulhaber, sur laquelle Sovič avait fondé son étude, peut être confirmée : les péricopes attribuées à Nil sont identiques dans les trois manuscrits de Venise, Rome et Cambridge. Il s'agit d'un texte qui explique le livre biblique verset par verset de manière continue. La trouvaille de Gênes a finalement conféré sa légitimité à notre travail et nous permet d'affirmer que nous éditons la totalité d'un commentaire que l'on a longtemps cru fragmentaire.

Le présent travail d'édition, sous une forme partielle, a fait l'objet d'une thèse de troisième cycle qui a été présentée à Paris IV-Sorbonne en juin 1981. Je remercie les membres du jury, Mme Harl, MM. Guillaumont et Irigoin, dont les remarques et suggestions m'ont permis d'améliorer mon manuscrit. Mes remerciements vont aussi au Père Paramelle et à Paul Géhin pour l'aide précieuse qu'ils m'ont fournie à l'I.R.H.T. Je suis surtout redevable à l'équipe des Sources Chrétiennes, en particulier à M. G. Sabbah et au Père D. Bertrand ; leurs encouragements tenaces m'ont permis de terminer ce travail, qui a aussi bénéficié des conseils de J.-N. Guinot. Je n'aurais pu achever ce livre au Caire sans l'hospitalité de la bibliothèque des PP. dominicains, dont les ressources ont été heureusement complétées par plusieurs séjours à Harvard, grâce à une bourse de la fondation Sachs, à la Widener Library, à la Andover Theological Library, où les Professeurs I. Ševčenko, D. Georgi et H. Koester m'ont réservé le meilleur accueil, au Dumbarton Oaks Center de Washington. Que tous trouvent ici l'expression de mes remerciements.

Le Caire, 26 mars 1993.

INTRODUCTION

CHAPITRE PREMIER

L'AUTEUR

1. Le moine Nil,
auteur du *Commentaire sur*
le Cantique des cantiques.

Les deux manuscrits qui transmettent ensemble les *Commentaires sur le Cantique* de Grégoire de Nysse et Nil (*Ven. Marc.* 22 = **V**; *Vat. Gr. 2129* = **R**) inscrivent dans leur titre le nom de Nil sous la forme : Νείλου μοναχοῦ [1]. Les trois manuscrits de la tradition longue — les deux précédents et celui de Cambridge (= **C**) — indiquent les fragments qu'ils attribuent à cet auteur, sous la forme Νείλου ou Νείλ-. Le manuscrit **C** ne le fait pas régulièrement, mais suit la règle constante de placer les fragments qui reviennent à Nil chez les deux autres en première place de son choix de trois auteurs, juste après les lemmes bibliques. Cette règle de composition du manuscrit « signe » tous les textes anonymes. **V** attribue alternativement les développements qu'il copie à Grégoire et à Nil, avec une seule omission, concernant l'explication nilienne de *Cant.* 2,13-14. **R** procède de la même manière, mais commet trois erreurs [2]. Le même nom (sous la forme Νειλ-) est présent dans l'*Épitomé* de Procope [3] : il est attribué

---

1. La même attribution se trouve en tête du ms. **G**.
2. Il attribue à Nil 5 lignes qui reviennent à Grégoire avant le début du §7, à Grégoire le texte de Nil sur *Cant.* 1, 4c (10, 14-22 : Διόπερ ἐκεῖναι ...) et la première phrase du §15.
3. Ce sont les extraits publiés par Mai et reproduits dans *PG* 87, 2.

de manière variable selon les manuscrits à des extraits ou des résumés des textes qui reviennent à Nil dans les deux précédents.

A côté de Grégoire, « évêque de Nysse », notre auteur est appelé « moine » par **V**, **R** et **G**. L'appartenance de ce personnage au monachisme est confirmée par le contenu de son commentaire ; plusieurs développements relèvent précisément du genre de la littérature monastique : silence, patience et humilité, à l'opposé de la vaine gloire, définissant l'ἡσυχία (25 ; 26) ; l'absence de souci pour les choses terrestres (41, 12) doit caractériser la vie libre de contrainte qui est celle du moine ; la solitude et la séparation d'avec les choses terrestres, qui définissent l'anachorèse, constituent son idéal de vie (70).

2. Qui est le moine Nil ?

a. La légende.

Un écrivain du nom de Nil, qu'on appelle le moine, l'ascète, le Sinaïte ou d'Ancyre est l'auteur de divers traités ascétiques, bien connus dans la tradition monastique grecque [1]. Son portrait a été auréolé de la gloire et de la sainteté légendaire dues à un récit d'allure autobiographique, mis sous son nom par tous les manuscrits : le *Récit par le moine Nil du rapt des moines du mont Sinaï et de la captivité de son fils Théodule* [2]. Ce texte raconte

---

1. *PG* 79 en reproduit les éditions plus anciennes de L. Poussines, L. Allaci, F. Suarès pour l'essentiel. Voir la liste de ces œuvres dans la bibliographie. Nous y référons en donnant seulement le titre et le numéro de la colonne.

2. Νείλου μονάζοντος διήγημα εἰς τὴν ἀναίρεσιν τῶν ἐν τῷ Σινᾶ ὄρει μοναχῶν καὶ εἰς τὴν αἰχμαλωσίαν Θεοδούλου τοῦ υἱοῦ αὐτοῦ, *Nilus Ancyranus Narratio, edidit Fabricius Conca*, Teubner 1983. C'est la première édition critique d'une œuvre de Nil.

comment des moines, et parmi eux le narrateur et son fils, ont été attaqués et enlevés au Sinaï par des bédouins. Les moines vivant dans des habitations distantes les unes des autres, l'attaque a eu lieu en pleine nuit alors qu'ils étaient rassemblés à l'église pour la prière de l'aube. Après une errance aux multiples péripéties, le père retrouve finalement son fils, devenu esclave d'un prêtre. Le jeune homme a été recueilli par l'évêque d'Éluse; les deux héros préfèrent, au « joug de la prêtrise » proposé par l'évêque, reprendre leur vie monastique. La critique moderne a généralement pensé qu'il s'agit d'une fiction, qui contient tous les ingrédients d'un roman byzantin [1]. En tout cas ce récit est à l'origine de la vie de Saint Nil qu'on lit dans le *Synaxaire de Constantinople* [2], constitué au Xe siècle : le saint fut éparque de Constantinople sous Théodose le Grand (379-395) avant d'embrasser la vie monastique, où il connut les tribulations du Sinaï, et de composer des œuvres ascétiques. Ses restes auraient été transportés dans l'église de l'orphelinat Saint-Paul.

Face à une légende si bien composée, les données historiques sont fort réduites.

b. L'histoire.

Le premier auteur à mentionner le nom de Nil est Procope dans l'*Épitomé sur le Cantique* : on date cette œuvre de la fin du Ve s. ou du début du VIe. Puis Nil est cité dans le *Chronicon* [3] de l'historien Georges le Moine

---

1. Voir la bibliographie du *Récit* et le rappel des problèmes posés par ce texte dans *DSp s. v.* « Nil d'Ancyre » et la n. 1 de l'éd. citée, p. v.

2. H. DELEHAYE, *Synaxarium Ecclesiae Constantinopolitanae, e codice Sirmondiano...*, Bruxelles 1902; Nil y est cité trois fois, le 10 novembre p. 209, simple mention de son nom dans un manuscrit, le 12 novembre p. 217, récit complet de la vie du saint, le 14 janvier p. 390, parmi les Quarante Moines martyrs du Sinaï.

3. Cf. HEUSSI, p. 12.

(IXᵉ s.). L'auteur signale qu'il fut un disciple de Chrysostome et place son nom entre Théodoret et Isidore de Péluse, contexte qui le situe au début du Vᵉ s.

Parmi les *Lettres* de Nil dont l'authenticité n'est pas mise en doute [1], l'une au moins dénote une réelle intimité avec Jean Chrysostome : l'auteur y rapporte que Chrysostome a raconté une vision « aux plus proches de ses amis spirituels » (II, 294). Il explique comment la jalousie de certains évêques, devant la haute vertu de Chrysostome, les a poussés à le condamner à l'exil (III, 199). La lettre adressée à l'empereur Arcadius (II, 265) retient aussi l'attention : Nil y refuse au Basileus ses prières pour la capitale récemment éprouvée par un tremblement de terre. C'est un châtiment infligé pour avoir injustement exilé Chrysostome, « la colonne de l'Église, la lumière de vérité, la trompette du Christ, Jean, le très bienheureux évêque ». Ce texte doit être daté entre avril et septembre 407 [2].

Plusieurs autres personnages mentionnés dans les œuvres de Nil sont connus par ailleurs : l'hérésiarque Apollinaire de Laodicée est cité comme un contemporain du destinataire de la lettre I, 257, un certain Dioclétien. Or Apollinaire est mort vers 390.

Évoquant la vie d'Albianos, moine d'Ancyre, dans l'éloge qu'il lui consacre, Nil note qu' « il s'est retiré dans la montagne, près de la ville, avec nos ascètes. Ils étaient dirigés par Léontios, alors prêtre et récemment devenu évêque [3] ». Sozomène mentionne le nom de cet évêque d'Ancyre [4] et Socrate rapporte qu'il était de ceux qui ont

---

1. Le corpus des *Lettres* reproduit dans *PG* 79 (81-581, éd. d'Allacci) pose toute sorte de problèmes d'authenticité : on y trouve des doublets, des citations d'œuvres de Nil, de Chrysostome, Grégoire de Nysse. Voir la bibliographie dans *DSp s. v.* « Nil ».

2. Cf. A. CAMERON, « The Authenticity of the Letters of St Nilus of Ancyra », p. 187.

3. 704A.

4. SOZOMÈNE, *Hist. eccl.* VI, 34, *PG* 67, 1397A.

déposé Chrysostome en 404 [1]. Ce même Albianos, qui a fait ensuite le voyage de Jérusalem et s'est fixé au désert de Nitrie où il semble être mort, est probablement celui que Palladios appelle Albanios dans l'*Histoire Lausiaque* en le citant comme ami d'Évagre [2].

Le traité dédié au moine Agathios est écrit en hommage à Péristéria, « femme brillante en dignité et plus brillante encore de vertus spirituelles [3] ». Or, il existe une femme de ce nom, morte à Alexandrie avant 451, qui est citée dans les Actes du concile de Chalcédoine [4]. S'agit-il de la même ? L'auteur ne nomme pas la ville devant laquelle se promènent le narrateur et son ami Agathios, dans un prologue plein de clichés et de réminiscences littéraires [5], où il est question de passer d'un mode de vie luxueux à une vie plus sobre. On est tenté de penser à Alexandrie.

De la Pauvreté volontaire est dédié à Magna, « très honorable diaconesse d'Ancyre [6] ». Elle doit sans aucun doute être identifiée à celle dont parle Palladios (*Histoire Lausiaque*, 67) : elle mena après son veuvage « une vie très ascétique et chaste à Ancyre ». L'ouvrage de Palladios est habituellement daté de 419/420. Nil mentionne aussi dans cette œuvre les troubles occasionnés à Constantinople par la présence d'Adelphe de Mésopotamie et d'Alexandre l'Acémète [7]. Or, on sait qu'ils en ont été chassés en 426 ou 427.

Il ressort de ces divers éléments que Nil a vécu au tournant des IVe et Ve siècles à Ancyre, siège épiscopal de Petite Galatie, ou à proximité de la ville, sur la montagne

---

1. Socrate, *Hist. eccl.* VI, 18, *PG* 67, 717B.
2. *Histoire Lausiaque* 47, éd. Butler, p. 137, 9.
3. *Périst.*, 813B ; sur l'authenticité de cette œuvre, cf. *infra* p. 26.
4. E. Schwartz, *ACO*, II, 1, 2, p. 213, 39-214, 6.
5. 812AB.
6. 967-968.
7. 997A.

où s'étaient établis les moines. Cette localisation est confirmée par un manuscrit du XIᵉ s. J. Gribomont a montré que l'*Ottob. gr.* 250 reproduit l'édition originale des lettres de Nil[1]. Le nom de l'auteur y est mentionné (f. 38r) sous la forme : Ἁγίου Νείλου τοῦ ἀσκητοῦ τοῦ ἐν Ἀγκύρᾳ τῆς Γαλατίας. Le nom de l'auteur est donc Nil d'Ancyre.

c. Ancyre à la fin du IVᵉ et au début du Vᵉ siècle.

Ancyre (aujourd'hui Ankara), capitale de la Galatie, est située sur la grande route qui, d'Alexandrie à Constantinople, traverse toute la partie orientale de l'empire, par Antioche et Césarée, avant d'atteindre la vallée du Danube à Viminacium.

Pendant la première moitié du IVᵉ s., Ancyre était une cité brillante — surtout connue grâce aux *Lettres* de Libanios[2] — où dominait une classe curiale cultivée. A la même époque, ce siège épiscopal a été violemment secoué par les rivalités et les luttes qu'ont entraînées les controverses ariennes. L'évêque Marcel, qui défendait l'orthodoxie, fut néanmoins accusé d'hérésie[3] et chassé de son

1. Cf. J. GRIBOMONT, « La tradition manuscrite de S. Nil. I. La correspondance », *Studia Monastica*, t. 11 (1969), p. 234.

2. Cf. C. FOSS, « Late Antique and Byzantine Ankara », *DOP* 31 (1977), p. 29-87.

3. Marcel d'Ancyre a été longtemps connu uniquement par les citations de son ouvrage contre Astérius le Sophiste dont il condamnait l'arianisme (cf. M. RICHARD, « Un opuscule méconnu de Marcel, évêque d'Ancyre », *MSR* 6 (1949), p. 5-28). Les travaux récents de M. Tetz (v. bibliographie) ont permis de cerner un peu mieux le personnage, dont les œuvres ont été transmises sous le nom d'Athanase après qu'il eut été accusé, sans doute à tort, de sabellianisme, parce qu'il était resté nicéen cinquante ans après le concile. Ce savant montre comment le recours à la personne et aux écrits d'Athanase fut pratiqué dès 371 parmi les marcelliens pour favoriser des tendances anti-apollinaristes. C'est ainsi que ses œuvres ont été recueillies, sous le nom d'Athanase, dans la bibliothèque anti-

siège en 336. Basile, arien modéré le remplace. Mais le retour de Marcel, quelques années plus tard, suscite des troubles considérables dans la ville[1], qui adhère finalement à son hérésie, appelé ancyro-galatienne. En 350, à la mort de Constant, il est exilé et disparaît de l'histoire. Il laisse la place à Basile, qui retrouve son siège. Cet homme cultivé jouit d'un grand prestige[2]. Mais après le synode semi-arien d'Ancyre en 358, la controverse entre semiariens et ariens, qui ont gagné à leur cause l'empereur Constance, se fait plus rude. Basile, à la tête du parti homéousien[3], est finalement déposé par le concile de Constantinople en 360 et exilé en Illyrie où il meurt en 364.

Outre les émeutes qu'elles ont causées, des luttes aussi violentes, dues en partie à la personnalité des deux évêques, ont certainement perturbé la communauté d'Ancyre pendant de longues années.

Pourtant, à la fin du ive et au début du ve s., il n'est plus question à Ancyre que de monachisme[4]. Nil, nous

---

arienne d'Eustathe d'Antioche où elles ont connu le succès (cf. M. SPANNEUT : « Recherches sur les écrits d'Eustathe d'Antioche », *Mémoire et travaux des Facultés catholiques de Lille*, 1948). Ce contexte de vives controverses, que prolonge le caractère conservateur de la lutte anti-arienne marque profondément la christologie de Nil.

1. Dans l'*Apologie contre les Ariens* (*PG* 25, 304B-305A), Athanase rapporte d'une manière contournée, toute en prétéritions, combien il a été choqué de ce qui s'est passé à Ancyre, sorte de révolution (ἀκαταστασία). Sur les relations d'Athanase avec le siège épiscopal de Galatie, cf. *SC* 317, p. 50-53, 86. C. Foss (*art. cit.*, p. 37) mentionne aussi le témoignage d'Hilaire de Poitiers (fg. III, 9, *PL* 10, 665).

2. Cf. QUASTEN, *Initiation aux Pères de l'Église*, t. 3, p. 693-705.

3. Sur les homéousiens et les conséquences de leur hérésie, cf. M. AUBINEAU, *SC* 187, n. 85, p. 411.

4. Mais il est vrai, comme le note C. Foss (*art. cit.*, p. 51), que l'histoire dépend de ses sources : Au ive s., les lettres de Libanios

l'avons vu, nous apprend que des ascètes vivaient dans la montagne proche d'Ancyre au temps de Léontios. Selon Sozomène, les villes et les villages de Galatie étaient peuplés de « philosophes ecclésiastiques [1] ». En effet, ajoute-t-il, ni la tradition, ni la rigueur des hivers ne permettaient dans cette région de vivre en solitaire. Palladios traite d'Ancyre dans les chapitres 66 à 68 de l'*Histoire Lausiaque*. Il y est question du Comes Véros et d'un autre moine « miséricordieux », non autrement nommé. Surtout, autour de Magna, se distinguaient peut-être plus de deux mille vierges [2]. Il est donc raisonnable d'estimer que l'abondante production de littérature ascétique dont l'auteur est Nil d'Ancyre a trouvé sur place un public de lecteurs tout désignés.

3. Le *Commentaire sur le Cantique des cantiques* est de Nil d'Ancyre.

Aucun argument externe ne permet d'identifier le moine Nil, auteur du *Commentaire sur le Cantique des cantiques*, avec Nil d'Ancyre, auteur d'œuvres ascétiques. En dehors des chaînes, on ne trouve, semble-t-il, aucune citation ultérieure de ce texte [3]. Les études

nous montrent Ankara comme un centre administratif doté d'une bourgeoisie cultivée, ville de garnison, où séjourne l'empereur à l'occasion ; au début du ve s., les œuvres de Palladios et de Nil en font avant tout un foyer de piété et de charité.

1. Sozomène, *Hist. eccl.* VI, 34, *PG* 67, 1396CD.
2. *Histoire Lausiaque* 67, éd. Butler, p. 163.
3. Les œuvres ascétiques sont au contraire souvent citées : aux ixe s. chez Anastase le Sinaïte (*Erôteseis*, *PG* 89, 437CD, 536BC, 349) ; Photius cite des passages de deux sermons sur Pâques et trois sur l'Ascension (*Bibliothèque*, cod. 276, *CUF*, t. 8, p. 120-131), mais le premier est une abréviation de Proclus et le troisième un extrait de Nestorius (cf. *CPG* 3, n. 6078). Les *Loci communes* du Pseudo-Maxime conservent des traces du *Disc. asc.* (*PG* 91, 725D, 852C, 945C). Les florilèges damascéniens le citent plusieurs fois, mais les textes ne lui appartiennent pas toujours.

anciennes [1] n'ont pas hésité à opérer cette identification. Nous pouvons la justifier par des arguments internes, d'ordre chronologique et littéraire.

a. Quand ce texte a-t-il été écrit ?

La date la plus basse est fournie par la présence de fragments de cet ouvrage dans l'*Épitomé* de Procope. Le *Commentaire* n'a pu être écrit après le début du VIᵉ s. L'auteur y a conscience d'entreprendre une tâche que d'autres ont déjà accompli (P. 3, 33-34), mais il ne les nomme pas. On reconnaît sans peine les *Homélies* et le *Commentaire* d'Origène sur le *Cantique*, que notre texte utilise abondamment, en particulier dans la recherche de trois sens successifs du texte, le choix des citations scripturaires, pour l'interprétation des noms bibliques ou le sens accordé à tel passage ; souvent Nil donne l'impression de développer une ligne exégétique qui n'était que suggérée chez le grand Alexandrin [2]. L'influence des homélies de Grégoire de Nysse sur le *Cantique* se reconnaît surtout dans l'infléchissement des explications qui se rapportent davantage à l'âme individuelle qu'à l'Église [3]. Parfois, il va jusqu'à emprunter à l'un ou l'autre telle formule, telle explication, comme si elle le satisfaisait

---

1. Cf. L. Ellies du Pin, *Nouvelle bibliothèque des auteurs ecclésiastiques*, t. 3, 2ᵉ partie, Paris 1640, p. 67 ; Fabricius-Harles, *Bibliotheca graeca*, vol. 10, Leipzig 1707, p. 6 ; S. Lenain de Tillemont, *Mémoires*, p. 213.

2. Les trois adverbes ἱστορικῶς, ἠθικῶς, δογματικῶς se trouvent chez Nil (v. n. 1 p. 287 et 1 p. 302), mais pas ensemble, et il se conforme rarement à la succession de trois explications. Il pousse plus loin l'explication d'Origène, v. g. *Com. Cant.* II, 1, 3 sur *Cant.* 1, 5 : Origène se contente de faire une allusion à *Rom.* 11, 28, Nil rassemble les textes et explique la notion d'adoption qui fait de l'épouse une « fille légitime d'Abraham » (13, fin).

3. V. g. n. 2 p. 166 ou 1 p. 278.

mieux [1]. On admet que les quinze *Homélies sur le Cantique* de Grégoire de Nysse datent de la fin de sa vie ; elles ont dû être écrites autour de 390 [2]. Notre texte est postérieur à cette date.

En outre, Nil fait allusion à la pratique de l'inhumation *ad sanctos*, à la fin de l'exégèse de *Cant.* 2,5 (47, 21-24) : il ne la reprend pas à son compte (τινὲς ... εἶπον) et la signale encore comme quelque chose d'exceptionnel. Ce détail nous place toujours à la fin du IVe s., puisqu'une telle pratique est devenue courante [3] pendant le Ve s.

La rédaction de notre *Commentaire* doit être placée durant les dix dernières années du IVe ou le début du Ve siècle, qui correspondent à celles où Nil d'Ancyre exerça son activité.

Dans l'état actuel des connaissances, il est impossible de prétendre à une plus grande précision. Sovič pensait que l'auteur avait composé cette œuvre dans sa vieillesse [4]. Ce n'est pas exactement ce que Nil écrit à la fin du Prologue : « voulant garder pour moi, comme souvenir pour me charmer dans la vieillesse, s'il est possible d'y arriver, les productions actuelles d'une intelligence jusqu'à présent pleine de force dans ses pensées... » (P. 4, 3-6). La phrase oppose deux moments : celui où écrit l'auteur (νῦν — τέως) qui jouit de sa créativité intellectuelle (ἀκμαζούσης ... διανοίας), et celui du but qu'il se propose : garder un souvenir pour sa vieillesse. Il est vrai que la suite évoque les premières atteintes de la sénilité (ὅτε καμοῦσα ἡ φύσις...). Il paraît raisonnable d'envisager que l'auteur se

---

1. V. g. 36 et n. 3 p. 225.
2. Cf. G. MAY, « Die Chronologie des Lebens und des Werkes des Gregors von Nyssa », *Actes de Chevetogne*, 1971, p. 63-65.
3. Cf. *DACL* art. *ad Sanctos*, t. 1, c. 494-499 ; et plus récemment : Y. DUVAL, *Auprès des saints, corps et âme. L'inhumation « ad sanctos » dans la chrétienté d'Orient et d'Occident du IIIe au VIIIe s.*, Paris, 1988.
4. Cf. SOVIČ, p. 51.

trouve à la limite de l'âge mûr et de la vieillesse. Il ne
s'agit sûrement pas de sa première œuvre, mais on ne peut
en dire davantage. Au demeurant, tout ce passage relève
aussi de la rhétorique : comparaison avec la lampe qui
s'éteint et métaphore médicale de la ménopause ; le
rapport entre le degré de sincérité de la confidence et
l'utilisation d'un « topos » est difficile à estimer.

b. Rapprochement entre le *Commentaire sur le Cantique*
   et les autres œuvres de Nil.

Les parallèles qui existent entre les œuvres ascétiques de
Nil et le *Commentaire* fournissent d'indubitables arguments à la thèse d'un auteur unique de tout ce corpus.
Sovič le premier en a relevé plusieurs [1]. H. Ringshausen
appuie sur une étude des parallèles la chronologie de
composition des œuvres de Nil [2]. Nous avons tâché d'en
faire un relevé dans les notes sur la traduction. Au-delà des
lieux communs propres à la littérature ascétique [3], on lit
aussi nombre d'expressions identiques pour présenter des
notions semblables, par exemple sur le rôle respectif de
l'enseignement en acte et en paroles (n. 2 p. 191), sur
l'enflure de l'orgueil (n. 3 p. 191) et la vaine gloire (n. 1
p. 193), sur la nécessité de la vigilance (n. 1 p. 347).
Surtout, plusieurs textes bibliques rarement cités chez les
Pères servent plusieurs fois la même idée, Nil n'hésitant
pas à reprendre d'une œuvre à l'autre la même explication : il s'agit de *Jug.* 15, 15 (25 : Samson et la mâchoire
d'âne, et n. 1 p. 188), d'*Aggée* 1, 6 (26 : sur la bourse

1. *Ibid.*, p. 51-52.
2. H. RINGSHAUSEN, *Zur Verfasserschaft und Chronologie...*
Francfort-sur-le Main, 1967. Par la critique interne, il parvient à
étaler l'activité littéraire de l'auteur sur soixante-dix ans, ce qui paraît
d'une incroyable longévité.
3. Utilisation des textes pauliniens sur l'agonistique du stade, de
Matth. 6, 8 sur le renoncement aux biens matériels et la nécessité
d'exercer son âme à l'ἀμεριμνία.

percée et n. 2 p. 195), et de *II Sam.* 4, 6 (72 : la portière de Memphibaal et n. 1 p. 349).

Les parallèles les plus nombreux et les plus précis existent entre le *Commentaire* et *Péristéria.* C'est la seule œuvre de Nil où le *Cantique* est cité cinq fois [1]. Les v. 1,10ab présentent une exégèse analogue dans les deux œuvres (*Com. Cant.* 25 ; 26). On trouve aussi, par exemple, le même développement sur l'imitation de la perfection divine [2]. Un relevé exhaustif montrerait un grand nombre d'expressions semblables, ainsi qu'une démarche identique de la pensée, procédant par amples développements. Or, depuis Lenain de Tillemont [3], l'authenticité nilienne de cet écrit a été mise en doute. L'auteur des *Mémoires* en juge « le style moins pur, et les pensées moins belles que dans l'*Ascétique*. Il y a plus de mots et bien moins de choses. » L'usage de l'expression κυριακὸς ἄνθρωπος (836A) dans cette œuvre accroît ses doutes. Il ignorait qu'elle était présente aussi dans le *Commentaire*. Après lui, Heussi classe l'œuvre parmi les faux et pense qu'il faut l'attribuer à un autre Nil [4]. Avec H. Ringshausen, nous pensons qu'il faut restituer l'œuvre à Nil d'Ancyre et qu'elle a dû être composée en un temps proche de la rédaction du *Commentaire*. Il est vrai que l'une et l'autre présentent un style très différent de celui du traité *Sur la Pauvreté volontaire*, où Nil atteint une densité d'expression qui confirmerait la date tardive de ce texte [5].

---

1. *Cant.* 1, 10 (960D-961A), 1, 10b (821CD), 4, 4, (961A), 4, 16 (905CD), 7, 4 (961A). Il existe trois autres citations : *Cant* 2, 2 dans *Disc. asc.*, 800D ; 5, 3 dans *Serm. sur Lc* 22, 36, 1272B ; 1, 3, *ibid.*, 1273B.

2. *Périst.* 892D-893AB ; *Com. Cant.* 20 ; 21.

3. LENAIN DE TILLEMONT, *Mémoires*, p. 209.

4. HEUSSI, p. 162-163. Mais il jugeait Nil surtout à partir des œuvres d'Évagre qui étaient transmises sous son nom, en particulier *A Euloge*, PG 79, 1093D-1144 et le *Traité sur la prière*, 1165-1200C.

5. Cf. *supra*, p. 19.

CHAPITRE II

L'INTERPRÉTATION DU CANTIQUE DES CANTIQUES

1. Nil et la Bible.

a. Place de la Bible dans l'œuvre de Nil.

Le *Commentaire sur le Cantique des cantiques* est la seule œuvre exégétique de Nil d'Ancyre qui nous soit parvenue. Cependant les Chaînes conservent sous son nom un assez grand nombre de fragments [1], au point qu'on a pu penser qu'il serait l'auteur d'autres commentaires bibliques perdus [2]. Il n'en est sans doute rien. En revanche

---

[1]. La chaîne de Procope sur l'*Ecclésiaste* (éd. S. LEANZA, *Procopii ... Catena in Ecclesiasten, CCG* 4, 1978) contient plusieurs scholies attribuées à Nil (p. 4, 10, 19, 21, 28, 36, 39). La dernière doit être restituée à Évagre, d'après P. Géhin (« Un nouvel inédit d'Évagre le Pontique : son Commentaire de l'*Ecclésiaste* », *Byzantion*, 49, 1979, p. 193). Quelques fragments sont attribués à Nil dans la chaîne sur l'*Exode* et les *Règnes* du ms. *Barb. gr.* 569 (DEVREESSE, « Chaînes », 1113) ; son nom est présent aussi dans les chaînes de Nicetas sur *Hébreux, Jean* et *Matthieu* (*ibid.*, 1171, 1202).

[2]. S. Lucà pense qu'il est l'auteur d'un commentaire sur l'*Ecclésiaste* (« Nilo d'Ancyra sull'Ecclesiaste », *Biblica* 60, 2, 1979, p. 237-246), qu'il faut maintenant rendre à Évagre, cf. *SC* 398. H. Ringshausen (*Zur Verfasserschaft...*, n. 3, p. 24), après Lenain de Tillemont (*Mémoires*, p. 209), pense qu'il a aussi écrit un commentaire sur les *Psaumes*. On en trouverait la mention au début de *Périst.*, 812D-813A (εἰς τοὺς Ψαλμοὺς ἀσχολίαν). Mais ἀσχολία ne désigne certainement pas un ouvrage écrit ; il s'agirait plutôt de l'apprentissage de la récitation des *Psaumes* par le moine débutant. On remarque aussi que les rares scholies mises sous le nom de Nil dans les chaînes sur les *Psaumes* (cf. DEVREESSE, *Les anciens*

toute l'œuvre de Nil témoigne d'une pratique constante du texte inspiré. Non seulement il y cite d'abondance l'Écriture, mais encore parle-t-il souvent de l'usage qu'il en faut faire. C'est une nourriture spirituelle « semblable au miel [1] », qui aide le moine dans sa lutte contre les passions ; elle lui fournit des modèles qui servent à son instruction pour le combat spirituel [2], ou sur lesquels il doit régler son mode de vie [3]. Aussi est-il souvent conseillé au moine de lire et de méditer les Écritures [4]. Pour son bienfait, il doit s'y employer le jour et la nuit [5]. La Bible est à la fois un remède à l'ennui qui assaille le moine [6] et un moyen d'accéder à la contemplation [7]. Dans la prière commune des moines, le chant des psaumes tient une place éminente [8]. Cette attitude à l'égard de la Bible relève de l'enseignement déjà traditionnel du monachisme [9]. Elle

commentateurs grecs des Psaumes, p. 324) sont des extraits de ses œuvres.

1. Ep. I, 262. La nourriture est à la vie ce que la lecture des paroles divines est à l'esprit, Ep. II, 37 ; cf. Périst. 825D ; Com. Cant. 5, 14-16.

2. Les livres historiques surtout instruisent les moines : une trentaine d'exemples sont tirés des Livres des Règnes dans le Disc. asc. ; cf. aussi à propos de la mort des rois de Sodome dans un puits de bitume (Gen. 14), Disc. asc. 748A-C : ἡμεῖς δὲ ἐκ τῆς ἱστορίας ταύτης παιδευόμεθα...

3. La vie au désert d'Elie, d'Elisée et de Jean sont des modèles monastiques, Disc. asc. 792D-793A.

4. Sup. des moines 1084D : μελέτη γὰρ καὶ γυμνασία λόγων πνευματικῶν.

5. Comme le faisaient Albianos, Disc. sur Alb. 708B ou Péristeria, Périst. 813C, 828C.

6. « Elle sert de réconfort à l'acédie », Disc. sur Alb. 708C ; Pauvr. vol. 996B.

7. Πρὸς θεωρίαν χρησιμεύει ἡ λέξις, Pauvr. vol. 996C ; Disc. sur Alb. 708C.

8. Cf. Périst. 828C ; Disc. sur Alb. 708B ; Pauv. vol. 1056CD.

9. Le moine doit apprendre et comprendre les Écritures, qui constituent la part essentielle de son instruction. Tels sont les premiers mots du grand discours d'Antoine aux moines (ATHANASE,

n'est pas étonnante non plus chez un auteur qui connaît Origène et les Pères Cappadociens. L'Écriture est comme une eau vive qui abreuve l'âme[1]. La vigueur du flot de cette source intarissable inonde l'intelligence de celui qui s'applique à sa lecture, écrit-il dans le Prologue de notre *Commentaire* (P. 3, 37-44). La Bible renferme même une telle richesse de pensées qu'on ne doit pas craindre la diversité et la multiplicité des exégèses (P. 3, 33-37) ; elles sont les fruits de la grâce, toujours supérieurs à ce qu'on en attend (P. 3, 39-41).

Nil trouve à cette rumination continue du texte inspiré un charme qui le conduit à la contemplation. La notion de τέρψις[2], un peu surprenante dans le contexte austère, non dépourvu de contention, du monachisme grec, est trop souvent présente pour être négligeable. On peut sans trop de peine imaginer la délectation intellectuelle que pouvait trouver un moine cultivé à évoquer un ou plusieurs textes scripturaires à la moindre sollicitation : ses œuvres apparaîtraient comme une sorte de chrestomathie biblique, avec ses citations obligées sur certains thèmes, comme *Matth.* 6, 28 sur l'ἀμεριμνία[3], l'exemple d'Abraham,

---

Vie d'Antoine, 16 : Τὰς μὲν γραφὰς ἱκανὰς εἶναι πρὸς διδασκαλίαν). Cassien parle de la rumination de l'Écriture (*Inst.* III, 2 ; XI, 6). Chez Évagre, elle est nourriture et arme contre les démons. Cf. *DSp s.v.* « Écriture sainte et vie spirituelle », 159-167. Il faut donc retirer à Nil la paternité de la lette IV, 1 (544B-552A) où l'auteur déconseille à son disciple la lecture de l'Ancien Testament. Pareil avis est tout à fait invraisemblable de la part de notre auteur, comme le remarquait déjà Lenain de Tillemont (*Mémoires*, p. 214) ; cf. P. Canivet, *Le monachisme syrien*, p. 280.

1. 43, 5-12, *Périst.* 828D. L'eau vive de la divine Écriture (*Ep.* I, 120) est semblable aux flots du Jourdain (*Ep.* II, 141).

2. Sur ce mot, cf. n. 3 p. 115 ; on relève plusieurs autres occurrences, soit dans le contexte de la lecture biblique, soit à propos de la contemplation : *Disc. sur Alb.* 708C ; *Périst.* 825D ; *Pauvr. vol.* 996B, 1052A.

3. *Périst.* 932C ; *Disc. asc.* 725B, 800D ; *Pauvr. vol.* 973BC, 1041CD.

modèle de vertu et de soumission à Dieu [1], le dossier paulinien sur le combat spirituel [2]. A diverses reprises et peut-être pour le plaisir, Nil utilise aussi des textes plus rares : la mâchoire d'âne de Samson (*Jug.* 15, 15 ; 25, 7-15), ou le sommeil de la portière de Memphibaal (*II Sam* 4, 6 ; 72, 54-69). Notre auteur, bien sûr, ne dit mot de cette sorte de plaisir. Le charme dont il s'agit consiste en fait dans le plaisir tout spirituel de l'âme qui, s'éduquant et s'instruisant grâce à l'Écriture [3], parvient en imitant les saints à contempler Dieu. Lié à ἀνάγνωσις ou à λέξις [4], le mot τέρψις désigne pour le moine le moyen de détourner son âme des distractions qui l'assaillent. La lecture et la méditation de l'Écriture offrent un charme qui empêche l'errance de l'âme et la guident vers la contemplation [5]. Le cas du *Cantique des cantiques* paraît plus complexe : l'apparence érotique du texte joue le rôle d'un « appât du plaisir » (δέλεαρ ἡδονῆς, P. 1, 9) dont il faut se méfier. Le lecteur doit dépasser cette apparence pour accéder « à la pensée contenue dans le livre » (P. 2, 9-10).

b. Le texte du *Cantique des cantiques.*

En choisissant de commenter le *Cantique des cantiques*, l'auteur a conscience d'entreprendre une tâche ardue, puisque la signification du texte est exactement à l'opposé de son sens obvie. Il offre une apparence érotique, mais

1. *Périst.* 912B, 920B, 960AB ; *Disc. asc.* 733BC ; *Com. Cant.* 48, 28-30 ; 68, 17-20.
2. *Disc. sur Alb.* 701BC : *Périst.* 924B, 944B ; *Disc. asc.* 796C, 800BC ; *Pauvr. vol.* 1021BC, 1036B, 1049AB ; *Com. Cant.* 24, 7-12. La citation de Paul la plus fréquente est *Phil.* 3, 14.
3. Trois verbes introduisent souvent les ex. bibliques : διδάσκειν, *Périst.* 829B ; *Disc. asc.* 733A, 783B, μανθάνειν, *Pauvr. vol.* 980D, 1017A, παιδεύειν, *Périst.* 817B ; *Disc. asc.* 784B.
4. P. 1, 12-13 ; P. 3, 1-8 ; *Disc. sur Alb.* 708C.
5. *Pauvr. vol.* 996C, 1052A.

dispense la sagesse. C'est l'esprit qu'il lui faut dévoiler (ἀνακαλύψαι τὸν νοῦν, P. 3, 5). Nil accorde une grande attention aux texte, puisqu'il part de la lecture de la lettre (τῆς τοῦ γράμματος ἀναγνώσεως, P. 3, 8) pour s'opposer à ceux qui lisent dans le *Cantique* un texte érotique.

Il travaille évidemment sur la version grecque des Septante. Tenter de préciser de quel groupe de la tradition se rapproche son texte est un travail incertain, surtout en l'absence d'une édition critique complète du *Cantique des cantiques* [1]. De plus le texte même commenté par Nil est difficilement accessible. Car il arrive souvent à l'auteur de le récrire : il modifie l'ordre des mots (8, 1), ajoute ou supprime les articles devant les substantifs (72, 3) ; parfois aussi le texte commenté diverge du lemme (1, 6c). Il faut en effet se garder d'accorder une trop grande confiance au lemme biblique transmis par les manuscrits, parce que les copistes pouvaient être tentés de « normaliser » le texte en le rendant conforme à celui qu'ils connaissaient.

En outre, nos trois manuscrits de Cambridge, Venise et Rome, qui transmettent les mêmes péricopes du commentaire nilien, ne leur accordent pas exactement la même place dans la disposition des textes. Il s'ensuit que la place des lemmes bibliques, voire le découpage des séquences diffère entre eux [2]. Conformément à nos principes d'édition qui privilégient le manuscrit de Cambridge (**C**) comme le plus proche de la tradition directe, nous éditons les lemmes bibliques tels qu'ils se présentent dans **C** et à la place qu'ils y occupent. Après la mention du sigle des manuscrits qui reproduisent le lemme, l'apparat critique est systématique : nous y signalons toutes les variantes. Lorsque notre texte diffère de la *Septante* (éd. Rahlfs = LXX dans l'apparat), nous le signalons et ajoutons entre

---

1. Cette édition constituera un des volumes de la série *Septuaginta Vetus Testamentum graecum, autoritate societatis litterarum Gottingensis.*
2. Cf. *infra* Ch. IV.

parenthèses si la variante correspond à l'un des trois onciaux. Ainsi, sur un total de 80 lieux variants pour les quatre premiers chapitres du *Cantique*, le texte de nos manuscrits est en accord 65 fois avec la *Septante*, 3 fois avec l'*Alexandrinus* (**A**), 3 fois avec le *Vaticanus* (**B**) et 4 fois avec le *Sinaiticus* (**S**). On relève en outre 16 leçons propres. Les principes selon lesquels nous privilégions la tradition fournie par **C** nous permettent aussi de livrer un texte biblique cohérent pour l'ensemble du *Commentaire*. En effet dans la deuxième partie **C** est le seul témoin du commentaire nilien de *Cant.* 4, 1 à *Cant.* 6, 7. Pour la fin (*Cant.* 6, 8 — 8, 14), les deux manuscrits **C** et **G** offrent un texte très proche[1].

Comme ses prédécesseurs Origène et Grégoire, Nil sait que le texte biblique est passible de formes diverses[2]. Celui qu'il commente, nous l'avons dit, n'est pas toujours semblable à celui du lemme. Plusieurs fois lui-même cite des variantes ou fait mention de plusieurs états du texte. Cependant, on ne note chez lui aucune activité critique et il ne choisit pas entre les variantes qu'il propose : ou bien il les connaît et n'en tient pas compte, ou bien il les commente successivement en leur accordant une égale valeur.

Le Prologue s'ouvre sur l'expression τὸ τῶν ἀσμάτων βιβλίον[3] (P. 1, 1), comme si Nil lisait le titre sous la forme : ἄσματα ἀσμάτων , alors qu'il le commente au singulier et sans tenir compte de cette divergence. Est-ce l'auteur ou les copistes qui hésitent entre le pluriel et le singulier de *Cant.* 1, 5 (δέρρεις ou δέρρις , 14, 1.4)? Cette

---

1. Cf. notice du second volume.

2. Sur l'activité critique d'Origène à propos du texte biblique, cf. D. BARTHÉLEMY, « Origène et le texte de l'ancien Testament », p. 208-209.

3. Cette variante correspond au titre du livre selon l'*Alexandrinus*; elle est citée et rejetée par Origène dans le Prologue de son *Commentaire* (4, 29); on la trouve chez Nil dans le titre de V.

alternance n'intervient pas dans l'explication. A propos de
Cant. 1, 10b, toute l'exégèse repose sur le singulier ὡς
ὁρμίσκος (26, 8.14.22) : le cou de l'épouse est comparé à
un petit collier qui représente l'humilité dans la vertu.
Dans les dernières lignes, s'apercevant peut-être d'une
inexactitude, l'auteur passe au pluriel ; les petits colliers
désignent « la foule des vertus » (26, 45-46). Ailleurs, la
variante sert à introduire un nouveau groupe d'explications. *Cant.* 2, 7c est d'abord traité sans négation (ἐὰν
ἐγείρητε, 50-51), puis avec une négation (μὴ ἐγείρητε, 52).
Les deux sens paraissent aussi satisfaisants.

A trois reprises Nil mentionne aussi la version de
Symmaque, qu'il ne nomme qu'une fois (sur *Cant.* 2, 16b ;
64, 26). Cette variante lui fournit l'occasion d'un nouveau
développement qui complète le précédent. *Cant.* 1, 7c est
glosé par ὡς ῥεμβομένη (18, 10-11), ce qui est la leçon de
Symmaque là où les Septante ont écrit : ὡς περιβαλλομένη.
Mais deux lignes plus bas, il commente : ὡς αἰσχυνομένη
καὶ περικαλυπτομένη, honte et voile qui évoquent le texte
des Septante. A propos de *Cant.* 7, 1, il mentionne le mot
de Symmaque comme une glose.

Enfin, il arrive deux fois à Nil de discuter la ponctuation
du texte. Dans le premier cas (*Cant.* 1, 16 : 36, 4-6),
l'expression de la réalité théologique de l'incarnation du
Christ est servie par les deux phrases : ἰδού, εἶ καλὸς ... καὶ
γε ὡραῖος πρός, κλίνη ἡμῶν σύσκιος ; la couche est le corps
du Christ qui met dans l'ombre la beauté de sa divinité.
Quand il écrit ensuite : πρὸς κλίνη ἡμῶν γενόμενος, καὶ
ὡραῖος εἶ καὶ σύσκιος, il ajoute seulement une nouvelle
idée : l'ombre de la forme d'esclave rend la divinité du
Christ « difficile à connaître » (36, 22-25). Dans le dernier
cas, notre auteur se livre de nouveau à une lecture
successive des deux textes proposés (*Cant.* 2, 15 ; 62). Il
comprend d'abord avec la tradition ἀλώπεκας μικρούς [1],

---

1. Voir les textes parallèles mentionnés § 62.

qui sont les passions encore fragiles (ἀσθενῶν τῶν παθῶν, 62, 16-17), puis il écrit : μικροὺς ... ἀμπελῶνας, en s'appuyant sur le fait que les vignes sont en fleur (κυπρίζουσιν). Il s'agit des hommes, proies d'autant plus faciles pour le mal qu'ils sont plus faibles et moins entraînés au combat (62, 27-43).

Tirer de ces quelques remarques une conclusion serait pour le moment aventureux. De toute façon, l'utilisation de variantes ne modifie pas le sens du texte. Sous une apparente diversité, le texte inspiré garde son unité profonde. Les « accidents » dont il a pu souffrir tournent à l'avantage de l'exégète qui progresse dans sa compréhension en complétant le sens par leur analyse.

c. Les citations bibliques.

Selon une tradition bien établie [1] à la fin du IVe s., Nil pense que la Bible tout entière est une et inspirée (ἡ θεόπνευστος γραφή, 6, 12). Le meilleur moyen pour la comprendre est donc de chercher à l'expliquer par elle-même. Nil se montre l'émule d'Origène quand il explique la Bible par la Bible et éclaire le texte par l'appel et la citation d'un autre. Bien qu'il livre peu de réflexions sur l'activité exégétique, son ouvrage contient pourtant à deux reprises une affirmation qui permet de justifier les constants appels de textes auxquels l'auteur se livre. *Cant.* 1, 15 (« tu es belle, ma proche ») est rapproché de *Cant.* 4, 9 (« ma sœur épouse »); après avoir expliqué le sens des deux mots, proche et sœur, Nil ajoute (35, 9-10) : « il l'appelle ainsi [...] pour inspirer par des noms différents (διαφόροις κλήσεσι), différentes notions d'elle (τὰς διαφόρους αὐτῆς ἐπινοίας) ». Pour expliquer ἀφανίζοντας (*Cant.* 2, 15b; 62, 44-57), Nil écrit que les renards détruisent les

---

1. Cette tradition remonte à Origène, *P. Arch.* IV, 2, 3 ; cf. Harl, *Fonction révélatrice*, p. 148-149.

fleurs « en les secouant » (ταῖς ἐκτινασσούσαις τὸ ἄνθος ἀλώπεξι) et cite le *Ps.* 126, 4 où le même verbe se trouve sous la forme ἐκτετιναγμένων. De là, il passe à *Jn* 16, 5 sur les rameaux d'olivier rejetés (ἐκκεκλασμένους), puis au *Ps.* 128, 6 où il est question d'herbe qui se dessèche avant d'être arrachée (πρὸ τοῦ ἐκσπασθῆναι ἐξηράνθη). Il explicite ensuite sa démarche (62, 53-55) en des termes différents du premier exemple : les auteurs « ont laissé entendre par des noms différents l'unique condition (διαφόροις ὀνόμασι τὴν μίαν κατάστασιν) et ont attribué des appellations synonymes à un sujet unique (συνωνυμούσας προσηγορίας καθ᾽ ἑνὸς [...] ὑποκειμένου). » L'insistance sur les noms ou appellations est remarquable. Déjà présent chez Origène, ce procédé trouve son application la plus nette chez Évagre lorsque son exégèse procède par synonymie et métonymie [1]. Nil semble lui ajouter l'homonymie lorsqu'il cite les textes par appels de mots. Dans l'exemple que nous venons d'analyser, on peut se demander s'il n'est pas passé de ἀφανίζοντας à ἐκτινασσούσαις en rapprochant ἀφ- et ἐκ- et de là, à des verbes préfixés par ἐκ-.

D'autres rapprochements, fondés aussi sur l'homonymie, présentent un caractère inattendu qui n'est pas sans rappeler certaines exégèses rabbiniques. A propos de σιαγόνες σου ὡς τρυγόνες (*Cant.* 1, 10a), que nous avons déjà mentionné, Nil cite l'exemple de Samson se saisissant d'une mâchoire (σιαγών) d'âne contre les Philistins (*Jug.* 15, 15 ; 25, 8), avant d'en venir à *Matth.* 5, 39 sur la joue frappée (25, 24-25). N'est-il pas passé de l'âne de *Zach.* 9, 9 allégué dans le passage précédent (22, 6) à celui de Samson ? Sans présenter toujours un caractère aussi surprenant, le procédé est constant chez Nil. Il est

---

1. Évagre « fournit des équivalents aux mots qu'il considère comme symboliques » (*Schol. Prov.*, *SC* 340, p. 16) ; sur la métonymie, *ibid.*, n. p. 199 ; ici n. 1 p. 245.

d'ailleurs souligné par les formules introductrices des citations qui traduisent cette recherche de l'identité : τὸ αὐτὸ σημαίνειν (71, 5), τοῦτο σημαίνων (40, 24 ; 64, 20). Il est doublé d'un procédé voisin, dont les exemples sont très nombreux, la comparaison, par le recours stylistique aux parallélismes introduits par ὡς ... οὕτως [1]. La découverte d'une identité entre le texte biblique et une réalité spirituelle sert le plus souvent d'explication (15, 52-55 ; 38, 16-21). Mais il arrive aussi que le tour souligne un parallélisme entre le texte du *Cantique* et une citation de l'Ancien (4, 6 ; *Ps.* 138, 18) ou du Nouveau Testament (41, 15-16 ; *Matth.* 6, 28). S'ils assurent difficilement à l'œuvre de Nil une cohérence parfaite, ces moyens permettent en revanche l'utilisation d'innombrables citations ou allusions bibliques. Nous en avons relevé environ six cents, également réparties entre les deux Testaments. Les livres historiques sont moins souvent cités que dans les œuvres monastiques, où les patriarches et les saints servent d'exemples à l'édification des moines. Les *Psaumes* et les prophètes sont abondamment utilisés. Nil voit dans le *Can- tique* un texte prophétique et mystique (P. 3, 27, νυμφαγωγίας προφητείαν), il l'explique par des textes de même nature. Pour illustrer le thème central de son exégèse, l'incarnation du Christ et la révélation de sa divinité dans sa mort et sa résurrection, les évangiles lui fournissent le plus grand nombre d'exemples. Les épîtres pauliniennes sont présentes presque aussi souvent. C'est l'Apôtre qui a le mieux exprimé la réalisation du plan divin (οἰκονομία) dans l'histoire des hommes. Des formules introductrices soulignent et « signent » la plupart des citations : καὶ γὰρ ὁ Παῦλος εἶπεν (28, 16 ; ou 27, 13 ; 38, 9), καὶ Ἡσαίας δηλῶν (28, 11). Les expressions vagues : διὰ τὸν εἰπόντα, κατὰ τὸν λέγοντα (25, 24 ; 37, 1),

---

1. 7, 1-8 ; 20, 13-21 ; 25, 15-17 ; 27, 1-16 ; 48, 19-21. Cf. *infra* la note complémentaire sur le style et la langue de Nil.

sont plus rares[1]. Les verbes sont indifféremment au présent ou au passé, très souvent renforcés par un participe : προεφήτευσε λέγων, ὁμολόγουν βοῶσα[2]. Il arrive tout aussi souvent à Nil d'insérer la citation dans son propre développement, quitte à modifier le texte biblique, qu'il résume (13, 28-38, *Rom.* 11, 16-24) ou récrit (39, 25-35, *Matth.* 13, 3-8 + *Matth.* 13, 19-23). Ailleurs les citations sont raboutées pour former une sorte de centon, surtout à la fin d'un développement. Elles jouent le rôle d'une conclusion qui peut ressembler à une doxologie[3].

Des groupes de citations utilisées ensemble constituent des « dossiers » scripturaires rassemblés autour d'un thème. Le cas est particulièrement net concernant par exemple les motifs monastiques[4].

Le *Commentaire sur le Cantique des cantiques* de Nil d'Ancyre est éminemment un ouvrage exégétique. Non seulement l'auteur y explique le texte biblique, mais il y met en œuvre toutes les ressources de sa connaissance de la Bible. Nil pratiquait la lecture de la Bible avec une grande attention aux détails et un souci constant d'y trouver des enseignements, car l'Écriture est nourrissante et ouvre une voie vers la contemplation : « les parfums de l'époux sont la lettre de l'Écriture divinement inspirée, quand elle exhale la bonne odeur de la contemplation » (6, 11-13).

1. Nil se contente parfois de signaler que la citation est extraite d'un prophète, sans préciser son nom (1, 21 ; 2, 5 ; 6, 7 ; 7, 14) ; Moïse ou Jacob aussi « prophétisent » (31, 40.81) ; le nom de David introduit les citations des Psaumes (4, 4 ; 11, 2 ; 14, 11) ; Nil l'appelle une fois « le psalmiste » (40, 18).
2. 15, 17-18 ; 26, 27-28 ; 31, 40 ; 39, 35-36 ; 41, 32.
3. 7, 16-19 = *Ps.* 112, 3 + *Mal.* 1, 11 ; 15, 50-55 = *Ps.* 89, 17 + *Ps.* 79, 4 + *Ps.* 4, 7 ; 40, 19-28 = *Ps.* 64, 11 + *Is.* 35, 1-2.
4. Sur le combat spirituel : 24, 8-12 = *Phil.* 3, 14 ; *II Tim.* 4, 7 ; *I Cor.* 9, 24 ; sur l'ἀμεριμνία : 41, 15-21 = *Matth.* 6, 28-29 ; 64, 32-34 = *Matth.* 6, 33.

2. La culture de l'auteur.

A côté de cette connaissance approfondie de l'Écriture, l'œuvre que nous éditons témoigne d'une culture beaucoup plus vaste. Bien des développements niliens font écho à des textes plus anciens ; sous de nombreuses expressions, on lit en filigrane des connaissances que l'auteur semble puiser d'une bibliothèque. Hélas, Nil ne cite aucun nom propre, aucun titre. Selon un usage répandu dans la littérature patristique, ses contemporains, devanciers, livres favoris et souvenirs scolaires, qui nourrissent son intelligence, sont devenus la substance même de sa pensée. Ces apports divers trouvent dans l'œuvre une forme qui les unifie et le critique qui chercherait à déconstruire cette œuvre pour y retrouver fiches et dossiers saisit l'inanité de son entreprise. Nous ne reconstituerons pas la bibliothèque de Nil. Pourtant dans la mesure où la recherche de parentés théologiques, philosophiques et littéraires peut aider à mieux comprendre un texte encore presque inconnu, nous tâchons d'indiquer un certain nombre de voies.

a. *Procatéchèse, Catéchèses prébaptismales* et *mystagogiques* de CYRILLE DE JÉRUSALEM ; *Catéchèses baptismales* de CHRYSOSTOME.

L'interprétation du *Cantique* par Nil s'inscrit dans la tradition liturgique pascale, associée au baptême des néophytes dans les Églises anciennes. Dans le judaïsme déjà, le *Cantique des cantiques* était métaphoriquement compris de l'union de Dieu avec son peuple et était lu dans les synagogues lors de la célébration de la pâque [1].

---

1. Cf. *Ancien Testament*, éd. E. Dhorme (Pléiade, 2), introduction, p. CXLII ; J. DANIÉLOU, *Message évangélique*, p. 238.

Hippolyte lit dans le *Cantique* les événements de la résurrection. Quand le christianisme ancien associe la célébration du baptême à la liturgie de la résurrection, il fait siennes les images de la pâque juive et les renouvelle dans celles de la passion du Christ [1]. Contemporain de Cyrille de Jérusalem et de Chrysostome, l'auteur de notre commentaire utilise largement des thèmes semblables à ceux de leur enseignement aux futurs baptisés ou aux néophytes et rejoint ainsi d'anciennes traditions où le *Cantique* se trouvait associé à la mort et la résurrection du Christ [2] : qu'il s'agisse du portrait de l'âme livrée au péché, comme une femme qui s'adonne à la prostitution (1, 19-28 ; 13, 7-12), de la traversée de la Mer Rouge où sont engloutis passions et péchés (23), du bain nuptial et baptismal régénérateur (13, 12-19), de la splendide parure de l'épousée (28, 10-12) et de toutes les images qui font du baptême une représentation du mariage spirituel [3], de l'illumination de la nuit de Pâques (15, 44-52), du symbolisme de la vigne (40) et de la fécondité du sang du Christ (45), Nil découvre dans le *Cantique des cantiques* un texte pascal dont le sens culmine dans l'ascension de l'âme vers la « citoyenneté d'en-haut » (70, 33-42), sur le modèle des anges et des séraphins (72, 6). Paul, le paranymphe du Christ, lui sert de guide dans cette

---

1. La pâque juive voit dans l'Exode la sortie de la servitude et le triomphe sur le pouvoir de Pharaon ; la liturgie de la résurrection célèbre le passage de la mort à la vie, le triomphe sur la mort. Hippolyte de Rome (début du IIIe s.) associe pour la première fois le sens du *Cantique des cantiques* aux épisodes évangéliques de la passion et de la résurrection du Christ ; cf. DANIÉLOU, *Message évangélique*, p. 236-237.

2. Notre auteur rencontre principalement Cyrille de Jérusalem, en particulier à travers les développements des quatorzième et dix-huitième *Catéchèses prébaptismales*, éd. cit., p. 175-185 ; 232-246, et des deuxième et quatrième *Catéchèses mystagogiques*, *SC* 126, p. 104-118 ; 134-144.

3. En particulier sur *Cant.* 7, 11.

ascension (73, 2; 77, 23), jusqu'à ce qu'elle entre dans la Jérusalem d'en-haut (sur *Cant.* 8, 14).

b. Les *testimonia* sur la mort et la résurrection du Christ et la polémique antihérétique; les traités d'ATHANASE *Contre les Païens* et *Sur l'Incarnation.*

La résurrection est inséparable des souffrances et de la mort du Christ. Mort et résurrection prouvent sa double nature divine et humaine. L'Ancien Testament a préparé sa venue et maints passages y annoncent des épisodes précis ou des événements concrets de sa vie terrestre. Dès le IIe siècle, ces passages ont constitué des dossiers de *testimonia*[1]. A son tour, Nil les utilise en y greffant parfois des textes moins connus qui pourraient être de son cru. Son argumentation paraît à plusieurs reprises assez proche de celle d'Athanase dans les deux traités *Contre les Païens* et *Sur l'incarnation.* Du premier, on retrouve les deux mouvements qui permettent d'accéder à la connaissance de Dieu : contemplation dans l'âme même de l'image de Dieu, contemplation du monde en vue de la découverte du créateur (20, 1-13). Le second aurait pu lui fournir nombre d'arguments contre les Juifs[2], la reconnaissance par certains d'entre eux du Fils de Dieu dans les miracles (29, 33-35), les *testimonia* sur la mort du Christ[3]

---

1. Plusieurs ouvrages de Daniélou (*Sacramentum Futuri*; *Testimonia*; *Message évangélique*, p. 185-265) en étudient les développements à partir de Justin et Irénée. Ces citations, qui « se retrouvent partout, étaient utilisées dans l'enseignement ordinaire de l'Église, catéchétique, apologétique, liturgique » (*Testimonia*, p. 6). Les recueils proprement dits ont été constitués plus tard. Nous sont parvenus ceux de Cyprien, *Ad Quirinum, Testimoniorum libri III*, et du Ps.-Grégoire de Nysse, *Adversus Judaeos*.

2. Cf. 15, 14.24.28.47 et *Sur l'incarn.* ch. 33-40. La polémique anti-juive de Nil a aussi des affinités avec les homélies *Adversus Judaeos* de Chrysostome.

3. *Gen.* 49, 10; *Deut.* 28, 66; *Os.* 11, 1; *Is.* 8, 4; 53, 6-8; *Ps.* 117, 27.

et surtout bien des expressions de l'incarnation du Verbe. L'image de la lampe inutile lorsque le soleil se lève (29, 6-9) appartient sans doute aux clichés de la rhétorique, il n'empêche que sa présence chez Athanase et Nil constitue un argument supplémentaire de convergence. Enfin, notre auteur tire profit du sens pascal du *Cantique* qui annonce la résurrection du Christ pour réfléchir à la nature du Verbe incarné en des termes qui rappellent ceux d'Athanase contre les ariens, en particulier les expressions ψιλὸς ἄνθρωπος (31, 55) et surtout κυριακὸς ἄνθρωπος (24, 3). Sans prendre jamais le caractère polémique qu'elle revêt chez Athanase, la christologie de Nil dépend principalement de celle qui s'élabora au cours des controverses suscitées par l'hérésie arienne. Soucieux de formulations orthodoxes, encore qu'il n'évite pas toujours l'ambiguïté, notre auteur a là aussi puisé à des sources diverses.

c. Didyme d'Alexandrie.

Par exemple la christologie de Nil paraît voisine de celle de l'Aveugle d'Alexandrie qui utilise huit fois l'expression κυριακὸς ἄνθρωπος dans son *Commentaire sur les Psaumes* [1]. Elle réapparaît dans le *Traité du Saint-Esprit* 230, 1 sous la forme *homo dominicus* dans la traduction de Jérôme. D'ailleurs l'une des deux seules citations non scripturaires dans le *Commentaire* de Nil (70, 39-41) est un court extrait du *3ᵉ Dialogue sur la Trinité* [2], édité parmi les œuvres d'Athanase, qu'il faut, d'après les spécialistes, rendre sans doute à Didyme. Il est possible que cette œuvre se soit trouvée dans une bibliothèque anti-arienne à

---

1. Cf. A. Gesché, *La Christologie du « Commentaire sur les Psaumes » découvert à Toura*, Gembloux 1962, p. 71-72.

2. Sur les œuvres faussement attribuées à Athanase et leur utilisation dans la controverse antiarienne, voir Tetz, « Marcel d'Ancyre I », *ZKG* 75 (1964), p. 217-270.

Ancyre. En outre, notre texte présente plusieurs explications qui se trouvent aussi chez Didyme, par exemple à propos de l'or et de l'argent (*Sur Zach.* II, 15), et certaines interprétations du *Cantique* très proches de celles de l'Alexandrin, comme celle de *Cant.* 4, 16 à propos des vents du Nord et du Midi (*Sur Zach.* V, 53). Enfin Nil, comme Didyme (cf. *SC* 83, p. 63) donne à θεωρία les deux sens d'explication spirituelle et de contemplation (cf. n. 1 p. 368). Les ressemblances exégétiques ne permettent pas de décider si Nil avait une connaissance directe de l'œuvre de Didyme ou și elles doivent plutôt être rapportées à leur origine commune chez Évagre et Origène. Par contre la proximité de leur christologie pourrait plaider dans le sens d'une influence de Didyme sur Nil.

d. Évagre le Pontique.

Nous avons déjà noté l'appartenance de Nil au monachisme. Ses écrits monastiques montrent aussi qu'il connaissait l'œuvre d'Évagre le Pontique dont l'influence n'est pas sensible uniquement dans le traité *Sur la pauvreté volontaire*, considéré comme l'œuvre la plus tardive de Nil[1]. En fait, il apparaît que Nil a connu les œuvres de son grand devancier et les a utilisées dans toutes les siennes[2], et en particulier dans son *Commentaire sur le Cantique*. Non seulement sa vision de l'homme s'inspire de celle d'Évagre à qui il emprunte la tripartition de

---

1. Cf. GUILLAUMONT, *SC* 170, n. 1, p. 394.
2. En 399-400, les Longs Frères, disciples d'Évagre, ont fui vers Constantinople où ils furent accueillis par Jean Chrysostome. Un exemplaire du *Traité Pratique* se trouvait au Ve s. dans la capitale (GUILLAUMONT, *SC* 170, p. 393-394). Nil, qui fréquentait Chrysostome, a donc pu y avoir connaissance de l'œuvre d'Évagre, à moins qu'il n'ait fait un peu plus tôt le voyage d'Égypte et qu'il ne se soit rendu aux Kellia.

l'âme : νοῦς, θυμός et ἐπιθυμία [1], mais aussi lui doit-il une part importante de sa représentation de la vie spirituelle, en particulier le combat contre les passions — l'ἐγκράτεια contre la gourmandise (25, 6-15), l'enflure de l'orgueil (26, 10-13) —, le but de la prière (19, 6-13), les concepts de πρακτική et de θεωρία (21, 17-19 ; 25, 7-8), celui de φυσικὴ θεωρία (20, 18-24) et l'essentiel du vocabulaire qui exprime les réalités morales : prééminence du courage sur les vertus (38, 17-21), rôle de l'anachorèse (70, 5), ou spirituelles : dangers de la fausse contemplation (18, 16-18), nécessité de la pureté de l'âme (20, 4), rôle des anges (18, 7-8 ; 71, 10-13), et notion de la sollicitude de Dieu (18, 4-9) avant d'accéder à la contemplation pure (54, 31-34). Notre *Commentaire* nous montre aussi qu'à l'évidence, Nil avait connaissance des œuvres exégétiques d'Évagre. Non seulement il lui arrive de prendre pour modèle d'exégèse synonymie et métonymie [2], mais il lui emprunte aussi des exégèses particulières. En dehors des commentaires sur le *Cantique* d'Origène et de Grégoire, le *Commentaire* de Nil présente le plus grand nombre de parallèles avec les *Scholies aux Proverbes* et à l'*Ecclésiaste* [3] d'Évagre. Malgré d'évidentes différences de style entre les deux auteurs, il est clair qu'Évagre a eu sur Nil une immense influence. Comme Évagre a commenté les *Proverbes* et l'*Ecclésiaste*, on peut se demander si Nil n'a pas pensé continuer son œuvre en commentant le *Cantique des cantiques*, de façon à achever le cycle des trois livres sapientiaux groupés par Origène [4].

---

1. V. g. *Disc. asc.* 788 ABC.

2. Cf. *supra*, p. 35 et n. 1.

3. Cf. *passim* les rapprochements signalés avec les *Scholies aux Proverbes*, SC 340 et les *Scholies à l'Ecclésiaste*, SC 398.

4. *ComCant.*, Prologue 3, 5-16. Origène n'a commenté que le *Cantique des cantiques*. Évagre reprend le groupement établi par Origène dans la *Schol. Prov.* 247 (p. 342-343) : « toute la doctrine de l'Écriture se divise en trois parties : éthique, physique et théologie ;

e. Origène et Clément d'Alexandrie.

Il est naturellement très difficile de distinguer l'influence d'Évagre de celle d'Origène et de Clément d'Alexandrie, tant Évagre en était nourri. Pourtant, certaines expressions, voire des exégèses précises semblent bien trouver leur source chez ces derniers. Les emprunts à Origène sont évidents quand il s'agit de ses œuvres sur le *Cantique*. De là viennent la recherche des trois sens de l'Écriture — ἱστορικῶς (56, 16-17), ἠθικῶς, δογματικῶς (61, 4-5; 44, 1-2) —, l'usage de θεωρία pour désigner la recherche du sens du texte au-delà de la lettre (79, 9) ou des interprétations particulières comme le symbolisme de l'or et de l'argent (27, 18-28; 73, 16-17), le passage de la Mer Rouge (23, 6-11; 57, 19-20) ou la notion de seconde loi (77, 5). Nil trouve aussi l'explication de passages de l'Ancien Testament dans le Nouveau : ce procédé exégétique a été formulé par Origène dans le *Péri Archôn*[1]. Surtout, l'interprétation de plusieurs textes scripturaires se retrouve à l'identique dans d'autres œuvres, principalement le *Péri Archôn*, les *Homélies sur l'Exode*, *le Lévitique* ou *Josué*. Il est plus risqué de tâcher de discerner l'influence de Clément; Nil peut l'avoir connu à travers Origène et Évagre. D'où lui vient par exemple la notion d'ἡγεμονικόν (16, 4)? Est-ce bien à Clément qu'il faut rapporter la connaissance des raisons de la providence et la soumission aux anges (18, 9-14), le désir d'accéder aux promesses et aux biens réservés (27, 8-13)? La

---

et les *Proverbes* se rapportent à la première, l'*Ecclésiaste* à la seconde, le *Cantique des cantiques* à la troisième. » Évagre a rempli le programme des deux premières parties (cf. *SC* 340, p. 65); on pourrait imaginer que Nil, après les querelles anti-origéniennes des années 400, ait désiré l'achever en écrivant un commentaire du *Cantique* qui ne risque pas de condamnation.

1. Cf. n. 2 p. 277.

certitude est peut-être plus grande quand il s'agit de l'utilisation d'*Aggée* 1, 6 (26, 47-58), de l'évocation des sept dons de l'Esprit à propos du chandelier d'*Ex.* 25, 31-37 (57, 24-27), ou des considérations sur la grand-route (74, 8-17). Est-il responsable des connaissances philosophiques de Nil? Faut-il plutôt en trouver l'origine chez Eusèbe de Césarée? Nil les tenait-il d'ailleurs?

f. Philosophie.

Il est en effet indéniable que Nil avait aussi certaines connaissances des philosophies antiques et de la littérature païenne, bien qu'il soit à peu près impossible de déterminer leur origine.

Comme la plupart des auteurs chrétiens hellénophones, il se mouvait à l'aise dans les concepts platoniciens et les modes de pensée néo-platoniciens. Plusieurs notions platoniciennes sont devenues trop communes[1] pour qu'on puisse penser qu'elles sont de première main chez Nil : lieux communs sur l'amour, ou envol de l'âme. Pourtant plusieurs remarques pourraient lui venir du *Philèbe*[2], à moins qu'il ne les tienne d'un doxographe. Notons que les passages allégués ne se trouvent ni chez Diogène Laërce, ni chez Eusèbe. D'où tire-t-il la comparaison à propos de la pratique du σύμβολον (61, 42-47)? La citation de *Phèdre*, 247a — « chasser l'envie hors du chœur divin » (71, 19-20) — vient-elle du *Ve Stromate* (30, 5)? On peut poser les mêmes questions à propos des distinctions logiques issues d'Aristote, nature, qualité et substance (5, 20-21) ou de l'utilisation du Περὶ ψυχῆς[3].

---

1. Nous pensons en particulier aux réflexions de M. Harl dans « Références philosophiques et références bibliques du langage de Grégoire de Nysse dans ses *Orationes in Canticum canticorum* ».
2. Par exemple le vocabulaire de P. 2 ou l'analyse du rôle de l'imagination, 4, 5-9.
3. 16, 20-22 et n. 4 p. 169.

Où a-t-il trouvé l'idée de la sollicitude de Dieu et du gouvernement du monde (18, 6-9)? Serait-ce chez Eusèbe, à qui il devrait aussi la contemplation de la providence divine? En effet quelques concepts essentiels du stoïcisme, par exemple celui de loi naturelle (61, 30-35), son vocabulaire même ne lui sont pas inconnus (79, 10-20); peut-être même emprunte-t-il ici ou là à l'épicurisme (70, 55). Ainsi la pensée de Nil fait-elle son affaire de toute la culture de son temps avec cette tendance à la compilation qui la caractérise.

g. Culture et littérature païennes.

Nil était donc indéniablement un lettré, qui connaissait aussi les sciences naturelles, les mathématiques, l'architecture, et avait pratiqué la littérature alexandrine. Des remarques éparses du *Commentaire* sont tirées des naturalistes anciens. Nil en emprunte plusieurs à ses prédécesseurs : les étapes de la croissance de la vigne [1], les particularités du cerf et de la gazelle (55, 9-13 ; 66, 20-21). Mais il faut trouver d'autres sources pour les remarques sur la sénilité (P. 4, 13-16), la stérilité des accouplements entre espèces différentes (2, 13-16), les qualités de la pomme (43, 13-18 ; 47, 15-16) ou des bois de construction (37, 11-14), les diverses méthodes d'arrosage (43, 9-11). Ses connaissances mathématiques paraissent proches d'exposés aristotéliciens (72, 9-14), voire de Diophante, et il devait connaître aussi l'architecture de Vitruve (37).

Il adapte à ses propres besoins certaines données du théâtre (41, 4-7), utilise peut-être le vocabulaire de la tragédie [2]. Il recourt à la poésie bucolique et aux *Idylles* de Théocrite [3] et connaissait certainement les romans alexan-

1. 40 et n. 1 p. 240.
2. Cf. n. 4 p. 211 et 2 p. 353.
3. 36, 27 et n. 4 p. 227 ; 42, 3-10.

drins, sans doute les *Éthiopiques* d'Héliodore et les
Aventures de Leucippé et Clitophon d'Achille Tatius[1] :
dans une certaine mesure, la réécriture nilienne du
Cantique des cantiques peut évoquer des épisodes roma-
nesques[2]. En tout cas, toutes les ressources de sa culture
sont mobilisées dans une œuvre qui cherche à épuiser le
sens du texte biblique.

3. L'exégèse nilienne[3].

a. Diversité des procédés d'explication.

Le commentaire de Nil laisse au lecteur une impression
d'abondance comme si l'exégète se livrait à une tâche
encyclopédique à propos du texte biblique. Selon la
longueur du lemme commenté, les procédés d'analyse
varient. S'il est court, chaque mot reçoit sa propre
interprétation. L'auteur donne des définitions lexicales[4]
ou étymologiques[5], recherche la différence sémantique
entre deux mots proches : parfums et aromates[6], pommier
et arbres[7]. Ailleurs, c'est la structure grammaticale du
texte qui l'éclaire. L'absence de complément second

1. Sur l'influence probable d'Héliodore et d'Achille Tatius sur
l'auteur de la *Narratio*, cf. F. CONCA : « Le « Narrationes » di Nilo e
il romanzo greco ».
2. Cf. *infra*, p. 63.
3. Les exemples sur lesquels repose cette étude sont tirés de la
première partie du *Commentaire*, la plus riche. La seconde n'offre
aucun précédé nouveau d'explication.
4. Cf. 73, 1-2 : « La litière est un appareil comparable à un trône,
parce qu'on y est assis. »
5. Cf. 25, 2-4. A propos des mâchoires, l'auteur lie σιάγων à σείω :
« Parce qu'elles se meuvent ou plutôt mâchent — de là leur vient le
nom de mâchoires »; cf. 37, 14-16.
6. Cf. 6, 5-11.
7. Cf. 43, 1-2 ou 43, 9-11 pour la distinction entre arroser et
irriguer (ποτίζεσθαι et ἀρδεύεσθαι).

distingue le verset 2, 12b du suivant : « Mon nard a donné
son odeur, / mon bien-aimé est *pour moi* un sachet de
myrrhe [1] ». La présence du pluriel (πληθυντικῶς) permet
de comprendre le sens de « vallons » : ce sont les nations
(40, 1-4). Le plus souvent, le sens d'un mot jaillit de la
rencontre d'un mot voisin dans une citation biblique [2] :
« ravins » (*Prov.* 30, 17) fait comprendre « vallons » (*Cant.*
2, 1b). Le rapprochement rend le texte intelligible. La
« fleur de la plaine » (*Cant.* 2, 1a), c'est le Christ, comme le
dit la prophétie (*Is.* 11, 1) : « une fleur poussera de la
racine » (40, 13-14).

Si le texte est jugé trop ramassé, l'auteur ajoute les
étapes qui ont été omises : « parce que » (*Cant.* 1, 2b)
annonce, selon Nil, l'expression de la cause pour laquelle
l'épouse voulait être embrassée (5, 1-3), « mais elle l'a
passée sous silence ». Le travail exégétique consiste non
seulement à expliquer le texte, mais à en saisir le sens au-
delà même des mots.

Lorsque l'analyse des versets est plus globable, l'auteur
préfère retrouver dans le texte une suite narrative qui
s'accorde à son interprétation. Quand l'épouse recherche
l'époux à travers la ville (*Cant.* 3, 1-4 ; 67-68), sa quête ne
donne pas lieu à une explication détaillée de chaque terme.
Mais l'auteur retrouve le thème de l'errance de la
prostituée des premiers versets (*Cant.* 1, 8 ; 18, 9-18) ; sa
persévérance est finalement couronnée de succès, puisqu'elle parvient à garder celui qu'elle s'est approprié (68,
11-17).

Pour mettre en valeur la logique du texte, l'ordre des
versets doit parfois être modifié : le « lis des vallons »
(*Cant.* 2, 1b ; 39) qui représente l'épouse, précède la « fleur
de la plaine » (*Cant.* 2, 1a ; 40), qui désigne le Christ. Dans
le verset 2, 14, les phrases qui expriment l'appel de l'époux

---

1. 29, 28-33.
2. Ὅμοιον δεῖ παραθέσθαι ῥητόν..., 39, 1-11, cf. *supra*, p. 34-36.

sont regroupées (2, 14acde ; 60) ; « près de l'avant-mur » (2, 14b) est expliqué en dernier lieu comme la rupture introduite par le Christ entre la loi ancienne et la nouvelle (61).

A plusieurs reprises, Nil introduit son explication en alléguant un texte scripturaire dont le sens obvie paraît très éloigné du verset commenté. « Car tes seins sont bons, plus que le vin » (*Cant.* 1, 2b) appelle : « Je me suis éveillé et je suis encore avec toi » (*Ps.* 138, 18). En fait, l'épouse rêve de l'époux et lui parle à son réveil, croyant à sa présence (4, 4-9). Cherchant dans la Bible un cheval comme monture du Verbe, l'auteur n'en trouve pas. L'expression négative ἵππῳ δὲ οὐδαμοῦ lui sert à introduire l'âne de *Matth.* 21, 15 (22, 1-7). Dans les deux cas, une sorte de digression précède le retour au texte. Nil voit peut-être la justification de ce procédé dans l'attitude même de l'épouse qui parvient à la compréhension d'événements difficiles grâce à son raisonnement (ἐν τῷ λογισμῷ, 45, 6) : dans les tribulations de la passion, elle doit aller au-delà des réalités de la mort du Christ pour parvenir à la compréhension de sa divinité (τὸ τῆς ἀναστάσεως λογιζομένη μυστήριον, 31, 54-55). De même l'exégète doit dépasser, par le raisonnement, les apparences du texte pour atteindre le sens.

Par-dessus tout, l'exégèse nilienne est caractérisée par l'addition des explications : pour un même passage, l'auteur s'efforce d'offrir le sens le plus complet possible, mettant en œuvre toutes les techniques dont il dispose. L'analyse de variantes textuelles, la discussion de la ponctuation, nous l'avons déjà noté, enrichissent aussi son commentaire de nouveaux développements. Parfois, un récit biblique qu'il récrit complète le sens d'un passage déjà éclairci : ainsi la parabole du semeur à propos du « lis des vallons » (39, 25-36) ou la portière de Memphibaal à propos des frayeurs nocturnes (72, 55-69). Enfin, en quelques cas, Nil éprouve le besoin d'ajouter *in fine* une explication supplémentaire dont il a pu avoir connaissance par ailleurs. C'est pourquoi il évoque (9) l'hémorroïsse et la Cananéenne passant de ὀπίσω (*Cant.* 1, 4b) à ὀπίσθεν (*Matt.* 9, 20), ou fait allusion à l'inhumation *ad sanctos* (47, 21-24).

Sous ce foisonnement exégétique, Nil conçoit le texte biblique comme rempli de sens. Il lui suffit de se laisser guider par le charme du texte pour découvrir cette surabondance.

b. Le statut du texte biblique.

Dans le Prologue, Nil énonce un seul but pour son activité exégétique : dépasser la lettre du texte pour atteindre le trésor caché (P. 3, 2). Le rôle de l'exégète consiste donc à « révéler l'esprit du texte » (ἀνακαλύψαι τὸν νοῦν, P. 3, 5). En même temps, il minimise l'importance de sa tâche explicative, car le sens du *Cantique* est immédiatement métaphorique : « Le livre des cantiques est semblable à une femme » (P. 1, 1). Il lui suffit de se laisser guider par lui « de la passion qui semble émaner de la lettre vers l'initiation aux doctrines signifiées » (P. 2, 14-15). Tout se passe donc comme si l'activité exégétique consistait à retrouver, en se laissant conduire par le charme du texte, ce qu'il exprime vraiment : la sainteté de la contemplation. Ainsi tout en restant proche de principes énoncés par Origène — rechercher le « trésor caché », dépasser la lettre —, Nil se garde d'ériger en principe la difficulté ou l'obscurité du texte biblique. On ne trouve pas chez lui d'équivalent de l'image origénienne des Écritures fermées à clé et scellées [1]. Puisque le sens de la divine Écriture est pur, l'aspect érotique du texte est inacceptable et doit naturellement conduire à « la rigueur des mystères ». En l'absence de principes exégétiques

---

1. Prologue au *Commentaire des Psaumes*, PG 12, 1076A, texte cité et commenté dans : Origène, *Philocalie* 1-20, SC 302, p. 240-250 s.

énoncés plus clairement, il est difficile de rattacher l'œuvre de Nil à un courant particulier de la tradition, alexandrin ou antiochien. Par-delà l'impression de foisonnement textuel, le lecteur est plutôt sensible aux compromis auxquels aboutit l'auteur, sans doute grâce à l'utilisation de la symbolique de la liturgie pascale : l'épouse « qui remonte toute blanchie » (13, 9) est une allégorie de l'âme purifiée, littéralement représentée par la robe blanche des néophytes sortant du bain baptismal. Ici s'opère la symbiose de traditions diverses, tant sémantiques qu'exégétiques.

En outre la nature du texte biblique commenté influe sur l'attitude de l'exégète. Le charme qu'exerce le *Cantique* sur le lecteur « rend la difficulté des concepts facile à recevoir » (P. 1, 11-12). Aussi l'activité de l'auteur consiste-t-elle le plus souvent dans une paraphrase narrative. Le lecteur n'a besoin d'aucune explication pour comprendre « la pensée contenue dans ce livre » (P. 2, 9-10). La vérité du texte est appréhendée immédiatement.

Dans une œuvre où le rôle médiateur de l'exégèse est ainsi minimisé, le vocabulaire proprement herméneutique est assez pauvre. Il s'applique d'ailleurs davantage à l'explication des citations scripturaires qu'à celle des versets du *Cantique*. Pour expliquer le texte lui-même, les verbes utilisés le plus souvent sont : λέγειν, σημαίνειν, αἰνίσσεσθαι — sous la forme αἰνισσόμενος —, ὀνομάζειν, προσαγορεύειν. Quelques termes expriment la comparaison : παρεικάζειν, παραβάλλειν, σύγκρισις, παραπλήσιος. Tous concourent à l'expression immédiate d'une identité entre le texte et ce qu'il signifie. Nil use assez rarement d'expressions qui représentent le texte : τὸ δὲ ἐν τούτοις, τὸ εἰρημένον, τὸ ῥητόν, τὸ ἐπιφερόμενον, τὸ ἀπαρέμφατον, τὸ νόημα, ἡ ἐκδοχή [1].

---

1. Voir les occurrences de ces différents mots dans l'index du vocabulaire en fin du second volume.

Intérioriser la signification de la révélation divine par la lecture et la rumination personnelle, tel est ici le principal objet de l'exégèse. Au lieu de figer le texte dans une intemporalité immuable, le respect de la lettre permet de le lire comme une parole vivante. Il est susceptible d'être récrit et amplifié. Réécriture et amplification sont en elles-mêmes porteuses de sens. Parce qu'il s'agit d'un texte « dramatique », c'est-à-dire d'un dialogue entre plusieurs personnages, l'auteur s'efface en quelque sorte pour leur donner la parole : il s'agit moins pour lui d'expliquer ce que signifie le texte, que de laisser les personnages exprimer en personne ce qu'ils veulent dire, par amplification rhétorique du discours biblique. Ainsi les termes clés de l'exégèse nilienne doivent être lus à travers les présentatifs : ὁ δὲ λέγει τοιοῦτόν ἐστι, les verbes déclaratifs : λέγειν, μαρτυρεῖν, ou l'incise : φησί, les apostrophes, les verbes à la première ou deuxième personne du singulier. Profitant de la théâtralité du texte, auquel il ajoute des jeux d'ombre et de lumière (13, 1-16 ; 58, 9) plutôt qu'un décor, l'auteur attribue chaque verset à un personnage en précisant, comme c'est la tradition, le nom des interlocuteurs : l'épouse parle aux femmes de la Synagogue, à l'époux, à ses amis. Non seulement il prend la peine d'indiquer le ton du dialogue — surprise, interrogation, moquerie —, mais il pourvoit à la psychologie des personnages : les femmes de la Synagogue sont moqueuses, l'épouse altière ou impatiente ; l'époux vient la consoler. Le commentaire prend une allure vivante et directe. La présence de l'auteur, au contraire, s'estompe, comme celle du metteur en scène, derrière le jeu des personnages. Cet effacement est chez Nil tout à fait conscient. Le sens du texte est évident parce que les personnages l'expliquent : l'épouse, qui n'a pas encore atteint la perfection, en est réduite à conjecturer (στοχαζομένη, 41, 4) la vérité de son état. Le meilleur exégète, c'est l'époux, le Verbe lui-même qui connaît parfaitement « les propriétés des conditions comparées » et détermine, comme on attribue son masque à un acteur, le sens symbolique de chaque image (41, 5-9). Ce que l'épouse n'avait pas été capable de comprendre, l'époux le dit en clair en explicitant le symbole de la comparaison : « Comme un lis au milieu des épines, / ainsi ma proche au milieu des filles » (*Cant.* 2, 2).

L'intervention de l'auteur se fond dans le récital biblique auquel il convie son lecteur. Il apparaît moins comme l'interprète d'un texte que comme l'harmonisateur, autour du *Cantique*, de toute la Bible, des thèmes développés par ses prédécesseurs et des « lectures » qui lui sont propres.

c. Lecture « en abîme » du *Cantique*.

La présence du Verbe exégète fonde théologiquement le principe qui consiste à expliquer la parole de Dieu par elle-même, technique largement utilisée, nous l'avons vu, par Nil. Parmi les innombrables citations appelées à illustrer le *Cantique*, il privilégie celles qui orientent le texte selon l'histoire du salut. Le *Cantique des cantiques* est un livre prophétique : le mariage annoncé est celui du Christ, Verbe de Dieu, avec l'Église des nations ou l'âme individuelle. L'union proprement dite est préparée dans l'Ancien Testament, chez les prophètes, *Osée* en particulier, mais déjà dans le Pentateuque, et encore dans les livres poétiques — *Psaumes* — et historiques. Nil recherche dans l'Ancien Testament les préparatifs qui préfigurent ce mariage royal, dont la pureté est garantie par la naissance virginale du « Roi et Sauveur » (*Matth.* 2, 2 ; 28, 9). L'Ancien Testament tout entier prophétise l'histoire collective du salut et les événements de la vie individuelle du Christ. L'épouse se montre à l'époux dans la splendeur royale de sa parure nuptiale (*Ps.* 44, 14 ; 28, 10-12). Le *Cantique des cantiques* accomplit ce qui est annoncé sporadiquement mais continûment dans l'Ancien Testament, et qui a été récapitulé par Paul : l'étrangère, celle qui tournait autour des autels des idoles et a reçu l'éducation mensongère de l'extérieur, reçoit l'initiation dans le cellier, puis doit acquérir l'esprit de filiation par ses œuvres et devenir « de la race », « fille adoptive » d'Abraham.

Parce que la révélation a eu lieu, le *Cantique* est aussi un livre mystique : non seulement il récapitule toute l'annonce et la préparation de l'Ancient Testament, mais il préfigure aussi l'union de l'âme au Verbe lors de la parousie. Il a annoncé ce qui a été accompli et préfigure encore ce qui va s'accomplir : les jeunes filles ont attiré le Verbe hors du sein paternel et courent derrière lui jusqu'à la parousie. De la même façon, l'Ancien Testament annonce le Nouveau qui prépare le siècle à venir, « jusqu'à ce que les ombres se mettent en mouvement » (*Cant.* 2, 17a) pour instaurer la vérité de la grâce (65, 10).

Le lecteur contemporain est donc tenté de lire l'interprétation nilienne du *Cantique* selon le procédé de la mise en abîme [1], qui consiste à reproduire sous forme réduite à l'intérieur même de l'œuvre une image du thème ou de la scène majeurs. Ainsi les appels de textes de l'Ancien au Nouveau Testament servent-ils à lire le *Cantique*, selon la perspective globale de l'histoire du salut dont le Christ et sa passion sont le centre. La révélation est achevée dans la mort et la résurrection du Christ, temps de l'épreuve et du

---

1. Cf. B. Dupriez : *Gradus, Les procédés littéraires (dictionnaire)*, Paris 1984, *s. v.* miroir, rem. 5, p. 295. Identifié pour la première fois par Hugo dans son *William Shakespeare* à propos de *Hamlet*, ce procédé a reçu de Gide sa célèbre définition : « J'aime assez qu'en une œuvre d'art, on retrouve ainsi transposé, à l'échelle des personnages, le sujet même de cette œuvre. [...] Ainsi dans tels tableaux de Memling ou de Quentin Metzys, un petit miroir convexe et sombre reflète, à son tour, l'intérieur de la pièce où se joue la scène peinte » (*Journal*, 1893, éd. Pléiade, p. 41).

doute, dont l'épouse triomphe du fait de son « établissement » (ἔνστασις, 46, 3). Toute l'histoire du salut est « mise en abîme » dans le *Cantique*. Pour Nil, le *Cantique des cantiques* n'est pas seulement un livre de l'Ancien Testament. L'union qu'il décrit représente à la fois l'incarnation — l'âme parfaite du Verbe de Dieu s'unit au corps humain — et la possession, lors de la parousie, des « biens réservés » (27, 8.13) promis, dont la jouissance est attendue pour l'avenir. Depuis l'annonce de la promesse jusqu'à sa réalisation ultime, le *Cantique des cantiques* concentre tout le temps du salut. La Bible et donc le *Cantique*, considérés comme un tout, sont univoques.

d. Polysémie biblique.

Le caractère univoque de la Bible n'empêche pas Nil de préserver la vieille idée de la polysémie biblique. Il a appris d'Origène que la Bible est passible de sens divers [1]. Mais rien ne traduit chez lui la progression d'une signification à l'autre. On a plutôt l'impression que, pour atteindre la plénitude du sens, il faille additionner toutes les significations possibles. Nil se contente rarement d'une seule explication quand il commente un verset du texte. Souvent les développements se succèdent sans que l'auteur paraisse les orienter ou les classer dans un ordre qui indiquerait leur importance ou sa préférence. Dans un cas de difficulté textuelle, Nil justifie ce procédé par la métaphore des archers : l'exégète doit agir comme les tireurs à l'arc qui lancent de nombreuses flèches avant d'atteindre leur cible. En lançant sur la divine Écriture plusieurs explications (κατασκευή), il a des chances d'atteindre la vérité : « ce qu'on trouvera comme une flèche lancée tout prêt de l'amour ou de la vérité, il faudra l'admettre comme explication réussie » (49, 4). S'agit-il de

1. *P. Arch.* IV, 2, 4.

hasard ou de savoir faire? Nil ne file pas la métaphore et n'en dit rien. L'ensemble de l'effort — toutes les flèches lancées à proximité de la cible — vaut, semble-t-il, pour approcher la vérité dans une explication réussie (ἐπιτυχῶς εἰρημένον). De toute façon, le langage humain est incapable de l'exprimer (ἀσθενεῖ πρὸς τὴν ἐξήγησιν) et disperse la vérité dans des intervalles d'obscurité (τῷ νοήματι ἐν τοῖς τῆς ἀσαφείας διαλείμμασιν ἐσπαρμένος, 27, 27-28). La multiplicité des sens possibles peut se justifier par l'existence de variantes textuelles [1] ou la difficulté intrinsèque du texte (49, 1 sur *Cant.* 2, 7). Il se peut aussi que deux interprétations du même mot soient possibles : βότρυς κύπρου (*Cant.* 1, 14) est lu soit « grappe de cypre », c'est-à-dire parfumée (30, 13), soit « grappe de Chypre » (32). L'auteur additionne aussi les explications, même si aucun argument textuel ne vient justifier le procédé. Certaines s'emboîtent en relations consécutives : le cellier, lieu de la révélation des mystères à l'épouse ou à l'âme est aussi par conséquent le corps du Christ qui voile sa divinité (11, 14-16 ; 36, 23-25 ; 43, 18-21), et la fait comprendre dans sa résurrection (45, 7-8). D'autres paraissent n'avoir aucun lien entre elles et auraient été ajoutées par souci d'exhaustivité [2] : les tentes de César et les tentures de Salomon (*Cant.* 1, 55b) désignent la pénitence de l'épouse (14, 7-8), avant d'être interprétées comme l'Église des nations et des Juifs (14, 12-16). Selon les cas, Nil valorise le sens historique [3], moral ou doctrinal [4], en leur conférant tour à tour divers degrés d'interprétation. En réalité, le sens hitorique, bien que plus rarement évoqué de façon explicite, joue chez notre auteur un rôle absolument

---

1. Cf. *supra*, p. 31-32.
2. Cf. *supra*, p. 48-49.
3. Nous n'avons relevé qu'une occurrence du terme ἱστορικῶς (56, 16-17 et n. 1 p. 287) ; c'est aussi « selon le sens historique » que Nil utilise les *testimonia*, 8, 10-12 et 54, 1-7 et les notes *ad loc.*

central : l'irruption historique de l'incarnation marque la séparation entre la loi ancienne et la nouvelle, condamne l'erreur des Juifs de la même façon que celle des hérétiques. Le Christ est mort pour ressusciter et montrer la pureté de sa divinité dans le κυριακὸς ἄνθρωπος. Le « sens historique » pour Nil ne ressemble pas du tout à ce qu'y mettait Origène : la compréhension littérale du texte biblique. Il est plus proche de la perspective historique et sacramentaire de l'exégèse antiochienne. Le « sens moral » concerne les explications attribuées à l'âme individuelle, à son combat contre les passions, jusqu'à la contemplation « comme dans un miroir » des biens du siècle à venir et à l'union parfaite au Verbe de Dieu. Le « sens doctrinal » est collectif et s'applique à l'Église dans la perspective de l'histoire du salut. Nil rejoint ici les habitudes de l'exégèse alexandrine, plus mystique et allégorique. Son effort aboutit à une forme synthétique d'exégèse qui lie les attitudes mystique et sacramentaire : dans la nuit de Pâques, autour de la piscine baptismale, l'âme comprend l'histoire du Christ, retrouve sa pureté originelle et anticipe la vision de l'Église à la fin des temps.

En même temps, plus le verset offre de résistance à la compréhension, plus l'explication est riche. Les apories du texte excitent en quelque sort à la recherche. L'expression « éveiller l'amour » (*Cant.* 2, 7) ne suscite pas moins de quatre lectures successives (50 ; 51 ; 52, 1-9 ; 52, 9-41). La jument de *Cant.* 1, 9a donne lieu à une exégèse « verticale » qui dénote le progrès de la lenteur à la rapidité (22, 13-19), puis à une exégèse « horizontale » où la force du bien de l'Église est opposée aux forces mauvaises des hérésies (23 ; 24). L'interprétation peut aussi rester ouverte quand l'auteur fait appel à l'intelligence du lecteur pour compléter une voie qu'il a seulement indiquée : Nil propose d'expliquer « sa main gauche » et « sa droite » (*Cant.* 2, 6) par deux citations (*Gen.* 13, 19 et *Prov.* 3, 16) et conclut : « Quiconque est capable de réunir l'harmonie des représentations par des textes semblables le cherchera » (48, 33-34). Plus loin, il se livre lui-même à cette recherche à propos de *Cant.* 4, 9b.

De la redondance de l'analyse naît cette impression d'efflorescence foisonnante du travail de l'exégète, comme si toutes les explications se valaient pour servir le sens. Seul paraît important l'effort de l'auteur qui met en jeu toutes les ressources de son intelligence, de sa culture et de son imagination pour trouver en elles la vérité de la parole biblique. On lit chez Nil le désir d'aboutir à une sorte de somme exégétique qui embrasse tout le sens du texte et réponde à toutes les préoccupations d'un moine de la fin du IVᵉ siècle. Sous son aspect baroque, ce commentaire est l'œuvre d'un écrivain cultivé, pétri d'Écriture sainte et à la recherche de la perfection. Dès le Prologue, il a affirmé que le *Cantique* n'est pas un livre érotique. Sans refuser le sens obvie du texte, il l'a converti : le lecteur se laisse bien attirer à lui comme par une belle femme, mais à l'élévation de l'âme, et non aux plaisirs des sens [1]. Le charme du texte opère seulement pour les lecteurs qui sont prêts à s'élever à la réalité « de la prophétie du cortège des noces mystiques de l'âme parfaite et du Verbe de Dieu [2] ». Son travail ne consiste pas à expliciter la métaphore contenue dans le texte ou à déployer l'explication d'une allégorie. Le texte lui-même est métaphore. Il existe entre la parole biblique et le travail de l'exégète une équivalence vécue, exercice spirituel qui met en jeu la vie de son âme.

4. Le genre littéraire.

Au moment où il commence son travail sur le *Cantique des cantiques*, livre réputé difficile [3], Nil a conscience de

1. Cf. P. 3, 6-7.14-15.
2. Cf. P. 3, 26-28.
3. Cf. P. 1, 11-12 : τὴν τῶν νοημάτων δυσχέρειαν.

s'inscrire dans une tradition [1]. Son ouvrage relève donc d'un genre déjà existant. S'il est possible de tirer du texte lui-même des indications sur le but qu'il se propose et le public auquel il le destine, le sens de l'œuvre pourra gagner en clarté, malgré son foisonnement.

a. Le titre.

Les trois manuscrits qui transmettent le texte de la première partie donnent à l'œuvre de Nil le titre de ἑρμηνεία. C'est le terme général désignant un ouvrage exégétique qui suit le texte biblique, quand il ne s'agit pas de notes brèves [2]. Ce titre est commun à Grégoire et à Nil ; Nil écrit en effet un *commentaire* suivi et développé sur le texte du *Cantique des cantiques* [3].

b. But de l'ouvrage.

Le Prologue contient une affirmation sur le but personnel que se propose l'auteur : « voulant garder pour moi, comme souvenir pour me charmer (πρὸς τέρψιν ὑπόμνημα) dans la vieillesse, s'il est possible d'y arriver, les productions actuelle de [mon] intelligence [...], j'ai entrepris ce travail... » (P. 4, 5-6). De l'aveu même de l'auteur, l'ouvrage n'aurait pas d'autre destination que celle de ses propres archives, jusqu'à sa vieillesse. Il y retrouverait à ce moment son livre, avec le plaisir d'un vieillard qui replonge dans un agréable souvenir d'antan ; ὑπόμνημα a bien ici le sens concret de « souvenir ». Sans doute est-ce aussi un témoignage d'humilité, non dépourvu de rhétori-

---

1. Cf. P. 3, 32-33 : τὴν εἰς τὰ πολλοῖς ἤδη πεπονημένα ἐξήγησιν.
2. Elles sont appelées σχολία quand elles sont d'un unique auteur, comme chez Évagre, et ἐκλογαι quand elles viennent d'auteurs divers comme dans le titre de l'*Épitomé* de Procope sur le *Cantique*.
3. Dans le P. 3, 32.34 et 4, 3, Nil désigne son ouvrage par le mot λόγος, terme général, dépourvu de connotation particulière.

que, de la part d'un auteur qui minimise la portée d'un ouvrage considérable. En effet, le mot ὑπόμνημα désigne aussi une œuvre constituée de brèves notes explicatives, comme l'ensemble des scholies d'Aristarque sur Homère ou, pour Clément d'Alexandrie, les « notes » dont sont constitués les *Stromates*[1]. Mais l'expression πρὸς τέρψιν ὑπόμνημα, replacée dans son contexte doit être aussi chargée d'un sens plus riche. Elle rappelle surtout une phrase du *Phèdre* (276d), où Socrate évoque la force d'un écrit qui cherche à rendre la vérité. le mouvement d'une pensée : « quand il lui arrive d'écrire, c'est un trésor de remémoration (ὑπομνήματα) qu'ainsi il se constitue, et à lui-même en cas qu'il arrive à l'oublieuse vieillesse[2]... » La transposition au singulier et la suppression de la notion de thésaurisation doit aussi être portée au compte de la modestie du moine auteur qui lui préfère le « charme » de la lecture de la Bible[3]. Il a trouvé dans sa tâche le plaisir qui vient de la parole de Dieu, celui de la recherche aussi, exercice spirituel qui mène le moine à l'ὁμιλία θεοῦ[4], la conversation avec Dieu, et à la contemplation. Nil sait pouvoir y parvenir grâce au *Cantique*, « parce que la pensée contenue dans ce livre entraîne facilement l'assentiment du lecteur » (P. 2, 10-11). Par crainte d'incapacité sénile à se maintenir dans l'état de contemplation, il désire conserver son ouvrage pour retrouver, quand le « refroidissement de l'âge » aura atteint ses capacités (P. 4, 9), la chaleur de la grâce et de l'amour divins.

c. Les destinataires.

L'auteur ne dit mot de l'existence d'autres lecteurs éventuels. Il est pourtant probable qu'il ne s'est pas atta-

1. Cf. n. 4 p. 121.
2. *CUF*, p. 91.
3. Cf. *supra*, p. 28-29.
4. Cf. *Pauvr. vol.* 997B.

ché à un tel travail sans la sollicitation ou la recherche d'un public. On ne peut faire fond que sur la prétérition du Prologue pour obtenir une indication : le livre ne s'adresse pas à ceux qui pensent qu'il s'agit d'un texte érotique. Au contraire, l'ouvrage peut intéresser ceux qui, comme Nil, ont été « séduits par l'attrait du texte » et « persuadés de servir la sainteté de la contemplation » (P. 2, 11-12). Il s'agit au premier chef des moines qui vivaient dans son entourage et qui, comme lui, avaient une bonne connaissance de la Bible. Les nombreuses allusions à la vie monastique leur sont destinées : l'éloge du silence et de la patience (25), l'humilité opposée à la vaine gloire (26), la recherche de la pureté (33), des vertus (37), la défiance à l'égard de la fausse contemplation (39), l'éloge du détachement (41), de la frugalité (43), etc. Les importants rappels du but de leur combat s'adressent aussi aux moines : la recherche de la perfection (59), le rappel de la citoyenneté d'en-haut et l'élévation de l'âme au sommet de la contemplation (70). Sans doute parce qu'il s'adresse à des moines, l'auteur met en valeur, à travers les images de la passion et de la résurrection du Christ, davantage la symbolique de la purification pascale et de l'union virginale que celle de l'initiation baptismale et de l'agrégation à l'Église. On peut aussi imaginer que Nil, qui a beaucoup écrit sur le rôle du maître spirituel des moines [1], se pose ici en didascale de novices : le texte, dit-il, « ressemble à une femme qui utilise la beauté comme artifice pour instruire les jeunes gens » (P. 1, 13-14). Ces lecteurs appartiennent en outre à une communauté dont la foi a été récemment ébranlée par les controverses de l'arianisme, c'est pourquoi la divinité de la nature humaine du Christ se trouve au centre du *Commentaire*. Nous avons vu quels troubles s'étaient produits à Ancyre une génération plus tôt. Il était donc bien nécessaire de confirmer, preuves à l'appui,

1. Cf. *Disc. asc.* 748C-772C.

l'orthodoxie de la foi et de la spiritualité communautaires. Et Nil pouvait espérer que le charme exercé par l'épouse sur l'âme des lecteurs réfute le doute que l'hérésie avait introduit en elle. Il fallait montrer à la communauté à quelles conditions étaient accessibles les « biens promis » : sur le modèle de l'épouse dans l'assurance de la foi et par un juste jugement de ce qui s'est passé (31, 48-50). Ainsi, les moines pourront habiter la « maison de Dieu » que construisent les sages et les miséricordieux. Ils seront remplis de bonne odeur, à l'abri des pluies des tentations (37, 8). En s'adressant à ce public précis, Nil fait du *Cantique des cantiques* un texte monastique et de son *Commentaire* une sorte de « somme » de la vie spirituelle.

d. Composition.

L'œuvre s'organise autour de deux thèmes centraux : la recherche de la contemplation et l'affirmation de la divinité du Christ dans les événements de sa passion et de sa résurrection. Un ouvrage qui suit ligne à ligne le texte biblique ne répond pas à une argumentation logique. Nil préfère soumettre aux incitations métaphoriques du *Cantique* une pensée souple, qui épouse les entrelacs du texte. La composition de l'ensemble témoigne cependant d'un souci littéraire patent. D'un passage à l'autre, l'auteur ménage des transitions : ce sont quelques lignes récapitulatives qui introduisent le verset suivant[1]. Ailleurs, il rappelle brièvement ce qui précède[2] ; ailleurs encore, la reprise d'un mot, dont le thème est développé, suffit à servir de lien.

Les thèmes s'entrecroisent et se chevauchent, annoncés sur le mode mineur et peu à peu dominants. Ainsi, l'idée que l'âme du Christ a épousé son corps apparaît pour la

1. 12, 10-13 ; 28, 33-37 ; 32, 12-15.
2. 16, 1-4 ; 18, 1-3 ; 29, 1-6.

première fois à propos du cellier (11, 14-16), quand l'image de la conversion de la prostituée est encore dominante. Progressivement, elle prend de l'ampleur et le rapport s'inverse. Dans le commentaire du verset 1, 16c — « notre couche est ombragée » (36) —, le thème principal est celui de l'union dans le Christ du corps humain et de « la forme divine de la divinité » (36, 21-25). Le rappel de l'ancienne noirceur de l'épouse se réduit à une brève expression (36, 11).

Le *Commentaire sur le Cantique des cantiques* de Nil d'Ancyre est une véritable œuvre littéraire, écrite et composée dans le but de soumettre l'âme du lecteur à l'attrait exercé par le Cantique et aussi d'entraîner son esprit en lui montrant toutes les implications d'un texte charmant et difficile.

5. Analyse de l'ouvrage.

a. Le tissu narratif [1].

Lorsqu'il récrit le *Cantique des cantiques*, Nil conserve au texte son allure dramatique en préservant les dialogues entre les personnages. En même temps, il leur confère une certaine densité psychologique. De théâtral, le texte devient donc narratif, presque romanesque, puisqu'il ménage une certaine forme d'introspection chez l'épouse,

1. Nous avons choisi de ne présenter ici que la première partie du *Commentaire* nilien. Non seulement la seconde partie n'apporte que peu d'éléments nouveaux pour le sens, mais elle est aussi globalement moins bien construite, comme si la puissance évocatrice de l'auteur peinait devant les redites du texte biblique et la gageure d'un commentaire exhaustif. Cela pourrait-il expliquer que son texte ait aussi défié la persévérance des scribes ? Nous tâcherons néanmoins, sur le modèle de Nil, de braver la difficulté en présentant dans la notice du second volume une analyse succincte du contenu.

des interactions entre les personnages, et même plusieurs rebondissements de l'action. L'idée originale de Nil consiste à avoir vu dans l'épouse, non la jeune vierge pure qui se prépare à un mariage royal, mais la prostituée adonnée aux doctrines païennes et refusant la connaissance. En s'appuyant sur *Nah.* 3, 4, *Os.* 2, 21 et *Is.* 23, 16, textes qui ne sont pas habituellement cités pour commenter le *Cantique*, il le lit comme l'histoire d'amour de cette prostituée qui se convertit et change de vie. Elle doit lutter avec elle-même, faire face à son impatience de prostituée qui veut réussir son union sans attente ni difficulté. Ce tissu narratif confère à l'œuvre de Nil une dynamique en accord avec sa conception de l'Écriture, dans l'actualité et le vécu de la parole de Dieu. Il est possible de lire les développements niliens de la première partie du *Commentaire* en les regroupant sous quatorze grandes étapes thématiques, qui correspondent aux épisodes de l'aventure sentimentale et spirituelle de l'épouse, signalés dans la traduction par des sous-titres en italiques.

La grâce de sa danse et la qualité de son chant font que l'époux remarque la prostituée, prête à se donner à lui dès qu'elle reçoit les gages du mariage. Au moment des premiers baisers, elle renonce à la prostitution et rêve la présence nocturne de l'amant (1-5).

L'épouse reçoit pour la première fois la vraie nourriture du lait des Écritures et perçoit la bonne odeur de la contemplation qui émane du nom de l'époux, diffusée dans toute l'histoire du salut. Elle s'élance à la poursuite de l'époux (6-9).

Devenue digne d'entrer dans le cellier, elle est initiée aux mystères divins ; elle fait participer ses amies à sa nouvelle condition lors du bain nuptial et, par la pénitence sous les tentures de Salomon, se rend digne de l'union. Pourtant les marques de son ancienne vie n'ont pas encore disparu de son visage : la vie au soleil, dans la fréquentation des idoles, l'a noirci. Sa réelle beauté qui suscite la jalousie des femmes de la Synagogue, resplendira à l'abri du cellier de Dieu (10-14).

Elle se lance à la recherche de celui qu'elle n'a fait qu'entrevoir, guidée par l'appel du larron vers le repos illuminateur du crucifié. Par maladresse ou inexpérience, elle risquerait de rater sa recherche, de se perdre au milieu des troupeaux, si le Père de l'époux ne venait la guider, en lui montrant comment l'imiter pour trouver le lieu où il repose (15-21).

Progressant en vertu par ses actions, elles devient, comme la monture du Verbe, apte à lutter contre la force du mal et des hérésies et orne son cou de la parure des vertus dans l'humilité (22-26).

Quand elle reçoit des amis de l'époux de faux joyaux qui lui donnent une image de la vérité, elle s'emporte contre eux. Car dans les tribulations de la passion du Verbe, elle trouve un avant-goût de la résurrection et non, comme les autres témoins de la mort du Christ, le doute et le refus de sa divinité (27-32).

Devenue parfaite, elle garde sa paisible conviction qu'il est Dieu et ils échangent de mutuels compliments sur leur beauté (33-36).

Ses compagnons sont maintenant les bâtisseurs qui, par la solidité de leur foi et la sainteté de leurs actions, construisent la maison de Dieu et transforment le paysage : au milieu des vallons aplanis, l'épouse se dresse et fleurit, lis splendide, encore entourée des épines des fausses doctrines (37-41).

L'épouse et l'époux s'adressent, dans le jardin délicieux, de mutuels éloges où elle soupçonne la divinité cachée du Christ, comme la saveur de la pomme émane de l'enveloppe du fruit. Toute à sa jouissance, elle est capable d'anticiper la qualité du vin dans celle de la grappe. Aussi devient-elle maîtresse des lieux dans la maison du vin : les taxes sont établies à son nom et selon ses revenus. La

découverte de la divinité de l'amant au-delà des apparences
de la passion la fait défaillir, mais l'époux la réconforte et
son enlacement l'apaise (42-48).

Mais voilà qu'il a disparu. Rien n'est acquis encore.
L'absence de l'aimé accroît l'intensité de son désir. Elle
l'entend, l'appelle ; les bonds des pensées sur les montagnes des prophéties lui ramènent l'époux (49-54).

Pourtant sa présence reste voilée derrière le mur qui le
cache. Elle sait qu'il est toujours là et l'aperçoit derrière
les fenêtres grillagées de la maison. A travers la proclamation apostolique, qui brise le mur de la loi, elle veut garder
l'assurance de sa divinité. L'épouse peut s'abriter près de
lui, dont elle entend le doux appel (55-61).

La sérénité de l'âme-épouse séduit le Christ et il la guide
vers le pâturage lumineux de l'unique alliance. Au
moment où se dissipent les ombres, l'incarnation du Verbe
témoigne de l'éclat des réalités célestes. Par sa résurrection, en effet, le Christ a anéanti l'ombre des vallées de
l'Hadès. Pourtant, bien qu'il s'abaisse dans son incarnation, l'épouse ne l'a pas encore saisi. Une dernière fois, elle
part anxieusement à sa recherche dans la ville. Persévé-
rante dans les vertus, elle l'atteint enfin et l'entraîne dans
la maison de sa mère (62-69).

Peu à peu, elle a abandonné les préoccupations d'ici-bas
pour se rendre semblable à Dieu : la poussière d'ici-bas,
elle la transforme en poudre de parfumeur dont la fumée
odorante l'élève vers Dieu. Mais soudain, le Christ est
assailli en pleine nuit par les hérétiques, tellement voués
aux choses terrestres qu'ils nient sa divinité dans son
corps. Elle est brutalement rappelée à sa vigilance.
Heureusement, soixante forts veillent avec elle, armés pour
le protéger et le défendre (70-72).

Leur victoire autorise sa glorieuse reconnaissance
comme Dieu grâce à la proclamation de Paul et l'époux
s'avance dans sa somptueuse litière. Tous les éléments
luxueux de ce véhicule d'apparat trouvent leur cohérence

dans l'amour dont ils sont le témoignage. Alors, on peut appeler les nations à participer aux noces. Car l'épouse a engagé sa foi en dot et l'époux lui donne en gage son amour des hommes. Sa mère, la Synagogue, qui a couronné le Christ d'épines au jour de ses noces, est délaissée. Il s'est tourné vers les nations; elles l'ont accueilli parce qu'elles l'attendaient (73-79).

La seconde partie mène le Verbe au triomphe de l'ascension « sur les montagnes des aromates » (*Cant.* 8, 14). L'épouse participe à ce triomphe par la bonne odeur qu'elle a acquise dès cette vie « avec ceux qui combattent les passions et luttent en vue du prix de l'appel d'en-haut ».

L'histoire de la conversion de l'épouse constitue la trame du récit. C'est elle le personnage central. Autour d'elle évoluent les autres acteurs qui participent à son aventure. A la recherche de l'époux, elle entraîne les jeunes filles, ses amies. Elle s'emporte contre les amis de l'époux qui ne lui procurent que de fausses consolations. Le drame se noue sur la toile de fond des femmes de la Synagogue, présentes, comme un chœur antique, pour empêcher l'héroïne de parvenir à ses fins, en se moquant d'elle, en essayant de l'entraîner dans leur refus ou en la retenant. L'époux joue le rôle du protagoniste. Sa personnalité est stéréotypée. C'est le Verbe, Fils de Dieu. Mais il se dresse à l'avant-scène, constamment présent, cloué sur la croix de sa passion et dévoilant dans sa résurrection la réalité de sa nature divine.

b. Le symbolisme nilien.

Sur cette trame romanesque, l'auteur plaque, comme en surimpression, l'élucidation des symboles qu'il lit dans le texte. Parce qu'il est parole de Dieu et contient toute la révélation, le *Cantique* offre une très grande richesse symbolique : on peut donc le lire à différents niveaux. Les

différentes « grilles de lecture » se superposent et se
croisent, comme si leur enchevêtrement même devait
préserver l'unité de l'ensemble. L'idée de la polysémie
biblique garantit la diversité symbolique. Mais en même
temps, la Bible est univoque et le *Cantique* prophétise
l'histoire du salut par l'incarnation. Aussi ne faut-il pas
partir des images symboliques pour atteindre le sens, mais
plutôt suivre la démarche indiquée par l'auteur : le
Cantique des cantiques « est semblable à une femme [...]
animée en son for intérieur de sentiments tout à fait
opposés à son allure apparente. [...] Elle utilise la beauté
comme artifice pour instruire les jeunes gens à la chasteté
et prend l'allure de la première pour dispenser la seconde »
(P. 1). Aussi bien, dans ce texte immédiatement métaphorique, les idées qui prennent corps dans les images sont
premières ; les images ne sont que la forme de l'artifice
(P. 1, 13).

Les ensembles symboliques qui se dégagent du commentaire dépendent étroitement de la conception du texte
biblique et des procédés exégétiques utilisés par l'auteur.
Prophétique (1, 16), le *Cantique* récapitule l'annonce de la
venue du Christ, jusqu'à son incarnation, sa passion et sa
résurrection. Par sa présence humaine sur la terre, le
Christ a révélé à tous sa divinité dans les miracles :
« L'odeur des parfums de l'époux, ce sont aussi les
miracles du Seigneur devant lesquels ceux qui jouissaient
alors de ses bienfaits, après en avoir été effrayés, en
admiraient l'opérateur et sa puissance » (6, 22-25). A ce
moment la foi est aisée, puisque « les juifs ingrats et les
démons eux-mêmes au comble de la malice perdent
contenance devant Dieu en personne et reconnaissent le
Fils de Dieu » (29, 35-37) dans les miracles. En fait, ils
sont contraints à la foi par les miracles (29, 32-33). C'est
l'idée dominante du début du commentaire, dont le décor
est planté par le verset 1, 6b : « parce que le soleil m'a
méprisée. » Le Christ est sur la croix ; l'obscurité se fait.

L'époux détourne la tête de la « Synagogue ingrate » pour se tourner vers le larron. Son appel offre le coussin d'apparat sur lequel reposera la tête du mort (15, 31-33). Pour tous, c'est l'heure de l'épreuve et du doute, car il est difficile de croire dans l'épreuve de la passion (29, 18-24). Les Juifs ont renié le Christ et même les apôtres ont douté (29, 35-39; 31, 25-28). Croire dans les tribulations, « c'est le fait d'un tout petit nombre, ou peut-être de la seule âme parfaite » (29, 27-28). Pourtant, sa mort n'est que « semblant de mort » (28, 16-17). Le Christ ne fait qu'endormir « la puissance inactive de sa divinité » (29, 17) avant sa résurrection. Alors paraît la gloire du Fils de Dieu, « exaltée au-dessus des cieux » (*Ps.* 8, 2; 31, 62-63). Et les souffrances se muent en joie (*Act.* 5, 41; 31, 74-75). Labourées par le soc de la croix (40, 8-9), les terres étrangères deviennent fécondes et fleurissent. Les nations ont entendu l'appel et, à travers le Fils, verront le Père (45, 17-21). La venue du Christ marque la rupture entre la loi ancienne et la nouvelle. Sa condescendance, dans son humanité (66, 37-41) est la condition du salut des hommes, des nations qui ont « émigré » de Galaad (*Cant.* 4, 1), parce qu'il les a choisies pour son peuple (79, 22-31). Le sens global de la prophétie est collectif et concerne l'Église.

Puisque le *Cantique* est aussi un texte « mystique » (1, 10), il dit encore comment l'épouse passe de l'ignorance à l'union à Dieu par le Verbe dans la contemplation. Tel est le sens de l'histoire de la conversion de la prostituée. Sa quête est spirituelle. A défaut de pouvoir contempler immédiatement l'époux, elle trouve une première satisfaction dans la contemplation de la beauté de la création (3, 16-19). Cette recherche est lente et difficile; il existe un risque de confusion avec celle des païens, car les enseignements des païens sont bons, quoique dépourvus de vertu nourricière, malgré leur belle ordonnance (6, 1-11). Or l'épouse s'est appliquée à garder leurs doctrines (16, 18-19). Elle a donc besoin du guide divin qui la reprend, en

quelque sorte, dans son errance, en lui donnant une
méthode : d'abord contempler Dieu dans la création et
dans les créatures — comme David qui « considérait la
création comme un livre de contemplation » (20, 21) —,
avant de parvenir à se connaître elle-même, c'est-à-dire à
reconnaître en elle l'image divine (21, 19-21). C'est
pourquoi, « maintenant qu'il est possible de jouir de la
divinité même » (29, 5-6), elle réprimande les amis de
l'époux de vouloir la consoler avec des faux-semblants (29,
5). Elle possède dans son discernement et son jugement
droit (32, 13 ; 34, 13) la certitude qu'il est Dieu. L'image
qui traduit son changement de vie de la façon la plus
expressive est celle de la fumée. Prostituée adonnée au
culte des idoles païennes, elle est d'abord noircie et
presque aveuglée dans les miasmes des sacrifices (13, 7-10).
Et puis elle se détache des préoccupations charnelles et
terrestres, devient insouciante et droite comme le lis des
champs (41, 17-20), pour s'élever vers Dieu. Comme une
colonne de fumée, elle monte du désert, telle un parfum
qui brûle (70, 1-10) ; sa conduite sublime et céleste fait
d'elle « la poussière des pieds de Dieu » (*Nah.* 1, 3 ; 70,
35).

Dans cette perspective, le texte prend à la fois un sens
individuel et collectif. L'âme qui progresse dans la vertu
par la patience, le calme, l'insouciance et l'humilité
représente avant tout celle du moine qui aspire à la
contemplation et cherche à y parvenir par les techniques et
les exercices proprement monastiques. Mais l'épouse est
aussi l'Église qui doit maintenir, contre les assauts des
hérétiques, la rectitude de la foi. Au contraire des Juifs qui
ont refusé la divinité du Christ, l'Église prend les
prophètes, « les maîtres, pour disciples à cause de la
sainteté de leur vie et de l'exactitude de leurs doctrines »
(38, 15-16). Dans le désarroi qui envahit les témoins de la
passion, les hérétiques « ont été contraints de supposer que
[le Christ] était purement homme » (31, 56-57). Seule

l'Église sait que, sous la forme de l'esclave, le Christ possède la condition divine dans sa pureté (36, 21). C'est pourquoi avec les forts qui entourent la couche de Salomon — le corps du Seigneur —, il faut se battre contre les hérétiques (72, 20-26). Il faut veiller, l'épée au côté à cause des peurs nocturnes : leurs attaques sont parfois subreptices (72, 29). Et « le petit troupeau de l'Église est dans une grande sécurité, protégée qu'elle est par les forts d'Israël portant l'épée » (72, 58-60). Ils assurent à tous la reconnaissance du Christ comme κυριακὸς ἄνθρωπος.

Dans un contexte aussi riche de significations, presque tous les mots du texte biblique prennent à leur tour une valeur symbolique. Chaque idée s'exprime à travers une grande diversité d'images. Illustrant les explications multiples, elles contribuent à l'impression d'abondance qui se dégage de l'œuvre. L'âme ou l'Église, personnage bien typé dans la prostituée qui se convertit, c'est l'épouse, la jument du Verbe et la fumée odorante de Dieu. Les bijoux lui sont aussi attribués. Le Christ au contraire, dont la personnalité d'époux est plus figée, offre la plus grande richesse symbolique. Presque tous les « accessoires » du texte sont des attributs divins ou christiques : non seulement il est Salomon, mais aussi les seins, les parfums, le soleil, la vigne, la grappe et le vin, le pommier et la pomme, le lit de repos du roi. L'épouse est le lis qui resplendit au milieu des « pensées creuses » de ceux qui n'ont « pas bien formé en eux le Christ » (39, 15-16). L'époux est la fleur jaillie de la racine de Jessé dans les nations. Leurs sillons ont été fertilisés par le sang qui a suinté de son flanc lors de la passion (40, 16-17).

L'Église est évidemment la maison des époux (37 ; 38), audacieusement bâtie à l'aide de textes pauliniens : la « charpente prophétique » (38, 4) de l'Ancien Testament repose sur les « colonnes de la foi » (*I Tim.* 3, 15 ; 37, 11-12). Les poutres des braves et des sages de l'Église (37,

3.21) — les saints — abritent les occupants des pluies des tentations (37, 8-9). Une des images les plus hardies concerne la litière de Salomon (*Cant.* 3, 9-10; 73-76). Plutôt qu'un doublet de la maison de Dieu, Nil y voit Paul en personne, lui qui a supporté toutes les vicissitudes et qui a « d'un pied léger parcouru la terre pour le zèle de la proclamation » (73, 14-15). De même que la proclamation de Paul est rendue cohérente par l'amour (*I Cor.* 13, 2-3 : « ... si je n'ai pas l'amour, cela ne me sert à rien »), de même tout l'équipement de la litière, montants, dossier et pavement, tient ensemble grâce à l'amour (75).

Ni les audaces, ni les hyperboles du texte ne gênent l'auteur. Il semble presque les rechercher et s'y complaire. Le relief, la couleur et l'exubérance de son commentaire s'y épanouissent dans l'ampleur mouvementée d'une fresque baroque.

CHAPITRE III

THÉOLOGIE ET SPIRITUALITÉ

On trouve dans le texte une seule allusion trinitaire, dans la citation de la formule baptismale de *Matth.* 28, 19, à propos de *Cant.* 7, 11, et seulement trois mentions du Saint-Esprit. Encore la première ressortit-elle au lieu commun : « cet amour, Salomon l'a écrit sous l'inspiration de l'Esprit-Saint » (1, 13), et la seconde est une allusion exégétique et liturgique à la Pentecôte à travers le chandelier à sept branches : « la puissance aux sept lumières de l'Esprit » (57, 27). La troisième occurrence se lit dans l'explication de *Cant.* 8, 5d où Nil écrit : « Il appelle mère le Saint-Esprit qui engendre les baptisés [...]. En effet Dieu imite une mère quand elle engendre et câline. » Ces remarques sont accompagnées de citations scripturaires faisant image, en particulier *Deut.* 32, 11. L'auteur ne fournit alors aucun commentaire théologique et d'ailleurs l'Esprit-Saint est absent de la doxologie finale du *Commentaire*. Les quelques autres passages où il est question de Dieu le considèrent comme le Père et le créateur : « ils ont refusé la parenté du vrai père » (16, 13-14), « tu gouvernes le monde entier comme un grand troupeau. En te cherchant dans la création... » (18, 8-9). Au centre de l'œuvre se trouve le Verbe de Dieu, le Fils, le Christ, qui donne lieu à une véritable réflexion théologique. Ce fait peut certainement confirmer la période que nous avons avancée pour la rédaction de l'ouvrage : au tournant des IVe et Ve siècles, c'est bien la christologie qui est l'objet principal des controverses théologiques et du magistère de l'Église. Il faut lire notre *Commentaire* dans ce contexte.

1. La christologie.

Le Verbe de Dieu réside dans le sein du Père où il est
inconnaissable (7, 9 ; 32, 4). Mais comme le parfum qui se
répand (*Cant.* 1, 3b ; 7, 10-11), le nard odorant (*Cant.* 1,
12b ; 29, 12-14) et la pomme qui réconforte (*Cant.* 2, 3a.d ;
43, 18-22), il se fait connaître hors du Père. Nil utilise les
« images kénotiques » inaugurées par Origène [1], et les
développe en insistant sur les notions d'abaissement aux
faiblesses humaines (29, 42) par condescendance divine
(66, 40), Celle-ci se manifeste dans la venue du Verbe (8,
3.7 ; 59, 40), sa visitation (8, 7), annoncée dans l'Ancien
Testament par des prophéties [2]. Pour ceux qui les
comprennent, elles trouvent leur réalisation la plus claire [3]
dans l'incarnation [4] où se révèle la présence du Verbe [5].
Car le Verbe-Fils de Dieu (28, 30 ; 29, 37) qui s'est
incarné dans le Christ, par la généalogie qui correspond à
« l'économie selon la chair » (77, 34), est issu d'une
génération impassible (τὴν ἀπαθῆ γέννησιν, 8, 13), dont
témoigne sa naissance virginale (28, 8 ; 54, 13-14), où
s'accomplit l'union de Dieu avec les hommes (8, 15). Pour
Nil, sa divinité est toujours caractérisée par la puissance de
son action (6, 24), qui s'exprime en particulier par les
miracles (56, 8-9), signes de sa nature divine (7, 11-12 ; 59,
47 ; 58, 21-22). Mais dans le Christ, le Verbe de Dieu
assume la condition humaine, avec un corps et une âme où
il habite (35, 1-4 ; 36, 7-9) : il s'incarne dans le corps de la
bien-aimée (63, 6), assume notre chair, où il unit la dignité
divine à l'infériorité humaine (32, 6-12). Les mentions du

1. Cf. n. 1 p. 141, 4 p. 143, 1 p. 200, 2 p. 205.
2. Cf 8, 12-21 ; 54, 12-21 ; 57, 9-30.
3. Ἔκϐασις, 15, 41 ; 18, 3 ; 22, 7 ; 45, 13 ; 54 ; 5.
4. Ἐνανθρώπησις, 8, 9 ; 10, 7 ; 15, 49 ; 32, 5 ; 35, 1 ; 54, 5 ; 56, 2.
5. Παρουσία, 8, 3 ; 15, 53 ; 54, 30 ; 66, 28.

corps du Christ, outre les citations scripturaires où les mots apparaissent, sont nombreuses dans notre texte [1]. Toutefois et comme Didyme avant lui, Nil répugne quelque peu à mentionner la chair du Christ, qui lui semble certainement une catégorie trop réductrice, puisque le Christ n'est pas seulement Dieu et chair, mais Dieu et homme. Le *Cantique* contient en effet de multiples images du corps humain du Verbe : ce sont toujours les notions de voile, d'ombre, d'épaisseur matérielle [2] qui empêchent de contempler directement en lui la divinité : « tu possèdes sans mélange la forme divine de la divinité et tu l'ombres de la forme de l'esclave et de la chair comme d'un voile : tu exerces les actions propres à la divinité tout en restant très difficile à connaître à cause de l'enveloppe du corps » (36, 21-25).

Pour Nil le Christ n'est pas « purement homme » (ψιλὸς ἄνθρωπος, 31, 56). L'expression qui paraît traduire le mieux dans notre œuvre sa conception des modalités et du sens de la présence du Verbe dans le Christ est κυριακὸς ἄνθρωπος [3]. Comme l'essentiel de l'outillage linguistique et biblique de Nil quand il s'agit de christologie, elle se trouve chez Didyme, Athanase et aussi surtout dans des textes pseudo-athanasiens qu'il faut sûrement rendre à Marcel d'Ancyre ; elle a été utilisée dans la querelle anti-arienne [4]. Le sens que lui ont donné ses utilisateurs est encore l'objet d'étude et de discussions ; il ressort pourtant des travaux de Grillmeier que l'usage du substantif concret — ἄνθρωπος à la place de ἄνθρωπότης — permet d'affir-

---

1. Σάρξ, 56, 21 ; σῶμα, 29, 17 ; 35, 2 ; 43, 19 ; 44, 4 ; 56, 1 ; 57, 23 ; 63, 6 ; τὸ σῶμα τὸ κυριακόν, 11, 14 ; 71, 3 ; τὸ σῶμα τὸ δεσποτικόν, 31, 84.

2. Cellier, 11, 14 ; couche, 36, 7 ; ombre, 43, 23 ; 65, 6 ; mur, 56, 1.

4. Sur cette expression capitale de la christologie nilienne, voir la note complémentaire.

4. Voir la bibliographie.

mer l'unité dans le Christ du Logos et de l'homme, en la plaçant sous l'éclairage de sa valeur divine ; l'expression entière doit donc être lue dans le contexte doctrinal de la double nature du Christ. Chez Nil, elle affirme avec force l'union dans le Christ de la divinité avec la condition humaine, jusqu'à la mort. Car dans son corps, comme un homme, il est passible et souffre (29, 41-44). Mais son humanité est seigneuriale, parce que la divinité reste cachée sous le corps, comme la bonne odeur de la pomme qu'enveloppe la peau : « elle répandait pourtant son action, habitait dans la chair à l'extérieur du visible et fréquentait le temple parmi les signes » (43, 18-21 et sur *Cant.* 8, 5c-e). En même temps, la divinité le purifie des passions de la condition humaine : il est le rocher sur lequel il n'y a pas de trace de vice (60, 12-13), « foule aux pieds les désirs de jeunesse » (55, 20). Elle affranchit le Christ des tentations du diable : il « passe à travers » les tentations comme un animal qui déchire un piège (58, 21-22). Mais elle reste « puissance inactive » dans la mort : « il a concentré dans son corps la puissance inactive de sa divinité », (29, 16-18). Pour la divinité, celle-ci n'est qu'un « semblant de mort » (8, 17 ; 28, 16-17). Dans le Christ, le Verbe de Dieu possède « sans mélange » (ἀκραιφνής) « la forme divine de la divinité » (36, 21) sur laquelle « la forme de l'esclave » ne fait que porter son ombre. Non seulement son corps cache la divinité (56, 1), mais il voile aussi la révélation, parce qu'il est « une sorte d'ombre de l'avenir » (44, 2-3 ; 65, 6) où seule l'âme parfaite peut entrevoir « la puissance de sa divinité » parce qu'elle anticipe dans la passion et la mort « la vérité et le corps durable » du Christ dans sa résurrection (28, 5-14).

Nil affirme incontestablement la double nature du Christ, mais pas une fois il ne l'écrit explicitement, comme s'il prenait soin de ne pas entrer dans la polémique. Certes un commentaire exégétique n'est ni une œuvre dogmatique, ni un pamphlet antihérétique. Pourtant notre auteur

donne aussi l'impression de manquer d'aisance dans ses
affirmations théologiques : par exemple, l'expression
« semblant de mort » désigne la mort du Christ (28, 21),
sans préciser qu'elle s'applique à sa divinité. Et des images
aussi marquées que le « voile » de la chair ou
l' « enveloppe » du corps (36, 23-25) sont sûrement de
celles qui ont ouvert la voie au monophysisme. Est-ce par
prudence seulement qu'il adopte plusieurs fois la forme
d'antiphrases — « tous ont été trompés [...] et contraints
de supposer que tu étais purement homme » (31, 55-57) —
ou de doubles négations ? L'exemple le plus frappant se
trouve à la fin du §28 pour évoquer l'autonomie de la
puissance du Christ dans sa résurrection : le Père a été
exclu de la faculté de ressusciter du Fils, « car toute
activité du Père et du Fils est commune et telle qu'elle
n'est pas séparée par la substance de leur caractère propre
(τῇ ὑποστάσει τῆς ἰδιότητος), mais unie par la conjonction
de leur nature (τῇ συναφείᾳ τῆς φύσεως). » L'idée manque,
pour le moins, de fermeté. Nil n'est pas très loin
d'affirmer, à cause de τῆς ἰδιότητος une dualité d'hypostases. Mais « hypostase » n'est pas au pluriel et, sur ce
point de doctrine controversé, l'auteur reste très
prudent [1] : par un tour négatif qui nie les extrêmes, il
définit une position intermédiaire. Assurément, il ne
possède pas la maîtrise théologique d'un Athanase ou d'un
Chrysostome.

D'ailleurs, il ne paraît pas se voir lui-même « autour de
la couche de Salomon » « combattant pour le Christ en
paroles et en actes » (72, 20-21). Il donne plutôt l'impres-

---

1. Comme Marcel d'Ancyre, antiarien résolu, il défend la doctrine
de l'âme du Christ, mais il est moins catégorique que lui quand il
s'agit du caractère unique de l'hypostase divine ; cf. M. RICHARD,
« Un opuscule méconnu de Marcel, évêque d'Ancyre », p. 14 : « A
plusieurs reprises, il répète que le Verbe n'était pas distinct par
l'hypostase (ὑποστάσει) de Dieu, que Dieu et le Verbe ne sont pas
deux hypostases ».

sion de considérer objectivement « les actuels défenseurs de l'Église » qui se lancent dans le combat et de se placer du côté de ceux qui, comme lui, préfèrent les affirmations pour jouir avec l'épouse de « la vérité des promesses réservées » (27, 8-9). Leur assurance (15, 52-54) leur rend la lutte dogmatique inutile. Il la porte plus volontiers sur les plans moral et spirituel, puisque seules les âmes pures pourront s'approprier le « Dieu commun » (63, 7-8) qui consiste à « se réclamer d'un seul Dieu et Seigneur » (64, 18), si elles sont capables d'apercevoir dans la révélation la puissance de la divinité (58, 21) et en elles-mêmes le « reflet de la gloire céleste » (15, 60-62).

2. La spiritualité.

Pas une seule fois dans son *Commentaire*, l'auteur ne mentionne explicitement l'appartenance de ses lecteurs au monachisme. On n'y lit pas davantage d'éloge de la virginité. Aussi, malgré la nette influence de la pensée évagrienne sur la spiritualité de Nil et les réalités incontestablement monastiques qui sous-tendent plusieurs développements, il faut considérer que celle-ci concerne la vie et les aspirations de tous les chrétiens.

La vie spirituelle a pour but la saisie de Dieu par l'âme pure (20, 4). Nil connaît la conception évagrienne de la tripartition de l'âme [1], mais il la réduit à deux éléments. La partie irascible (ὁ θυμός) n'est jamais évoquée dans le *Commentaire*. La partie concupiscible (ἡ ἐπιθυμία, 20, 1 ; 70, 44), considérée comme le siège des passions qu'il s'agit de réformer par la pratique des vertus, se trouve ici avant tout à l'origine du désir amoureux. L'intellect (ὁ νοῦς), partie la plus élevée de l'âme, est apte à la connaissance et

---

1. Sur la conception évagrienne de la tripartition de l'âme, cf. *SC* 340, p. 34-36.

à la science (20, 21-22) quand il joue le rôle de « partie directrice » (τὸ ἡγεμονικόν, 16, 4). Alors l'âme rendue parfaite [1] peut accéder à la contemplation (47, 8.11). Tels sont dans notre texte les termes usuels de la progression spirituelle.

En effet l'âme — ψυχή est le mot utilisé le plus souvent sans autre précision [2] — est incapable de saisir Dieu directement, parce que la raison humaine y est impuissante (27, 18-21). De plus elle a été souillée ; la seule explication de la noirceur de l'épouse se lit dans la métaphore de la prostitution autour des autels des dieux païens : « la sombre qualité de l'âme » est « accidentelle » (13, 15-16) ; elle relève donc plutôt de son mode de vie. De même, l'union des saints avec Dieu est davantage apparentée à leur mode de vie qu'à la création (63, 7-9). Il faut par conséquent que l'âme se purifie — c'est la fonction du bain régénérateur (13, 12-15) — et entreprenne de cheminer vers la vertu, par la parole et les actions (2, 24) pour restaurer en elle le reflet de la gloire céleste (15, 60-63). Sa première étape est marquée par la contemplation naturelle (ἡ φυσικὴ θεωρία, 1, 3) quand, à l'imitation des bêtes privées de raison (21, 26), elle est capable « de contempler le créateur » à travers ses créatures (20, 18-19). Elle ne doit pourtant pas s'y arrêter, car ce ne sont là que préliminaires, ni se laisser abuser par la fausse contemplation (18, 15 ; 39, 5-7). Ce serait comme s'abandonner à un amour immature (52, 17) ; celui-ci comporte des risques qu'elle doit savoir éviter au prix de l'ajournement des plaisirs (31, 5-9) en vue de plus hautes jouissances. Dans sa recherche, elle jouit de la parenté des saints (13, 35) et peut fixer sur eux sa conduite par l'imitation de leur mode de vie irréprochable (38, 14-16 ; 61, 35-41). Ils lui apprennent la place éminente qu'occupent dans les progrès

1. P. 3, 27 ; 26, 18 ; 29, 27-28.
2. V. g. 3, 18 ; 7, 4 ; 21, 18.

la volonté (26, 64) et la disposition, car « rien ne peut arriver par droit de naissance sans la disposition » (75, 16-17).

Sa progression passe d'abord, sur le modèle du Christ, par la domination des passions (55, 19-24), qu'inlassablement Nil fustige dans ses œuvres. Comme chez Évagre, c'est le rôle de la « pratique » (21, 18 ; 55, 11) de redresser l'ἐπιθυμία et de purifier la « partie passionnée » de l'âme [1] en combattant les passions (72, 4). Au premier rang d'entre elles se trouve la gourmandise — mais elle n'est mentionnée ici que de façon allusive (25, 5-6) —, à laquelle on peut rattacher « l'épanchement de la funeste sensualité » (79, 17). Nil considère qu'elle entraîne après elles toutes les autres. La gloriole (ἀλαζονεία, 26, 10 ; 62, 12), la vaine gloire (κενοδοξία, 62, 11), et l'orgueil (τὸ μεγάλαυχον, 26, 13) viennent ensuite, parce qu'elles détruisent les œuvres de la vertu et privent leur auteur du bénéfice qu'il aurait pu en escompter (26, 43-44). La paresse (ῥαστώνη, 52, 39 ; 67, 6) et la mollesse (ῥαθυμία, 52, 39 ; 67, 11) occupent un rang plus discret : la vie cénobitique dans les montagnes de Galatie ne devait guère y encourager. Plutôt apparaît-il presque superflu de les mentionner dans un contexte qui disqualifie ceux qui refusent de lutter (52, 37-41). Plus étonnante pour nous, l'absence totale des grandes passions du combat monastique : la haine, la colère, l'injustice, l'avarice, et même l'acédie, sont réservées aux autres œuvres de Nil, comme si la pureté d'intention du lecteur requise ici par l'auteur (P. 3, 14) avait pour unique objet de retrancher « la folie du désir amoureux » (P. 3, 20). D'ailleurs les passions sont plus faciles à dominer lorsqu'elles sont encore petites et faibles que lorsqu'elles ont acquis de la vigueur par la force de l'habitude (62, 16-19). Dans une certaine mesure, Nil prend en compte le corps et les besoins physiques qu'il

---

1. Cf. *Pratique* 78 et la n. ; *Gnostique* 49.

faut satisfaire (48, 6-9). Car si l'âme parvient à dominer les passions, « les actions assignées au but de la vie future » « enserrent les mouvements irraisonnés du corps », dont elle limite les besoins au strict nécessaire (48, 19-24), comme la vie du Christ le lui montre (43, 27-31). Ainsi, les besoins physiques sont-ils contenus à la place qui doit être la leur : rejets et résidus de l'âme parfaite (79, 10-11).

Quand elle a dominé les passions, l'âme est capable de discerner, au-delà du sensible, l'action des puissances ennemies qui s'en prennent à elle (55, 21). Les démons qui se blottissent dans le cœur de l'homme produisent le vice (ἡ κακία) et lui suggèrent la malice (ἡ πονηρία, 55, 19-22). Nul n'en est exempt. Le Christ lui-même a dû lutter contre eux (24, 4). Leur action s'exerce à travers des tentations par lesquelles ils veulent piéger les âmes (58, 13-15) et les endommager (37, 5-7). Le combat victorieux du Christ contre elles est le paradigme de celui de l'âme ; il est le roc qui anéantit pour elle toute trace de malice (60, 22), devant qui les démons perdent contenance (29, 36).

Mais la lutte contre les passions et le mal serait dépourvue de sens si ne lui correspondait, pour l'âme, la recherche des vertus. Celle-ci ne peut se faire dans la facilité. Elle exige au contraire des efforts [1] avec la claire conscience du but recherché quand elle s'y livre délibéré-ment [2]. Nil insiste sur les bénéfices que l'âme tire de la vertu accomplie en raison seulement du bien et du beau [3] : « elle trouve en Dieu son laudateur » (26, 25-26), est « source de joie et de grande satisfaction » qui anticipent le délice (τρυφή) et la jouissance à venir (ἀπόλαυσις, 52, 34-35). Dans le cas contraire, et surtout si ces efforts sont ostentatoires, ils se transforment en châtiment (26, 20 ; 52, 35-36).

1. Πόνος, 2, 29 ; 26, 51 ; 52, 31 ; 67, 18.22.
2. 26, 64 ; 52, 32.
3. 26, 24 ; 67, 35.

La « pratique » s'exprime aussi par le respect de la loi naturelle dans un mode de vie droit, qui prépare l'âme à la connaissance du Verbe véridique (17, 2-10). Car l'imitation « du père céleste » par les vertus permet la contemplation non plus par déduction, mais clairement [1]. La compréhension de la parole céleste dans l'enseignement humain dispose l'âme aux actions vertueuses (43, 31-34). Dans le silence et la patience (25, 27-28), elle s'exerce à l'humilité (26, 1.58) dans l'abstinence [2], en recherchant la discrétion (74, 9-15) et la tranquillité [3]. Elle fait preuve de courage [4] et de constance [5]. L'activité exégétique, parce qu'elle est recherche de la vérité (54, 29-30), relève aussi de l'exercice des vertus dans l'effort de compréhension (49, 6-7) de « l'esprit des paroles » de l'Écriture (54, 22). Nil en parle d'ailleurs dans les mêmes termes [6] et convie son lecteur à entreprendre lui-même la recherche [7], comme Origène et Évagre. Si l'exégète est capable de la poursuivre aussi dans les moments difficiles où le Verbe paraît absent, il arrive alors à l'âme de se réjouir de la seule « représentation de ce qu'elle recherche » (54, 31-32), aiguisant ainsi « sa puissance contemplative et sa faculté de discernement » (55, 7-8). Pratiquant la mortification (72, 4) dans la vigilance (νῆψις διηνεκής, 72, 40), car l'occupation à des réalités corporelles engendre le sommeil de l'âme (72, 66), ses sens sont purifiés (58, 9-10), sans plus se laisser distraire par les réalités corporelles (63, 15). Il faut remarquer la préférence accordée ici par l'auteur à la notion de vigilance de

---

1. 21, 2-3 : οὐκέτι στοχαστικῶς ἀλλ' ἐναργῶς θεωρήσει με.
2. Ἐγκράτεια, 25, 12 ; 70, 20.
3. Ἡσύχως, 25, 17 ; ἡσυχῇ, 25, 27.
4. Ἀνδρεία, 38, 18.
5. Ἐπιμονή, 68, 5.
6. P. 3, 32-33 : τὴν εἰς τὰ πολλοῖς ἤδη πεπονημένα ἐξήγησιν ; P. 4, 6-7 : τοῦτον ἀνεδεξάμην τὸν πόνον.
7. 48, 33-34 : ζητήσει [...] ὁ δυνάμενος.

l'âme, alors qu'il n'est pas question d'impassibilité [1]. La
pratique des vertus permet la contemplation et elles sont
liées entre elles par un lien de causalité plutôt que par la
succession chronologique [2]. Dans notre texte, le couple
sémantique le plus fréquent est θεωρία / πρακτική [3]. Car il
n'y a pas de vie véritablement spirituelle (78, 5.7) sans la
pratique des vertus (20, 7-8) qui permet de restaurer
l'image de Dieu dans l'âme. Contemplation et pratique
sont inséparables l'une de l'autre, comme les parfums et
les pommes, puisque « la contemplation [...] charme par
l'élégance de ses représentations et que la pratique offre la
bonne odeur avec la nourriture » (47, 12). Alors seulement
« l'âme douée de la vue » peut espérer sinon voir Dieu —
comme l'intellect pur contemple le Verbe de Dieu caché
sous le corps (56, 7) —, du moins entrevoir la puissance de
sa divinité (58, 21-22). Après avoir atteint un mode de vie
pur, son détachement à l'égard des choses sensibles (63,
12-15), son insouciance pour la vie matérielle (41, 17-19)
rendent possible la véritable anachorèse, notion qui évite à
l'auteur de reprendre les images traditionnelles de l'envol
de l'âme. Nil en effet interprète l'anachorèse au sens
étymologique comme la « montée du désert [4] », signe de la
vie céleste. Elle se manifeste par un allégement, une perte
de la pesanteur matérielle de l'âme (70, 15-18), à l'opposé
de la densité terrestre du corps. Puisque l'âme s'est déjà
levée « vers des connaissances plus élevées » (59, 9) et
« vers les mystères maintenant manifestes » (59, 21), elle

1. La méfiance de Nil à l'égard de la notion d'ἀπάθεια transparaît
dans un passage du *Disc. asc.* 724D, où il critique « ceux qui ont lutté
pour se changer en la nature des puissances incorporelles par la
pratique constante et unique de l'impassabilité (τῷ τῆς ἀπαθείας
μονοτρόπῳ).
2. Cf. 21, 17-19; 47, 11-12.
3. 21, 17-19; θεωρία / πρᾶξις, 47, 11-12; θεωρητικὴ δύναμις /
πρακτική, 55, 7-11.
4. Ἀναχώρησις = ἡ ἀναβαίνουσα ἀπὸ τῆς ἐρήμου, 70, 1-6.

s'élève maintenant vers le séjour divin (70, 37) par l'anachorèse. Son ascension est rendue possible parce que le Christ, remontant le premier de l'Hadès, en a délivré les âmes en brisant définitivement les portes de la mort (66, 10-18), alors que les anges lèvent celles de son royaume lors de la parousie (66, 27-29).

Ces créatures spirituelles accompagnent l'âme dans son cheminement : grâce aux anges qui guident les créatures, elle a connu « les raisons de la providence » (18, 3-6) ; aidée « par les saintes puissances » et « la foule des justes », elle a soutenu le combat contre les passions (24, 2-7). Avec les anges et les séraphins qui entourent le trône de Dieu (71, 7-13 ; 72, 6-7), elle lutte contre les hérétiques, tout en entretenant la vigilance de sa vie spirituelle (72, 27-48).

Elle sait qu'elle est sur la bonne voie. Sa certitude repose sur la prédication de Paul (73, 1-15) : elle progresse aisément de perfection en perfection (67, 2-3), rapide et silencieuse (74, 8-10), dans l'illumination de la vérité qui permet de trouver Dieu sans délai (67, 40-41). Les termes choisis par Nil, comme les notions destinées à rendre compte de ces réalités de la vie spirituelle la plus intense — τέλειος et non γνωστικός, θεωρία plutôt que γνῶσις —, le rapprochent davantage d'Origène que d'Évagre dans ce contexte du *Cantique* où l'union prime sur la connaissance. La contemplation, désir de pensée pure (54, 33), est figurée par le repos dans « le lieu de Dieu » (19, 6) ou le séjour des saints dans la maison de Dieu (37, 20-23 ; 55, 1-5). Ainsi pour l'auteur, la recherche de l'âme-épouse du *Cantique* ne connaît pas véritablement d'aboutissement, mais vaut pour elle-même dans la tension qui la guide sur la voie du progrès dans la perfection dont la réalisation est eschatologique, « au jour de la rétribution » (8, 23), jour des noces de l'âme avec le Verbe qui est « l'attente des peuples » (προσδοκία τῶν ἐθνῶν, 77, 40-41). Rendue à l'illumination de « l'image », quand l'âme renvoie le reflet de la gloire céleste (15, 61-62), elle contemple en elle son

« archétype » (21, 21), « car ceux qui pensent que les réalités corporelles sont ombre et les spirituelles vérité dans l'ombre, perçoivent la douceur de la pomme, lorsqu'ils contemplent, comme dans un miroir qui reflète les réalités sensibles, la gloire du fruit des intelligibles » (43, 43-46). Nil n'exprime pas autrement cet état ultime vers lequel tend l'âme parfaite. De fait sa progression n'a rien changé à l'incapacité innée de la raison humaine à exprimer le plaisir de l'amour (50, 10-14). La connaissance de Dieu s'efface devant la contemplation et jusqu'au terme de sa progression spirituelle, la connaissance à laquelle accède l'âme reste incertaine et fuyante[1]. Puisque « l'union est apparentée davantage au mode de vie qu'à la création » (63, 10-12), il faut faire l'expérience de l'amour (50, 12-13). Dans tous les cas l'action prime sur la parole, et notre auteur rejoint là une certaine tradition d'apophatisme : l'honneur des vertus brille en secret (ἐν ἀπορρήτῳ, 74, 2) et l'âme se tait devant le Verbe ; seule compte l'expérience silencieuse de l'amour.

Néanmoins, il est une occasion où ce silence doit être rompu : l'âme parvenue à la contemplation des réalités spirituelles ne doit pas taire sa connaissance de « biens profitables à la plupart » (78, 9-10). Sur ce point, Nil se sépare très nettement de ses prédécesseurs alexandrins, en particulier Clément et Évagre qui pensaient qu'il fallait réserver l'enseignement des « vérités les plus hautes » au petit nombre de ceux « qui se sont suffisamment purifiés pour les recevoir[2] ». Notre *Commentaire* affirme avec force que cet enseignement doit « édifier les auditeurs », répétant à trois reprises (78, 12-17) qu'il n'établit entre eux aucune discrimination.

---

1. « Si elle est capable de connaître le mystère de l'ascension, » écrit Nil dans le dernier § de son *Commentaire*.

2. Sur ce point de pédagogie souvent évoqué à propos de l'enseignement de Clément, d'Origène et d'Évagre, voir en dernier lieu : *Gnostique*, SC 356, p. 37-39.

Dans son *Commentaire sur le Cantique des cantiques*, Nil expose une doctrine spirituelle tout à fait élaborée. On voit aussi combien il s'éloigne de la rigueur systématique des conceptions évagriennes : la distinction entre les trois « parties » de l'âme perd sa pertinence quand une unique ψυχή figure l'épouse du Verbe; devant la notion de contemplation, celle de gnose s'estompe, sans disparaître complètement (8, 12), au profit de la πρακτική dont la contemplation demeure le but. Mais l'équilibre entre elles est rompu. La pratique devient l'essentiel, et l'on devine qu'elle peut concentrer tous les soins et savoir-faire monastiques. La place que l'auteur accorde au Christ, Verbe de Dieu incarné, en est en partie responsable. Il est à la fois celui qui légitime et garantit les promesses que Dieu a faites dans l'ancienne alliance et le modèle parfait et achevé de vie vertueuse. La notion de perfection par la pratique des vertus prend donc le pas sur la connaissance et la sagesse pour assurer la sainteté dans la contemplation. Par exemple dans notre texte, Abraham, « homme parfait dans son comportement [1] » prend la place qu'occupait Moïse « le gnostique » chez Clément [2] comme modèle du saint. Des *Homélies sur le Cantique* de Grégoire de Nysse, Nil garde surtout l'idée que l'âme, loin d'atteindre dans la perfection un état statique, ne cesse d'être tendue vers elle de façon dynamique. C'est peut-être par cette recherche de la vie vertueuse parfaite que la spiritualité nilienne prend un caractère plus humain, abandonnant les schémas très intellectualisés des premiers Alexandrins et d'Évagre qui accordaient plus d'importance « aux conditions de la création ».

---

1. 52, 24 et aussi 42, 18; 48, 28-29; 68, 17.
2. *Stromate* IV, 74, 4.

CHAPITRE IV

LE TEXTE

1. Les manuscrits.

C : *Cantab. Trin. Coll. O. I. 54*, xe s., parch., 137 ×
180 mm, ff. 1-79, 29 lignes, Il manque 2 ff. entre 43^v et
44^r ; 3 ff. entre 45^v et 46^r, 1 f. entre 47^v et 48^r et 2 ff. entre
53^v et 54^r.

Le *Commentaire sur le Cantique des cantiques* occupe
les ff. 1^v-79^v. Le f. 1^r comporte 11 l. d'un commentaire sur
Prov. 1, 7, qui sont la fin d'un commentaire qu'on lit dans
le ms. qui porte le numéro suivant : *Cantab. Trin. Coll.
O. I. 55*.

Le texte commence par le Prologue de Nil, sans nom
d'auteur. Il s'agit ensuite d'une chaîne à trois auteurs, dont
les noms, absents du titre, sont souvent cités dans la marge
de droite sous forme abrégée. Jusqu'à l'explication de
Cant 5, 2, les trois auteurs cités après le lemme biblique
sont dans l'ordre : Nil (Νει-), Théodoret (Θε-), Grégoire
(Γρη-). Mais à part un bref extrait de la première homélie
sur le titre du *Cantique*, le commentaire de Grégoire ne
commence vraiment qu'avec *Cant.* 1, 6c, pour s'achever
avec *Cant.* 5, 1 (le commentaire de la quinzième et
dernière homélie s'arrête à *Cant.* 6, 9). Sur *Cant.* 3, 1-4, on
trouve le groupement : Nil, Théodoret, Origène (Ωριγ-),
Cyrille (Κυ-). A partir de *Cant.* 5, 2, Origène est présent
une fois sur deux ou trois, après le groupe Nil —
Théodoret, jusqu'à la fin, *Cant.* 8, 13-14. Le dernier
passage de Nil cité se termine par une brève doxologie.

C'est l'unique ms. qui nous livre la totalité du _Commentaire_ de Nil.

Les lemmes bibliques, passés à l'enduit jaune, sont copiés en petites onciales avant chaque groupe de textes. Ce manuscrit privilégie évidemment le texte attribué à Nil, puisqu'il occupe toujours la première place après le lemme, souvent sans nom d'auteur, mais sa place vaut pour une signature. Les textes cités sont longs, alors que ceux des deux autres auteurs représentent une rédaction très résumée de leur commentaire, ramené le plus souvent à 6/10 l.

Le copiste n'est pas allé à la ligne pour séparer les textes. S'il n'a pas ajouté entre eux ἕτερος δέ ou ἄλλος δέ, il a parfois laissé un blanc de 3 ou 4 lettres dans la ligne. A la même hauteur, on peut trouver dans la marge, soit une paragraphos, soit le nom de l'auteur.

Oxon. gr. Auct. E. II. 8.

Manuscrit composite, légué à la bibliothèque Bodléienne en cinq volumes (aujourd'hui reliés en un seul), par H. Savile en 1620. Les pages 1-168 sont une copie de **C**, du XVIe s. Il comporte les mêmes lacunes que son modèle et n'apporte aucun élément utile à l'établissement du texte.

V : *Ven. Marc. gr. 22*, XIIIe s., parch., 180 × 232 mm, ff. II. 290, 26/37 l., recueil exégétique. Chaîne sur le *Cantique* ff. 112^r-203^v (les ff. 120-127 sont vierges d'écriture et correspondent à des lacunes du texte qui n'ont jamais été complétées).

Le livre comporte deux notes de possesseur. On lit f. 285^v : βιβλίον κυρίου Ἰω. Κωνστάντη καὶ ἰατροῦ. Il est devenu ensuite la propriété de Jean Chrysoloras, dont on lit le nom aux ff. 1^v et 289^v, sous la forme : Ἰωάννου τοῦ

Χρυσολωρᾶ [1]. Il porte enfin l'*ex libris* de Bessarion [2] en grec et en latin.

Les ff. 112^r-203^v contiennent une chaîne à deux auteurs sur le *Cantique des cantiques*, à pleine page.

Le texte commence par le même prologue que **C**, attribué à Nil. Après le lemme biblique, une ligne ou plusieurs versets selon les cas, le premier auteur cité est Grégoire de Nysse. Le scribe va à la ligne à chaque changement d'auteur et attribue le texte suivant à Nil. Il n'y a pas d'extrait anonyme. Le nom des auteurs est signalé en marge, au niveau de la première ligne du texte, sous la forme Γρη- ou Νει-. Un seul extrait est attribué à Chrysostome ; il faut le rendre à Grégoire. Le texte des *Homélies sur le Cantique* de Grégoire est intégral, y compris les doxologies finales. Le début de chaque homélie est pourvu de son numéro, inscrit en marge. **Le commentaire de Nil s'arrête au f. 203^v, avec l'explication de *Cant. 4. 1*,** suivi d'un épilogue d'une demi-page, de style tardif, greffé sur les premiers mots de la doxologie qu'on lit dans **C**. Puis le scribe a continué de copier seulement le commentaire de Grégoire (suite de l'homélie VII), en gardant la disposition : lemme suivi du commentaire. L'homélie VII s'achève au f. 211^r. Les homélies VIII à XV occupent la suite, jusqu'au f. 277^v. Les marges comportent, de la main du copiste, quelques variantes concernant

---

1. Il s'agit vraisemblablement du petit-fils de Manuel Chrysoloras (1350-1415), le premier byzantin à avoir organisé des cours de grec en Italie et l'auteur d'une grammaire grecque, voir G. CAMMELLI, *I dotti bizantini e le origini dell'Umanesimo, I. Manuele Crisolora*, Florence 1941. Jean Chrysoloras devint le beau-père de Filelfe (1398-1481), humaniste et helléniste italien, amateur de manuscrits.

2. Cf. L. MOHLER, *Kardinal Bessarion als Theologe, Humanist und Staatsmann*, Paderborn 1923-1942, 3 vol. ; L. LABOWSKY, *Bessarion's library and the Biblioteca Marciana. Six early inventories*, Rome 1979, p. 147-189.

le texte de Grégoire. C'est le ms. **V** de l'édition des
Homélies sur le Cantique de Grégoire par H. Langerbeck
(voir p. xlvi-xlvii et stemma p. xxxviii).

R : *Vat. gr. 2129*, après 1480, pap., 215 × 290 mm, p. 701,
2 col. 30 l., recueil exégétique, hagiographique et théologique. Chaîne sur le *Cantique*, p. 225-327 (nombreuses
erreurs dans la numérotation des pages ; il y en a 710 en
tout).

Il s'agit d'un manuscrit de papier occidental à pliure *in
folio*. Onze filigranes différents signalent des papiers de
fabrication italienne, datables de 1453 à 1480-1482. Les
pages de notre texte sont surmontées d'un *titre courant*,
d'usage tardif, à gauche : ᾆσμα, et à droite : ᾀσμάτων. Le
manuscrit porte plusieurs notes de possesseurs. On lit
deux fois p. 16 : Μάρκου Μαμουνᾶ, et d'une main plus
récente : τὸ νῦν δ' εἶναι Γεωργίου κόμητος Κορινθίου. Le
même nom se retrouve p. 17 et 701 deux fois.

Le texte copié p. 225-327 débute par le même prologue,
mis sous le nom de Nil, que **C** et **V**, après quoi alternent,
succédant aux lemmes, numérotés de α' à μγ', soit 1 à 43,
l'explication de Grégoire et le commentaire de Nil. Le
copiste va toujours à la ligne pour séparer les extraits
revenant à chaque auteur, avec une tendance à attribuer au
précédent la première phrase du suivant. Un extrait
anonyme est désigné par ἄλλως, quelques textes mis sous
le nom de Grégoire ne lui appartiennent pas. Un passage
est attribué à Chrysostome. Le nom des auteurs est
indiqué dans la ligne, à la fin de l'extrait précédent, sous la
forme Γρηγορίου, Νείλου , ou à la suite du lemme biblique.
Assez souvent, il est en outre ajouté en marge au début de
l'extrait, sous la forme Γρη- ou Νειλ-. **Les péricopes
niliennes sont identiques à celles de V et prennent fin aussi
après l'explication de Cant. 4, 1, suivie du même
épilogue.** Les passages de Grégoire représentent une
version quelque peu résumée du texte des *homélies* : une

page de l'édition Langerbeck, trois ou quatre dans les deux derniers tiers du texte sont ramenées à deux ou trois colonnes. D'autre part, les passages qui sont cités dans **V** après la péricope nilienne le sont ici avant. L'homélie VII est inachevée p. 327. Après un quaternion vierge, on lit les homélies VI (répétée) et XII de Grégoire, p. 337-369. **V** et **R** correspondent donc à deux branches distinctes d'une même famille de manuscrits, comme le montre la place de *Vat. gr. 2129* dans le stemma de Langerbeck, p. XXXVIII.

Oxon. Bodl. Holkh. gr. 35, XVIe s., pap., 127 × 187 mm, ff. II-168.

Manuscrit composite, dont les ff 30r-45v donnent un texte très proche du manuscrit **R** : il contient le Prologue et les § 1-14 du commentaire de Nil. Les fautes y sont innombrables. Ce fragment est dénué d'intérêt pour l'établissement du texte.

Monac. gr. 84, XVIe s., pap., 240 × 340 mm.

Les ff. 1-73v offrent la même chaîne que **R** : Grégoire et Nil (ff. 1-56r), les homélies VI et XII de Grégoire ensuite (ff. 57v-73v). Il s'agit d'une copie de **R**, comme l'avait déjà remarqué Sovič (voir « Animadversiones », p. 47 et Langerbeck, p. XXIV et stemma p. XXXVIII). Il n'a donc pas été utilisé pour établir le texte.

L : *Lond. Univ. Coll. Ogden 30* (anc. *Phillipps 6756*), XVIIe s., pap., ff. 334.

Ce manuscrit a été étudié par R. Browning [1]. Il a été copié dans la première moitié du XVIIe s., sans doute par un savant du Collège de Clermont. Il contient un corpus

---

1. R. BROWNING, « Le commentaire de S. Nil d'Ancyre sur le Cantique des cantiques ».

d'œuvres attribuées à Nil. Le *Commentaire sur le Cantique* occupe les ff. 69^r-88^r. Le texte de Nil y est copié seul, après les lemmes bibliques : il ne s'agit pas d'une copie du commentaire nilien en tradition directe. C'est l'entreprise d'un philologue qui a voulu éditer ou étudier le texte [1]. Jusqu'à *Cant.* 4, 1, ce manuscrit livre un commentaire tout à fait semblable à celui de **R**, dont il ne diverge que dans quelques cas. La seconde partie (*Cant.* 4, 2 — 8, 14) est une copie des passages mis sous le nom de Nil dans l'*Épitomé* de Procope, sans doute principalement à partir du *Paris. gr. 154*[2]. L'épilogue présent dans **V** et **R** a été recopié tout à fait à la fin du texte. Ce manuscrit, témoin du travail d'un de nos prédécesseurs, n'apporte malheureusement rien d'important pour l'établissement du texte, à part quelques corrections, voir p. 96.

2. Le commentaire de Nil.

Nous profitons de la rupture dans la tradition manuscrite (**V** et **R**) du commentaire de Nil après l'explication de *Cant.* 4, 1 pour présenter en deux volumes le texte ainsi partagé en deux parties de longueur à peu près égale.

Dans les deux manuscrits **V** et **R**, il est facile de délimiter par élimination les textes qui ne sont pas de Grégoire. Tous deux commencent par le Prologue de Nil. Tous les fragments qui ne sont pas mis sous le nom de Grégoire dans **R** (sauf celui attribué à Chrysostome) ont les mêmes *incipit* et *desinit* que ceux qui sont mis sous le nom de Nil dans **V**. Les deux manuscrits s'achèvent avec le

---

1. Nos collations nous ont confirmé les remarques de M. Harl; voir le programme du séminaire 1969-1970 de patristique grecque de la Sorbonne dans *REAug.* 16 (1970), p. 402-404. Elles sont aussi reprises par H. U. Rosenbaum dans son article, p. 206.

2. Cf. Rosenbaum, *art. cit.*, p. 94.

commentaire nilien de *Cant.* 4, 1, suivi de l'épilogue plus tardif. Si maintenant on compare les textes de Nil dans **V** et **R** à ceux qui suivent les lemmes bibliques dans **C**, on a aussi l'assurance qu'il s'agit du même texte. Tous les *incipit* sont semblables dans tous les cas. Six fois seulement **C** a une fin différente de **V** et **R** : il abrège ou supprime la fin d'un développement composé de citations scripturaires[1]. Le texte de **C**, qui appartient à une autre tradition caténique que celle de **VR**, confirme les attributions niliennes des deux autres manuscrits sans aucun doute possible (cf. p. 15). Par ailleurs le contenu nilien de **VR** et **C** est tout à fait homogène. Bien qu'ils appartiennent à deux groupes caténiques différents, ces trois manuscrits révèlent une tradition cohérente du texte qui nous intéresse. Aucun ne l'a récrit ou modifié. Seul **C** a voulu parfois raccourcir les exégèses de Nil. Il a utilisé pour ce faire deux procédés facilement identifiables :

— dans de nombreux cas, il a ôté ce qui lui paraissait redondant, les adverbes : 3, 22 σαφῶς R : om. C, et les redites : 11, 10 εἰκότως — ἀγαπᾶς R : om. C ‖ 15, 48-49 εὐχόμενοι ἔλεγον VR : om. C ‖ 16, 9 οὔσης περιμαχήτου VR : om. C ;

— il a surtout supprimé un grand nombre de citations scripturaires : 21, 7-9 = *Éphés.* 4, 32 + *Matth.* 5, 48 ; 37, 1-3 = *I Tim.* 3, 15. Certaines sont résumées ou évoquées de manière allusive : 31, 30-33 τῇ — ῥομφαία VR : καὶ συμεὼν διελεύσεται διὰ τῆς παρθένου φησί C ‖ 31, 74-75 ὅτι — ὁρῶν VR : ἐν τῷ ὑπὲρ τοῦ σταυρωθέντος ἀξιωθῆναι μαστιγοῦσθαι C. En d'autres lieux, le mot initial est simplement suivi de καὶ ἑξῆς (19, 12-13 ; 50, 20-21).

Ces divergences de détail n'affectent pas le contenu. Nous pouvons donc affirmer, à la suite de Faulhaber et

1. *Com. Cant.* 24 ; 40 ; 41 ; 48 ; 65 ; 72.

Sovič, que nous sommes en possession de l'intégralité du commentaire de Nil. Les manuscrits n'ont omis ni les transitions qui introduisent le verset suivant (v. g. §1 ; 12 ; 28), ni les rappels de ce qui précède (v. g. §6 ; 10 ; 41). Les manuscrits **V** et **R** présentent donc un type particulier de chaîne qui transmet, en les faisant alterner, les commentaires intégraux de deux auteurs, comme une sorte de synopsis. Le traitement très inégal réservé aux trois auteurs dans **C** (Nil : complet, Théodoret et Grégoire très résumés) correspond à un genre différent de préoccupation : le désir de conserver un texte, en citant pour mémoire deux parallèles. Ce manuscrit est très proche de la tradition directe de Nil : il est en effet remarquable que, malgré la disposition compacte du texte, il ne présente aucune erreur d'attribution, comme cela se produit souvent dans les chaînes, par suite du déplacement du nom de l'auteur dans la marge. Cela sera confirmé par la notice consacrée à l'étude du manuscrit de Gênes (**G** = *Genuens. Bibl. Durazzo-Giustiniani A. I. 10*) dans le second volume. **C** offre en effet pour Nil un texte pratiquement identique à **G**, unique manuscrit malheureusement partiel de la tradition directe[1].

Le manuscrit de Cambridge (**C**) représente donc une source de première valeur pour l'établissement de notre texte, puisqu'à la différence de **V** et **R**, il transmet le commentaire nilien jusqu'à la fin du *Cantique des cantiques* et que, de plus, à la place de l'épilogue tardif qu'on lit dans **VR**, il s'achève par une simple doxologie.

3. L'édition
du *Commentaire sur le Cantique des cantiques*.

La valeur de **C** comme témoin du *Commentaire* de Nil ne réside pas seulement dans le fait qu'il transmet tout le

1. Cf n. 3 p. 10.

texte. Bien qu'il le raccourcisse quelque peu, il est le seul
témoin de rares passages qui ont été omis dans **VR** :

1, 16-19 προφητικοῖς — ἆσμα C : om. VR (saut du même
  au même) ;
28, 10 αὕτη — μνηστευθήσεται C : om. VR (citation
  scripturaire).

Très souvent, il est aussi le seul à fournir la bonne leçon
là où **V** et **R** sont fautifs :

15, 58 σκιατραφία C : σκιογραφία VR ;
17, 13 ἐνστρεφομένη C : ἐντρεφ- VR ;
28, 29 καθ' ὑπεξαίρεσιν C : οὐ καθ' ὕφεσιν VR ;
29, 2 μιμήμασι C : μνήμασι VR ;
34, 12 ἰσορροπεῖν C : ἰσορρεπῆ VR.

Comme on peut s'y attendre puisqu'ils remontent à une
tradition commune, **V** et **R** s'accordent pour le contenu du
texte :

31, 15-16 τῶν ἀνθρώπων VR : om. C ;
32, 2 ἐπισκεπτέον VR : σκεπτέον C ;
37, 13-14 εὐώδης — κυπάρισσος VR : om. C (il peut s'agir
  aussi d'une glose).

Toutefois on lit dans **R** de très nombreuses fautes
propres qui ne se trouvent pas dans les deux autres :

41, 16 ἀταλαίπωρον CV : ταλαίπωρον R ;
42, 13 ἐκθέσθαι CV : ἐκθέσεως R ;
44, 8-9 ἀπολαύουσα CV : ἀποβάλλουσα R.

Dans quelques cas plus rares, **R** conserve avec **C** la
bonne leçon, là où **V** est fautif :

25, 1 λεαίνειν CR : λεαίνει V ;
27, 11 αὐτοὺς CR : αὐτὰς V.

En dehors des omissions où il faut se référer à **V** et **R**, **C** est le meilleur témoin de la première partie de notre *Commentaire*. Sa valeur est confirmée par l'accord de **V**. Mais lorsque **V** est fautif, il arrive un peu exceptionnelle-ment que **R** conserve avec **C** le texte original. Nous jugeons donc que **C** représente le meilleur moyen d'approcher l'original de ce *Commentaire*.

P : L'*Épitomé* de Procope.

Le texte que nous éditons offre un texte environ trois fois plus développé et complet que les extraits niliens de l'*Épitomé* de Procope qui les récrit en les résumant. Le choix des passages qui reviennent à Nil dans cette chaîne réduit chaque péricope à une exégèse simple là où notre texte offre une explication complexe ; en particulier, tous les passages où il est question des hérésies ont été supprimés. Nous l'avons lu dans le *Paris. gr. 153* (XIIᵉ s. ; = **P**) et comparé au texte édité par Mai. Nos collations de ces extraits n'apportent qu'une seule fois des éléments susceptibles d'enrichir le texte de la présente édition. Il s'agit de l'explication de *Cant.* 4, 1, où **C** est lacunaire, le texte que nous éditons à ce moment est issu de **P**, alors que nous avons renoncé partout ailleurs à faire figurer les leçons de cette chaîne dans notre apparat critique, de façon à ne pas l'alourdir inutilement. Le plus souvent les textes de **P** et de Mai concordent avec **C**.

En six lieux, les corrections que nous proposons se retrouvent dans **L**. Nous l'avons signalé[1]. L'ordre des mots diffère assez souvent entre **C** et **VR**. Dans la mesure du possible, nous avons là aussi préféré la tradition représentée par **C**, de même qu'en ce qui concerne l'orthographe.

Notre présentation du texte suit la disposition de **C** qui place devant chaque péricope du commentaire nilien le

---

1. 6, 4 ; 7, 5 ; 40, 22 ; 55, 26 ; 57, 20 ; 72, 68.

lemme biblique qui lui correspond. Mais lorsque les explications s'articulent en différents développements, soit qu'ils présentent plusieurs interprétations, soit qu'ils expliquent successivement les différentes lignes du texte biblique, nous avons découpé ces grandes unités en paragraphes numérotés, de façon à faciliter les repérages textuels.

Les notes qui accompagnent la traduction sont orientées dans deux directions : elles signalent des textes parallèles dans les œuvres de Nil, les commentaires sur le Cantique d'Origène et de Grégoire de Nysse[1] ; elles suggèrent d'autre part des sources possibles chez ses contemporains et prédécesseurs. Nous avons moins visé à commenter un texte encore presqu'inconnu, qu'à ouvrir des voies de recherche à propos d'un auteur peu étudié.

On trouvera en outre à la fin de ce volume trois notes complémentaires :

— remarques sur la langue et le style du *Commentaire* ;
— l'expression κυριακὸς ἄνθρωπος ;
— remarques sur l'arithmologie.

---

1. Pour Origène, nous renvoyons sans autre précision aux trois volumes publiés dans *SC*, en indiquant en chiffres romains le numéro de l'homélie ou du livre, suivie du numéro du §. Pour Grégoire, nous donnons le numéro de l'homélie en chiffres romains, suivi du numéro de la page et de la ligne de l'éd. Langerbeck, *GNO* VI.

BIBLIOGRAPHIE [1]

Abréviations :

BA   Bible d'Alexandrie, Paris; *BA* 1 = Genèse, *BA* 2 = Exode, *BA* 3 = Lévitique, *BA* 5 = Deutéronome.

DACL   Dictionnaire d'Archéologie chrétienne et de Liturgie, Paris.

DB   Dictionnaire de la Bible, Paris.

DOP   Dumbarton Oaks Papers, Cambridge, Mass.

DSP   Dictionnaire de Spiritualité, Paris.

Fragm. der Vorsokratiker   *Die Fragmente der Vorsokratiker*, éd. H. Diels et W. Kranz, Berlin 1951[6].

GCS   Die griechischen christlichen Schriftsteller, Leipzig-Berlin.

GNO   Gregorii Nysseni Opera, curavit W. Jaeger, Leiden.

JbAC   Jahrbuch für Antike und Christentum, Münster.

LJS   A Greek-English Lexicon, de Liddel, Scott, Jones, Oxford 1968[9].

LXX   Septuaginta, éd. Ralhfs, Stuttgart 1965.

MSR   Mélanges de Sciences Religieuses, Lille.

PG   Patrologia graeca, de Migne, Paris.

PGL   A Patristic Greek Lexicon, de G. W. H. Lampe, 4e impr., Oxford 1976.

REAug   Revue des Études Augustiniennes, Paris.

REB   Revue des Études Byzantines, Paris.

REG   Revue des Études Grecques, Paris.

RHE   Revue d'Histoire Ecclésiastique, Louvain.

RSPT   Revue des Sciences Philosophiques et Théologiques, Paris.

1. Nous renvoyons à la bibliographie générale de Nil d'Ancyre, à jour en 1980, *DSp s.v.* « Nil d'Ancyre ». Nous signalons ici en priorité les ouvrages et articles auxquels nous renvoyons dans les notes, ainsi que les travaux sur Nil parus depuis 1980.

SC   Sources Chrétiennes, Paris.

SVF   Stoicorum Veterum Fragmenta, éd. H. von Arnim,
            Leipzig 1903.

TU   Texte und Untersuchungen zur Geschichte der altchrist-
            lichen Literatur, Leipzig-Berlin.

TWNT   Theologisches Wörterbuch zum Neuen Testament (Kit-
            tel-Friedrich), Stuttgart.

ZKG   Zeitschrift für Kirchengeschichte, Stuttgart.

ZNTW   Zeitschrift für die neutestamentliche Wissenschaft und
            die Kunde der älteren, Giessen.

I. Œuvres de Nil d'Ancyre :

Récit = *Narratio*, F. Conca (éd.), Lepzig 1983.

Com. Cant. 1-79 = Εἰς τὸ ἆσμα τῶν ἀσμάτων ἑρμηνεία.

Ep. I-IV = 'Επιστολῶν βιβλία Δ, *PG* 79, 81A-581B;

Disc. sur Alb. = Εἰς 'Αλβιανὸν λόγος, *PG* 79, 696A-712A;

Disc. asc. = Λόγος ἀσκητικός *PG* 79, 720A-809D;

Périst. = Πρὸς 'Αγάθιον μονάζοντα *PG* 79, 812A-968B;

Pauvr. vol. = Περὶ ἀκτημοσύνης, *PG* 79, 968C-1060D;

Sup. des moines = Διαφέρουσι τῶν ἐν πόλεσιν ᾠκισμένων οἱ ἐν
ἐρήμοις ἡσυχάζοντες, *PG* 79, 1061A-1093C;

Serm. sur Lc 22, 36 = Λόγος εἰς τὸ ῥητὸν τοῦ Εὐαγγελίου τὸ
φάσκον · « νῦν ὁ ἔχων βαλάντιον... », *PG* 79, 1264B-1280A.

II. Principaux textes patristiques cités :

Astérius le Sophiste, *Hom. sur les Psaumes* = Astérius le
Sophiste, *Commentariorum in Psalmos quae supersunt,
accedunt aliquod homiliae anonymae*, éd. M. Richard, Oslo
1956, 1962, repris dans Βιβλιοθήκη τῶν 'Ελλήνων Πατέρων,
t. 37-38; Athènes 1968.

Athanase, *Contr. Païens* = Athanase, *Contre les Païens*, éd.
P. T. Camelot, *SC* 18 bis, Paris 1977.

Athanase, *Sur l'incarn.* = Athanase, *Sur l'incarnation du
Verbe*, éd. C. Kannengiesser, *SC* 199, Paris 1973.

Athanase, *Vie d'Antoine* = Athanase, *Vie d'Antoine*, éd. G. J.
M. Bartelink, *SC* 400, Paris 1994.

Chaîne palestinienne = *La chaîne palestinienne sur le Psaume
118*, éd. M. Harl et G. Dorival, *SC* 189-190, Paris 1972.

CHRYSOSTOME, *Catéch. bapt.* = JEAN CHRYSOSTOME, *Huit catéchèses baptismales*, éd. A. Wenger, SC 50 bis, Paris 1970 ; = JEAN CHRYSOSTOME, *Trois catéchèses baptismales*, éd. A. Piédagnel et L. Doutreleau, SC 366, Paris 1990.

CHRYSOSTOME, *Sur l'incompréhensibilité de Dieu*, éd. J. Daniélou, A.-M. Malingrey, R. Flacelière, SC 28 bis, Paris 1970.

CHRYSOSTOME, *Virg.* = JEAN CHRYSOSTOME, *La virginité*, éd. H. Musurillo et B. Grillet, SC 125, Paris 1966.

CLÉMENT D'ALEXANDRIE, *Stromates*, éd. Stählin, GCS 15 (1939), 17, 3-102 (1909).

CLÉMENT D'ALEXANDRIE, *Stromate I*, éd. C. Mondésert et M. Caster, SC 30, Paris 1951 ; *Stromate V*, éd. A. Le Boulluec, SC 279-280, Paris 1981.

CLÉMENT D'ALEXANDRIE, *Extr. de Théod.* = CLÉMENT D'ALEXANDRIE, *Extraits de Théodote*, éd. F. Sagnard, SC 23, Paris 1970[2].

CYRILLE, *Catéch. myst.* = CYRILLE DE JÉRUSALEM, *Catéchèses mystagogiques*, éd. A. Piédagnel, P. Paris, SC 126, Paris 1966.

CYRILLE, *Catéch. bapt.* = CYRILLE DE JÉRUSALEM, *Catéchèses baptismales*, éd. W. C. Reischl et J. Rupp, Hildesheim 1967, repris dans Βιβλιοθηκὴ τῶν Ἑλλήνων Πατέρων, t. 39, p. 48-246, Athènes 1969.

DIDYME, *Sur Zach.* = DIDYME L'AVEUGLE, *Sur Zacharie*, éd. L. Doutreleau, SC 83-85, Paris 1962.

DIDYME, *Sur l'Eccl.* = DIDYME L'AVEUGLE, *Kommentar zum Ecclesiastes*, éd. G. Binder et L. Liesenborghs, Cologne 1965, Bonn 1979, repris dans Βιβλιοθηκὴ τῶν Ἑλλήνων Πατέρων, t. 47, Athènes 1973, t. 50, Athènes 1983.

DIDYME, *Sur la Gen.* = DIDYME L'AVEUGLE, *Sur la Genèse*, éd. P. Nautin et L. Doutreleau, t. 1, SC 233, Paris 1976, t. 2, SC 244, Paris 1978.

DIDYME, *Saint-Esprit* = DIDYME L'AVEUGLE, *Traité du Saint-Esprit*, éd. L. Doutreleau, SC 386, Paris 1992.

EUSÈBE, *Prép. év.* = EUSÈBE DE CÉSARÉE, *La Préparation évangélique I*, éd. J. Sirinelli, E. des Places, SC 206, Paris 1974 ; II-III, éd. E. des Places, SC 228, Paris 1976 ; IV-V, 17, éd. O. Zink, E. des Places, SC 262, Paris 1979 ; V, 18-VI, éd. E. des Places, SC 266, Paris 1980 ; VII, éd. G. Schroeder, E. des Places, SC 215, Paris 1975 ; VIII-X, éd. G. Schroeder, E. des Places, SC 369, Paris 1991 ; XI, éd. G. Favrelle, E. des Places, SC 292, Paris 1982 ; XII-XIII, éd. E. des Places, SC

307, Paris 1983; XIV-XV, éd. E. des Places, *SC* 338, Paris 1987.

ÉVAGRE, *Gnostique* = ÉVAGRE, *Le Gnostique*; éd. A. et C. Guillaumont, *SC* 356, Paris 1989.

ÉVAGRE, *Pratique* = ÉVAGRE, *Traité pratique ou le moine*, éd. A. et C. Guillaumont, *SC* 170-171, Paris 1971.

ÉVAGRE, *Prière* = ÉVAGRE, Περὶ Εὐχῆς, PG 79, 1165A-1200C.

ÉVAGRE, *Schol. Prov.* = ÉVAGRE, *Scholies aux Proverbes*, éd. P. Géhin, *SC* 340, Paris 1987.

ÉVAGRE, *Schol. Eccl.* = ÉVAGRE, *Scholies à l'Ecclésiaste*, éd. P. Géhin, *SC* 398, Paris 1993.

ÉVAGRE, *Des diverses mauvaises pensées*, *PG* 79, 1200D-1233A.

GRÉGOIRE, *De la virg.* = GRÉGOIRE DE NYSSE, *Traité de la virginité*, éd. M. Aubineau, *SC* 119, Paris 1966.

GRÉGOIRE, *In Cant. Or.* I-XV = GRÉGOIRE DE NYSSE, *In Canticum canticorum*, éd. H. Langerbeck, *GNO* VI, 1960.

GRÉGOIRE DE NAZIANZE, *Disc. théol.* = GRÉGOIRE DE NAZIANZE, *Discours 27-31 (Discours théologiques)*, éd. P. Gallay, M. Jourjon, *SC* 250, Paris 1978.

Histoire Acéphale et index syriaque des Lettres festales d'Athanase d'Alexandrie, éd. A. Martin et M. Albert, *SC* 317, Paris 1985.

Hom. pasc. = HÉSYCHIUS DE JÉRUSALEM, BASILE DE SÉLEUCIE, JEAN DE BÉRYTE, PSEUDO-CHRYSOSTOME, LÉONCE DE CONSTANTINOPLE, *Homélies pascales*, éd. M. Aubineau, *SC* 187, Paris 1972.

ORIGÈNE, *ComCant.* = ORIGÈNE, *Commentaire sur le Cantique des cantiques*, éd. L. Brésard, H. Crouzel, M. Borret, *SC* 375-376, Paris 1991-1992.

ORIGÈNE, *HomCant.* = ORIGÈNE, *Homélies sur le Cantique des cantiques*, éd. O. Rousseau, *SC* 37 bis, Paris 1966[2].

ORIGÈNE, *HomEx.* = ORIGÈNE, *Homélies sur l'Exode*, éd. M. Borret, *SC* 321, Paris 1985.

ORIGÈNE, *HomGen.* = ORIGÈNE, *Homélies sur la Genèse*, éd. H. de Lubac, L. Doutreleau, *SC* 7 bis, Paris 1985[3].

ORIGÈNE, *HomLev.* = ORIGÈNE, *Homélies sur le Lévitique*, éd. M. Borret, *SC* 286-287, Paris 1981.

ORIGÈNE, *HomNum.* = ORIGÈNE, *Homélies sur les Nombres*, trad. A. Méhat, *SC* 29, Paris, 1951; (texte latin dans *GCS* 30, éd. W. A. Baehrens, 1921).

ORIGÈNE, *P. Arch.* = ORIGÈNE, *Traité des principes*, éd. H. Crouzel, M. Simonetti, *SC* 252-253 (1978); 268-269, Paris 1980.

ORIGÈNE, *CCels.* = ORIGÈNE, *Contre Celse*, éd. M. Borret, *SC* 132, Paris 1967; 136, Paris 1968; 147, 150, Paris 1969.

ORIGÈNE, *ComJoh.* = ORIGÈNE, *Commentaire sur S. Jean*, éd. C. Blanc, *SC* 120, Paris 1966; 157 (1970); 222 (1975); 290 (1982); 385 (1992).

ORIGÈNE, *ComMatth.* = ORIGÈNE, *Commentaire sur l'Évangile selon Matthieu*, éd. R. Girod, livres X-XI, *SC* 162, Paris 1970 (texte latin dans *GCS* 38, 1-299 (1933), et grec dans *GCS* 40, 1-703 (1935), éd. E. Klostermann).

PHILON DE CARPASIA, *ComCant.* = PHILON DE CARPASIA, *Enarratio in Canticum canticorum*, *PG* 40, 27-154.

PHILON DE CARPASIA, *Commento* = PHILON DE CARPASIA, *Commento al Cantico dei cantici nell'antica versione latina di Epifanio Scolastico*, éd. A. Ceresa-Gastaldo, Turin 1979.

PHILON D'ALEXANDRIE, ses œuvres sont citées d'après les abréviations adoptées par la collection des *Œuvres de Philon*, sous la direction de R. Arnaldez, C. Mondésert, J. Pouilloux.

PROCOPE = PROCOPE DE GAZA, *Épitomé sur le Cantique*, *PG* 87, 2, 1545-1774 (cf. MAI).

III. LIVRES ET ARTICLES.

BARTHÉLEMY (D), « Origène et le texte de l'Ancien Testament », *Études d'histoire du texte de l'Ancien Testament*, Fribourg 1978, p. 203-217.

BROWNING (R), « Le Commentaire de S. Nil d'Ancyre sur le Cantique des cantiques », *REB* 24 (1966), p. 107-114.

CAMERON (A.), « The authenticity of the Letters of St Nilus of Ancyra », *Greek, Roman and Byzantine Studies*, vol. 17 (1976), p. 181-196.

CANIVET (P.), *Le monachisme syrien selon Théodoret de Cyr*, Paris 1977.

CHAPPUZEAU (G), « Die Exegese von Hohelied 1, 2ab und 7 bei den Kirchenvätern von Hippolyt bis Bernard. Ein Beitrag zum Verständmis von Allegorie und Analogie », *JbAC* 18 (1975), p. 90-143.

CONCA (F), « Le « Narrationes » di Nilo e il romanzo greco », *Studi bizantini e neogreci*, Atti del IV congresso nazionale di studi bizantini, P. L. Leone (éd.), Lecce 1983, p. 349-360.

CONCA (F), « Osservazioni sullo stile di Nilo Ancirano », *XVI Internationaler Byzantinistenkongress, Akten, 4 Teil, Verlag des Österreichen Akademie der Wissenschaften*, Vienne 1982, p. 217-225.

DANIÉLOU, *Théologie du judéo-christianisme*, Tournay 1991[2].

DANIÉLOU, *Message évangélique* = DANIÉLOU (J.), *Message évangélique et culture hellénistique aux IIe et IIIe siècles*, Tournay 1991[2].

DANIÉLOU (J), *Les anges et leur mission*, Tournay 1990[3].

DANIÉLOU, *La colombe et la ténèbre* = DANIÉLOU (J.), *La colombe et la ténèbre, textes extraits des « Homélies sur le Cantique des cantiques » de Grégoire de Nysse*, trad. de M. Canévet, choix, introduction et notes de J. Daniélou, Paris 1967.

DANIÉLOU, *Testimonia* = DANIÉLOU (J.), *Études d'exégèse judéo-chrétienne (les Testimonia)*, Paris 1966.

DANIÉLOU, *Symboles chrétiens primitifs* = DANIÉLOU (J.), *Les symboles chrétiens primitifs*, Paris, 1961.

DANIÉLOU, *Sacramentum Futuri* = DANIÉLOU (J.), *Sacramentum Futuri. Études sur les origines de la typologie biblique*, Paris 1950.

DASSMANN (E.), *Ecclesia vel anima. Die Kirche und ihre Glieder in der Hohelied Erklärung bei Hippolyt, Origenes und Ambrosius von Mailand*, Rome 1966.

DEVREESSE (R), *Les anciens commentateurs grecs des Psaumes*, Studi e testi 264, Rome 1970.

DEVREESSE, « Chaînes » = DEVREESSE (R.), art. « Chaînes exégétiques grecques », *DBsup.*, t. 1, c. 1158-1161, 1163, 1171, 1202.

DURAND (G.-M. de), « Sa génération, qui la racontera? (Is. 53, 8b), l'exégèse des Pères », *RSPT* 53 (1969), p. 638-657.

DUVAL (Y), *Auprès des saints, corps et âme. L'inhumation « ad sanctos » dans la chrétienté d'Orient et d'Occident du IIIe au VIIIe s.*, Paris 1988.

FAULHABER = FAULHABER (M), *Hohelied, Proverbien und Prediger Catenen, Theologische Studien der Leo-Gesellschaft*, 4, Vienne 1902, p. XI-73 (pour le Cantique).

FIELD = FIELD (F), *Origenis Hexapla quae supersunt*, Oxford 1875 (sur le Cantique, p. 409-424).

FOSS (C), « Late Antique and Byzantine Ankara », *DOP* 31 (1977), p. 29-87.

A. Gesché, *La Christologie du « Commentaire sur les Psaumes »
découvert à Toura*, Gembloux 1962 (p. 71-90).

Gribomont (J), « L'édition romaine (1673) des *Tractatus* de S.
Nil et l'Ottobonianus gr. 250 », *Text und Textkritik* (Eine
Aufsammlung in Zusammenarbeit mit Johannes Irmscher,
Franz Paschke und Kurt Treu), J. Dummer (éd.), Berlin 1987,
p. 187-202.

Gribomont (J), « La tradition manuscrite de S. Nil. I. La
correspondance », *Studia Monastica*, t. 11 (1969), p. 231-267.

Grillmeier, « Κυριακὸς ἄνθρωπος » = Grillmeier (A.), « Ὁ
κυριακὸς ἄνθρωπος, eine Studie zur einer christologischen
Bezeichnung der Väterzeit », *Traditio* 33 (1977), p. 1-63.

Grillmeier, *Le Christ dans la tradition* = Grillmeier (A.), *Le
Christ dans la tradition chrétienne, de l'âge apostolique à
Chalcédoine (451)*, Paris 1973.

Guérard (M.-G), « Nil d'Ancyre, quelques principes d'herméneutique d'après un passage de son *Commentaire sur le
Cantique des cantiques* », *Studia Patristica* XVIII (1982),
p. 290-299.

Guérard (M.-G), art. « Nil d'Ancyre », *DSp*, t. XI, Paris 1981,
c. 345-356.

Hadot (I), « Les introductions aux commentaires exégétiques »,
Les règles de l'interprétation, M. Tardieu (éd.), Paris 1987,
p. 99-122.

Harl (M), « Références philosophiques et références bibliques
du langage de Grégoire de Nysse dans ses *Orationes in
Canticum canticorum* », EPMHNEYMATA, *Festschrift für H.
Hörner zum sechzigsten Geburtstag*, H. Eisenberger (éd.),
Heidelberg 1990, p. 117-131.

Harl, *Septante* = Harl (M.), Dorival (G.), Munnich (O.), *La
Bible grecque des Septante du judaïsme hellénistique au
christianisme ancien*, Paris 1988.

Harl (M.), « Le nom de l' « arche » de Noé dans la Septante. Les
choix lexicaux des traducteurs alexandrins, indices d'interprétations théologiques ? », ΑΛΕΞΑΝΔΡΙΝΑ, *Mélanges offerts à
C. Mondésert*, Paris 1987, p. 15-43.

Harl, « Cadeaux de fiançailles » = Harl (M.), Cadeaux de
fiançailles et contrat de mariage pour l'épouse du Cantique des
cantiques d'après quelques auteurs grecs », *Mélanges d'histoire des religions, offerts à H. Ch. Puech*, Paris 1974, p. 243-
261.

HARL (M.), « Y a-t-il une influence du « grec biblique » sur la langue spirituelle des chrétiens? », *La Bible et les Pères*, Paris 1971, p. 243-262.

HARL, *Fonction révélatrice* = HARL (M.), *Origène et la fonction révélatrice du Verbe incarné*, Paris 1958.

HEUSSI = HEUSSI (K.), « Untersuchungen zu Nilus dem Asketen », *TU* 42, 2, Leipzig 1917, p. 31-117.

HÜBNER (R.), « Gregor von Nyssa und Markell von Ancyra », *Actes de Chevetogne, 22-26 sept. 1969*, M. Harl (éd.), 1971, p. 199-229.

JOÜON (P.), *Le Cantique des cantiques, commentaire philologique et exégétique*, Paris 1909.

KARO-LIETZMANN = KARO (G.) et LIETZMANN (J.), « Catenarum graecarum catalogus », *Nachrichten der königlichen Gesellschaft der Wissenschaften zu Göttingen, Philologisch-historische Klasse*, 1902, Heft 3, p. 312-319.

KIRCHMEYER (J.), « Un commentaire de Maxime le Confesseur sur le Cantique? », *Studia Patristica VIII, TU* 93, Berlin 1966, p. 406-413.

LEBOND (J.), « S. Athanase a-t-il employé l'expression κυριακὸς ἄνθρωπος? », *RHE* 31 (1935), p. 307-329.

LENAIN DE TILLEMONT, *Mémoires* = LENAIN DE TILLEMONT (S.), *Mémoires pour servir à l'histoire ecclésiastique des six premiers siècles*, Paris, 1709, t. XIV, p. 199-218.

LUBAC, *Histoire et esprit* = LUBAC (H. de), *Histoire et esprit. L'intelligence de l'Écriture d'après Origène*, Paris, 1950.

LUCA (S.), « La fine inedita del commento di Nilo d'Ancira al Cantico dei Cantici », *Angustinianum* XXIII, 3 (déc. 1982), p. 365-403.

LUCA (S.), « Il codice A.I. 10 della biblioteca Durazzo-Giustiniani di Genova », *Bollettino della Badia greca di Grottaferrata 35* (1981), p. 133-163.

MAI (A.), *Classici Auctores*, Rome 1837, t. 9, p. 257-430.

MAY (G.), « Die Chronologie des Lebens und des Werkes des Gregors von Nyssa », *Actes de Chevetogne 1971*, p. 63-65.

MELONI (P.), *Il profumo dell'immortalità. L'interpretazione patristica di Cantico 1, 3*, Rome 1975.

PERROT (C.), « La lecture de la Bible dans la Diaspora hellénistique », *Études sur le judaïsme hellénistique*, Paris 1984, p. 109-132.

Perrot (C.), *La lecture de la Bible dans la Synagogue, les anciennes lectures palestiniennes du Shabbat et des fêtes*, Hildesheim 1973.

Richard (M.), « Un opuscule méconnu de Marcel d'Ancyre » *MSR* 6 (1949), p. 5-28 (= *Opera minora* II, 33, Turnhout-Louvain 1977).

Richard, « Paraphrase d'Hippolyte » = Richard (M.), « Une paraphrase grecque résumée du Commentaire d'Hippolyte sur le Cantique des cantiques », *Le Muséon*, 77 (1964), p. 137-154 (= *Opera minora* I, 18, Turnhout-Louvain 1976).

Riedel (W.), *Die Auslegung des Hohenliedes in der jüdischen Gemeinde und der griechischen Kirche*, Leipzig 1898.

Ringshausen (H.), *Zur Verfasserschaft und Chronologie der dem Nilus Ancyranus zugeschriebenen Werken*, Francfort-sur-le-Main 1967.

Robert-Tournay, *Le Cantique des cantiques* = Robert (A.) et Tournay (R.), *Le Cantique des cantiques, traduction et commentaire*, Paris, 1963, p. 29-39.

Rosenbaum = Rosenbaum (H. U.), « Der Hoheliedkommentar des Nilus von Ancyra, Ms Ogden 30 und die Katenenüberlieferung », *ZKG* 91 (1980), p. 187-206.

Sovič = Sovič (A.), « Animadversiones de Nilo monacho Commentario in Canticum canticorum reconstruendo », *Biblica* 2 (1921), p. 45-52.

Spanneut, *Stoïcisme des Pères* = Spanneut (M.), *Le Stoïcisme des Pères de l'Église de Clément de Rome à Clément d'Alexandrie*, Paris 1957.

Spanneut (M.), « Recherches sur les écrits d'Eustathe d'Antioche », *Mémoire et travaux des Facultés catholiques de Lille*, 1948.

Tetz (M.), « Les écrits dogmatiques d'Athanase, rapport sur les travaux relatifs à l'édition des œuvres d'Athanase », tome 1, *Politique et théologie chez Athanase d'Alexandrie, Actes du colloque de Chantilly, 23-25 sept. 1973*, C. Kannengiesser (éd.), Paris 1974, p. 181-188.

Tetz, « Marcel d'Ancyre I » = Tetz (M.), « Zur Theologie des Markells von Ancyra I ; eine markellische Schrift « De incarnatione et contra Arianos », *ZKG* 75 (1964), p. 217-270.

Tetz, « Marcel d'Ancyre II » = Tetz (M.), « Zur Theologie des Markells von Ancyra II ; Markells Lehre von der Adamsohnschaft Christi und eine pseudoklementinische Tradition über die wahren Lehrer und Propheten », *ZKG* 79 (1968), p. 3-42.

TETZ, « Marcel d'Ancyre III » = TETZ (M.), « Zur Theologie des Markells von Ancyra III ; die pseudathanasianische « Epistula ad Liberium », eine markellisches Bekenntnis », *ZKG* 83 (1972), p. 145-194.

TETZ (M.), « Markellianer und Athanasios von Alexandrien, die markellianische « Expositio fidei ad Athanasium » des Diacons Eugenios von Ancyra », *ZNTW* 64 (1973), p. 75-121.

THACKERAY, *Grammar* = THACKERAY (H. St J.), *A grammar of the Old Testament in Greek according to the Septuagint*, Cambridge 1901.

WUTZ = WUTZ, *Onomastica sacra*, *TU* 41, 1-2, Leipzig 1914-1915.

TEXTE ET TRADUCTION

SIGLA

C *Cantab. Trin. Coll. O. I. 54*, membr., saec. x.

V *Ven. Marc. gr. 22*, membr., saec. xiii.

R *Vat. gr. 2129*, chart., *ci.* 1480.

P *Paris. gr. 153.* membr., saec. xii.

L *Londinensis Universitatis collegii, Ogden 30*, chart., saec. xvii.

ΝΕΙΛΟΥ ΜΟΝΑΧΟΥ ΕΡΜΗΝΕΙΑ
ΕΙΣ ΤΑ ΑΙΣΜΑΤΑ ΤΩΝ ΑΙΣΜΑΤΩΝ

ΠΡΟΛΟΓΟΣ

1. Τὸ τῶν ἀσμάτων βιβλίον ἔοικε γυναικὶ καὶ φυσικῷ κάλλει φαιδρυνομένῃ καὶ κόσμῳ πολυτελεῖ τὸ φυσικὸν προσεξησκημένῃ καλλός, σεμνῇ δὲ τὸ ἦθος καὶ τῷ φαινομένῳ σχήματι πολὺ κατὰ τὸ κεκρυμμένον ἐναντίως
5 διακειμένῃ. Ὡς γὰρ ἐπὶ τῆς τοιαύτης γυναικὸς ἡ μὲν ὄψις ἡδονὴν κινεῖ τοῖς ἀκολάστοις, ἡ δὲ πεῖρα διελέγχει τὴν σωφροσύνην οὐ συναινοῦσαν τῇ προχείρῳ σκηνῇ, οὕτως ἐπὶ τοῦ προκειμένου βιβλίου ἡ μὲν λέξις ἐρωτικώτερον ἐσχηματισμένη δοκεῖ πως δέλεαρ ἡδονῆς γίνεσθαι τοῖς

Titulus : Γρηγορίου ἐπισκόπου Νύσσης καὶ Νείλου μοναχοῦ VR : om. C || ἑρμηνεία V : προοίμιον τῆς ἑρμηνείας C om. R || εἰς τὰ ἄσματα τῶν ἀσμάτων [τὸ τῶν ἀσμάτων ᾆσμα R] VR : τοῦ ᾄσματος τῶν ἀσμάτων ἐκ διαφόρων συνειλεγμένης C || post πρόλογος add. νείλου [ante titulum scr. R] VR : om. C.
P. 1. 9 ἡδονῆς C : om. VR

1. Depuis Origène et même Hippolyte — outre l'édition de G. N. Bonwetsch, *GCS* 1, Berlin 1897, voir M. RICHARD, « Paraphrase d'Hippolyte » —, le prologue au commentaire du *Cantique des cantiques* est un morceau obligé dont le genre littéraire semble lié aux commentaires néoplatoniciens, comme celui de Porphyre sur les *Catégories* d'Aristote ; cf. I. HADOT, « Les introductions aux commentaires exégétiques ». Des six ou huit points examinés traditionnellement dans les introductions à ces commentaires, Nil en traite trois dans son Prologue : P. 1-2 = but de l'ouvrage, P. 3 = utilité et thème. Il y ajoute les circonstances de sa composition, P. 4. Les

COMMENTAIRE
SUR LE CANTIQUE DES CANTIQUES
DU MOINE NIL

Prologue [1]

Séduction féminine du Cantique des cantiques

1. Le livre des cantiques [2] est semblable à une femme radieuse de beauté naturelle et dont la beauté naturelle est rehaussée d'une somptueuse parure ; elle est pourtant noble de caractère et animée en son for intérieur de sentiments tout à fait opposés à son allure apparente. Face à une telle femme, la vue procure du plaisir aux licencieux, mais l'expérience les convainc de sa chasteté qui ne concorde pas avec la scène qu'ils ont sous les yeux. De même dans le livre en question, le texte, sous une allure assez érotique [3], semble

quatrième et cinquième points — étude du titre et genre littéraire — sont reportés au début du commentaire proprement dit (1, 1-16).

2. Faut-il supposer que Nil lisait le titre du livre biblique sous la forme : ᾄσματα [τῶν ᾀσμάτων], retenue par l'*Alexandrinus* et Symmaque, et ici par V ? Cette leçon se trouve aussi dans la version latine du commentaire de Philon de Carpasia (*Commento*, p. 42, 8 et 44, 53). Origène signale le pluriel comme une erreur (*ComCant.*, P. 4, 29). Comme Nil écrit aussi : ᾄσμα, P. 3, 26.34 ; 1, 1.19, on peut penser qu'il s'agit ici d'une sorte d'abréviation du titre, par assimilation du nominatif neutre τὸ ᾄσμα avec τὸ βιϐλίον.

3. La comparaison initiale (τὸ τῶν ᾀσμάτων βιϐλίον ἔοικε γυναικί...) est propre à Nil qui l'utilise comme une image du sens caché (P. 3, 2) et prophétique (P. 3, 27) du texte. L'auteur justifie son audace littéraire par celle même du texte et poussera la hardiesse de son exégèse jusqu'à voir dans l'épouse une prostituée qui change de mode de vie (1 ; 2).

10 ἀπαιδεύτοις, ἡ δὲ διάνοια τὸ αὐστηρὸν τῶν μυστηρίων
ἀνακαλύπτουσα τοῖς προσεγγίζουσι τὴν τῶν νοημάτων
δυσχέρειαν εὐπαράδεκτον ποιεῖ διὰ τῆς ἐν τῇ λέξει
τέρψεως καὶ μιμεῖται γυναῖκα σοφίσματι τῷ κάλλει
κεχρημένην κατὰ τῶν νέων πρὸς σωφροσύνης διδασκα-
15 λίαν, ἄλλο σχηματιζομένην καὶ ἄλλο οἰκονομοῦσαν.

2. Ὥσπερ γὰρ ἡ διὰ τῆς ὄψεως ἑλοῦσα καὶ πόθον
ἐνεργασαμένη δριμὺν εὐκόλως μετάγει τὴν διάνοιαν τῶν
ἁλόντων πρὸς ὅπερ ἂν βουλήται, προκεχειρωμένους
λαβοῦσα τῷ πάθει καὶ δουλείαν αὐθαίρετον ὑπομένοντας
5 διὰ τὴν τῆς ποθουμένης ὄψεως ἀπόλαυσιν· ἐπελαφρίζει
γὰρ αὐτοῖς τὸν πόνον τῶν ἐπιταγμάτων ὁ πρὸς τὴν
ἐπιτάττουσαν ἔρως καὶ τὸν τῆς δουλείας ζυγὸν κοῦφον
νομίζουσιν, ἐπανάγκασμα τῆς εὐπαθείας τὴν τυραννίδα
τῆς διαθέσεως ἔχοντες, οὕτως ἡ ἐναποκειμένη τῷ βιβλίῳ
10 τούτῳ διάνοια πρὸς τὴν παραδοχὴν ῥαδίως ἕλκει τοὺς
ἐντυγχάνοντας, τῷ τῆς λέξεως αὐτοῦ ἐπαγωγῷ προηδύνασα καὶ δουλεύειν πείθουσα τῇ τῆς θεωρίας σεμνότητι,

11-12. τὴν ... δυσχέρειαν CV : -ῇ ... -είᾳ R ‖ 15 σχηματιζομένην ...
οἰκονομοῦσαν C : -νῃ ... -σα VR.

P. 2. 1 ὥσπερ VR : ὡς C ‖ 3 ἁλόντων C : ἑλόν- VR ‖ πρὸς C : ἔφ'
VR ‖ ὅπερ CV : ᾧπερ R ‖ 5 ἐπελαφρίζει CV : ἀπε- R ‖ 7 κοῦφον C :
μεῖζον V μείζω R ‖ 8 εὐπαθείας C : εὐπειθ- VR ‖ 11-12 προηδύνασα
C : -νουσα VR.

1. La littérature ascétique chrétienne a adopté cette expression
platonicienne (*Timée* 69d) pour parler des séductions qui entraînent
au mal. On la retrouve chez Nil dans le *Disc. sur Alb.*, 697A; cf.
AUBINEAU, *SC* 119, p. 506, n. 3; *SC* 187, p. 261.
2. Ici et en P. 2, 10; P. 3, 5, nous traduisons διάνοια par *pensée* et
non par *sens* (de l'œuvre), pour conserver, avec un nom féminin la
cohérence de la comparaison en français : la *pensée* contenue dans le
Cantique des cantiques exerce sur les lecteurs la même séduction
qu'une femme.

être un appât du plaisir [1] pour les ignorants, mais la pensée [2], en révélant la rigueur des mystères, rend la difficulté des concepts facile à recevoir pour ceux qui s'en approchent, grâce au charme du texte [3] : elle ressemble à une femme qui utilise la beauté comme artifice pour instruire les jeunes gens à la chasteté et qui prend l'allure de la première pour dispenser la seconde.

Du plaisir du texte à la contemplation **2.** En effet, celle qui a captivé les regards et suscité un vif désir transfère facilement vers ce qu'elle veut la pensée de ceux qui se sont laissés prendre, puisqu'elle a saisi ceux qui étaient tout disposés à la passion et qui endurent une servitude volontaire pour jouir de la vision de l'objet de leurs désirs. Car le désir amoureux à l'égard de celle qui commande leur allège la peine des commandements et ils pensent que le joug de la servitude [4] est léger, parce qu'ils considèrent la maîtresse de leur disposition comme la condition du bonheur. De la même façon, la pensée contenue dans ce livre entraîne facilement l'assentiment des lecteurs : après les avoir séduits par l'attrait de son texte [5], elle les persuade de se faire les

---

3. L'expression, ici et dans la suite du Prologue (3, 6 ; 4, 6), est chargée — à la différence de ἡδονή — d'une valeur positive que Nil attribue au rôle pédagogique du « charme » : il suffit de dépasser la lettre (3, 8) pour tendre à la contemplation (2, 12) ; cf. Introduction, p. 29.

4. Expression classique de l'effet avilissant de la passion amoureuse, en particulier dans la poésie érotique. Ici, le vocabulaire suggère plutôt un contexte platonicien (cf. *Phèdre* 252a, *Lois* VI, 770e). Après Platon (cf. *Banquet* 184b-e) et Origène (*ComCant.*, P. 2, 1), Nil paraît avoir été sensible au rôle éducatif de l'amour, puisque chez lui cette δουλεία (P. 2, 4) jouit d'un sens positif pour aboutir à « δουλεύειν ... τῇ τῆς θεωρίας σεμνότητι » (P. 2, 11-12).

5. Le mot ἐπαγωγόν est compris dans un sens positif, ce qui n'est pas toujours le cas chez Platon, v. g. *Philèbe* 44d.

ἐκ τῆς περὶ τὸ γράμμα δοκούσης ἐμπαθείας εὐμηχάνως
ἐπὶ τὴν τῶν σημαινομένων δογμάτων ὁδηγοῦσα μυστα-
15 γωγίαν.

3. Ὡς ἂν οὖν μὴ προσκεχηνότες τῷ προχείρῳ τῆς
λέξεως οἱ πολλοὶ εἰς τὸν κεκρυμμένον θησαυρὸν[a] διακύπτειν ἀδυνατῶσιν διὰ τὸ περισπᾶσθαι τῇ πιθανότητι τῆς
λέξεως, εἰωθότων πως τῶν ἀσθενεστέρων τέρψει μᾶλλον
5 ἢ ὠφελείᾳ δουλοῦν τὴν διάνοιαν, ἀνακαλύψαι τὸν νοῦν
δίκαιον ἐλογισάμην, ἀπὸ τῆς περὶ τὴν λέξιν τερπνότητος
ἐπὶ τὴν ἐν τοῖς νοήμασι σύνεσιν ἐπιστρέφων τοὺς ἐκ τῆς
τοῦ γράμματος ἀναγνώσεως ἐπ᾽ αἰσχρὰς ὀλισθαίνοντας
ὑπονοίας καὶ διεγείροντας τὰ πάθη ἐκ τοῦ φιλοτιμεῖσθαι
10 περὶ τὴν τοῦδε τοῦ βιβλίου ἀνάγνωσιν καὶ πληροφορεῖν
οἰομένους τὴν νόσον τῆς ἀκαθάρτου ἐπιθυμίας διὰ τοῦ
συνεχῶς ἐνδιατρίβειν τούτοις τοῖς λόγοις, τῇ μνήμῃ τῶν
κεκρυμμένων μελῶν ἱστορίας οὐκ ἔλαττον εὐφραίνεσθαι
νομίζοντας, ἵνα μὴ τὸ τῶν νοημάτων ἀμόλυντον βδελυ-
15 ροῖς ἐπιταράττωσι λογισμοῖς. Κοιλίας γὰρ καὶ μαζῶν
ὀμφαλοῦ τε καὶ μηρῶν καὶ τῶν ἄλλων ὑπὸ τῆς φύσεως
συγκεκαλυμμένων σεμνῶς, περισπούδαστος μὲν ἡ θέα
μάλιστα τοῖς φιληδόνοις καὶ ἡ μνήμη δὲ τούτοις ἀρκεῖ
πρὸς παραμυθίαν τοῦ πάθους, πολλάκις φλεγομένοις τῇ
20 μανίᾳ τοῦ ἔρωτος, καὶ ταῖς φαντασίαις ἐναδολεσχεῖν
ἐθέλουσι τῶν ποθουμένων. Οὐ φρίττουσι γὰρ οἱ δείλαιοι

P. 3. 2-3 διακύπτειν CV : προ- R ‖ 5 δουλοῦν CV : -τες R ‖ 15
ἐπιταράττωσι C : ἐπιμάττωσι (sic) V ἐπιτάττωσι R ‖ 19 πρὸς CV :
om. R ‖ τοῦ πάθους CR : om. V

P. 3. a. Cf. Matth. 13, 44.

serviteurs de la sainteté de la contemplation, en les guidant habilement de la passion qui semble émaner de la lettre vers l'initiation aux doctrines signifiées.

Prophétie du cortège des noces mystiques
3. Donc, même s'ils ne sont pas bouche bée devant le sens immédiat du texte, la plupart des gens sont incapables de se pencher pour voir à l'intérieur jusqu'au trésor caché [a][1], parce qu'ils sont distraits par le caractère plausible du texte — ceux qui sont trop faibles ayant quelque habitude d'asservir la pensée au charme plutôt qu'à l'intérêt. Aussi ai-je jugé bon de révéler l'esprit, en détournant de l'effet charmant du texte vers la signification contenue dans les représentations ceux qui, de la lecture de la lettre, glissent dans des opinions honteuses. Ils réveillent les passions en rivalisant de zèle à lire ce livre et pensent assouvir la maladie de leur désir impur en s'attardant continuellement à ces paroles, croyant ne trouver pas moins d'agrément au souvenir des membres cachés [2] qu'au récit qui en est fait. Je l'ai fait afin qu'ils ne troublent plus l'absence de souillure des représentations avec des pensées impudiques. Car, puisque le ventre, les seins, le nombril, les cuisses et les autres parties sont pudiquement voilés par la nature, leur vue est l'objet d'une recherche zélée, surtout de la part des voluptueux, et de plus le souvenir leur suffit à encourager la passion, souvent enflammés qu'ils sont par la folie du désir amoureux quand ils veulent s'entretenir des visions de ceux qu'ils désirent. Les malheureux ne

1. Cf. ORIGÈNE, *P. Arch.* IV, 3, 11, *SC* 268, p. 382.
2. Ce passage fait allusion aux usages traditionnels concernant la pudeur dans l'Antiquité. Cf. l'anecdote de l'épouse de Denys, tyran de Sicile, telle que la rapporte Eusèbe, *Prép. év.* VIII, 14, 26, *SC* 369, p. 156 : « Il voulut qu'elle se présentât sans vêtement de dessus et qui plus est, en laissant à découvert les parties que les hommes n'ont pas le droit de voir... »; cf. *Histoire de la vie privée, De l'Empire romain à l'An mil,* t. 1, ch. 1, par P. VEYNE, Paris, 1985, p. 197.

τοῖς θείοις λογισμοῖς ὁδηγεῖσθαι σπουδάζοντες πρὸς τὸν
τῆς ἀσεβείας ὄλεθρον καὶ μιαροῖς ἐνθυμίοις συκοφαντοῦν-
τες τὴν ἀκήρατον ἔννοιαν τῆς ἁγίας γραφῆς, ἐμπαθὲς
25 δρᾶμα τὸν δίκαιον πρὸς ἐρωμένην καὶ ἐρῶσαν τουτὶ
συντεθεικέναι τὸ ἆσμα νομίζοντες, οὐχὶ δὲ μυστικῆς
νυμφαγωγίας προφητείαν ψυχῆς τελείας καὶ τοῦ θεοῦ
λόγου προαναφωνήσαντος πνευματικῇ χάριτι καὶ οὐ
βακχείᾳ ἐρωτικῇ πρὸς οἶστρον ἐμμανῆ κινηθέντος ὑπὸ
30 τοῦ πάθους. Πάντως δέ τινες τῶν πρὸς τὸ διαβάλλειν
ἑτοίμων ἀπειροκαλίαν ἐγκαλεῖν μέλλουσιν τῷ λόγῳ,
ἄκαιρον φιλοτιμίαν κρίνοντες τὴν εἰς τὰ πολλοῖς ἤδη
πεπονημένα ἐξήγησιν· ἀρκεῖν γὰρ φήσουσιν ἴσως καὶ
ἑνὸς τῶν εἰς τὸ ἆσμα λόγον καλῶς εἰρηκότων ὠφελῆσαι
35 τοὺς φιλομαθῶς ἔχοντας, οὐκ εἰδότες ὅτι τὸ πλῆθος τῶν
εἰς τὴν γραφὴν λεγόντων ἔλεγχος τοῦ πλούτου τῶν
νοημάτων γίνεται αὐτῆς, καθάπερ ἀέναον ἀντλούντων
πηγὴν καὶ οὐ νικώντων τῷ πλήθει τὴν ἀκμὴν τῆς

---

23 ἀσεβείας C : ἀληθείας VR ‖ 25 ἐρωμένην C : -νον VR [ἐρά- scr.
R] ‖ 28 προαναφωνήσαντος C : προσανα- VR ‖ 32 πολλοῖς VR : -ῶν C
‖ 34 τῶν C : om. VR ‖ λόγον C : om. VR ‖ εἰρηκότων C : -τος [-τως
scr. R] VR ‖ 37 ἀντλούντων πηγὴν C : ∼ VR.

---

1. Titre donné à Salomon, aussi célèbre pour sa sagesse (cf. M.
Gilbert : « La figure de Salomon en *Sagesse* 7, 9 ») que pour sa
justice, grâce à son fameux jugement (*III Rois* 3, 16-28). Nil ne
mentionne pas les titres qui lui sont attribués au début des *Proverbes*
et de l'*Ecclésiaste*; cf. Origène, *ComCant. P.* 4, 15-28.
   2. Sur le sens prophétique du texte biblique, cf. Introduction,
p. 53-55.
   3. Tout le passage est construit sur une suite d'oppositions où
alternent les formules négatives, plus nombreuses, qui fustigent la
passion érotique (cf. Platon, *Banquet* 218b; *Phèdre* 240d; 249c;
Lois VI, 783a; VIII, 835d-842e) et les expressions positives pour
désigner l'effort de comphéhension du sens prophétique du texte.

frémissent pas d'être guidés par les pensées divines quand ils se hâtent vers la ruine où mène l'impiété et, par leurs préoccupations toutes souillées, calomnient l'idée pure de la sainte Écriture : ils considèrent que le juste [1] a composé ce cantique comme un drame passionné à l'égard d'une femme aimée et aimante, et non comme une prophétie du cortège des noces mystiques de l'âme parfaite et du Verbe de Dieu [2], qui a fait par avance entendre sa voix par l'effet d'une grâce spirituelle, et non pas celui du transport passionné d'une fureur amoureuse sous l'effet d'un fol aiguillon [3]. D'ailleurs, certains de ceux qui sont disposés à la critique vont blâmer le manque de goût de mon ouvrage, jugeant inopportune l'ambition d'interpréter un texte sur lequel plusieurs ont déjà peiné [4]. Car diront-ils sans doute, il suffit que l'ouvrage d'un seul des auteurs, parmi ceux qui ont bien parlé sur le Cantique, satisfasse ceux qui aiment s'instruire, sans savoir que la foule de ceux qui parlent sur l'Écriture apporte la preuve de la richesse de ses concepts ; ces auteurs puisent à une source en quelque sorte intarissable, sans que leur foule vienne à bout de la

Les dernières lignes soulignent avec force ce double mouvement dans le chiasme : πνευματικῇ χάριτι / βακχείᾳ ἐρωτικῇ. Nil est tributaire de la distinction établie par Origène entre ἔρως et ἀγάπη (*ComCant.*, P. 2, 1-2 ; 17-46). Mais on voit quelle distance il prend avec lui et comment évolue l'interprétation du texte sous la double influence de Grégoire de Nysse (*In Cant.*, Prol. 3, 4-4, 2 ; *Or.* I, 15, 4-11 ; 29, 11-12) et des notions mises en valeur dans les milieux monastiques à propos de la virginité et du refus de la chair.

4. Nil ne cite pas nommément ses prédécesseurs, sans doute pour des raisons de prudence ; πολλοῖς sous-entend-il, en dehors d'Origène et de Grégoire de Nysse dont l'influence est aisément identifiable, d'autres commentaires qui ne nous seraient pas parvenus ? On pense évidemment à celui d'Hippolyte et aussi à Apollinaire de Laodicée ou Philon de Carpasia, à Cyrille d'Alexandrie, presque contemporain de Nil. Le commentaire de Théodoret est certainement postérieur à notre ouvrage.

διαρκοῦς ἐπιρροῆς· πλεῖον γὰρ ἀεὶ τὸ ὑπὸ τῆς χάριτος
40 ὀχετηγούμενον τοῦ ἀρυομένου ἐστίν, ὡς πάντα τὸν
ἐπιβάλλοντα τῇ θεωρίᾳ πλέον ὁμολογεῖν τῶν νενοημένων
τὸ καταλειπόμενον τῆς κατ' ὀλίγον προβάσεως, ἐπὶ τὸ
βάθος αὐτὸν ἀναγούσης τῶν νοημάτων καὶ ὡς ἐκ
παλιρροίας ἀμπώτεως ἐπικλυζούσης ἰλίγγῳ τὴν νόησιν.

4. Ἀλλ' ἐκεῖνοι μὲν κατ' ἐξουσίαν αἱρείσθωσαν ὅπερ
ἂν αὐτοῖς εὔλογον φανῇ, ἐγὼ δέ, εἰ μὲν καὶ ἄλλοις τισὶ
χρήσιμος ἔσται ὁ λόγος οὐκ οἶδα, τὰ δέ γε νῦν βλαστή-
ματα τῆς ἐν τῷ νοεῖν ἀκμαζούσης τέως διανοίας,
5 βουλόμενος ἐμαυτῷ ἐν τῷ γήρᾳ, εἰ φθάσαι γένοιτο,
φυλάξαι πρὸς τέρψιν ὑπόμνημα, τοῦτον ἀνεδεξάμην τὸν
πόνον, ὅτε καμοῦσα ἡ φύσις πρὸς τὰς τῶν νοημάτων
ἀποκυήσεις γίνεται ἀργοτέρα, τοῦ ἐμφύτου θερμοῦ σβεσ-

P. 4. 3 οὐκ οἶδα C : om. VR ‖ οἶδα C : + ἐπὶ VR ‖ δέ γε C : om.
VR ‖ 5 βουλόμενος ἐμαυτῷ C : ~ VR ‖ 6-7 τοῦτον VR : om. C ‖
ἀνεδεξάμην / τὸν πόνον VR : ~ C ‖ 7 καμοῦσα C : κάμοῦ VR ‖ 7-8
πρὸς τὰς ... ἀποκυήσεις γίνεται ἀργοτέρα C : ἀργ. π. τ. ... γ. κυήσεις
VR

1. « une source en quelque sorte intarissable » : la métaphore
concerne la « grâce spirituelle » (l. 28) qui inspire les exégètes. Cf.
Récit, p. 36, 15 ; *Pauvr. vol.*, 992B, où il s'agit aussi d'illustrer le
mode de diffusion de la grâce. Son application à l'Écriture peut avoir
été suggérée à Nil par des textes pauliniens (*I Cor.* 10, 4, cité §57 et
60, mais pour parler du Christ) ou johanniques (*Jn* 4, 14 ; 7, 37,
utilisés par Origène, *ComCant.* P. 2, 12 et Grégoire de Nysse, *In
Cant. Or.* I, 32) qui servent une métaphore courante des textes
ascétiques : l'Écriture est la nourriture et le breuvage de celui qui
s'adonne à la prière (cf. *Disc. asc.* 736B). Ici l'image développée par
des expressions qui suggèrent l'irrigation, prend un sens différent :
les exégètes tirent de l'Écriture toutes les ressources de leur travail et
l'inspiration fournie par la parole de Dieu est intarissable. En fait la
diversité des emplois de cette expression en fait, un cliché (v. g.
Eusèbe, *Prép. év.*, VII, 15, 7, 8, *SC* 215, p. 240).

vigueur d'un flot durable [1]. Car ce que canalise la grâce
dépasse toujours ce qu'on puise. Aussi quiconque s'applique à la contemplation reconnaît que le reste de sa
progression par petites étapes [2] dépasse ce qu'il a conçu,
parce qu'elle l'entraîne vers la haute mer des concepts et
que, sous l'effet d'une sorte de flux et de reflux, elle inonde
son intelligence jusqu'au vertige [3].

Confidence d'auteur

4. Que ces gens-là choisissent librement ce
qui leur semble bon ; quant à moi, sans
savoir si mon ouvrage sera utile à d'autres
aussi, mais voulant garder pour moi, comme souvenir pour
me charmer dans la vieillesse [4], s'il est possible d'y arriver,
les productions actuelles d'une intelligence jusqu'à présent
pleine de force dans ses pensées, j'ai entrepris ce travail au
moment où la nature, lasse, devient plus paresseuse pour
enfanter des concepts, quand la chaleur innée s'est éteinte

---

2. Nil considère avec Origène que le *Cantique* témoigne de la
progression spirituelle de l'âme vers la perfection (*ComCant.*, P. 4,
23 ; *HomCant.* I, 7), mais la notion d'un progrès continu dans la
contemplation lui vient sans doute de Grégoire (*In Cant. Or.* V, 159,
7-9).

3. Les images d'inondation désignent le plus souvent un
châtiment de Dieu en vue d'une purification (cf. EUSÈBE, *Prép. év.*
VIII, 14, 38, *SC* 369, p. 162). Ici le flot annonce la houle de la haute
mer qui saisit de vertige « celui qui s'applique à la contemplation »,
en quelque sorte entraîné dans un vertigineux tourbillon liquide.
L'ensemble n'est donc pas entaché de connotation négative. Pas de
nuance péjorative non plus dans ἴλιγγος, le vertige, tournis, qui, chez
Platon, désigne le malaise que peut causer la philosophie (*Rép.* III,
407c ; *Lois* X, 892e) et chez les contemporains de Nil, la découverte
des abîmes de la contemplation (ἰλιγγᾶν cf. CHRYSOSTOME, *Sur
l'incompréhensibilité de Dieu*, I, *SC* 28bis, p. 116 ; GRÉGOIRE DE
NAZIANZE, *Disc. théol.*, 28, 21, *SC* 250, p. 145).

4. Cf. Introduction, p. 59-60 ; ce passage relève aussi du τόπος
rhétorique (ARISTOTE, *Rhétorique* II, 1390a). Ὑπόμνημα ne désigne
pas ici le genre littéraire de notre commentaire ; les manuscrits lui
donnent d'ailleurs le titre général d'ἑρμηνεία.

θέντος τῷ τῆς ἡλικίας ψυχρῷ καὶ οὐκέτι πρὸς νόησιν
10 ῥιπίζεσθαι δυναμένου, ἀλλὰ λαμπάδος δίκην ἀμαυρω-
θείσης τῷ περιέχοντι κρυμῷ καὶ οὐ δεικνυούσης τῇ ὄψει
φωτὶ πολλῷ τὰς φύσεις τῶν ὑποκειμένων πρὸς κατανόη-
σιν. Ταὐτὸ γὰρ τῶν γυναικῶν μήτρᾳ πάσχειν ὁ νοῦς
πεφυκὼς εὐτοκίαν μὲν χρῆται, ἀκμαζουσῶν τῶν τοῦ
15 σώματος δυνάμεων, τούτων δ᾽ ἐκλιπουσῶν διὰ τὸ γῆρας,
στειροῦται καὶ πήρωσιν ὑπομένει, τῶν διανοητικῶν
ὀργάνων συνασθενησάντων τῷ σώματι καὶ οὐ πεφυκότων
ὁμοίως ἐνεργεῖν ἔτι τὴν οἰκείαν ἐνέργειαν.

1,1 Ἆισμα ᾀσμάτων ὅ ἐστι τῷ Σαλομών.

CR. — τῷ C : om. R ‖ ἐστι CR : ἐστιν LXX ‖ σαλομών
CR (S) ubique (et V) : σαλωμών LXX.

1. Οὐχ ἁπλῶς δὲ ᾆσμα, ἀλλὰ καὶ ᾀσμάτων ἐπιγέ-
γραπται, ἐπειδὴ πολλῶν ὄντων ᾀσμάτων καὶ ᾠδῶν, ὡς ἡ
γραφὴ διδάσκει, τῷ Σαλομών ἃς φυσικῇ θεωρίᾳ ᾖσεν [a]
περὶ φυτῶν καὶ ζῴων « ἕως τῆς ὑσσώπου τῆς ἐκπορευο-
5 μένης διὰ τοῦ τοίχου [b] », μελῳδήσας φυσικῇ ἁρμονίᾳ,
πεντακισχιλίας γὰρ αὐτὰς λέγει τῶν Βασιλειῶν ἡ τρίτη [c],
ἓν τῶν πολλῶν ἐξαίρετον τοῦτο καὶ ὑπερέχον ὡς ἐν

9 οὐκέτι CV : μη- R ‖ 10 ἀλλὰ C : om. VR ‖ 14 εὐτοκίαν CV : -κίᾳ
R ‖ 15 ἐκλιπουσῶν C : ἐκλει- VR ‖ 18 ἔτι C : om. VR.
1. 1-2 οὐχ — ἐπειδὴ C : om. V [νείλου μοναχοῦ εἰς τὰ πρῶτα τοῦ
ᾄσματος τῶν ᾀσμάτων ante πολλῶν scr. V] R ‖ 2-3 ὡς — διδάσκει
VR : om. C ‖ 6 πεντακισχιλίας — τρίτη C : om. VR ‖ 7 ἓν VR : om.
C ‖ τῶν πολλῶν ἐξαίρετον τοῦτο VR : ἐ. τοῦτο τῶν πολλῶν C ‖ 7-8 ὡς
— ᾄσμασι VR : om. C

---

1. a. III Rois 5, 12   b. III Rois 5, 13   c. III Rois 5, 12.

par le refroidissement de l'âge [1] et qu'on ne peut plus l'attiser pour penser, qu'elle est au contraire comme une lampe obscurcie par le froid environnant, qui ne montre plus à la vue dans une vive lumière les traits des objets pour qu'on les reconnaisse. Car l'esprit, par sa disposition naturelle à subir la même transformation que la matrice des femmes, est fécond lorsque les forces du corps sont en pleine maturité, mais quand elles ont disparu du fait de la vieillesse, il devient stérile et endure l'impuissance, parce que les organes intellectuels se débilitent avec le corps et comme lui, ne sont plus naturellement aptes à exercer leur action propre [2].

DE la PROSTITUTION aux PREMIERS BAISERS

1,1 Cantique des cantiques qui est de Salomon.

Chant nuptial de la prostituée

1. Il n'est pas seulement intitulé cantique, mais Cantique des cantiques, parce que parmi le grand nombre de cantiques et d'odes qui sont de Salomon, comme l'enseigne l'Écriture, et qu'il a chantés [a] en une contemplation naturelle à propos des plantes et des bêtes, « jusqu'à l'hysope qui sort du mur [b] », en les accompagnant d'une musique naturelle — le troisième livre des Règnes dit en effet qu'il y en a cinq mille [c][3] —, de tous ces chants,

---

1. Depuis les collections hippocratiques, cliché de la vieillesse au corps humide et froid, v. g. *La Nature de l'homme*, éd. J. Jouanna, Berlin, 1975, p. 17, 16-18; aussi *SVF*, fg. 769.

2. Nouvelle image médicale : au froid de l'âge est liée la stérilité. Nil envisage en termes néoplatoniciens les effets aussi bien physiques qu'intellectuels de la sénilité.

3. Cf. ORIGÈNE, *ComCant.*, P. 4, 32.

δραματικοῖς ἄσμασι διὰ τὸ περιέχειν τοὺς « ἐπὶ συντελείᾳ
τῶν αἰώνων ^d » ἐκβησομένους κατὰ θείαν οἰκονομίαν ἐπὶ
10 σωτηρίᾳ τῶν ἀνθρώπων μυστικοὺς λόγους. Καὶ ᾆσμα δὲ
εἴρηται, ἐπειδὴ ὡς ἐν ἐπιθαλαμίῳ δράματι τὸν ἔρωτα, ὃν
ἔχειν εἰκὸς πρὸς ἀλλήλους νυμφίον καὶ νύμφην, τοῦτον
πνεύματι ἁγίῳ κατασχεθεὶς διεξῆλθεν ὁ Σαλομών,
νυμφευομένην τῷ Χριστῷ τὴν ἐξ ἐθνῶν ἐκκλησίαν καὶ
15 τὰς ἁγίας δυνάμεις χορευτικῶς ἐπ' αὐτῇ τὸ γαμικὸν
ᾀδούσας ᾆσμα προφητικοῖς ὀφθαλμοῖς προϊδών. Παρα-
λαμβάνεται δὲ τοῦ συγγραφέως τὸ ὄνομα ὥστε τι μέγα
καὶ τῆς αὐτοῦ δόξης ἐπάξιον διὰ τοῦ βιβλίου ἡμᾶς ἐλπίσαι
τοῦτο τὸ ᾆσμα. Καὶ αὕτη ᾄδειν κελεύεται ἡ μέλλουσα
20 νυμφοστολεῖσθαι, πόρνη διὰ πολυθεΐαν ὑπάρχουσα πρότερον, παρὰ ἑνὶ τῶν προφητῶν οὕτως · « πόρνη καλὴ καὶ
ἐπίχαρις ^e, λαβὲ κιθάραν, ῥέμβευσον, πολλὰ ᾆσον, ἵνα σου
μνεία γένηται ^f. » ὃ καὶ πεποίηκεν ὑπακούσασα τῷ

8 διὰ C : om. VR ‖ 9 τῶν αἰώνων VR : om. C ‖ 10 καὶ C : om. VR
‖ 11 ἐν C : om. VR ‖ 16-19 προφητικοῖς — ᾆσμα C : om. VR ‖ 19
ᾄδειν VR : om. C ‖ κελεύεται C : κ. post προφητῶν transp. VR ‖ 19-
21 ἡ — πρότερον C : om. VR ‖ 21 παρὰ C : om. V ἐν R ‖ 22-23 σου
μνεία CR : ∼ V ‖ 23 ὃ CV : om. R ‖ ὑπακούσασα C : ὑπακούουσα
VR ‖ 23-24 τῷ προστάγματι VR : om. C

d. Hébr. 9, 26   e. Cf. Nah. 3, 4   f. Cf. Is. 23, 16.

1. Cf. ORIGÈNE, ComCant., P. 1, 3 ; GRÉGOIRE, In Cant., Or. I,
15, 12.

2. Cf. ORIGÈNE, ComCant., P. 1, 1 ; GRÉGOIRE, In Cant., Or. I,
15.

3. Cf. ORIGÈNE, ComCant., II, 1, 3. Dans toute son exégèse, Nil
accorde une grande importance à l'interprétation individuelle du
Cantique (P. 3, 27), par laquelle il achève son commentaire. Mais
l'épouse figure aussi l'Église des nations (cf. n. 2 p. 162, 1 p. 365)
qui fait, à côté de celle des Juifs (n. 1 p. 159), l'objet d'un appel
particulier.

4. Personnage collectif épisodiquement présent dans notre
Commentaire, les puissances célestes ou angéliques (cf. ORIGÈNE, P.

celui-ci seul est exceptionnel et l'emporte parmi les
cantiques dramatiques parce qu'il contient les paroles
mystiques [1] qui s'accompliront « à la fin des temps [d] » selon
le plan divin pour le salut des hommes. Il est appelé
cantique aussi puisque, sous la forme dramatique d'un
chant nuptial [2], l'amour que tout naturellement l'époux et
l'épouse se portent l'un à l'autre, cet amour-là, Salomon l'a
décrit sous l'inspiration de l'Esprit-Saint : avec des yeux de
prophète, il a prévu que l'Église issue des nations [3]
deviendrait l'épouse du Christ et que les saintes puissances [4] chanteraient en chœur le cantique de mariage en
son honneur. Et puis, le nom de l'auteur est transmis pour
qu'à travers ce livre, nous attendions ce cantique comme
une œuvre importante et digne de sa gloire. Et celle qui va
être conduite comme épousée, alors qu'elle était auparavant une prostituée du fait de son polythéisme [5], voici
qu'elle reçoit de l'un des prophètes l'ordre de chanter en
ces termes : « Prostituée belle et gracieuse [e], prends une
cithare, promène-toi, chante beaucoup, afin qu'on se
souvienne de toi [f] » ; ainsi fit-elle, obéissant à l'ordre. En

---

Arch. I, 8, 4) ont surtout le rôle de lutter contre les puissances
adverses des démons (ἀντικείμεναι δυνάμεις, 22 ; 24), en particulier
dans les textes ascétiques.

5. Inauguré par Osée (que rappelle GRÉGOIRE, *In Cant. P.* 7, 5-6),
le thème de la prostituée devenue épouse a été repris par plusieurs
textes prophétiques et l'exégèse juive traditionnelle pour figurer les
vicissitudes des relations de Dieu avec son peuple. A notre
connaissance, Nil est le seul de la tradition exégétique grecque à lui
accorder une telle importance, au point de faire de la danse de la
prostituée le point de départ de son exégèse : sa prostitution consiste
dans le fait qu'elle sert les idoles. Or le prix payé pour elle (2, 8) n'est
plus celui de la prostitution, mais les « gages du mariage » (cf. n. 2
p. 127). Ce thème a pu être suggéré à Nil par des développements de
Chrysostome sur la laideur de l'âme « prostituée aux démons
impurs » qui doit être régénérée par le bain du baptême avant d'être
introduite en vue de ses noces avec l'époux (*Catéch. bapt.* I, 3-7, *SC*
50 bis et n. p. 110-111).

προστάγματι. Μετὰ γὰρ τὸ πολλὰ ᾆσαι καὶ καλῶς
25 κιθαρίσαι τὴν μνήμην τοῦ εἰπόντος · « πολλὰ ᾆσον, ἵνα
σου μνεία γένηται[f] », ἐπὶ τὴν ὑπόσχεσιν διεγείρουσα,
εὐκτικῶς φησι πρὸς αὐτὸν ἀρχομένη τοῦ δράματος ·
« φιλησάτω με ἀπὸ φιλημάτων στόματος αὐτοῦ. »

1,2 Φιλησάτω με ἀπὸ φιλημάτων στόματος αὐτοῦ.

CR.

2. Ὃ δὲ λέγει τοιοῦτόν ἐστι · πόρνην οὖσαν με, φησίν,
ὦ πάτερ τοῦ νυμφίου, καὶ ὡς νέων ὥραν τὸ τῆς πολυθέου
πλάνης ἀπατηλὸν κάλλος διώκουσαν, πρὸς κοινωνίαν
ἔννομον ἑνὸς ἀνδρὸς τοῦ σοῦ λόγου ἐκάλεσας διὰ τοῦ
5 προφήτου εἰπών · « πόρνη καλὴ καὶ ἐπίχαρις[a], λαβὲ
κιθάραν, ῥέμβευσον, πολλὰ ᾆσον, ἵνα μνεία σου
γένηται[b]. » καὶ δι' ἑτέρου πάλιν · « μισθωσάμενός με
πεντεκαίδεκα ἀργυρίων καὶ γομὸρ κριθῶν καὶ νέβελ
οἴνου[c]. » ἐπὶ τὸ στοιχεῖν μόνῃ τῇ τοῦ προφήτου κοινωνίᾳ,
10 ἐκτρέπεσθαι δὲ τὴν τῆς πολυμιξίας τῶν ἔξω λόγων
ἄκαρπον ἡδονήν, τὰ τοῦ γάμου ἐνέχυρα δεδωκὼς φαίνῃ,
ἀπέστην τῆς ἀκάρπου τῶν εἰδώλων κοινωνίας. Πολλοῖς

24-25 καὶ — κιθαρίσαι VR : om. C ‖ 25 τὴν μνήμην CV : τῇ μνήμῃ
R ‖ 25-26 πολλὰ — γένηται VR : ᾆσαι C ‖ 26 σου μνεία R : ~ V ‖ 28
στόματος αὐτοῦ CR : om. V [et hinc habet V octo foliorum lacunam].
2. 1 δὲ R : om. C ‖ φησίν R : om. C ‖ 2 ὡς : om. R ‖ ὥραν C :
ὥρᾳ R ‖ 3 πλάνης C : om. R ‖ 4-5 ἐκάλεσας / διὰ τοῦ προφήτου C : ~
R ‖ 5 πόρνη — ἐπίχαρις R : om. C ‖ 6-7 ῥέμβευσον — γένηται R : καὶ
ἑξῆς C ‖ 7 πάλιν R : om. C ‖ 8 γομὸρ C : γόμον R ‖ νέβελ C : νέβελον
R ‖ 10 τὴν C : om. R ‖ 11-12 τὰ — κοινωνίας R : om. C

---

2. a. Cf. Nah. 3, 4   b. Cf. Is. 23, 16   c. Os. 3, 2.

effet, après avoir beaucoup chanté, et bien joué de la cithare, réveillant dans le sens de la promesse la mémoire de celui qui avait eu cette parole : « Chante beaucoup afin qu'on se souvienne de toi [f] », elle lui dit sous forme de souhait au début de la pièce : « Qu'il me baise des baisers de sa bouche. »

1,2 Qu'il me baise des baisers de sa bouche.

Renoncement à la prostitution

2. Voici ce que veut dire l'épouse : parce que j'étais une prostituée, père de l'époux [1] , et que pendant ma jeunesse, j'ai poursuivi la beauté trompeuse de l'erreur polythéiste, tu m'as appelée par l'intermédiaire du prophète, en vue d'une union légitime avec ton Verbe pour seul époux, en disant : « Prostituée belle et gracieuse [a], prends une cithare, promène-toi, chante beaucoup afin qu'on se souvienne de toi [b]. » Puis, par l'intermédiaire d'un autre : « Je t'ai achetée pour quinze pièces d'argent, un gomor d'orge et un nébel de vin [c] ». En vue de me conformer à l'union unique dont parle le prophète, et de m'éviter le plaisir stérile de la promiscuité avec les enseignements des païens, tu as évidemment donné les gages du mariage [2] et j'ai renoncé à l'union stérile avec les idoles. Car, bien que j'aie

1. Elle s'adresse à Dieu. Cf. Origène, *ComCant.*, I, 1, 4.7.

2. Ἐνέχυρον appartient au vocabulaire juridique et désigne le gage laissé au prêteur par le créancier contre une somme d'argent (il est employé en ce sens dans *Deut.* 24, 13). Ici, le sens paraît différent : la prophétie est délivrée comme « gage du mariage ». Ce que le prophète a payé désigne son engagement à prendre la prostituée pour en faire l'épouse du Verbe. Étant donné la condition sociale de celle qui va devenir l'épouse, il est impensable que Nil suive ses prédécesseurs dans leurs développements à propos de dot et de cadeaux de mariage (cf. Origène, *ComCant.* I, 1, 6 ; Grégoire, *In Cant.*, *Or.* I, 24 ; Harl, « Cadeaux de fiançailles ») ; voir cependant 77, 21.

γὰρ ὁμιλήσασα τοῖς ἐκείνων ὡς ἀνδράσι λόγοις, γόνιμον
σπέρμα οὐδ' ὅλως ὑπεδεξάμην, τῆς νηδύος εὐχερῶς
15 ἐκβραττούσης τὰ προκαταβληθέντα τῇ τῶν ἐπεισκρινο-
μένων ἀνοικειότητι ἐξωθούμενα, διὰ τὴν τῶν δογμάτων
ἐναντιότητα, καὶ ἀπεθέμην μὲν τὴν πορνικὴν ἕξιν, οὐ
συναπεθέμην δὲ τὸ εἶναι ἐπίχαρις τὸ φυσικὸν κάλλος τῷ
νομίμῳ τηρήσασα λόγῳ. Ἐπεὶ δὲ ἦν θέμις ἢ τοῖς
20 φθορεῦσι προδοῦναι τοῦτο ἐρασταῖς παρανόμως ἢ τῇ
χειρίστῃ ἕξει καὶ τὴν ἐπανθοῦσαν ὥραν καὶ τῇ ἀκμῇ τῆς
νεότητος συνδιαφθεῖραι χάριν, ὑπηρετῆσαι δυναμένη λυσι-
τελῶς τῇ ἀληθείᾳ, πολλὰ ἦσα, καλῶς ἐκιθάρισα, συνηχοῦσαν τῷ ᾄσματι τῶν λόγων τὴν πράξεων κιθάραν ἐπεδει-
25 ξάμην, ἕκαστον φθόγγον αὐτῆς τῇ ἐνάρθρῳ τοῦ λόγου
συμφωνίᾳ μουσικῶς ἐγκεράσασα. Ῥᾴστη δέ μοι καὶ
λίαν εὐμαρὴς ἡ τῶν εἰρημένων ἐφάνη κατόρθωσις διὰ τὰ
προσδοκώμενα τοῦ νυμφίου φιλήματα, ἐπειδὴ πέφυκέ
πως τὸν ἐπὶ τοῖς πραττομένοις πόνον ἡ χρηστὴ ἐπελαφρί-

14 σπέρμα C : τέρμα R ‖ 15 ἐκβραττούσης C : ἀποβρα- R ‖
προκαταβληθέντα C : καταβλ- R ‖ 16 ἀνοικειότητι C : οἰκειό- R ‖ τῶν
δογμάτων C : τοῖς -σιν + αὐτῶν R ‖ 17 καὶ ... μὲν C : om. R ‖ 18 δὲ
C : + αὐτῇ R ‖ τὸ C : τοῦ R ‖ 19-23 ἐπεὶ — ἀληθείᾳ R : om. C ‖ 23
καλῶς ἐκιθάρισα C : om. R ‖ 23-24 συνηχοῦσαν C : -σα R ‖ 25-26
ἕκαστον — ἐγκεράσασα R : om. C ‖ 26-27 καὶ — εὐμαρὴς R : om. C
‖ 27 ἡ C : om. R ‖ 27-28 τὰ προσδοκώμενα ... φιλήματα C : τὴν -ην ...
ἀπόλαυσιν R ‖ 28 ἐπειδὴ R : om. C ‖ πέφυκέ R : + γάρ C ‖ 29 τὸν
C : om. R.

1. L'idée sous-tendue par cette image qui relève de la zoologie est
la suivante : la prostituée — l'âme — a eu des relations (ὁμιλήσασα)
avec ses amants — les enseignements des païens — avant de recevoir
les gages du mariage qui la destinent à l'union unique ; mais les
semences qu'ils ont déposées en elle l'ont laissée stérile parce qu'elles
n'étaient pas de la même espèce qu'elle (τῇ ἀνοικειότητι). Elles ont

fréquenté beaucoup de leurs enseignements, comme on a des amants, je n'ai absolument pas reçu de semence féconde à cause de mon opposition à leurs doctrines, puisque la matrice rejette spontanément les germes déposés préalablement, expulsés par leur incompatibilité de corps étrangers [1] ; et j'ai abandonné la vie de prostituée, je n'ai pas cessé pour cela d'être gracieuse en conservant ma beauté naturelle grâce à l'enseignement de la loi. Alors qu'il était possible soit de la livrer à la séduction de mes amants illégitimes, soit de détruire en même temps, par une très mauvaise vie, la beauté et la grâce épanouies dans la fleur de la jeunesse, puisque j'étais capable de servir utilement la vérité, j'ai beaucoup chanté, j'ai bien joué de la cithare, en écho au cantique des paroles, j'ai disposé de la cithare des actions, mêlant selon les règles de la musique chaque son de l'instrument à l'harmonie articulée de la parole [2]. Alors le succès de mes souhaits dans l'attente des baisers de l'époux m'est apparu très facile et extrêmement aisé, puisque l'espoir de réussir allège quasi naturellement

---

donc été naturellement expulsées de sa matrice ; à propos de la fécondité et de la stérilité entre espèces différentes, cf. ARISTOTE, *De la Génération des animaux* 747a-748b. Cette incompatilité n'est pas autrement explicitée ici par l'auteur. La future épouse n'en connaît pas encore elle-même la raison, qu'elle apprendra de Dieu en personne plus loin : « elle possède dans sa nature une imitation de ma propre nature, selon l'image » (20, 4-6) ; cf. CHRYSOSTOME, *Catéch. bapt.* I, 5, *SC* 50 bis, p. 110. La discrétion de Nil correspond aux nécessités de son récit, en vue de l'édification spirituelle de ses lecteurs : l'âme découvre sa propre beauté (τὸ εἶναι ἐπίχαρις) et le désir qu'elle a de la présence de Dieu avant même de savoir qu'elle est « à l'image de Dieu » (15, 62).

2. Le cantique des paroles et la cithare des actions : expression classique depuis le néoplatonisme (cf. ARISTOTE, *Poétique* 1454a) de la réussite d'un caractère grâce à l'harmonie entre paroles et actions ; sur l'évolution de ces notions dans un sens conforme à la doctrine spirituelle de l'ascétisme nilien, cf. n. 2 p. 188.

30 ζειν ἐλπὶς σβεννυμένην πολλάκις τὴν προθυμίαν τῇ τῆς
ἀπολαύσεως ἀνάπτουσα προσδοκίᾳ.

3. Διὸ μηκέτι τὴν ἀναβολὴν φέρουσα, ἐγχρονίζειν τοῖς
μνήστροις οὐκ ἀνέχομαι, οὐδὲ τῇ τῶν μεσιτευόντων
ἀρκοῦμαι συντυχίᾳ, καίτοι ἔχουσα ἐκ τούτου παραμυθίαν
πολλήν· πᾶν γὰρ τὸ παρὰ τοῦ ποθουμένου καὶ τὸ τυχὸν
5 ἱκανὸν πρὸς πληροφορίαν· ἀλλ᾽ ἐπείγει με τὸ τῆς ἀγάπης
σφοδρὸν πρὸς τὰ γαμικὰ φιλήματα, ἅ τις οὐκ ἀπεικότως
ἔρει τοὺς τῆς διδασκαλίας λόγους αὐτοῦ ἥδοντας πλέον
τοὺς φιλομαθεῖς τῇ ἀκροάσει ἥπερ τοὺς φιλοσωμάτους τὰ
ἐμπαθῆ περιλήμματα. Δέομαι τοίνυν, ἣν ἐπήγγειλα
10 μνείαν μου ποιεῖσθαι ἐπὶ τῷ πολλὰ ᾆσαι ᵃ, ταύτην
ποιῆσαι ἐν τῷ τὸν νυμφίον ἀποστεῖλαι τοῖς ἑαυτοῦ
φιλήμασι παραμυθησόμενόν μου τὴν ἐπιθυμίαν. Ταῦτα δέ
φημι ζέουσα τῷ πόθῳ καὶ παρρησιαζομένη, ἐφ᾽ οἷς ἂν
ἕτεροι αἰσχύνοιντο σωματικῶς ἐρῶντες. Εἰ δέ τίς μου
15 μανίαν καταδικάζει ὡς ἐρώσης ὃν μὴ τεθέαμαι, ἴστω ὅτι
ἐν ἑκάστῳ ἔργῳ τῶν γεγονότων τὸ τούτου διαλάμπει
κάλλος πρὸς πόθον ἐρεθίζον πᾶσαν τὴν τοῦ καλοῦ
ἐφιεμένην ψυχήν. « Οἱ οὐρανοὶ γάρ μοι διηγοῦνται τὴν
δόξαν ᵇ » αὐτοῦ καὶ ἡ γῆ ἕτερόν τι τοῦ κάλλους αὐτοῦ
20 ἀπαγγέλλει τεκμήριον καὶ ἕκαστον τῶν γενητῶν φαντα-

3. 1 τὴν C : om. R ‖ 3 συντυχίᾳ C : μεσιτείᾳ R ‖ 3-4 παραμυθίαν
πολλήν C : ~ R ‖ 5 πρὸς C : εἰς R ‖ ἀλλ᾽ C : om. R ‖ ἐπείγει C : +
γὰρ R ‖ 7 αὐτοῦ R : om. C ‖ 8 ἥπερ R : ἢ C ‖ 9 περιλήμματα C :
φιλήματα R ‖ ἣν C : καὶ R ‖ ἐπήγγειλα correxi : ἐπηγγείλῃ C
ἀντιβολῶ R ‖ 10 τῷ C : τὸ R ‖ 11 ἐν — ἀποστεῖλαι C : ἀποστείλας
τὸν νυμφίον R ‖ 16 ἔργῳ R : om. C ‖ γεγονότων C : γενητῶν R ‖ τὸ
τούτου C : τοσοῦτον R ‖ 17 πρὸς C : om. R ‖ πᾶσαν R : om. C ‖ 18
ἐφιεμένην C : ἀφιε- R ‖ μοι R : om. C ‖ 19 καὶ R : om. C ‖ αὐτοῦ R :
om. C

3. a. Cf. Is. 23, 16   b. Ps. 18, 2.

la peine de ce qu'on fait [1], en rallumant par l'attente de la jouissance l'ardeur souvent vacillante.

Des baisers pour assouvir sa passion

3. C'est pourquoi, ne souffrant plus de délai, je ne supporte pas de prolonger les fiançailles et je ne me contente pas de converser avec les entremetteurs, quoique j'en tire un grand réconfort [2]. Car tout ce qui vient de l'être aimé, même de peu d'importance, suffit à la pleine assurance. Mais la violence de l'amour me presse aux baisers du mariage, dont on dira, non sans raison, que ce sont les paroles de son enseignement qui charment ceux qui aiment à s'instruire en les écoutant, plus que les embrassements passionnés ne satisfont ceux qui aiment le corps [3]. Or le souvenir qu'on m'a promis d'avoir de moi, pour avoir beaucoup chanté [a], j'ai besoin qu'on l'ait en envoyant l'époux calmer mon désir par ses baisers. Je le dis dans une ardente aspiration et avec une audace dont d'autres rougiraient à cause de leur amour charnel. Mais si on condamne ma folie sous prétexte que j'éprouve un désir amoureux pour celui que je n'ai pas contemplé, il faut savoir que dans chaque œuvre de la création brille la beauté de l'époux, qu'elle avive le désir de toute âme qui convoite le beau. Car « les cieux me racontent sa gloire [b] », la terre me révèle un autre témoignage de sa beauté et chacune des créatures me fait entrevoir une sorte de vision

---

1. « l'espoir de réussir... » : formulation de type gnomique dont on trouve d'autres ex. dans le *Commentaire*. De tels passages contribuent à l'apparenter à la littérature monastique.

2. Cf. Origène, *ComCant.*, I, 1, 10 ; Grégoire, *In Cant.*, Or. I, 24.

3. Τοὺς φιλοσωμάτους : le mot est passé de Platon (*Phèdre*, 68b) au néoplatonisme (Porphyre ; Plutarque, *Mor.* 140b). Nil a pu le lire aussi chez Chrysostome, v. g. *Hom. in Matth.* 34, 4, *PG* 57, 394AC.

σίαν μοί τινα τοῦ πεποιηκότος ὑποφαίνει τὴν ἀΐδιον
δύναμιν αὐτοῦ καὶ θεότητα σαφῶς ἑρμηνεῦον.

Οὕτω γοῦν ἐν τοῖς οὖσιν ἄκρως τὴν περὶ αὐτοῦ
φαντασιωθεῖσα γνῶσιν καὶ διὰ τῆς τοιαύτης θεωρίας
25 συνεῖναι αὐτῷ ὑπολαβοῦσα, οὔπω τῆς εὐχῆς τοὺς λόγους
τελέσασα, ὡς παρόντι τῷ νυμφίῳ διαλέγεται φάσκουσα ·
« ὅτι ἀγαθοὶ μαστοί σου ὑπὲρ οἶνον. »

1,2b Ὅτι ἀγαθοὶ μαστοί σου ὑπὲρ οἶνον,
3   καὶ ὀσμὴ μύρων σου ὑπὲρ πάντα τὰ ἀρώματα.

CR. — καὶ C : om. R.

4. Τοῦτο πολλοὶ πολλάκις πάσχουσιν ἐκ τῆς κατὰ
διάνοιαν πρὸς τὸν τυχόντα ὁμιλίας κατὰ μετεωρισμὸν τῆς
διανοίας καὶ εἰς τὸ ὡς πρὸς παρόντα διαλέγεσθαί τινι
προερχόμενοι, οὕτω καὶ ὁ Δαυὶδ ἐν ὕπνῳ συνεῖναι
5 νομίσας τῷ θεῷ καὶ μετὰ τὸ ἐγερθῆναι ἔτι τὴν φαντασίαν
ἔναυλον ἔχων ἔλεγεν · « ἐξηγέρθην καὶ ἔτι εἰμὶ μετὰ
σοῦ [a] ». Ὥσπερ οὖν τούτῳ τῶν ὕπαρ σπουδαζομένων ἡ
μελέτη καὶ καθεύδοντι διὰ τῆς μνήμης παρέμενεν τὰ
μεθημερινὰ διὰ τῆς φαντασίας ἀνακινοῦσα ἐνθύμια,
10 οὕτως ἐκείνη ἡ ἐνδιάθετος φαντασία τῆς τοῦ νυμφίου

21 ἀΐδιον R : om. C ‖ 22 θεότητα C : θειό- R ‖ σαφῶς R : om. C ‖
23 οὖσιν C : ὠσὶν R.
4. 1 τοῦτο C : + δὲ R ‖ πολλάκις R : om. C ‖ 2-3 τῆς διανοίας C :
τοῦ λογισμοῦ R ‖ 3 πρὸς C : om. R ‖ τινι R : om. C ‖ 5 ἐγερθῆναι C :
διεγερ- R ‖ 7 οὖν C : γὰρ R ‖ 8 καθεύδοντι C : + καὶ R

4. a. Ps. 138, 18b.

1. Thème stoïcien (*SVF* fg. 945, 1021) réutilisé par Philon (*De
Opif.* 25), et souvent repris par les Pères, v. g. Eusèbe, *Prép. év.* VII,

de celui qui l'a créée, en expliquant clairement sa puissance et sa divinité éternelles [1].

Ainsi donc, ayant parfaitement imaginé dans les êtres la
connaissance qu'elle a de lui et pensant s'unir à lui par une
telle contemplation, bien qu'elle n'ait pas encore achevé les
paroles de la prière, elle s'adresse à l'époux comme s'il était
présent, en ces termes : « Parce que tes seins sont bons,
plus que le vin. »

**1,2b Parce que tes seins sont bons, plus que le vin,
   3 et l'odeur de tes parfums,
      au-dessus de tous les aromates.**

**Présence nocturne
de Dieu**

4. Voici ce qui arrive souvent à un
grand nombre de gens du fait de la
relation qu'ils entretiennent en pen-
sée avec n'importe qui : suivant l'exaltation de leur pensée,
ils en arrivent même à converser avec lui comme avec une
personne présente, tel David qui croyait en songe être uni
à Dieu et, après son réveil, gardant encore présente sa
vision [2], disait : Je me suis éveillé et je suis encore avec
toi [a]. » Pour lui donc, la méditation de ce que l'on aime à
l'état de veille persistait même pendant son sommeil par la
mémoire, parce que cette méditation fait remonter les
préoccupations diurnes grâce à l'imagination [3] ; de la

15, 16, *SC* 215, p. 244 ; Grégoire de Nysse, *De la virg.* XI, 3, *SC*
119, p. 386.

2. Τὴν φαντασίαν ἔναυλον : l'adj. qui signifie « qui retentit encore
dans les oreilles » (cf. Lucien, à propos de l'impression auditive que
laissent les songes, *De somniis*, 5) est impossible à rendre littéralement ici, puisqu'il qualifie une image mentale ; *Récit*, 33, 18 ;
Chrysostome, *Catéch. bapt.* V, 17, *SC* 50 bis, p. 208.

3. Φαντασία désigne à la fois la faculté mentale de l'*imagination*
et l'objet illusoire qu'elle présente à l'esprit, la *vision*. L'activité du
rêve endormi est suscitée par le travail de la mémoire dans
l'imagination et, en particulier chez Platon, *Philèbe*, 21c, 34a, par le
souvenir des sensations.

συνουσίας ἀλήθεια ἐνομίζετο καὶ πρὸς ὁμιλίαν ἐτρέπετο
φιλικὴν τοῦ θαύματος τῶν ὡσανεὶ ψηλαφωμένων τοῦ
ποθουμένου μαζῶν.

5. Ἡ μὲν οὖν τοῦ « ὅτι » προσθήκη αἰτίαν ἐπαχθήσεσ-
θαι τοῦ δεῖν αὐτὴν εὐλόγως ὑπὸ τῶν τοῦ νυμφίου
φιληθήσεσθαι ἀσπασμάτων ἐσήμαινεν, ἣν ἐσιώπησεν,
εἴτε ἐπιφανέντα ὥς τισιν ἔδοξεν τὸν νυμφίον ἰδοῦσα, εἴτε
5 καὶ παρεῖναι αὐτὸν ὡς ἀποδεδώκαμεν ὑπολαβοῦσα. Ἀντὶ
δὲ τῆς αἰτίας ἐπήγαγεν, ὥσπερ ψηλαφήσασα τὸν τῆς
ζωῆς λόγον, τὸ « ἀγαθοὶ μαστοί σου ὑπὲρ οἶνον », τοῦτο
δὲ τοιοῦτόν ἐστιν · ἡ εἰσαγωγική, φησί, καὶ νηπιώδης τῶν
σῶν δογμάτων παράδοσις μασθοὶ ὀνομασθεῖσα διὰ τὸ
10 εἶναι δοχεῖα τῆς νηπίοις ἁρμοττούσης τροφῆς[a], γάλακτος
τῆς παρ' Ἕλλησι σοφίας τελείας καὶ δοκούσης οἰνώδους
εἶναι τροφιμωτέρα καὶ τελειοτέρα καθέστηκεν · ἢ ὅτι καὶ
ἡ ψιλὴ λέξις τῆς γραφῆς ἐμπεριέχουσα τὸ ἄδολον γάλα[b],
ᾧ τιθηνοῦνται οἱ ἐκ βρέφους τὰ ἱερὰ μανθάνοντες γράμμα-
15 τα[c], τῆς παρ' ἐκείνοις θεωρίας ὠφηλιμωτέρα καὶ παιδευ-
δικωτέρα πρὸς ἀνυπαιτίου βίου κατάληψίν ἐστιν. Καὶ
« ὑπὲρ πάντα δὲ τὰ ἀρώματα », τοὺς ἐκ συνθέσεως καὶ
ἐπινοίας ἀνθρωπίνης κατασκευαζομένους ἐκείνων λόγους,
ἡδίων ἡ ὀσμὴ τῶν σῶν μύρων, τάχα ἐκείνων οὐδ᾽

11 συνουσίας R : φαντασίας C ‖ 11-13 τῶν ... ψηλαφομένων ...
μαζῶν C : τὸν ...-νον ...-ζόν R.
5. 1 μὲν C : + γὰρ R ‖ 2-3 τοῦ — φιληθήσεσθαι C : om. R ‖ 5 ὡς
ἀποδεδώκαμεν R : om. C ‖ ὑπολαβοῦσα C : ἀπο- R ‖ 7 μαστοί C :
μασθοί R ‖ 9 μασθοί C : μαζοί R ‖ ὀνομασθεῖσα C : ὠνομάσθησαν R ‖
11 σοφίας R : om. C ‖ 12 εἶναι C : om. R ‖ 13 ψιλὴ λέξις C : ∼ R ‖
14-15 μανθάνοντες γράμματα C : ∼ R ‖ 17 τοὺς C : om. R ‖ 19 οὐδ᾽
R : οὐκ C.

5. a. Cf. I Cor. 3, 1-2   b. I Pierre 2, 2   c. II Tim. 3, 15.

même façon, cette vision intérieure de l'union avec l'époux était tenue pour vraie et se changeait en relation d'affection avec la merveille de pouvoir toucher [1] les seins de celui qu'elle désire.

Le lait des Écritures

5. Donc l'addition du mot « parce que » signifie qu'elle va ajouter la cause pour laquelle elle doit avoir une bonne raison d'être embrassée par les étreintes de l'époux ; elle l'a passée sous silence, soit, comme il a paru à certains, qu'elle ait vu l'époux apparaître, soit même, comme nous l'avons expliqué, qu'elle ait cru qu'il était présent. Mais au lieu de la cause, elle a ajouté, comme si elle avait touché le Verbe de vie : « Tes seins sont bons, plus que le vin ». Voici ce que cela veut dire : la transmission préliminaire et infantile de tes doctrines, après avoir été appelée « seins » parce qu'ils sont les réceptacles de la nourriture appropriée aux petits enfants [a], est devenue plus nourrissante et plus parfaite que le lait de la sagesse des Grecs qui paraît parfaite et avoir le goût du vin ; ou bien parce que le sens littéral de l'Écriture, qui contient le lait non frelaté [b] dont se nourrissent ceux qui étudient les Saintes Lettres depuis l'enfance [c], est plus utile et plus pédagogique que la contemplation chez les Grecs, pour concevoir une vie irréprochable [2]. Et « au-dessus de tous les aromates », à savoir les enseignements des païens élaborés par la composition et la réflexion humaines, l'odeur de tes parfums est plus agréable, alors que les leurs n'ont sans doute même

---

1. Ψηλαφωμένων : sur le sens et l'usage du verbe, cf. AUBINEAU, *SC* 187, n. 11, p. 133. Nil passe sous silence le long développement d'Origène sur les seins de l'époux (*ComCant.* I, 2, 3-7) ; l'expression τῶν ψ. τοῦ ποθουμένου μαζῶν semble lui avoir été inspirée par la citation de *I Jn* 1, 1 chez GRÉGOIRE, *In Cant. Or.* I, 34, 14.

2. Cf. ORIGÈNE, *ComCant.*, P. I, 4 ; GRÉGOIRE, *In Cant.*, *Or.* I, 35, 9-14 ; et aussi *Périst.* 949BC.

20 ἐχόντων ὀσμὴν διὰ τὸ μόνης τῆς τῶν ἀρωμάτων τετυχη-
κέναι ὀνομασίας, οὐ μὴν καὶ ποιότητος.

6. « Ὀσμὴ τῶν μύρων σου », φησίν, οὐχ ὑπὲρ πᾶσαν
ὀσμὴν ἀρωμάτων, ἀλλ᾽ « ὑπὲρ πάντα τὰ ἀρώματα », ὡς
οὐκ ἐχόντων ὀσμὴν τῶν παρ᾽ αὐτοῖς ἀρωμάτων. Εἰ γὰρ
μὴ ταῦτ᾽ ἦν, εἶπεν ἂν ὀσμὴν μύρων σου ὑπὲρ ὀσμὴν
5 πάντων ἀρωμάτων. Νῦν δὲ ἀρώματα εἰπὼν τὴν ὀσμὴν
ἐσιώπησεν, ἄποιος γὰρ καὶ οὐκ ἔχων εὐωδίαν ὁ παρ᾽
αὐτοῖς λόγος. Οὕτω καὶ ὁ προφήτης δι᾽ ἑτέρου παρα-
δείγματος τὸ αὐτὸ σημαίνων φησί· « δράγμα οὐκ ἔχον
ἰσχὺν τοῦ ποιῆσαι ἄλευρον[a] », ἐν μόνῳ τῷ ὀφθῆναι τὸ
10 κάλλος ἔχειν αὐτῶν τοὺς λόγους αἰνισσόμενος, τροφίμου
ποιότητος ἀμοιροῦντας. Μύρα δὲ τοῦ νυμφίου τὸ γράμμα
τῆς θεοπνεύστου ἐστὶ γραφῆς τὴν τῆς θεωρίας ἀποπνέον
εὐωδίαν. Ὁ γὰρ παρὰ τοῖς εἰρημένοις λόγος τῷ κόμπῳ
τῆς φράσεως τὰ δοκοῦντα αὐτῷ μύρα ἐγκατακλείσας ἐν
15 τῇ λέξει πᾶσαν ἔχει τὴν εὐπρέπειαν, ἐστερημένος μὲν τῆς
ἐν θεωρίᾳ ὀσμῆς, ἐστερημένος δὲ καὶ τροφίμου δυνάμεως.
Δράγμα γάρ ἐστιν οὐκ ἔχον ἰσχὺν τοῦ ποιῆσαι ἄλευρον,
τὸν ἐκ τοῦ τοιούτου δράγματος λόγον ὡς ἄρτον ἄποιον
διαβάλλων ὁ μέγας Ἰὼβ ἔλεγεν· « Οὐκ ἔστι γεῦμα ἐν
20 ῥήμασι κενοῖς[b] », ῥήματα κενὰ τοὺς ἔξω λόγους φάσκων,

---

6. 2 τὰ R : om. C ‖ 3 αὐτοῖς C : αὐτῆς R ‖ 3-6 εἰ — ἐσιώπησεν R :
om. C ‖ 4 εἶπεν correxi [sic L] : εἴπῃ R ‖ 7 οὕτω R : om. C ‖ 12 τῆς
θεοπνεύστου / ἐστὶ C : ~ R ‖ 17 δράγμα — ἄλευρον R : om. C ‖ 18
τὸν C : om. R ‖ 18-19 ἄποιον διαβάλλων C : ~ R ‖ 20 ἔξω C : om. R

---

6. a. Os. 8, 7   b. Job 6, 6.

---

1. Cette distinction logique : ὀνομασία / ποιότης constitue la
transition qui annonce le § suivant ; cf. ORIGÈNE, *ComCant.*, *P.* 3, 2.
2. Chez les Grecs, la parole se réduit à l'art du discours, à
l'apparence rhétorique (cf. EUSÈBE, *Prép. év.* VIII, 8, 54, *SC* 369,

pas d'odeur, parce qu'ils ont reçu seulement l'appellation
d'aromates sans en voir la qualité [1].

LA BONNE ODEUR de DIEU

La bonne odeur de la contemplation **6.** « L'odeur de tes parfums », dit-elle, non pas au-dessus de toute l'odeur des aromates, mais « au-dessus de tous les aromates », puisque les aromates, chez les Grecs, n'ont pas d'odeur. Car s'il n'en était pas ainsi, elle aurait dit : l'odeur de tes parfums, au-dessus de l'odeur de tous les aromates. Mais en fait, en disant « aromates », elle n'a rien dit de l'odeur, car la parole est chez eux dépourvue de qualité et n'a pas de bonne odeur. Ainsi, le prophète donne un autre exemple pour signifier la même chose : « Gerbe qui n'a pas de vigueur pour faire de la farine [a] », laissant entendre que leurs paroles possèdent la beauté dans leur apparence seulement, mais sont dépourvues de qualité nourricière. Les parfums de l'époux sont la lettre de l'Écriture divinement inspirée, quand elle exhale la bonne odeur de la contemplation. Car chez les Grecs, la parole, parce qu'elle a enfermé dans l'emphase de l'élocution ce qu'elle croyait être des parfums, possède toute la belle ordonnance dans la lettre du texte, mais elle est privée de l'odeur qu'il y a dans la contemplation et même de vertu nourricière [2]. Elle est la gerbe qui n'a pas de vigueur pour faire de la farine ; rejetant la parole d'une telle gerbe comme un pain sans qualité, le grand Job disait : « Il n'y a pas de saveur dans les mots vides [b] » ; il appelait « mots vides » les paroles des païens et « saveur » la

p. 98 : Πλάτωνος λόγους ... εἶναι κενούς) ; elle n'a que le nom de
parole ; alors que la Bible, qui relève de l'inspiration divine, est
pourvue des qualités de la parole : elle mène à la contemplation et se
fait nourriture « plus nourrissante et plus parfaite » pour l'âme. Nil
justifie son analyse par la citation de *Job* 6, 6.

γεῦμα δὲ τὴν τῆς θεωρίας ποιότητα, ἧς ἐκτὸς εἶναι
ἐκείνους ἐδήλωσεν. Ἔστι δὲ καὶ τὰ θαύματα τοῦ κυρίου
μύρων ὀσμὴ τοῦ νυμφίου, πρὸς ἃ ἐκπληττόμενοι[c] τὸν
ἐνεργοῦντα καὶ τὴν δύναμιν αὐτοῦ ἐθαύμαζον οἱ τότε τῶν
25 εὐεργεσιῶν ἀπολαύοντες.

1,3b **Μύρον ἐκκενωθὲν ὄνομά σοι,**
      διὰ τοῦτο νεάνιδες ἠγάπησάν σε,
4   **εἵλκυσάν σε ὀπίσω σου**
      εἰς ὀσμὴν μύρων σου δραμῶμεν.

CR. — 3b σοι C (A) : σου RLXX ‖ 4a εἵλκυσαν —
ὀπίσω σου CR (A stichus sing.) : εἴλ. σε /ὀπίσω σου
LXX ‖ 4b δραμῶμεν CR s.l. : δραμοῦμεν RLXX.

7. Ὥσπερ τὸ συνεχόμενον μύρον πρότερον ἀγνοούμενον τοῖς πολλοῖς διὰ τὸ συνέχεσθαι, μετὰ τὸ κενωθῆναι
μάρτυρος οὐ προσδέεται ἑτέρου πρὸς τὸ γνωσθῆναι ὅπερ
ἐστίν· αὐτὴ γὰρ ἡ τῆς ψυχῆς ποιότης ἐγκρινομένη ταῖς
5 αἰσθήσεσιν ἑρμηνεύει τῇ κενώσει τὴν ἑαυτῆς φύσιν καὶ
τοὺς ἄγαν βραδεῖς περὶ τὴν αἴσθησιν ἐφελκομένη μάρτυ-
ρας ποιεῖται τοὺς τῆς εὐωδίας ἀντιλαμβανομένους τῆς
κενωθείσης οὐσίας· οὕτω τὸ σὸν ὄνομα, ὦ νυμφίε, ἔτι σου

22 τὰ θαύματα C : θαῦμα R ‖ 23 μύρων C : om. R ‖ ἃ C : ταῦτα
γὰρ R ‖ 24 καὶ — αὐτοῦ R : om. C.
7. 1 συνεχόμενον C : ἐκκενωθὲν R ‖ πρότερον R : om. C ‖
ἀγνοούμενον C : + πρὸς R ‖ 1-2 μύρον ... συνέχεσθαι C : ∼ R ‖ 3
προσδέεται C : προσδεῖται R ‖ ἑτέρου R : om. C ‖ 4 γὰρ C : γάρ ἐστιν
R ‖ 4-5 ἐγκρινομένη ... ἑρμηνεύει τῇ κενώσει C : ἐν τῇ κενώσει ...
ἐγκρ. ἑρμ. R ‖ 5 ἑαυτῆς correxi [sic L] : ἑαυτοῦ R om. C ‖ 5-8 καὶ —
οὐσίας R : om. C

c. Cf. Matth. 13, 54.

qualité de la contemplation, à laquelle il a révélé qu'ils étaient étrangers. L'odeur des parfums de l'époux, ce sont aussi les miracles du Seigneur devant lesquels ceux qui jouissaient alors de ses bienfaits, après en avoir été effrayés [c], en admiraient l'opérateur et sa puissance [1].

1,3b Comme un parfum répandu, ton nom,
à cause de cela, les jeunes filles t'ont aimé,
4   elles t'ont tiré, derrière toi
courons à l'odeur de tes parfums.

Bonne odeur de ton nom

7. Le parfum gardé enfermé, qui reste ignoré de presque tous tant qu'il est enfermé, une fois qu'il a été répandu, n'a plus besoin de témoin pour que sa substance soit connue. C'est la qualité même de l'âme, admise par les sens lors de sa diffusion, qui explique sa nature et, en attirant à la percevoir même ceux qui sont très lents, elle a pour témoins ceux qui saisissent la bonne odeur de son essence répandue [2]. De la même façon, époux, ton nom, resté

1. Association courante chez les Pères de ἐνεργεῖν et δύναμις (qui désigne parfois le « miracle » dans le N. T., v. g. *Matth.* 11, 21, pour exprimer l'action qui transforme la δύναμις en οὐσία. Cette phrase esquisse une deuxième exégèse qui sera reprise § 7, 12-15 et amplifiée § 29.

2. La théologie de l'incarnation utilise couramment depuis Origène ces notions d'origine philosophique (cf. GRÉGOIRE, *In Cant. Or.* I, 36 ; 37) : la qualité (ποιότης) et la nature (φύσις) permettent de comprendre la substance (ὅπερ ἐστίν).

ὄντος ἐν τοῖς πατρικοῖς κόλποις [a] ἀγνοούμενον, μετὰ τὴν
10 κένωσιν ἣν « σαυτὸν ἐκένωσας μορφὴν δούλου λαβών [b] »,
ἴσα κενωθέντι μύρῳ, αὐτόθεν ἔχει τὴν μαρτυρίαν τῇ τῶν
σημείων δυνάμει [c] πιστούμενον. Οὕτως οὖν θαυμάζοντες
ἔλεγον· « οὐδέποτε οὕτως ἐφάνη ἐν τῷ Ἰσραήλ [d]. » Τοῦτο
γὰρ καὶ ἐν ἑνὶ τῶν προφητῶν σημαίνων ἔλεγεν ὡς « ἤδη
15 ὂν τὸ ἐσόμενον [e] », τῶν γὰρ ἀληθῶς ἐκβησομένων τοιοῦτον τῆς προφητείας τὸ εἶδος· « ἀπὸ ἀνατολῶν ἡλίου μέχρι
δυσμῶν αἰνετὸν τὸ ὄνομά σου [f] καὶ δεδόξασται ἐν τοῖς
ἔθνεσι καὶ ἐν παντὶ τόπῳ θυμίαμα προσφέρεται τῷ
ὀνόματί σου καὶ θυσία καθαρά [g]. »

8. Ἀλλ' « αἱ μὲν νεάνιδες διὰ τοῦτο ἠγάπησάν σε »,
ἐπείπερ « εἵλκυσάν σε » ἐκ τῶν πατρικῶν κόλπων ἐπιδεό-
μεναι τῆς σῆς παρουσίας μετὰ τὴν ἐκ τῆς ἐπιδημίας
ὠφέλειαν, μετὰ τὴν ἐπίδειξιν τῶν θαυμάτων ἐπιγνοῦσαί
5 σου τὸ ὄνομα, καὶ ἀκολουθοῦσιν ὀπίσω σου μετὰ τὴν τῆς
εὐεργεσίας αἴσθησιν. Ἐγὼ δὲ ἥ σοι μεμνηστευμένη [a] ἤδη
κατὰ τὴν σὴν ἐπιφοίτησιν, τῆς ὀσμῆς τῶν σῶν μύρων σου

12-19 οὕτως — καθαρά R : om. C.
8. 2 ἐπείπερ C : ἐπειδή- R ‖ 4 ἐπίδειξιν C : om. R ‖ θαυμάτων C :
+ πεῖραν R

7. a. Cf. Jn 1, 18   b. Phil. 2, 7   c. Cf. Rom. 15, 18   d. Matth. 9,
33   e. Eccl. 3, 15   f. Ps. 112, 3   g. Mal. 1, 11.
8. a. Cf. Os. 2, 21

1. Cf. ORIGÈNE, *ComCant.*, I, 4, 4-10; 27-29. Sur la kénose, cf.
HARL, *Fonction révélatrice*, p. 229-231. Cette exégèse semble déjà
présente dans le *Commentaire* d'Hippolyte sur *Cant.* 2, 5; cf. P.
MELONI, *Il Profumo dell'immortalità*, p. 111.
2. L'intimité parfaite du Logos et du Père (voir *TWNT s. v.*
κόλπος) empêche les hommes de connaître son nom, mais n'est pas
rompue par la révélation dans « la forme d'esclave » (cf. AUBINEAU,

inconnu tant que tu étais dans le sein du Père [a], après la diffusion dont « tu t'es toi-même répandu, prenant la forme d'esclave [b] », semblable à un parfum répandu [1], possède en lui-même son propre témoignage, parce que la puissance des signes [c] fait croire en lui [2]. Ainsi donc dans l'étonnement, ils disaient : « Jamais on n'a vu pareille chose en Israël [d]. » Car il disait aussi chez l'un des prophètes pour faire comprendre que « ce qui sera est déjà [e] » — telle est en effet l'apparence de la prophétie des événements qui auront vraiment lieu [3] — : « Depuis le levant du soleil jusqu'au couchant, ton nom est loué [f] et glorifié dans les nations et en tout lieu un encens s'élève vers ton nom ainsi qu'un sacrifice pur [g] [4]. »

Parfums de l'histoire du salut

8. Mais « les jeunes filles t'ont aimé à cause de cela », puisqu' « elles t'ont tiré » hors du sein paternel, par besoin de ta présence après avoir profité de ta venue, qu'elles ont reconnu ton nom après la manifestation des miracles, et elles te suivent après avoir ressenti ton bienfait. Quant à moi, qui suis fiancée [a] à toi déjà au moment de ta visitation, je me suis emparée de l'odeur de

SC 187, p. 223-224). Parce qu'il est ἐνεργῶν, il n'a pas besoin d'un témoignage externe (αὐτόθεν ἔχει τὴν μαρτυρίαν). La puissance des signes est dans l'acte qui révèle son οὐσία. Ces signes sont les miracles (θαύματα) par lesquels le Christ se révèle Dieu aux yeux de tous (πιστούμενον).

3. Non seulement les prophètes et tout l'A. T. annoncent le Nouveau, mais ce qui y est dit est (ἤδη ὄν) figure de l'avenir (τῶν ἀληθῶς ἐκβησομένων), lorsque la révélation sera totale ; cf. ORIGÈNE, P. Arch. IV, 3, 13, SC 268 p. 390. Phrase de transition avec le § suivant.

4. Il ne s'agit peut-être pas tant d'une citation composite que de la contamination de deux textes très proches ; Ps. 112, 3b : αἰνετὸν (leçon de l'Alexandrinus) ; τὸ ὄνομα κυρίου ; Mal. 1, 11 : ἀπ' ἀνατολῶν ἡλίου ἕως δυσμῶν τὸ ὄνομά μου ... προσάγεται ... μου. Le raisonnement progresse depuis la fin de 6 : le sacrifice de la croix fera connaître aux nations elles-mêmes la divinité du Christ (29).

καὶ πρὸ τῆς ἐπιδημίας ἀντελαβόμην καὶ τῶν ἀγαθῶν σου
μαστῶν καὶ πρὸ τῆς ἐνανθρωπήσεως ἀπέλαυσα ἐν
10 μυστικοῖς τύποις προφητειῶν ἀληθεῖς τῶν ἐκβησομένων
πραγμάτων εἰκόνας θεασαμένη καὶ τῶν ὕστερον γνωσθέν-
των τοῖς πολλοῖς φθάσασα τὴν γνῶσιν τῇ χάριτι. Οὕτως
εἶδον τὴν ἀπαθῆ γέννησιν ἐν τῷ « ἐξ ὄρους τμηθέντι
λίθῳ ἄνευ χειρῶν ᵇ », ἐν τῇ βάτῳ τὴν τοῦ θεοῦ πρὸς
15 ἀνθρώπους συνάφειαν ᶜ, ἐν τῷ Μωσεῖ τὴν κεκρυμμένην
ἀνατροφήν ᵈ, ἐν τῷ Ἰωσὴφ τὴν Ἰουδαίων ἐπιβουλήν ᵉ,
ἐν τῷ Ἰσαὰκ τὸ τοῦ θανάτου ὁμοίωμα ᶠ, ἐν τῷ Ἰωνᾶ
τὸ τῆς ἀναστάσεως μυστήριον ᵍ καὶ πάσης τῆς οἰκονομίας μυσταγωγηθεῖσα τὰ σύμβολα μετὰ τοῦ Ἀβραὰμ
20 « εἶδον τὴν ἡμέραν τὴν σὴν καὶ ἐχάρην ʰ », σοῦ μοι
κατὰ χάριν ταύτην παρασχόντος τὴν παραμυθίαν. Ἀλλ'
ἐπεί τις καὶ ἑτέρα πάλιν ὑπολέλειπται ὀσμὴ μύρων ἦν

9 μαστῶν C : μασθῶν R ‖ 11 εἰκόνας C : om. R ‖ 12 οὕτως εἶδον
R : om. C ‖ 13 ἐξ ὄρους R : om. C ‖ τμηθέντι R : -θῆναι C ‖ 14
χειρῶν R : -ρός C ‖ 15 μωσεῖ C : μωυσῇ R ‖ 16 τὴν C : τῶν R ‖
ἰουδαίων C : + τὴν R ‖ 17 τῷ¹⁻² R : om. C ‖ 18-19 καὶ — σύμβολα
R : om. C ‖ 22 ἐπεὶ C : -δὴ R ‖ πάλιν R : om. C

b. Dan. 2,45   c. Cf. Ex. 3, 2   d. Cf. Ex. 2, 2.7   e. Cf. Gen. 37,
18   f. Cf. Gen. 22, 16; Rom. 6, 5   g. Cf. Jonas 2, 1-2   h. Jn 8, 56

1. Ἐπιδημία est le mot qui désigne habituellement — en part.
chez Origène, cf. HARL, *Fonction révélatrice*, p. 205-206 — la venue
du Christ lors de l'incarnation (ἐνανθρώπησις; cf. CHRYSOSTOME,
Catéch. bapt. III, 1, 21-25, *SC* 366, p. 214), ou dans l'âme
individuelle, comme le suggère ἐπιφοίτησις. L'insistance de l'auteur
sur la manifestation du Verbe transparaît ici dans le nombre des
composés avec ἐπι-.
2. Nil donne ici des deux niveaux traditionnels de la connaissance
du Logos une interprétation sensiblement différente de celle d'Origène (selon l'homme intérieur et l'homme « corporel », cf. *ComCant.* I,
4, 16-26) : l'âme parfaite connaît le Verbe de Dieu alors qu'il est

tes parfums avant même ta venue et j'ai joui de tes bons seins avant même ton incarnation [1], ayant contemplé dans les figures mystiques des prophéties les vraies images des événements qui se produiront et anticipé par la grâce la connaissance de ce qui a été connu ensuite de presque tous [2]. Ainsi ai-je vu la génération impassible [3] « dans la pierre coupée de la montagne sans les mains [b] [4] »; dans le buisson [c], l'union de Dieu avec les hommes, en Moïse, l'éducation cachée [d], en Joseph, le complot des Juifs [e], chez Isaac, le semblant de la mort [f], chez Jonas le mystère de la résurrection [g] et, après avoir été initiée aux symboles de tout le plan divin, avec Abraham, « j'ai vu ton jour et je me suis réjouie [h] », puisque selon ta grâce, tu m'as procuré ce réconfort [5]. Mais puisqu'il subsiste une nouvelle odeur des

encore dans le sein du Père, parce que sa contemplation des prophéties (ἐν μυστικοῖς τύποις προφητειῶν ... θεασαμένη) lui permet d'anticiper sur l'incarnation. La majorité, comme les jeunes filles, a besoin de l'incarnation pour comprendre (voir la suite de ce développement 10, 2-14), alors que chez Origène, elles représentent « les âmes qui semblent initiées par des instructions élémentaires propres à nourrir les commencements » (trad. L. Brésard, *SC* 375, *ComCant.* I, 6, 4).

3. G.-M. de Durand (« *Sa génération, qui la racontera?* (*Is.* 53, 8b) : l'exégèse des Pères », *RSPh* 53 (1969), p. 628-657) montre l'importance de cette expression dans la définition de la christologie du IVe s. Elle se trouve aussi dans le *De Trinitate* attribué à Didyme, *PG* 39, 312A.

4. Origène cite *Dan.* 2, 34 (*ComCant.* II, 10, 8; III, 12, 11; *HomCant.* II, 3), mais en appliquant l'image à la kénose du Christ; pour Cyrille de Jérusalem (*Catéch. myst.* I, 8, 22-23, *SC* 126, p. 98), il s'agit de la fuite du nouveau baptisé sur la montagne où se trouve le Christ.

5. Cette liste d'épisodes de l'A. T. lus comme des prophéties de l'histoire terrestre du Christ, relève moins d'une exégèse littérale, que « de la relation historique de deux moments du dessein de Dieu » (Daniélou : *Message évangélique*, p. 184). Sur ce passage et les deux autres autres listes §54 et 57, voir notre article : « Testimonia christologiques et pédagogie monastique : la notion de prophétie chez Nil d'Ancyre », à paraître dans le vol. d'hommages à M. Harl, éd. G. Dorival et O. Munnich.

μέλλεις φανεροῦν κατὰ τὴν τῆς ἀποδόσεως ἡμέραν[i],
ταύτης ὀπίσω δραμεῖσθαι ἐγὼ δὲ καὶ αἱ νεάνιδες
25 ἐπαγγελλόμεθα ἤδη πρὸς τὴν εὐωδίαν αὐτῆς ἐκ τῶν
προλαβόντων θαυμάτων κεχειρωμέναι. Εἰ γὰρ καὶ πολλοῖς ἡ ἡμέρα ἐκείνη διὰ συνειδὸς πονηρόν ἐστι φοβερά,
ἀλλά γε τοῖς καθαρὸν ἔχουσι περισπούδαστος, ἀμοιβῶν
οὖσα καὶ στεφάνων τῶν ἐπὶ τοῖς ἠγωνισμένοις[j] παρ-
30 εκτική.

9. Δύνανται δὲ καὶ νεάνιδες λέγεσθαι τὸν νυμφίον
ὀπίσω ἑλκύσασαι ἥ τε αἱμόρρους καὶ ἡ Χαναναία, ἡ μὲν
γὰρ « ὀπίσθεν ἥψατο τοῦ κρασπέδου τοῦ ἱματίου αὐτοῦ[a] »,
ἡ δὲ ἔκραζεν ὀπίσθεν αὐτοῦ · « ἐλέησόν με, κύριε, ἡ
5 θυγάτηρ μου κακῶς δαιμονίζεται[b]. » Ἀμφότεραι γὰρ τὸ
ἐκ τῆς συμπαθείας εἵλκυσαν ἴαμα.

23 μέλλεις C : -ει R ‖ ἡμέραν C : -ρα R ‖ 24 αἱ C : om R ‖ 27 ἡ
ἡμέρα ἐκείνη ... φοβερά R : φοβερὰ ἡμέρα C ‖ 28 καθαρὸν ἔχουσι R :
καθαροῖς C + τοῦτό ἐστι R ‖ 29-30 τῶν — παρεκτική R : καιρός C.
9. 1 καὶ R : om. C ‖ 2 αἱμόρρους C : αἱμορροοῦσα R ‖ 2-5 ἡ μὲν —
δαιμονίζεται R : om. C ‖ 4 γὰρ R : + ἡ μὲν ἁψαμένη τῶν ὀπίσω ἡ δὲ
κράξασα C ‖ 6 ἴαμα R : μύρον C.

i. I Tim. 4, 8   j. Cf. II Tim. 4, 7-8.
9. a. Matth. 9, 20   b. Matth. 15, 22.

parfums que tu vas manifester au jour de la rétribution [i],
les jeunes filles et moi nous promettons de courir derrière
elle, déjà subjuguées par sa bonne odeur qui émane des
miracles passés. Car même si ce jour-là est effrayant pour
beaucoup à cause de la mauvaise conscience, il est très
désirable pour ceux qui sont purs, parce qu'il est celui des
récompenses et qu'il procure des couronnes à ceux qui ont
lutté [j] [1].

L'hémorroïsse et la Cananéenne

9. On peut dire aussi que les jeunes
filles qui ont tiré l'époux par derrière [2] sont l'hémorroïsse et la Cana-
néenne. L'une en effet « a touché par derrière les franges de
son manteau [a] », l'autre criait derrière lui : « Aie pitié de
moi, Seigneur, ma fille est fort tourmentée par un
démon [b]. » Car l'une et l'autre ont tiré de sa compassion un
remède [3].

1. Φοβερὰ ἡμέρα désigne habituellement le jour du jugement, v. g.
CHRYSOSTOME, *Catéch. bapt.* VII, 3, 9; VIII, 25, 8, *SC* 50 bis,
p. 229, 260. Les expressions tirées des épîtres à *Tim.* reviennent
usuellement à ce propos, cf. *Disc. asc.* 808B, 809D.

2. En 8, 2 s., Nil explique εἵλκυσάν σε en le liant au stique
précédent (comme le *Vaticanus*). Ici, c'est la leçon de l'*Alexandrinus* qui est choisie. Ni Origène, ni Grégoire, qui s'en tiennent à la
leçon de **A**, ne signalent cette double lecture.

3. Ἴαμα : On pourrait préférer la leçon de **C** (μύρον), mieux en
accord aussi avec l'ensemble de l'exégèse, mais difficile en français,
où il n'existe pas d'équivalence sémantique entre parfum et remède.

1,4c Εἰσήνεγκέν με ὁ βασιλεὺς εἰς τὰ ταμεῖα αὐτοῦ.
Ἀγαλλιασώμεθα καὶ εὐφρανθῶμεν ἐν σοί,
ἀγαπήσομεν μαστούς σου ὑπὲρ οἶνον,
εὐθύτης ἠγάπησέν σε.

CR. — 4c εἰσήνεγκεν C : -ε R ‖ τὰ ταμεῖα C : τὸ ταμιεῖον
RLXX ‖ 4f ἠγάπησεν C : -ε R.

10. Ἐπεὶ ἐν τοῖς προλαβοῦσι λόγοις κοινήν τινα ταῖς
νεάνισιν ἐπαγγελίαν ἔθετο εἰποῦσα· « εἰς ὀσμὴν μύρων
σου δραμῶμεν », χωρίσαι αὐτὴν τῆς ἐκείνων κοινωνίας
βουλόμενος ὁ νυμφίος εἰσάγει εἰς τὸ ταμεῖον αὐτοῦ,
5 ἀποκαλύπτων αὐτῇ « τὸ μυστήριον τὸ ἀποκεκρυμμένον
πρὸ τῶν αἰώνων[a] » ἐν τῷ θεῷ καὶ τελῶν αὐτῇ τὰ τῆς
οἰκονομίας καὶ τῆς ἐνανθρωπήσεως. Ταῦτα γὰρ ὡς
ἀπόρρητα καὶ τῶν ταμείων ἄξια τοῦ νυμφίου μυηθεῖσα
καὶ ὥσπερ αἴσθησιν λαβοῦσα τοῦ ἑαυτῆς ἀξιώματος, ὅσον
10 ὑπερέχει τὰς ἔξω τοῦ ταμείου ἀπολειφθείσας, ἐγκαλλω-
πιζομένη τῷ διηγήματι, φησὶ πρὸς τὰς νεάνιδας, τὸ
ἐξαίρετον αὐτὴ λεληθότως αὐταῖς ἐκ τοῦ μόνη τῶν
ἀπορρήτων ἠξιῶσθαι ὑποφαίνουσα· « εἰσήγαγέ με ὁ
βασιλεὺς εἰς τὸ ταμεῖον αὐτοῦ. » Διόπερ ἐκεῖναι μαθοῦσαι

10. 1 ἐπεὶ C : -δὴ R ‖ λόγοις R : om. C ‖ 4 ταμεῖον C a.c. R :
ταμιεῖον C p.c. ‖ 5 αὐτῇ τὸ R : om. C ‖ 5-6 τὸ μυστήριον / ... αἰώνων
R : ~ C ‖ 6 ἐν - θεῷ R : om. C ‖ 6-8 καὶ — νυμφίου R : τὰ οὖν τῆς
ἐνανθρωπήσεως C ‖ 10 τὰς ἔξω τοῦ ταμείου C : τῶν ταμείων τὰς ἔ. R
‖ 11 φησὶ R : om. C ‖ τὰς νεάνιδας R : αὐτὰς C ‖ 12 αὐτὴ C : -τῆς R ‖
αὐταῖς correxi : -τοῖς R om. C ‖ 13 ἠξιῶσθαι C : ἀξιοῦσθαι R ‖
ὑποφαίνουσα R : καί φησιν C ‖ 14 εἰς — αὐτοῦ R : ἄλλως φησί scr. C
‖ 14-15 ἐκεῖναι μαθοῦσαι τὴν ὑπεροχήν C : τ. ὑ. κἀκεῖναι μ. R

10. a. Col. 1, 26.

1. Le pluriel (τῶν ταμείων) est entraîné ici par l'ensemble
(ἀπόρρητα ... ἄξια). Quel texte biblique Nil lisait-il? Dans la suite, il

L'ÉPOUSE se REND DIGNE de l'UNION

1,4c Le roi m'a introduite dans ses celliers.
Exultons et réjouissons-nous en toi,
nous aimerons tes seins plus que le vin,
la droite t'a aimée.

Les celliers des
secrets de Dieu

10. Dans les paroles qui précèdent, elle a fait une promesse commune avec les jeunes filles et a dit : « Courons à l'odeur de tes parfums » ; dans l'intention de la séparer de leur groupe, l'époux l'introduit dans son cellier, lui dévoile « le mystère caché avant les siècles [a] » en Dieu et achève pour elle les révélations du plan divin et de l'incarnation. Or, après avoir été initiée à ces réalités en quelque sorte secrètes et dignes des celliers [1] de l'époux, comme si elle avait la sensation de sa propre dignité, dans la mesure où elle l'emporte sur celles qui sont restées à l'extérieur du cellier, elle se glorifie de le raconter. Elle dit aux jeunes filles, en leur laissant entendre en confidence qu'elle seule a été jugée digne des secrets : « Le roi m'a introduite dans son cellier [2] ». C'est pourquoi [3] lorsqu'elles apprennent sa

commente τὸ ταμεῖον. Malgré la note de B. Grillet (CHRYSOSTOME, *Virg.*, SC 125, p. 350-351) et sa traduction de ταμεῖον par « resserre » où la famille entrepose ce qui constitue son trésor (cf. Philon DE CARPASIA, *Commento*, p. 68 ; *BA* 1, n. p. 285), nous conservons la traduction traditionnelle de *celliers*.

2. Cf. ORIGÈNE, *ComCant.*, I, 5, 1-10 ; GRÉGOIRE, *In Cant. Or.* 41-42.

3. Nous avons éliminé ἄλλως φησί comme un ajout de **C** pour introduire la deuxième partie de ce développement ; sur les formules qui amènent une seconde explication chez Évagre, voir pourtant les remarques de Géhin, SC 340, p. 19 ; cf. ORIG., *HomCant.* I, 5 ; *ComCant.* I, 6, 1-4.

15 τὴν ὑπεροχήν, οὐκέτι μὲν ἐφ᾽ ἑαυταῖς μεγαφρονοῦσιν τῆς
νυμφικῆς καταστάσεως μακρὰν οὖσαι πεπεισμέναι, τῶν
δ᾽ ἐν κάλοις δευτερείων μεταποιούμεναι, ἐπεὶ τῶν
πρωτείων ἐσφάλησαν, εἰ καὶ μὴ νύμφαι τοῦ λόγου, ἀλλ᾽
οὖν κἂν φίλαι τῆς νύμφης εἶναι βούλονται καὶ συγχαίρειν
20 τῇ εἰπούσῃ νύμφῃ· «εἰσήγαγέ με ὁ βασιλεὺς εἰς τὸ
ταμεῖον αὐτοῦ», ὁμολογοῦσαι καὶ λέγουσαι· «ἀγαλλιασώμεθα καὶ εὐφρανθῶμεν ἐν σοί.»

11. Εἰ γάρ φησιν «ἡ εὐθύτης», ὅ ἐστιν ὁ νυμφίος,
τοῦτο γὰρ αὐτῷ ὄνομα, ὡς καὶ ὁ Δαυίδ φησιν· «χρηστὸς
καὶ εὐθὴς ὁ κύριος[a]», «ἠγάπησέ σε», τίς ἔτι πειθόμενος
ἐκείνῳ ἀπολείψεται τῆς πρός σε ἀγάπης καὶ μὴ τοὺς
5 μαστούς σου τοὺς κατὰ ζῆλον ὁμοιωθέντας τοῖς τοῦ
νυμφίου μαστοῖς οὓς πρὸ μικροῦ ἀγαθοὺς ἔκρινας ὑπὲρ
οἶνον ἀγαπήσει; Ἤδη γὰρ οἱ σοὶ μαστοὶ συγκρινόμενοι
τῷ οἴνῳ τῶν ἔξω λόγων αἱρετώτεροι γεγόνασι, νικῶντες
καὶ ἐν αὐτῇ τῇ στοιχειώσει τὴν ἐκείνων τελειότητα.
10 Ἀλλὰ σὺ μὲν εἰκότως τοὺς τοῦ νυμφίου μαστοὺς ἀγαπᾷς,
ὡς νύμφη τοῦ λόγου γενομένη· ἡμῖν δὲ ἱκανὸν καὶ τὸ
τοὺς σοὺς μαζοὺς ἀγαπᾶν, νεάνισιν οὔσαις καὶ γνωριζούσαις τὸ μέτρον τῆς ἐνεστώσης καταστάσεως. Ἴσως δὲ
ταμεῖον καὶ τὸ σῶμα λέγει τὸ κυριακόν, εἰς ὃ εἰσῆκται ἡ

---

15 ἑαυταῖς C : -τοῖς R ‖ 16 οὖσαι C : εἶναι R ‖ 16-17 τῶν —
μεταποιούμεναι C : om. R ‖ 18 πρωτείων C : πρώτων R ‖ 18-19 ἀλλ᾽
οὖν C : ἀλλὰ γοῦν R ‖ 19 καὶ C : om. R ‖ 20-21 τῇ — αὐτοῦ R : om.
C ‖ 21 ὁμολογοῦσαι R : -γοῦσιν C ‖ καὶ λέγουσαι R : om. C.
    11. 1 ὅ C : ὅς R ‖ 2-3 τοῦτο — κύριος R : om. C ‖ 5 μαστούς C :
μασθούς R et sic 6 7 ‖ 10 εἰκότως — ἀγαπᾷς R : om. C ‖ 11 ὡς C :
om. R ‖ 12 μαζοὺς R : om. C ‖ 12-13 καὶ γνωριζούσαις C : om. R

---

11. a. Ps. 24, 8.

supériorité, elles n'ont plus confiance en elles-mêmes, convaincues qu'elles sont fort éloignées de la condition nuptiale. Recherchant alors parmi les biens ceux qui tiennent le second rang [1], puisqu'elles ont échoué à s'approprier ceux qui tiennent le premier, elles veulent être, sinon les épouses du Verbe, du moins les amies de l'épouse et se réjouir avec l'épouse qui a dit : « Le roi m'a introduite dans son cellier », en reconnaissant et disant : « Exultons et réjouissons-nous en toi. »

Un amour à la mesure des jeunes filles **11.** Si en effet le texte dit : « La droiture t'a aimée [a] » — c'est-à-dire l'époux, car tel est son nom, comme David aussi le dit : « Bon et droit est le Seigneur [a] [2] » —, qui donc, se fiant à l'époux, cessera de t'aimer et n'aimera pas tes seins que tu rends avec ardeur semblables aux seins de l'époux, dont tu viens de juger qu'ils sont « bons, plus que le vin » ? Car déjà tes seins, comparés au vin, sont plus désirables que les paroles des païens, puisqu'ils en surpassent aussi la perfection dans le rudiment lui-même [3]. Mais toi, devenue comme l'épouse du Verbe, tu as raison d'aimer les seins de l'époux. Pour nous, il nous suffit d'aimer tes seins, puisque nous sommes des jeunes filles qui apprenons la mesure de notre condition actuelle. Peut-être appelle-t-elle aussi cellier le corps du Seigneur dans lequel a pénétré l'âme bienheu-

---

1. Les jeunes filles n'ont pas atteint la même perfection que l'épouse et ne jouissent pas de la même dignité qu'elle ; elles auront besoin de voir la réalisation des prophéties dans l'incarnation du Verbe. Le second rang qu'elles occupent (cf. GRÉGOIRE, *In Cant. Or.* I, 40, 18) est la conséquence d'un échec et marque leur imperfection (ἐσφάλησαν).

2. GRÉGOIRE écrit : « Ἰησοῦς δέ ἐστιν ἡ εὐθύτης » et cite *Ps.* 91, 16 : « Εὐθὺς κύριος ὁ θεός » ; *In Cant. Or.* I, 42.

3. Cf. EUSÈBE, *Prép. év.* VII, 1, 2-3, *SC* 215, p. 146.

15 μακαρία ψυχὴ συνοικήσασα τῷ θεῷ λόγῳ καὶ συμβασιλεύουσα νῦν αὐτῷ.

12. Εἶθ᾽ ὅπερ παθεῖν ἦν εἰκὸς τὰς ἀπὸ τῆς συναγωγῆς
ὁρώσας αὐτήν, ὡσανεὶ φρυαττομένην καὶ μετὰ σχήματος
σοβαροῦ τὸ « εἰσήγαγέ με ὁ βασιλεὺς εἰς τὸ ταμεῖον
αὐτοῦ » πρὸς τὰς νεάνιδας λέγουσαν, τοῦτο εὐσκόπως τῇ
5 γνώμῃ συνιδοῦσα καὶ τὴν κινηθεῖσαν αὐταῖς ἐκ τοῦ
διηγήματος ζηλοτυπίαν στοχασαμένη, εἰ τῶν ἐκείναις
καθηκόντων ταμείων τοῦ βασιλέως ἡ δυσγενὴς καὶ
μέλαινα ἠξιῶσθαι αὐχεῖ, ὅπερ εἴποιεν ἐκεῖναι ὡσανεὶ
ἐξουδενοῦσαι αὐτὴν καὶ χλευάζουσαι, τοῦτο εὐγνωμόνως
10 ὁμολογεῖν αὕτη καὶ οὐκ αἰσχύνεται μετὰ τοῦ καὶ
προστιθέναι τὴν αἰτίαν τοῦ εὐλόγως ᾑρῆσθαι αὐτὴν παρὰ
τοῦ νυμφίου καί φησιν· « μέλαινά εἰμι καὶ καλή,
θυγατέρες Ἱερουσαλήμ. »

15 συνοικήσασα — καὶ R : om. C ‖ 16 νῦν αὐτῷ R : om. C.
12. 1 ἦν R : om. C ‖ 2 φρυαττομένην R : σοβαρευομένην C ‖ 2-4
καὶ — αὐτοῦ R : om. C ‖ 4 τὰς C : τοὺς R ‖ νεάνιδας R : +καὶ τὸ
εἰσήγαγεν C ‖ τοῦτο R : om. C ‖ 5 συνιδοῦσα correxi : συνειδ- R om.
C ‖ καὶ R : om. C ‖ 7 τοῦ βασιλέως R : om. C ‖ 8 εἴποιεν C : εἶπον ἂν
R ‖ 10 αὕτη καὶ R : om. C ‖ 11 ᾑρῆσθαι C : εἴρησθαι R ‖ 12-13 καὶ —
ἱερουσαλήμ R : om. C.

reuse qui habite avec le Verbe Dieu et règne désormais avec lui [1].

Assurance de l'épouse

12. Ensuite ce qu'ont ressenti, comme il était naturel, les filles de la Synagogue [2] qui la voient pour ainsi dire remplie d'arrogance quand elle s'adresse aux jeunes filles avec une attitude hautaine : « Le roi m'a introduite dans son cellier », elle l'a judicieusement envisagé et a conjecturé la jalousie que susciterait en elles son récit ; si elle se vante, quoique de basse origine et noire, d'avoir été jugée digne des celliers du roi qui devaient leur revenir, tout ce qu'elles en auraient dit, par mépris pour elle et en la raillant, elle ne rougit même pas, elle, de l'avouer tout simplement en ajoutant aussi la raison pour laquelle elle a été choisie à bon droit par l'époux et elle dit : « Je suis noire [3]. »

1. Seconde interprétation, dans le sens christologique (τὸ σῶμα τὸ κυριακόν), qui annonce les développements de la suite (28). Sous la forme τὸ κυριακὸν σῶμα, l'expression se trouve chez ATHANASE, *Sur l'incarn.*, SC 199, 8, 4, p. 292 ; 26, 6, p. 362 ; 32, 4, p. 378.
2. Pour Nil comme pour Origène, les « filles de Jérusalem » constituent un groupe distinct des « jeunes filles » dont il vient d'être question. Leur entrée en scène permet l'usage des formules traditionnelles de la polémique anti-juive (15, 14.16.24.47 et n. 1 p. 164), et surtout la mise en évidence de l'appel de l'Église des nations, face au « refus » de la Synagogue ; 15, 45 et n. 2 p. 162.
3. Cf. ORIGÈNE, *ComCant.*, II, 1, 1.

**1,5 Μέλαινά εἰμι ἐγὼ καὶ καλή, θυγατέρες Ἱερου-
σαλήμ,
ὡς σκηνώματα Κηδάρ, ὡς δέρρεις τοῦ Σαλομών.**

CR. — ἐγὼ C : om. RLXX.

13. Ἀμφιβάλλειν, φησίν, ὑμᾶς παρασκευάζει εἰ ἀξία
κέκριμαι τῶν τοῦ βασιλέως ταμείων ἡ τῆς δυσγενείας
μου μελανία, ὡς μᾶλλον ἐμοῦ δικαιοτέρας ταύτης τῆς
τιμῆς ἀπολαύειν διὰ τῶν πατέρων εὐγένειαν, ἀλλὰ πεισάτω
5 ὑμᾶς τὸ ὑπὸ τῆς μελανότητος τέως συσκιαζόμενον
κάλλος, ὃ μόνῳ κυρίῳ τῷ εἰς καρδίαν ὁρῶντι[a] ἀγαθὸν
ἐφάνη. Εἰ γὰρ καὶ μέλαινα νῦν ὑμῖν εἶναι δοκῶ, σημεῖά
τινα τῆς προτέρας ἐπιφέρουσα καταστάσεως καὶ ἀχλύν
τινα ὥσπερ τῆς ἐκ τῶν εἰδώλων κνίσης ἐπιποτωμένην
10 ἔχουσα τῇ ὄψει, ἀλλ' ἴστε ὅτι ὡς ἐπὶ σκηνῆς[b] τῷ
αἰθιοπικῷ δέρματι ἐκκέκρυπται κάλλος ἀμήχανον, ὅπερ
ἀναλάμψει ἐν τῷ γαμικῷ λουτρῷ[c]. Τότε γὰρ ἐν τῇ τοῦ

---

13. 1 ἀμφιβάλλειν C : -6αλεῖν R ‖ φησίν C : om. R ‖ 2 κέκριμαι C :
-ται R ‖ 3 μελανία C : μελανότης R ‖ ταύτης R : om. C ‖ 5 ὑπὸ C :
om. R ‖ 6 ὃ C : ὅπερ R ‖ μόνῳ C : + ἐν R ‖ 6-7 κυρίῳ / ... ἐφάνη C :
~ R ‖ νῦν C : om. R ‖ 7 εἶναι R : om. C ‖ 12 τότε γὰρ ἐν correxi :
τότε γὰρ τότε ἐν R ἐν γὰρ C

---

13. a. Cf. Lc 16, 5   b.Cf. Ex. 40, 34   c. Cf. Job 11, 15

---

1. Avec le mot δυσγένεια, Nil introduit dès la première phrase le
thème paulinien de *Rom.* 9-11 qui est au centre de son exégèse, à
l'imitation d'Origène (*ComCant.* II, 3-4). En liant l'idée de la filiation
divine par adoption à celle de la purification dans l'eau du baptême,

**1,5 Je suis noire et belle, filles de Jérusalem,
comme les tentes de Cédar, comme les tentures
de Salomon.**

Bain nuptial   **13.** La couleur noire de ma basse origine [1] vous dispose à douter, dit-elle, que
j'aie été jugée digne des celliers du roi sous prétexte que,
plus que moi, vous méritez cet honneur à cause de la
noblesse de vos pères. Que la beauté jusqu'alors voilée de
ma noirceur vous persuade néanmoins : elle a paru bonne
au seul Seigneur qui voit dans le cœur [a]. Car même s'il
vous semble que je suis noire maintenant parce que je
porte quelques signes de ma première condition [2] et que
j'ai, survolant mon apparence, une sorte de brouillard,
comme celui qui vient du graillon des idoles [3], sachez
pourtant que comme dans une tente [b] [4], sous ma peau
d'éthiopienne, a été révélée une extraordinaire beauté qui
resplendira dans le bain nuptial [c]. Alors, dans la piscine du

il rejoint des développements fréquents dans l'homilélique de son
temps, v. g. CHRYSOSTOME, *Catéch. bapt.* II, 6, 15, *SC* 366, p. 190 ;
voir introduction, p. 38-39.

2. Cf. GRÉGOIRE, *In Cant. Or.* II, 48, 11-14.

3. Nil évite la précision réaliste d'un Chrysostome pour évoquer
les scènes de sacrifices païens, ou la laideur de l'épouse « vautrée en
plein dans le bourbier de ses péchés » (*Catéch. bapt.* I, 5, *SC* 50 bis,
p. 110-111). Pour notre auteur, la noirceur est une ombre (συσκιαζόμενον), une sorte de brouillard (ἀχλύν τινα), qui empêche la beauté
d'apparaître sous « la peau d'éthiopienne ». Ce qu'il advient de cette
noirceur est expliqué § 15-17.

4. Il s'agit de la tente du témoignage apportée à Moïse à la fin de
l'*Exode* et destinée à contenir le coffre et tout son mobilier ; *Ex.* 40,
34-38 : la tente est couverte par l'ombre de la nuée et remplie par
l'illumination de la gloire du Seigneur. Cf. *BA* 2 et les notes *ad loc.*,
p. 376-377.

βαπτίσματος κολυμβήθρα, ὅταν λούειν με μέλλῃ ὁ τὰς
« ὡς φοινικοῦν ἁμαρτίας, ὡς χιόνα λευκαίνων [d] », ἀναβή-
σομαι λαμπρὰ καὶ ἀκήρατος, τὴν ἐπισυμβᾶσαν σκοτεινὴν
ποιότητα ἐν τῷ ὕδατι ἀπεκδυσαμένη. Ὑμεῖς γὰρ αἱ νῦν
σκώπτουσαι, κήρυκες ὑπὸ τῆς ἐκπλήξεως τοῦ ἐμοῦ
κάλλους τότε γενήσεσθε ἀπορητικῶς ἀλλήλαις ἐμβοῶσαι·
« τίς αὕτη ἡ ἀναβαίνουσα λελευκανθισμένη [e] ; » Εἰ γὰρ
τὴν τοῦ πατριάρχου Ἀβραὰμ αὐχοῦσαι συγγένειαν χωρὶς
τῆς τῶν ἔργων μιμήσεως [f] μένειν ἔτι νομίζετε τὴν
ἀγχιστείαν ὑμῖν, σαθραῖς ἐφορμεῖτε ἐλπίσι τὴν ἐξ ἔργων
συγγένειαν ἐπιγράφουσαι αἵματος κοινωνίᾳ [g]. « Οὐ γὰρ
πάντες οἱ ἐξ Ἰσραὴλ οὗτοι Ἰσραήλ, οὐδ' ὅτι εἰσὶ σπέρμα
Ἀβραὰμ πάντες τέκνα, ἀλλ' ἐν Ἰσαὰκ κληθήσεταί σοι
σπέρμα· τοῦτ' ἔστιν οὐ τὰ τέκνα τῆς σαρκός, τέκνα τοῦ
θεοῦ, ἀλλὰ τὰ τέκνα τῆς ἐπαγγελίας λογίζεσθαι εἰς
σπέρμα [h]· » Καὶ γὰρ οἱ τῆς ἀγριελαίας κλάδοι τῷ πρεμνῷ
τῆς εὐγενοῦς ἐλαίας ἐγκεντρίζονται παρὰ φύσιν εἰς
καλλιέλαιον [i], τῶν κατὰ φύσιν ἐκκλασθέντων τῆς ἰδίας
ῥίζης ὀρπήκων διὰ τὴν τῶν καρπῶν ἀνοικειότητα. Οὕτως

13 με C : om. R ‖ ὁ τὰς C : om. R ‖ 14 λευκαίνων CR : λευκάνων
(sic) V [post lac. hic inc. V] ‖ 16 ποιότητα C : ματαιότητα VR ‖ αἱ νῦν
[αἰνεῖν R] CR : om. V ‖ 18 ἐμβοῶσαι C : ἐκβ- V βοῶσαι R ‖ 20
αὐχοῦσαι C : ἔχ- VR ‖ 21-22 τὴν ἀγχιστείαν CV : τῇ -εία R ‖ 23
κοινωνίᾳ CV : -νίαν R ‖ 24 ἰσραηλ² CV : ἰσραηλῖται R ‖ 24-26 οὐδ' —
σπέρμα R : om. CV ‖ 26-28 τοῦτ' — σπέρμα V : om. CR

d. Is. 1, 18   e. Cant. 8, 5   f. Cf. Rom. 9, 12   g. Cf. Rom. 9,
3   h. Rom. 9, 6-8   i. Cf. Rom. 11, 16-24

1. Le mot κολυμβήθρα est associé ici à l'image du bain nuptial qui,
dans les noces orientales traditionnelles, lave la future épouse de
toute souillure, premier rite de sa splendide parure. Ainsi le bain du
baptême est associé à l'idée d'épousailles spirituelles, après la

baptême [1], quand il m'aura lavée, celui qui « blanchit comme neige les péchés qui étaient comme pourpre [d] », je remonterai splendide et pure, m'étant débarrassée dans l'eau de ma sombre qualité accidentelle. Et vous, à l'instant moqueuses, sous le choc de ma beauté, vous en deviendrez alors les hérauts et, dans le doute, vous vous crierez les unes aux autres : « Qui est celle-ci qui remonte toute blanchie [e] [2] ? » Car si, en vous vantant de votre parenté avec le patriarche Abraham, mais sans l'imitation de ses œuvres [f], vous pensez encore vous réserver la filiation, vous faites fond sur de vains espoirs en imputant la parenté des œuvres à la consanguinité [g]. « Car tous les fils d'Israël ne sont pas Israël et, race d'Abraham, ils ne sont pas tous ses enfants, mais ta race tirera son nom d'Isaac. C'est-à-dire que ce ne sont pas les enfants selon la chair qui sont enfants de Dieu, mais que les enfants de la promesse sont comptés au nombre de la race [h]. » En effet, on greffe contre nature les rameaux d'un sauvageon sur le tronc d'un olivier franc pour donner un bel arbre [i], après avoir coupé les rejets naturels de la souche, parce que leurs fruits ne sont

---

purification des péchés, cf. GRÉGOIRE, In Cant. Or. II, 49, 2-3, CHRYSOSTOME, Catéch. bapt. I, 17, 8-14, SC 50 bis, p. 116. Pour CYRILLE DE JÉRUSALEM, Catéch. myst. II, 4, SC 126, p. 110-112, il symbolise la renaissance ; d'autres auteurs favorisent la notion de purification, v. g. Hom. Pasc., SC 187, p. 269-270 : la piscine du baptême figure la mer où sont noyés les péchés (ibid., p. 265). Nil ne privilégie pas davantage l'un ou l'autre de ces deux symbolismes. L'image exprime l'idée de la pureté retrouvée de l'âme, dans l'esprit d'adoption.

2. Ἀναβαίνω est le verbe habituellement utilisé pour exprimer au sens physique la sortie de la piscine baptismale et au sens spirituel le début de la vie nouvelle qui s'offre au nouveau baptisé (cf. Pasteur d'Hermas 9, 16, 2 ; CHRYSOSTOME, Catéch. bapt. III, 3, 16-18, SC 366, p. 220). Nil s'accorde avec Grégoire (In Cant. Or. VIII, 245-247 : nombreuses occurrences du verbe et du nom ἀνάβασις) pour penser la vie de l'âme qui s'unit à Dieu comme une montée, voire une ascension, cf. 70, 2 et l'explication de Cant. 8, 14.

οὖν « ὁ θεὸς καὶ ἐκ τῶν λίθων ἐγεῖραι τέκνα δύναται τῷ
Ἀβραάμ [j]. » Τί οὖν κομπάζετε, θυγατέρες Ἱερουσαλήμ,
ἐπὶ τῇ τῶν πατέρων οἰκειότητι, ἔργοις ἀρνησάμεναι
35 πάλαι τὴν συγγένειαν τῶν ἁγίων, καὶ ζηλοτυπεῖτε τὴν ἐκ
πίστεως εἰσποιηθεῖσαν ἐμὲ καὶ γνησίαν κριθεῖσαν θυγα-
τέρα τοῦ Ἀβραὰμ [k] οὐ γένους διαδοχῇ, ἀλλὰ πίστεως
ζήλῳ καὶ πράξεων ἁγίων οἰκειότητι;

14. Τὸ δὲ « ὡς σκηνώματα Κηδάρ, ὡς δέρρεις Σαλομὼν » τῶν δύο ποιοτήτων ἐν αἷς γέγονε τὰς ἀκρότητας
σημαίνει ἀρετῆς καὶ κακίας. Καὶ γὰρ μέλαινα οὕτω
γέγονα, φησίν, ὡς σκηνώματα Κηδάρ, τοῦ ἑρμηνευομένου
5 σκοτασμοῦ, καὶ καλὴ ὡς ἐπὶ τοῦ Σαλομῶντος δέρρεις,
τὸν τῆς εἰδωλολατρείας ζῆλον ἐπὶ τὸν τῆς πίστεως πόθον
ἀκμάζοντα μεταγαγοῦσα καὶ διὰ τῆς δέρρεως τὴν ἐπὶ τῇ
προτέρᾳ πλάνῃ ἐν σάκκῳ [a] μεταμέλειαν ἐνδεικνυμένη.
Ταύτην γάρ μου τάχα τὴν μετάθεσιν καὶ τὸν οὐκ
10 ἀποδέοντα τῆς προτέρας μανίας δεύτερον ἔνθεον ἔρωτα ὁ

32-33 ὁ θεὸς καὶ ... τέκνα δύναται τῷ ἀβραάμ V : καὶ ... τέκνα τῷ
ἀ. δ. ὁ θ. R om. C ‖ 33 θυγατέρες ἱερουσαλήμ VR : om. C ‖ 34 τῇ —
οἰκειότητι VR : τοῖς πατράσι C ‖ 34-35 ἔργοις — ἁγίων [ἀπίων sic R]
VR : om. C ‖ 36 ἐμὲ — κριθεῖσαν C : om. VR ‖ 38 ἁγίων VR : om.
C.
14. 1-4 ὡς — κηδὰρ VC : om. R ‖ 1 δέρρεις V : δέρρις C ‖ 2 ἐν αἷς
γέγονε τὰς ἀκρότητας V : τ. ἀ. ἐ. αἷς γέγοναν C ‖ 3 σημαίνει V :
σημεῖα C ‖ 3-4 οὕτω γέγονα V : om. C ‖ 6 ἐπὶ VR : αἱ C ‖ 7
μεταγαγοῦσα C : μεταγοῦσα VR ‖ 8 πλάνη C : ἢ VR ‖ 9 τάχα VR :
om. C ‖ 10 μανίας CV : om. R ‖ ἔρωτα C : ζῆλον VR

j. Matth. 3, 9   k. Lc 13, 16.
14. a. Cf. Matth. 11, 21

1. C'est le mot qui a été utilisé pour parler de la stérilité de
l'épouse lorsqu'elle était une prostituée (2, 16). Ici les rejets sont

pas de la même famille [1]. Ainsi donc, « Dieu peut, même
des pierres, faire surgir des fils à Abraham [j]. » Pourquoi
donc vous flattez-vous, filles de Jérusalem, de votre
relation familiale avec vos pères, vous qui, par les œuvres,
avez renié depuis longtemps la parenté des saints et
pourquoi m'enviez-vous d'avoir été, de par ma foi, adoptée
et jugée fille légitime d'Abraham [k], non pour la succession
de ma race, mais pour l'ardeur de ma foi et ma relation
familiale avec les actions des saints [2] ?

14. « Comme les tentes de Cédar,
Sous les tentures
de la pénitence comme les tentures de Salomon », cela
désigne les extrêmes des deux quali-
tés [3] dans lesquelles elle s'est trouvée, la vertu et le vice.
Car je suis noire, dit-elle, comme les tentes de Cédar, mot
qui signifie obscurcissement, et belle comme sous les
tentures de Salomon, après avoir transformé l'ardeur de
l'idolâtrie en désir ardent de la foi. Par la tenture, j'ai
désigné la pénitence sous un sac [a] à l'égard de la première
erreur. Car sans doute, ce changement de ma part et le
désir amoureux rempli de Dieu qui l'a suivi, quoique non
dépourvu de la folie première [4], le bienheureux David les

éliminés, non parce qu'ils sont stériles, mais parce que leurs fruits
sont mauvais.

2. Sorte de centon de textes pauliniens et évangéliques, ce passage
montre l'importance des œuvres associées à la foi, qui définit l'esprit
d'adoption par le lien de parenté avec les actions des saints : lieu
commun de la littérature morale chrétienne, cf. CHRYSOSTOME,
Catéch. bapt. I, 20, 24, *SC* 366, p. 156. Il est souvent associé au culte
des saints, *ibid.*, VII, 3-11, *SC* 50 bis, p. 230-234.

3. Le terme doit être entendu au sens philosophique, cf. n. 1
p. 136 et 2 p. 139.

4. Μανία rappelle davantage ici le vocabulaire néo-testamentaire
(*Ac.* 26, 24 ; cf. *I Cor.* 14, 23) que platonicien (P. 3, 29). Mais l'écho
est voulu avec la seconde occurrence (3, 15) : l'âme conserve quelque
chose de la « folie du désir amoureux à l'égard de celui qu'elle n'a pas
contemplé ».

μακάριος Δαυὶδ προφητεύων ἔλεγεν· « ὡς τὸ σκότος
αὐτῆς, οὕτως καὶ τὸ φῶς αὐτῆς ᵇ. » Τάχα δὲ καὶ τὸ
σύστημα τῆς ἐξ ἐθνῶν καὶ Ἰουδαίων ἐκκλησίας συνεστὼς
ταῦτα ἔλεγε τὰ εἰρημένα, σκηνωμάτων μὲν Κηδὰρ τῶν ἐξ
15 εἰδωλολατρείας, δέρρεων δὲ Σαλομὼν τῶν ἀπὸ Ἰουδαίων
προστεθέντων τῇ πίστει λεγομένων.

**1,6 Μὴ βλέψητέ με ὅτι ἐγώ εἰμι μεμελανωμένη,
ὅτι παρέβλεψέν με ὁ ἥλιος.**

CVR. — παρέβλεψέν C : -ψέ R -6λαψέ V.

15. Ἔτι ταῖς ἀπὸ τῆς συναγωγῆς διαλέγεται καί
φησιν ὅτι οὐ τὸ μεμελανῶσθαί μέ ποτε αἰσχύνην φέρει,
οὐδ' ἐπειδὴ νῦν ἐπέγνων περὶ τῆς πάλαι ἀγνοίας ὀνειδισθή-
σομαι, δικαίως μενοῦνγε καὶ εἰς ἐγκωμίου κατασκευὴν οὐ
5 μικρὸν τοῦτο παρ' ἀληθείᾳ δικαζούσῃ· τῶν γὰρ ἐξ
ἀρετῆς εἰς κακίαν μεταβαλλόντων, οἱ ἀπὸ κακίας εἰς
ἀρετὴν τελευτῶντες ἀμείνους. Εἰ τοίνυν ἡ παρελθοῦσα
μελανότης, καθ' ἣν ἐκεχρώσμην δι' ἄγνοιαν περὶ τοὺς
τῶν εἰδώλων βωμοὺς εἰλουμένη, κατάγνωσιν φέρει,
10 πόσον εἰκὸς οἴσειν ὑμῖν κατὰ γέλωτα τὴν ἐπισυμβησο-

14 σκηνωμάτων μὲν C : σκηνώματα γὰρ VR ‖ τῶν ἐξ C : τοὺς ἀπὸ
VR ‖ 15 εἰδωλολατρείας C :+ σημαίνει VR ‖ 15-16 δέρρεων ... τῶν ...
προστεθέντων C : -εις ... τοὺς ... -ας VR ‖ 16 λεγομένων C : om. VR.
15. 1 ἔτι C : εἶτα VR ‖ ἀπὸ CR : om. V ‖ 3 νῦν VC : om. R ‖ περὶ
VC : παρὰ R ‖ 5 ἐξ C : ἀπὸ VR

b. Ps. 138, 12c.

prophétisait en ces termes : « Telle la ténèbre de celle-ci, telle la lumière de celle-là [b]. » Peut-être disait-il aussi ces paroles en réunissant ensemble l'Église des nations et celle des Juifs, si on appelle tentes de Cédar ceux qui viennent de l'idolâtrie et tentures de Salomon ceux qui, venant des Juifs, ont été associés à la foi [1].

A la RECHERCHE de DIEU

1,6 Ne me regardez pas, parce que j'ai été noircie, parce que le soleil m'a méprisée.

De la noirceur à l'illumination   **15.** Elle parle encore avec les filles de la Synagogue et dit : le fait d'avoir été noircie un jour ne m'apporte pas de déshonneur et, puisque maintenant je suis parvenue à la connaissance de mon ignorance passée, je ne serai pas blâmée ; au contraire à juste titre, ce ne sera pas un mince argument pour provoquer un éloge auprès du tribunal de vérité [2]. Car ceux qui, du vice, aboutissent à la vertu sont meilleurs que ceux qui passent de la vertu au vice. Certes, si la noirceur passée dont j'avais été colorée, en tournant par ignorance autour des autels des idoles, me vaut des reproches, combien le noir qui advient par surcroît quand

---

1. Tous les Juifs ne sont pas également condamnés. Ceux qui acceptent la proclamation peuvent faire partie de l'Église, cf. 40, 5-6.
2. L'expression désigne le tribunal eschatologique, cf. CHRYSOSTOME, *Catéch. bapt.* I, 20, 27-29, SC 366, p. 156-157. Sur le lien entre justice et vérité, thème vétéro-testamentaire, v. g. les commentaires d'Origène et d'Athanase sur le *Ps.* 118, v. 138a, *Chaîne palestinienne*, SC 189-190, p. 408-410 et les notes, p. 722-723.

μένην ἐν τῇ ἀναχωρήσει τῶν κρειττόνων μελανίαν, ἐφ' ᾗ
νῦν κατακερτομοῦσαί μου, μεγάλα αὐχεῖτε, μετὰ νόμου
καὶ προφητῶν μελέτην καὶ μάθησιν τὸν προφητευόμενον
ἀρνησάμεναι. Ἐπειδὴ γὰρ ἠγνόησα, « παρέβλεψέ με ὁ
15 ἥλιος » καὶ ἐπειδὴ παρέβλεψέ με, ἐμελανώθην, ἀλλ'
ἐπέγνων καὶ ἀπηλλάγην τῆς δυσειδίας· ἠρνήσασθε ὑμεῖς
καὶ ἔδυ ὁ ἥλιος ὑμῖν καὶ βοᾷ τοῦτο προφητικῶς Ἰερεμίας
λέγων· « ἐπέδυ ὁ ἥλιος αὐτῇ ἔτι μεσούσης τῆς ἡμέρας[a]· »
ἀπεστράφη ὁ ἥλιος καὶ ἐδέξασθε τὴν μελανίαν. Καὶ τοῦτο
20 γὰρ προλαβὼν ὁ αὐτὸς προφήτης κηρύττει περὶ ὑμῶν·
« ἐσκότασεν, λέγων, ὑπὲρ ἀσβόλην τὸ εἶδος αὐτῶν[b]· » καὶ
ἀμφότερα ἐπὶ τοῦ σταυροῦ πεπλήρωται. Κατὰ γὰρ τὴν
μεσημβρίαν τῷ σταυρῷ προσηλωμένος ὁ παρὰ τῆς ἀγνώ-
μονος συναγωγῆς ἠρνημένος νυμφίος « ἔκλινε τὴν
25 κεφαλήν[c] », ἀποστρεφόμενος διὰ τῆς κλίσεως ἐκείνην καὶ
ἐπὶ ταύτην τρέπων τὸ πρόσωπον. Ἕως μὲν γὰρ ἡ
οἰκονομία τῆς σωτηρίας τῶν ἐθνῶν ἀρχὰς εἶχεν, μήπω τῷ

---

11 μελανίαν C : μαλανότητα VR et idem 19 ‖ 12 νόμου VC : νόμων
R ‖ 13 μελέτην καὶ VR : om. C ‖ 14 ἀρνησάμεναι C : -αις VR ‖
παρέβλεψέ CR : -βλαψέ V bis ‖ 15 με V : om. CR ‖ 16 δυσειδίας C :
μελανότητος VR ‖ 17-18 καὶ² — ἔτι VR : om. C ‖ 18 μεσούσης CV :
μέσης R ‖ τῆς VR : om. C ‖ 19 ἀπεστράφη CV : + καὶ R ‖ τοῦτο
CV : om. R ‖ 20 γὰρ VR : om. C ‖ προλαβὼν ... προφήτης C : ...
προφήτης λαβὼν VR ‖ αὐτὸς VR : om. C ‖ περὶ CV : ὑπὲρ R ‖ 21
ἐσκότασεν λέγων C : φάσκων ἐ. VR ‖ 21-22 καὶ ἀμφότερα VR : δ C ‖
22 τὴν VR : om. C ‖ 27 τῷ VC : om. R

---

15. a. Jér. 15, 9   b. Lam. 4, 8   c. Cf. Jn 19, 30

---

1. A partir d'ici, Nil tire parti des possibilités sémantiques des
deux mots grecs qui désignent la couleur noire. Seul le ms **C** a
fidèlement conservé la distinction, **V** et **R** ayant simplifié. Μελανότης,
c'est le pigment de la peau de l'épouse, qui lui vient de sa vie au
soleil : elle est brunie et, en Orient, ce n'est pas un critère de beauté,
mais la marque d'une basse condition ; μελανία, c'est le noir lié à

on s'éloigne du bien fera vraisemblablement rire de vous [1] !
Ce noir pour lequel vous me couvrez maintenant d'injures,
vous vous en vantez fort, alors qu'après l'étude et l'apprentissage de la loi et des prophètes [2], vous avez renié
celui qui est annoncé par les prophètes. Car, puisque j'ai
été dans l'ignorance, « le soleil m'a méprisée », et puisqu'il
m'a méprisée, je suis devenue noire, mais après être
parvenue à la connaissance, je me suis aussi délivrée de la
laideur. Vous, vous avez renié, et le soleil s'est couché pour
vous ; Jérémie prophétise cela en criant : « Le soleil s'est
couché pour elle quand le jour était encore en son
milieu [a]. » Le soleil s'est détourné et vous avez reçu le noir.
Le même prophète, en effet, l'ayant aussi prévu, annonce
cela à votre sujet en disant : « Leur aspect s'est obscurci
plus que la suie [b]. » Ces deux prophéties se sont accomplies
sur la croix [3]. Car vers midi, cloué sur la croix, après avoir
été renié par la Synagogue ingrate, l'époux « a incliné la
tête [c] », s'est détourné de l'une par ce mouvement et a
tourné vers l'autre son visage. Car jusqu'à ce que le plan
divin pour le salut des nations ait commencé, alors qu'elles

l'absence de lumière, l'obscurité où se trouvent les filles de la
Synagogue et qui vient de leur refus du Verbe : « le soleil s'est
couché pour vous ». Celles qui sont dans le noir réprimandent celle
qui est noircie parce qu'elle est au soleil : situation ridicule (κατὰ
γέλωτα) imaginée par Nil.

2. Expression néo-testamentaire qui désigne le niveau d'accession
à la connaissance de Dieu du peuple juif (cf. 40, 6), à qui il est
reproché de s'y être limité ; cf. *Lc* 16, 16 ; *Rom.* 3, 21 ; ATHANASE, *Sur
l'incarn.* 12, 2, *SC* 199, p. 308.

3. Le thème de l'obscurité fournit à Nil la transition avec ceux de
la passion et de la mort du Christ. Étant donné leur importance dans
la suite de son *Commentaire*, il est vraisemblable qu'après l'évocation
du baptême qui avait lieu dans la nuit de Pâques, ce rapprochement
lui ait été suggéré par la liturgie (cf. Introduction, p. 39) et les
homélies liées à cette cérémonie ; cf. CHRYSOSTOME, *Catéch. bapt.* II,
3, 33, *SC* 366, p. 176 ; *ibid.*, II, 11, 1, *SC* 50 bis, p. 138 ; CYRILLE DE
JÉRUSALEM, *Catéch. myst.* II, 4-6, *SC* 126, p. 110-116 ; *Hom. pasc.*,
SC 187, Basile de Séleucie, 3, 10-11, p. 212).

κηρύγματι προσελθόντων τούτων καὶ Ἰουδαίων ἀπωθου-
μένων ᵈ τὸν λόγον, « οὐκ εἶχε ποῦ κλίνει τὴν κεφαλὴν ᵉ »
30 ὁ νυμφίος· ἐπειδὴ δὲ εὗρεν ἐν τῷ σταυρῷ ψυχὴν
εὐτρεπισμένην τὴν τοῦ λῃστοῦ ᶠ καὶ τὴν κλῆσιν τῶν ἐθνῶν
ὁδοποιῆσαι δυναμένην καὶ τὴν ὁμολογίαν τῆς αὐτοῦ
βασιλείας καθάπερ προσκεφάλαιον ὑποστορέσασαν, ἔκλινε τὴν κεφαλήν, οὐ δυνηθεὶς μὲν ἐν Ἰουδαίοις κλίναι
35 ταύτην διὰ τὸ αὐτοὺς εἶναι φωλεοὺς ἀλωπέκων, τῶν
δολερῶν ἐνθυμίων, καὶ κατασκηνώσεις τῶν διὰ τῶν
μετέωρον ὑπερηφανίαν νοσούντων πετεινῶν τοῦ οὐρανοῦ ᵍ, ἐν δὲ τούτῳ κλίνει διὰ τὴν ηὐτρεπισμένην ἀνάπαυσιν.
Καὶ τὸ ἀπὸ δὲ ἕκτης ὥρας γενόμενον σκότος ἕως
40 ἐνάτης ʰ, τὴν « ἐπέδυ ὁ ἥλιος αὐτῇ ἔτι μεσούσης τῆς
ἡμέρας ⁱ » προφητείαν ἐπλήρου καὶ ἀρχὴν ἐδίδου ἐκβάσει
προφητείας ἑτέρας τῆς λεγούσης· « τοῖς δὲ φοβουμένοις
τὸ ὄνομα αὐτοῦ ἀνατελεῖ ἥλιος δικαιοσύνης ʲ. » Ἐν τῇ

29 κλίνει C : κλίναι VR [post κεφαλὴν transp. κλίναι R] ‖ 34 ἐν C :
om. VR ‖ 36 ἐνθυμίων CR : ἐπι- V ‖ 37 τοῦ VR : om. C ‖ 38 ἐν δὲ
VC : om. R ‖ κλίνει C : -νας VR ‖ ηὐτρεπισμένην C : εὐτρεπισ- V
εὐτρεπιζο- R ‖ 39 ἕως VC : + ὥρας R ‖ 40 ἔτι VR : om. C ‖ 41-42
ἐκβάσει / προφητείας ἑτέρας VR : ~ [προφητείας om.] C ‖ 43 τὸ
ὄνομα αὐτοῦ VR : αὐτὸν C

d. Cf. Act. 13, 46   e. Matth. 8, 20   f. Cf. Lc 23, 42   g. Cf. Matth.
8, 20   h. Matth. 27, 45   i. Jér. 15, 9   j. Mal. 3, 20

1. Le personnage du larron réapparaît en 61, 5-19.
2. ἡ κλῆσις τῶν ἐθνῶν : notion liée au « refus de la Synagogue »
(59, 37-39 ; 64, 38), dont l'importance se développe dans notre texte ;
cf. 13, 33-38 ; 14, 13. Contre toute attente, les nations sont fécondes
(40, 4-5 ; 25-28), et l'Église des nations devient l'épouse promise du
Christ, 77, 2-26 ; 79, 30-31. Cf. ORIGÈNE, CCels. II, 78, SC 132,
p. 470-472 ; ComCant. II, 8.
3. Le mot appartient au vocabulaire du N. T. dans l'épisode de la
tempête apaisée (Mc 4, 38). Le sommeil du Christ dans la barque a
peut-être fourni à notre auteur la belle image du repos du Christ sur
la croix, apaisé par la reconnaissance du larron, sur laquelle sa tête
est « inclinée » comme sur un coussin. Il est réutilisé en 48, 9.

n'avaient pas encore rencontré la proclamation et que les
Juifs repoussaient le Verbe [d], l'époux « n'avait pas où
reposer la tête [e].» Mais lorsqu'il eut trouvé sur la croix
l'âme du larron [f] toute prête [1], capable d'ouvrir la voie à
l'appel des nations [2] et à la reconnaissance de son royaume,
étendue comme un coussin [3], il y a incliné la tête. Alors
qu'il n'a pas pu le faire sur les Juifs, parce qu'ils sont les
tanières des renards — les idées trompeuses — et les nids
des oiseaux du ciel [g], malades de leur orgueil hautain [4], sur
celui-ci il l'incline puisque le repos lui est préparé. Et
l'obscurité se faisant de la sixième à la neuvième heure [h],
il a accompli la prophétie : « Le soleil s'est couché pour elle
quand le jour était encore en son milieu [i] »; et il a fourni le
point de départ à la réalisation d'une autre prophétie qui
dit : « Sur ceux qui craignent son nom, le soleil de justice
se lèvera [j] [5]. » Car en ce même jour, pour eux il s'est couché

4. Les tanières des renards et les nids des oiseaux du ciel donnent
lieu à une explication négative. Hippolyte, Origène et Philon de
Carpasia voient dans les renards les hérétiques, à propos de *Cant.* 2,
15. Chez ORIGÈNE, *ComCant.*, IV, 3, 13, la citation de *Matth.* 8, 20
est associée à *Lc* 13, 31-32 où Hérode est traité de renard. La
conjonction de ces deux textes peut être à l'origine de l'équivalence
dressée par Nil : les Juifs sont les tanières des renards. Mais il ne
s'arrête pas à l'exégèse historique et donne pour les deux animaux
une interprétation morale de type ascétique, comme le fait Grégoire
pour « les petits renards », *In Cant. Or.* V, 167, 4-8. La suite du
verset de *Matthieu* (sur les nids des oiseaux) paraît implicitement
rapprochée de *Prov.* 27, 8 et de l'exégèse qu'en donne Évagre (*Schol.
Prov.*, 331, SC 340, p. 420-422) : l'orgueil éloigne « l'homme » de la
vertu et le fait tomber dans la malice, comme l'oiseau tombe de son
nid.
5. Voir les dossiers rassemblés par AUBINEAU, *Hom. pasc.*, SC 187,
p. 73 et C. BLANC, SC 385, p. 381-382. Les citations de *Mal.* 3, 20
sont innombrables chez nos auteurs. Voici certaines interprétations
dont Nil a pu s'inspirer : ORIGÈNE, *ComCant.*, II, 2, 18 ; *Chaîne
palestinienne*, SC 189, p. 362 (Origène), p. 424 (Didyme) ; et surtout
CHRYSOSTOME, *Catéch. bapt.* III, 4, 16-22, SC 366, p. 228. Dans les
textes ascétiques l'expression « soleil de justice » revient très
fréquemment, v. g. quatre fois dans les *Schol. Prov.* d'ÉVAGRE, SC
340.

αὐτῇ γὰρ ἡμέρᾳ καὶ ἐκείνοις ἐπέδυ ἐν σκότῳ αὐτοὺς
45 καταλιπών, καὶ τοῖς ἔθνεσιν ἀνέτειλεν ἄλλης ἡμέρας
ἀρχήν, τὸ τέλος τῆς ἐκείνων ἡμέρας διδούς· ἡ γὰρ
ἐπιβουλὴ τῶν Ἰουδαίων ἐπιγνώσεως αἰτία τοῖς ἔθνεσιν
γεγένηται. Ταύτης τῆς ἀνατολῆς τὸν φωτισμὸν εὐχόμενοι
ἔλεγον οἱ πρὸ πολλοῦ τὴν ἐνανθρώπησιν τοῦ κυρίου
50 ἐπιποθοῦντες « καὶ ἔστω ἡ λαμπρότης κυρίου τοῦ θεοῦ
ἡμῶν ἐφ᾽ ἡμᾶς ᵏ », καὶ πάλιν· « ἐπίφανον τὸ πρόσωπόν
σου καὶ σωθησόμεθα ¹. » Οἱ δὲ αὐτῆς καταξιωθέντες τῆς
παρουσίας, ὡς αὐτῆς ἀπολαύσαντες τῆς εὐεργεσίας,
εὐχαρίστως ἐβόων· « ἐσημειώθη ἐφ᾽ ἡμᾶς τὸ φῶς τοῦ
55 προσώπου σου, κύριε ᵐ. » Ἔνθεν γὰρ αὐτοῖς ἀπεσκεδάσθη καὶ τὸ σκοταῖον εἶδος τῆς Αἰθιοπικῆς μελανότητος ⁿ, τὸ πυρῶδες δὲ δεξαμένοις τῶν ἡλιακῶν ἀκτινῶν.
Ὅπερ γὰρ ἐπὶ τοῦ αἰσθητοῦ ἡλίου ποιεῖ σκιατραφία,
λευκὸν φυλάττουσα τὸν χρῶτα τῇ ὑπωροφίῳ διαγωγῇ,
60 τοῦτο ἐπὶ τοῦ νοητοῦ ἡλίου ἡ αἴθριος παρρησία, ἀνακε-

---

45 καταλιπὼν C : -λείπων VR ‖ 48 γεγένηται VR : γέγονε C ‖ 48-
49 εὐχόμενοι ἔλεγον VR : om. C ‖ 49 τοῦ κυρίου VR : om. C ‖ 50
ἐπιποθοῦντες VR : ἐλπίζοντες ἔλεγον C ‖ καὶ VR : om. C ‖ 50-51
ἔστω — πάλιν VR : om. C ‖ 52 σωθησόμεθα VR : ἔστω ἡ λαμπρότης
τοῦ κυρίου ἐφ᾽ ἡμᾶς C ‖ αὐτῆς καταξιωθέντες VR : κ. ταύτης C ‖ 52-
53 τῆς¹ — εὐεργεσίας VR : om. C ‖ 54 εὐχαρίστως C : εὐχαριστικῶς
VR ‖ ἐβόων C : ἀνε- VR ‖ 55 κύριε VR : om. C ‖ 55-56 ἀπεσκεδάσθη
VR : om. C ‖ 57 δὲ R : om. VC ‖ δεξαμένοις CR : -μένης V ‖ 58
σκιατραφία C : σκιογραφία VR ‖ 60 ἡλίου C : om. VR.

---

k. Ps. 89, 17 l. Ps. 79, 4 n. Cf. Lam. 4, 8; Jér. 13, 23

1. Expression traditionnelle pour désigner l'attitude des Juifs à
l'égard du Christ (v. g. 29, 35). Nos auteurs offrent de très
nombreuses occurrences de leur nom associé à ἐπιβουλεύειν,
ἐπιβουλή, ἀπιστία, ἀπιστεῖς, en particulier chez ATHANASE, Sur
l'incarn. SC 199, 1, 1, p. 260; 22, 1, p. 346; 34, 1, p. 386; 35, 7,
p. 390.

en les laissant dans l'obscurité, et pour les nations, il a fait lever le début d'un autre jour, mettant un terme au jour des premiers. Le complot des Juifs [1], en effet, a été source de connaissance pour les nations. En souhaitant l'illumination de ce lever de soleil [2], ceux qui aspiraient depuis longtemps à l'incarnation du Seigneur disaient : « Que l'éclat du Seigneur notre Dieu soit sur nous [k] » et aussi : « Montre ton visage et nous serons sauvés [l]. » Et ceux qui ont été jugés dignes de sa présence même, comme s'ils profitaient de son bienfait, remerciaient à haute voix [3] : « La lumière de ton visage a été marquée sur nous, Seigneur [m]. » Dès lors même l'aspect ténébreux [n] de la noirceur éthiopienne s'est éloigné d'eux, bien qu'ils aient reçu la brûlure des rayons du soleil. Car dans le cas du soleil sensible, la vie à l'abri [4] permet de garder le teint clair, puisqu'on est à l'abri des toits, dans le cas du soleil intelligible, c'est au contraire la vie libre en plein air qui produit cet effet [5] : elle procure au visage dévoilé le

2. Le lever du soleil (ἀνατολή) symbolise à la fois la naissance du Christ et sa résurrection. Sur ἀνατέλλειν et la citation des *Ps.* 64, 11 et 84, 12, cf. 40, 17-18.

3. εὐχαρίστως a été préféré à εὐχαριστικῶς non seulement parce qu'il est transmis par **C**, moins fautif, mais parce que Nil emploie l'adjectif à plusieurs reprises (*Périst.* 860C, 900A, en l'absence d'éd. critique toutefois) et que le sens d'εὐχαριστικῶς — « en action de grâce » — convient mal ici.

4. **V** et **R** transmettent un mot dépourvu de sens — et fautif σκιογραφία — au lieu de : σκιατραφία **C** (faute d'onciale ?), qui désigne le mode d'éducation traditionnel des filles, à l'intérieur de la maison, idée reprise en 17, 8-9.

5. Le passage s'achève sur un paradoxe qui découle de l'aporie où se trouvent les commentateurs : le soleil brûle et noircit ou il illumine et rend resplendissant. Sur le modèle d'Origène (*ComCant.* II, 2, 21-22), Nil distingue l'effet du soleil sensible de celui du soleil intelligible.

καλυμμένῳ προσόπῳ προξενοῦσα τῆς οὐρανίου δόξης τὸν κατοπτρισμὸν[o] καὶ τῆς θείας εἰκόνος τὴν μόρφωσιν[p].

1,6c Υἱοὶ μητρός μου ἐμαχέσαντο ἐν ἐμοί,
ἔθεντό με φυλάκισσαν ἐν ἀμπελῶσι,
ἀμπελῶνα ἐμὸν οὐκ ἐφύλαξα.

CVR. — 6e φυλάκισσαν CV : -κισαν R ǁ ἀμπελῶσι C : -ῶνι VR.

16. Ἀπολογουμένη περὶ τῆς μελανότητος πολλὰς ἔχειν αἰτίας λέγει, πρῶτον μὲν ὅτι παρεβλέφθη ὑπὸ τοῦ τῆς δικαιοσύνης ἡλίου[a] καὶ οὐκ ἀπεδέξατο εἰς ἑαυτὴν τὰς φωτιζούσας τὸ ἡγεμονικὸν αὐτῆς αὐγάς, εἶτα ὅτι « υἱοὶ
5 τῆς μητρὸς αὐτῆς ἐμαχέσαντο ἐν αὐτῇ » καὶ πάλιν ὅτι « ἔθεντο αὐτὴν φυλάκισσαν ἐν ἀμπελῶσιν. » Ὁ δὲ λέγει τοιοῦτόν ἐστιν· « Ὦ θυγατέρες Ἱερουσαλήμ, οἱ υἱοὶ τῆς μητρός μου ἐμαχέσαντο ἐν ἐμοί »,· τοῦτ᾽ ἔστι περὶ ἐμοῦ οὔσης περιμαχήτου, τινὸς μερὶς αὐτῶν γένωμαι. Οὗτοι δ᾽

16. 2 παρεβλέφθη C : -6λάφθη VR ǁ 3 εἰς ἑαυτὴν VR : om. C ǁ 4 αὐτῆς VR : om. C et idem 5 ǁ πάλιν VR : om. C ǁ 6 ἀμπελῶσιν CV : -λῶνι R ǁ δὲ C : γὰρ VR ǁ 7 θυγατέρες VR : -τερ C ǁ οἱ CV : om. R ǁ 8 τοῦτ᾽ ἐστὶ VR : ἀντὶ τοῦ C ǁ 9 οὔσης περιμαχήτου VR : om. C

o. Cf. II Cor. 3, 18   p. Cf. Gen. 1, 26.
16. a. Cf. Mal. 3, 20

1. Κατοπτρισμός, ignoré des dictionnaires, est le nom dérivé du verbe κατοπτρίζω : réfléchir comme un miroir, exprimant l'effet de cette action. Il désigne le reflet dont brille un miroir réfléchissant le soleil, en le rendant semblable à une source lumineuse.
2. Ni Origène (*ComCant*. II, 3, 37 sur *Cant*. 1, 7), ni Grégoire (*In Cant. Or*. IV, 104, 1-15 sur *Cant*. 1, 15) n'associent explicitement

reflet [1] de la gloire céleste [o] et l'apparence de l'image
divine [p] [2].

**1,6c Les fils de ma mère ont combattu pour moi,
ils m'ont placée comme gardienne dans les vignes,
et ma vigne, je ne l'ai pas gardée.**

Anciens combats   **16.** S'excusant de sa noirceur, elle
dit que les causes en sont nombreuses,
et d'abord qu'elle a été méprisée par le soleil de justice [a] et
qu'elle n'a pas reçu en elle ses rayons qui illuminent la
partie directrice [3] ; ensuite que « les fils de sa mère ont
combattu pour elle » et puis qu' « ils l'ont placée comme
gardienne dans les vignes. » Voici ce qu'elle dit : « Filles de
Jérusalem, les fils de ma mère ont combattu pour moi »,
c'est-à-dire qu'il y a eu litige à mon sujet, pour savoir
duquel d'entre eux je serai le lot. Ceux-ci pourraient être
les sages de ce siècle, qui devaient découvrir Dieu dans la

Gen. 1, 26 et *II Cor.* 3, 18. Grégoire (κατὰ τὰς τῶν προαιρέσεων
ἐμφάσεις) et Nil mettent en avant l'idée de liberté (ἡ αἴθριος
παρρησία). Le visage dévoilé, l'âme, reçoit l'illumination du soleil
intelligible, la gloire céleste ; comme un miroir, l'âme en est
illuminée et retrouve l'apparence dans laquelle elle a été créée, celle
de l'image de Dieu. Les conséquences de cette restauration de l'image
de Dieu sont analysées en 21, 19-22. Parmi d'innombrables parallèles, en voici quelques-uns dont la parenté avec Nil nous paraît plus
grande : GRÉGOIRE DE NYSSE décrit la luminosité de l'intellect dans
De la virg., XI, 4, 30-35, *SC* 119, p. 390 ; ÉVAGRE, *Gnostique*, 45, *SC*
356, p. 178 ; CYRILLE DE JÉRUSALEM, *Catéch. myst.* III, 4, 4 ; IV, 9,
10, *SC* 126, p. 126, 144.

3. Pour Nil, comme pour Clément d'Alexandrie (*Stromate* V, 94,
11, *SC* 279, n. p. 302-303) et Origène (*CCels.* I, 48, 11, *SC* 132,
p. 202), l'ἡγεμονικόν porte « l'apparence de l'image divine » (15, 62).
Origène le situe « dans le cœur » (*ComCant.* I, 2, 3, *SC* 376, n.
p. 764-765) ; Nil, à la suite de Clément, et comme Évagre (*Schol.
Prov.*, 7, *SC* 340, p. 96) le place « sur le visage ». Sur ce point, voir
EUSÈBE, *Prép. év.* XV, 61, *SC* 338, p. 422-424.

10 ἂν εἶεν οἱ σοφοὶ τοῦ αἰῶνος τούτου, οἱ ἐν τῇ σοφίᾳ τοῦ
κόσμου ἐπιγνῶναι τὸν θεὸν ὀφείλοντες καὶ μὴ ἐπιγνόντες,
διὸ καὶ υἱοὺς μητρός μου αὐτοὺς εἰποῦσα ἀδελφοὺς
καλέσαι παρῃτησάμην, τὴν τοῦ ἀληθινοῦ πατρὸς συγγένειαν ἀπαρνησαμένους διὰ τὸ προσανέχειν νόθοις καὶ
15 μυθικοῖς πλάσμασι τῆς πολυθέου πλάνης καὶ τῇ μητρὶ
σοφίᾳ ᵇ οὐκ εἰς δέον κεχρημένους. Ἤμην δὲ πάντων μερίς
ποτε τῶν περὶ ἐμοῦ μαχομένων· πᾶσιν γὰρ ἐπίσης
ἐπειθόμην πολὺν ἵμερον περὶ τὰ μαθήματα κεκτημένη καὶ
φυλάσσειν ἐπιμελῶς ἐσπούδαζον πάντα ὅσα μαχόμενοι
20 περὶ ἐμοῦ ἐξέθεντο δόγματα. Τίς γὰρ τὴν ἐμὴν φύσιν
εἰμί; Καὶ τί τὸ τέλος τῆς καταστάσεως; πότερον γενητὴ
ἢ ἀγένητος; καὶ πάλιν φθαρτὴ ἢ ἄφθαρτος;

17. Τούτων γάρ με καὶ φύλακα ὡς ἀμπελώνων
ἔθεντο. Καὶ τούτου χάριν τὸν ἐμὸν ἀμπελῶνα ὃν ἐφύτευ-
σεν ὁ θεὸς ἐν ἐμοὶ ᵃ φυσικὸν νόμον πολιτείας ὀρθῆς οὐκ
ἐφύλαξα. Ἀνῆκα γὰρ αὐτὸν τοὺς μὴ προσήκοντας
5 ἀμπελώνας φυλάσσουσα καὶ συνεκαύθην ὑπὸ τοῦ ἐναντίου
ἡλίου, παραβλεψαμένου με τοῦ τῆς δικαιοσύνης ἡλίου ᵇ,

12 μου VR : om. C ‖ 13-14 συγγένειαν ἀπαρνησαμένους VR :
ἀρνησάμεναι σ. C ‖ 14 τὸ C : τοῦ VR ‖ 16 κεχρημένους C : χρησα-
VR ‖ 17 γὰρ R : om. CV ‖ 21-22 γενητὴ ἢ ἀγένητος C : -νν- -νν- VR
‖ 22 καὶ πάλιν VR : om. C.
17. 1 τούτων C : τοῦτο VR ‖ 4 αὐτὸν CV : -τὴν R ‖ 6
παραβλεψαμένου — τοῦ C : om. VR ‖ ἡλίου² C : om. VR

b. Cf. Prov. 8, 22-31 ; Lc 7, 35.
17. a. Cf. Jér. 2, 21   b. Cf. Mal. 3, 20.

1. Sur les « sages de ce siècle » et la « sagesse du monde », cf.
ORIGÈNE, *P. Arch.* III, 3, 1, *SC* 268, p. 182-184 et *ComCant.* II, 4,
35-36. L'échec des philosophes grecs à découvrir Dieu est un lieu
commun depuis Clément d'Alexandrie. Nil a pu l'emprunter à
EUSÈBE, v. g. *Prép. év.* XV, 61, 11, *SC* 338, p. 424 ; ORIGÈNE,
ComCant., II, 3, 6.

sagesse du monde, mais ne l'ont pas découvert [1]. C'est
pourquoi en les appelant fils de ma mère, j'ai évité de les
nommer frères, puisqu'ils ont refusé la parenté du vrai
père, en s'attachant aux fictions bâtardes et mythiques de
l'erreur polythéiste [2], et ont eu des relations inconvenantes
avec la sagesse mère [b 3]. J'étais alors le lot de tous ceux qui
combattaient pour moi ; j'obéissais à tous également, parce
que je possédais une grande envie pour leurs enseignements et que je m'appliquais à garder avec soin toutes les
doctrines qu'ils avaient exposées en combattant pour moi.
Qui suis-je par nature ? Quelle est la fin de ma condition ?
Suis-je engendrée ou non engendrée ? Et encore, corrup-
tible ou incorruptible [4] ?

**Nouvelle beauté
à l'abri du soleil**

17. Ils m'ont même placée en quelque sorte à la garde de leurs vignes. Et
c'est pourquoi je n'ai pas gardé ma
vigne, celle que Dieu a plantée en moi [a] comme loi
naturelle d'un mode de vie droit. Je l'ai en effet abandonnée pour garder des vignes qui ne me concernent pas, j'ai
été complètement brûlée par le soleil adverse [5], parce que
le soleil de justice [b] m'a méprisée, et je suis devenue noire,

2. Cf. Eusèbe, *Prép. év.* XV, 1, 1-2, *SC* 338, p. 228.
3. Parce qu'elle est πρωτότοκος de Dieu, cf. Eusèbe, *Prép. év.*
VII, 15, 10, *SC* 215, p. 242 ; Évagre, *Schol. Prov.* 64 ; 79 *SC* 240,
p. 156, 178.
4. Cf. Origène, *ComCant.*, II, 5, 22. Ces quatre questions
résument le programme d'un περὶ ψυχῆς, celui d'Aristote ? de
Platon, selon le titre que donnent les commentateurs à *Phèdre* (cf.
Eusèbe, *Prép. év.* I, 8, 17, *SC* 206, p. 162) et au livre VII de la IVe
Ennéade de Plotin (*ibid.*, XV, 22, *SC* 338, p. 332 et n. 1) ; ou encore
de Plutarque (*ibid.*, XI, 35, *SC* 292, p. 218) ? plus sûrement peut-être
le *De anima et resurrectione* de Grégoire de Nysse. Dans les termes
du néoplatonisme, les titres de chapitres seraient : περὶ φύσεως, περὶ
τέλους, περὶ γενέσεως καὶ φθορᾶς.
5. Cf. n. 2 p. 225.

καὶ γέγονα μέλαινα, τὴν ὕπαιθρον οὐ προσηκόντως καὶ
μὴ νυμφικῇ καταστάσει πρέπουσαν διαγωγὴν ἑλομένη,
δέον θαλαμεύεσθαι κουροτροφουμένην καὶ φυλάττειν
10 ξένων ἄψαυστον ὀφθαλμῶν τῷ νυμφίῳ τὸ κάλλος. Ἀλλὰ
νῦν τὸν ἀληθῆ λόγον ἐπιγνοῦσα, ὅλον ἐπὶ τοῦτον μετατέθεικα τὸν ἔρωτα καὶ ὀνειδίζεσθαι τὴν παλαιὰν πλάνην οὐκ
εὔλογός εἰμι, τοῖς ταμείοις τοῦ βασιλέως ἐνστρεφομένη
καὶ ἐντὸς κλισιάδων μένουσα καὶ οὐκ ἄλλοτε ἔξω
15 φαίνεσθαι καταδεχομένη, ἢ ὅταν δέῃ τῷ νυμφίῳ
συντυχεῖν.

**1,7 Ἀπάγγειλόν μοι, ὃν ἠγάπησεν ἡ ψυχή μου,
ποῦ ποιμαίνεις, ποῦ κοιτάζεις ἐν μεσημβρίᾳ,
μήποτε γένωμαι ὡς περιβαλλομένη ἐπ' ἀγέλαις
ἑταίρων σου.**

CVR. — ἑταίρων V : ἑτέρων CR.

18. Τῶν μὲν ἐν τοῖς ταμείοις θησαυρῶν, φησίν, εἶδον
τὸ πλῆθος καὶ ἀκριβῆ τῆς μελλούσης οἰκονομίας τεθέαμαι
τὴν ἔκβασιν· βούλομαι δὲ καὶ τοὺς τῆς προνοίας
μυηθῆναι λόγους, καθ' οὓς ἐπιμελούμενος τῶν γεγεν-

7-8 καὶ μὴ C : om. VR ‖ 10 ἄψαυστον CV : -ων R ‖ 11-12
μετατέθεικα C : ἐπι- VR ‖ 13 ἐνστρεφομένη C : ἐντρεφ- VR ‖ 14
κλισιάδων C : om. VR.
18. 1 φησίν C : om. VR [+ οὐκ R]

---

1. Κουροτροφεῖν est rare, surtout au passif, et désigne le fait
d'élever un enfant. Les compléments associent l'idée que cette
éducation se fait en dehors des mauvaises influences (cf. PHILON, De
Migr. 31). On lit dans Périst. 941D : « que le soldat soit élevé
(σκιοτροφεῖσθαι) à l'ombre et à l'abri des toits, en restant à la maison
à la manière des filles (κορικῶς θαλαμευόμενον) ». La proximité des

ayant choisi de vivre en plein air, ce qui est malséant et ne
convient pas à la condition nuptiale, alors que j'aurais dû
rester à la maison, en enfant bien élevée [1], et garder pour
l'époux ma beauté inaccessible aux regards des étrangers [2].
Mais maintenant, je suis parvenue à la connaissance
du Verbe véridique, j'ai transposé en lui la totalité de mon
désir amoureux et il n'y a pas de raison de me blâmer pour
mon ancienne erreur, puisque je me voue aux celliers du
roi, et reste derrière les portes sans accepter de paraître à
l'extérieur une autre fois, à moins qu'il ne faille rencontrer
l'époux.

**1,7 Fais-moi savoir, toi que mon âme aime,
où tu fais paître, où tu reposes à midi,
afin que je ne sois pas comme voilée
au milieu des troupeaux de tes compagnons.**

**Vertige de
l'errance**
18. J'ai vu l'abondance des trésors dans les
celliers, dit-elle, j'ai contemplé la réalisation
précise du plan divin à venir ; mais je veux
que me soient aussi révélées les raisons de la providence [3],

deux expressions montre que κουροτροφεῖν et σκιοτροφεῖν s'appliquent chez Nil à l'éducation protégée des filles.
2. Sur le comportement social des femmes, v. g. CHRYSOSTOME,
Catéch. bapt. I, 12, 3-4, *SC* 50 bis, p. 114 : une jeune fille doit rester
à la maison avant son mariage ; *Virg.*, LXVI, 40-42, *SC* 125, p. 336 :
les femmes « cloîtrées à la maison » sont parfois plus effrontées que
celles qui ne sont pas enfermées ; cf. ORIGÈNE, *ComCant.*, II, 4, 11.
3. L'idée de la « sollicitude providentielle » de Dieu à l'égard de sa
création est un thème fondamental de l'apologétique juive et
chrétienne, qui vient du stoïcisme (v. g. ALEXANDRE D'APHRODISE,
De Fato, SVF fg. 945). Eusèbe (*Prép. év.* XV, 5, *SC* 338, p. 257 s.)
cite un traité d'Atticus pour montrer qu' « Aristote est en désaccord
avec Moïse et Platon sur la question de la Providence ». Mais les
termes du développement de Nil font surtout penser à une
amplification de chapitres évagriens ; v. g. *Schol. Prov.*, 3, 79, 88, *SC*
340.

5 ημένων τὴν προνοητικὴν ἐπιδείκνυσαι κηδεμονίαν, μήποτε ὄντων καὶ ἑταίρων σου ποιμένων, οἷς ἐνεχείρισας
ἀγγέλοις διοικεῖν τὰ γενητά, καὶ μερικὰς ἐχόντων
ἀγέλας. Σὺ γὰρ ὡς ἀγέλης μεγάλης τοῦ παντὸς ἐπιτρο-
πεύεις κόσμου. Ζητοῦσά σε ἐν τῇ δημιουργίᾳ καὶ ὡς ἐν
10 σταθερωτάτῃ μεσημβρίᾳ ἐν τῇ τῆς θεωρίας ἀκμῇ ῥεμβομένη, ἀποσφαλῶ τῆς σῆς ποίμνης κἂν γένωμαι μετὰ τὴν
ἐπὶ ταῖς ἀγέλαις τῶν ἑταίρων σου πλάνην ὡς αἰσχυνομένη
καὶ περικαλυπτομένη τῷ μετὰ παρρησίας ὡς σοὶ προσιοῦ-
σα τοῖς ξένοις ἐντετυχηκέναι. Ποιεῖ γὰρ οὐχ ἧττον ἡ
15 κατὰ ἀποτυχίαν τοῦ ἀληθῶς ζητουμένου ψευδὴς θεωρία
ἐγκαλύπτεσθαι, ὅταν φωραθῇ ψευδὴς οὖσα τῶν μετὰ
παρρησίας προστρεχόντων ὡς γνωρίμοις τοῖς ξένοις μετὰ
τὴν τῆς ἀπάτης ἐπίγνωσιν.

6 ἑταίρων CV : ἑτέ- R et idem 12 ‖ ποιμένων C : ποιμνίων VR ‖ 7
γενητὰ CV : -νν- R ‖ 8 ἀγέλας V : -ης CR ‖ 11 τὴν VR : τῶν C ‖ 12
ἑταίρων VR : -ρου C ‖ σου VR : om. C ‖ 13 τῷ CR : om. V.

1. Allusion à la doctrine des anges des nations (cf. DANIÉLOU, *Les
anges et leur mission*, p. 27-39) ; l'idée que la fonction des anges est
de régir les créatures vient d'Origène (*P. Arch.* I, 6, 3, *SC* 252,
p. 198-200 ; *ComCant.* II, 4, 13 et n. 2, p. 336) ; elle se trouve aussi
au centre de l'angélologie évagrienne ; *Schol. Prov.* 189, 16 ; 370, 2,
SC 340.
2. L'image du troupeau est johannique ; *Jn* 10, 26-27 est cité par
ORIGÈNE, *ComCant.*, II, 4, 13 ; celle du « gouvernement » du monde
(διοικεῖν) se trouve chez EUSÈBE, *Prép. év.* VII, 15, 6, *SC* 215, p. 238.
3. La connaissance « des raisons de la providence » et la soumission aux anges introduisent à la contemplation. Cf. CLÉMENT
D'ALEXANDRIE, *Stromate* IV, 116. Mais le voile évoqué par Nil est
tout différent de celui avec lequel, chez Clément, Moïse « cache sa
gloire à ceux qui le regardaient avec des yeux charnels » : c'est celui

selon lesquelles, attentif à la création, tu révèles ta
sollicitude providentielle, peut-être aussi avec tes compagnons pour bergers, les anges à qui tu as confié la gestion
des créatures, et qui possèdent en propre des troupeaux [1].
Car toi, tu gouvernes le monde entier comme un grand
troupeau [2]. En te cherchant dans la création et comme
égarée en plein midi au beau milieu de ma contemplation [3],
je manquerai ton troupeau, même si, après l'errance parmi
les troupeaux de tes compagnons, je suis comme remplie
de honte et couverte d'un voile [4], parce que j'ai pris la
liberté, quand je m'approchais de toi, d'avoir des relations
avec des étrangers. Car la fausse contemplation, quand on
échoue à trouver celui qu'on recherche vraiment, fait
qu'on se voile la face quand on a découvert qu'elle est
fausse, non moins que ceux qui s'élancent avec liberté vers
des étrangers comme s'ils les connaissaient, une fois
reconnue la tromperie [5].

de la honte (n. 5 p. 173). La compréhension des raisons de la
providence joue un rôle essentiel chez Évagre dans la progression
vers la connaissance, cf. *Schol. Prov.*, *SC* 340, p. 43-44.

4. Ὡς περιβαλλομένη (*Cant.* 1, 7c) n'est pas compris de façon
semblable par les différents commentateurs. Nil ne cite pas exactement la péricope et utilise la leçon de Symmaque : ὡς ῥεμβομένη,
« égarée » (cf. FIELD, p. 412) puis commente : καὶ περικαλυπτομένη,
« voilée », et l. 16 : ἐγκαλύπτεσθαι, « se voiler la face de honte », qui
glosent deux sens possibles de περιβαλλομένη ; cf. ORIGÈNE, *Hom
Cant.*, I, 8 ; *ComCant.* II, 4, 11-12 ; cf. ici 60, 8 et n. 1 p. 301.

5. Passage qui relève de la littérature ascétique de ton parénétique : il s'agit de détourner les moines des erreurs de la fausse
contemplation. Évagre parle de « fausse science » et de « contemplations étrangères », cf. *Schol. Prov.*, 80 ; 288, *SC* 340 ; *Gnostique*, 43,
SC 356, p. 170. Chez Origène, il est question de « l'une des écoles de
philosophie qui est dite « couverte d'un voile », du fait que chez eux
la plénitude de la vérité est cachée et couverte d'un voile », *Com
Cant.* II, 4, 37. L'âme s'est égarée dans sa recherche et s'est
approchée des bergers d'autres troupeaux croyant s'approcher de
Dieu. Dans son erreur, elle se voile la face de honte.

19. Μαθεῖν οὖν τὸν τόπον βούλομαι, ἐν ᾧ σε ἰδεῖν ἔστιν ἐν σταθερωτάτῃ τῆς θεότητος καταστάσει, τὰς ἀμυδρὰς ἐμφάσεις παραιτουμένη. Ἐπεὶ καὶ πολλῶν θεωρῆσαι τὴν σὴν δόξαν ἐν διαφόροις τῆς καταστάσεως
5 τόποις καταξιωθέντων, μόνος ὁ μέγας Ἰακὼβ αὐχεῖ θεὸν ἑωρακέναι « ἐν τόπῳ θεοῦ[a] », τῶν λοιπῶν ἴσως μὲν θεὸν ἑωρακότων, ἀλλ' οὐκ ἐν τόπῳ θεοῦ· ταῦτα καὶ Μωυσῆς παρεκάλει λέγων· « ἐμφάνισόν μοι σεαυτόν, γνωστῶς ἴδω σε[b] », οὐ ταῖς ἐμφάσεσιν, ἀλλ' αὐτῇ τῇ ἀληθείᾳ
10 πληροφορηθῆναι βουλόμενος. Πρὸς δὲ τὸ « ποῦ ποιμαίνεις; » εὔκαιρον τὸ τοῦ Δαυὶδ εἰπεῖν· « κύριος ποιμαίνει με καὶ οὐδέν με ὑστερήσει, εἰς τόπον χλόης ἐκεῖ με κατασκήνωσεν, ἐπὶ ὕδατος ἀναπαύσεως ἐξέτρεψέ με[c]. » Οὕτως γὰρ τὸν τόπον ἔνθα ποιμαίνει δηλοῖ.

1,8 Ἐὰν μὴ γνῷς σεαυτήν, ἡ καλὴ ἐν γυναιξίν,
ἔξελθε σὺ ἐν πτέρναις τῶν ποιμνίων,
καὶ ποίμαινε τὰς ἐρίφους σου,
ἐπὶ σκηνώμασι τῶν ποιμένων.

CVR. — 8b-d ἐν — ποιμένων VR : om. C.

20. Καλὴ μὲν ἡ ἐπιθυμία, φησίν, ἀλλ' ἡ πρόθεσις ἐσφαλμένη. Ἔτι γὰρ ταπεινὴ καὶ νηπιώδης καὶ χαμαίζηλος, θεὸν γὰρ οὐκ ἐκ τῆς εὐτάκτου διοικήσεως, ἀλλ' ἐκ

19. 4 τῆς CV : τοῖς R ‖ 6-7 τῶν — θεοῦ VR : om. C ‖ 12-13 καὶ — με VR : καὶ ἑξῆς C ‖ 14 οὕτως C : οὗτος VR.

19. a. Gen. 31, 13   b. Ex. 33, 13   c. Ps. 22, 1-2.

1. Le développement qui suit n'a évidemment rien à voir avec tous ceux où il est question du caractère non spatial de Dieu, qui n'a pas de lieu ; CLÉMENT D'ALEXANDRIE, *Stromate* V, 74, 5 ; GRÉGOIRE

Le lieu de Dieu **19.** Je veux donc apprendre dans quel lieu il est possible de te voir dans la pleine condition de ta divinité, puisque je rejette les reflets troubles. Alors que même beaucoup ont été jugés dignes de contempler ta gloire en divers lieux de la création, seul le grand Jacob se vante d'avoir vu Dieu « dans le lieu de Dieu [a][1] » ; les autres ont vu Dieu également, mais pas dans le lieu de Dieu. C'est ce que Moïse disait en implorant : « Montre-toi à moi, que je te voie clairement [b] », parce qu'il voulait être pleinement convaincu, non par les reflets, mais par la vérité elle-même. En regard de : « Où fais-tu paître ? », il est opportun de citer ce que dit David : « Le Seigneur me fait paître [2] et rien ne me manquera, vers un lieu de gazon, c'est là qu'il m'a établi, près de l'eau du repos, il m'a nourri [c]. » Ainsi en effet, il montre clairement le lieu où il fait paître.

1,8 Si tu ne te connais pas toi-même, belle entre les femmes,

toi, sors sur les talons des troupeaux
et fais paître tes chevreaux
auprès des campements des bergers.

Les traces du troupeau **20.** Le désir est beau, dit-il [3], mais son intention est trompeuse. En effet, elle est encore humble, infantile et modeste — car il n'est pas possible de saisir Dieu à partir du bon ordre de

DE NAZIANZE, *Disc. théol.*, 28, 10, *SC* 250, p. 120. Il s'agit de la recherche de Dieu par l'âme en quête de contemplation (20) ; cf. GRÉGOIRE, *In Cant. Or.* II, 62, 1-10. Pour Évagre, l'intellect atteint le « lieu de Dieu » par la prière, cf. *Des diverses mauvaises pensées* XVIII, *PG* 79, 1221B ; *Prière* 57, *PG* 79, 1180A.

2. *Ps.* 22, 1 : ποιμαίνει est une leçon de l'*Alexandrinus*.

3. Ces paroles sont mises dans la bouche de l'Époux, du Verbe (cf. ORIGÈNE, *ComCant.*, II, 5, 5).

τῆς κατὰ ψυχὴν καθαρότητος μᾶλλον ἔστι καταλαβεῖν, ἐν
5 τῇ ἑαυτῆς οὖν ἔχουσα φύσει μίμημα τῆς ἐμῆς φύσεως τὸ
κατ᾽ εἰκόνα[a]· ὅταν καθαρὸν ἔχῃς τοῦτο πάσης μοχθηρᾶς
κηλῖδος, πρὸς σεαυτὴν βλέπουσα ἐμὲ καθορᾷς. Ἐν πάσῃ
γὰρ ἀρετῇ ἐπιτελουμένη παρὰ σοῦ τὴν ἐμὴν φύσιν
χαρακτηρίζεις. Εἰ οὖν ἰδεῖν οὕτως οὐδέπω δεδύνησαι,
10 οὐδ᾽ ἔγνως σεαυτὴν κατὰ τὸ σὸν κάλλος, « ἔξελθε ἐν
πτέρναις τῶν ποιμνίων », τοῦτ᾽ ἔστι κατ᾽ ἴχνος βαῖνε τῶν
ὑπ᾽ ἐμοῦ γενομένων καὶ νῦν προνοίας ἀπολαυόντων, καὶ
ἐκ τῆς ἐν τούτοις ζητήσεως ὄψει με ὡς δημιουργόν. Ὡς
γὰρ αἱ πτέρναι τοῦ ποιμνίου τὰ ἴχνη ἐνσημαινόμεναι τῇ γῇ
15 ὁδηγοῦσι τὸν ἑπόμενον ἐπὶ τὴν τοῦ ποιμένος διατριβήν,
παρεῖναι γὰρ τῷ ποιμνίῳ τὸν ποιμένα ἀνάγκη, εἰ μὴ
μέλλοι ἀνεπίστατον καὶ ἀνεπιτρόπευτον εἶναι ἡγεμόνος
ἔρημον ἀγαθοῦ, οὕτως ἡ ἐν τοῖς δημιουργήμασιν ἀπλανὴς
ἔρευνα ἐπὶ τὴν θεωρίαν ἄγει τοῦ δημιουργοῦ, στοχασ-
20 τικῶς τὰ περὶ αὐτοῦ ὀνειροπολεῖν παρασκευάζουσα.
Οὕτως ὁ Δαυὶδ βιβλίον ἔχων θεωρίας τὴν κτίσιν γνωστι-

---

20. 5 φύσει CV : -σιν R ‖ 10 κατὰ R : καὶ CV ‖ 12 καὶ —
ἀπολαυόντων [ἀπολαβόντων R] VR : om. C ‖ 14 ἐνσημαινόμεναι C :
-μενα VR ‖ 16 εἶναι VR : καὶ C

---

20. a. Cf. Gen. 1, 26

---

1. L'importance accordée à la pureté de l'âme vient d'Évagre, v. g.
Schol. Prov. 306, 331, *SC* 340.
2. Pour Nil, la connaissance de soi — l. 10 : οὐδ᾽ ἔγνως σεαυτήν,
qui évoque évidemment pour nos auteurs le γνῶθι σεαυτόν de la
philosophie grecque — n'a qu'un objet : la contemplation de Dieu.
Son développement, plus proche de Grégoire (*In Cant. Or.* II, 68-69)
que d'Origène (*ComCant.* II, 5), est organisé en deux mouvements :
a) la contemplation dans l'âme même de l'image de Dieu, par la
ressemblance (20, 5-9 ; 21, 1-12) ; b) pour ceux qui n'en sont pas
capables, la contemplation du monde, qui mène à la découverte du

son gouvernement, mais plutôt par la pureté selon l'âme [1]
—, puisqu'elle possède dans sa nature une imitation de ma
propre nature, selon l'image [a]. Quand tu la possèdes, pure
de toute souillure infâmante, en posant sur toi-même tes
regards, tu me contemples [2]. Car, dans toute vertu que tu
accomplis, tu reproduis ma propre nature. Si donc tu n'as
pas encore pu voir ainsi, et si tu ne te connais pas toi-même
selon ta propre beauté, « sors sur les talons des troupeaux »,
c'est-à-dire marche sur la trace [3] de mes créatures, qui
jouissent maintenant de la providence. Grâce à cette
recherche, tu me verras en elles comme créateur [4]. Car de
même que les talons des troupeaux, qui laissent des traces
sur la terre, guident celui qui suit dans sa tâche de berger
— car la présence du berger est nécessaire au troupeau, de
peur qu'il ne soit délaissé et sans surveillance, sans un bon
guide —, de même la recherche méthodique appliquée aux
créatures conduit à la contemplation du créateur, parce
qu'elle fait imaginer par déduction ce qu'il est [5]. Ainsi
David, considérant la création comme un livre de contem-

créateur (20, 9-26), grâce à la purification de l'image divine par
l'imitation des vertus « des bêtes privées de raison » (21, 12-30). Ces
deux points reprennent exactement le plan suivi par Athanase dans la
seconde partie du *Contr. païens* (30-46) à propos des moyens
d'accéder à la connaissance de Dieu ; *SC* 18 bis, p. 150-208.

3. Depuis Platon, la chasse sert de métaphore à la recherche de la
science, v. g. GRÉGOIRE DE NAZIANZE, *Disc. théol.* 28, 21, 4, *SC* 250,
p. 142 ; Nil l'adapte, sans doute à l'imitation d'ORIGÈNE, *ComCant.*,
III, 14, 1, à la tâche du berger qui retrouve son troupeau « à la
trace ».

4. La contemplation de la providence divine dans l'univers fait
d'abord découvrir Dieu comme créateur, thème courant de l'apologétique depuis Philon ; cf. EUSÈBE, *Prép. év.* VII, 3, 2 ; GRÉGOIRE DE
NAZIANZE, *Disc. théol.* 28, 6, *SC* 250 p. 110-112.

5. Sur cette méthode, *ibid.*, 28, 9, 19-33, p. 118-120.

κώτερον καὶ ἐπιστημονικώτερον ἐφίστησι τὸν νοῦν τοῖς
γενητοῖς καὶ τὸν ἐναποκείμενον αὐτοῖς λόγον ὡς ἐγγράμμα-
τον ἀνάγνωσιν θεωρῶν ἔλεγε · « μελετήσω ἐν πᾶσι τοῖς
25 ἔργοις σοῦ [b]. » Γράμματα γὰρ ἰχνῶν πρὸς κατάληψιν
ἐπιστημονικῆς ἐννοίας λογικώτερα.

21. Ἡ δὲ ἐν τῇ ἰδίᾳ φιλανθρωπίᾳ τὴν ἐμὴν μιμησαμένη
καὶ ἐν τῇ ἰδίᾳ δικαιοσύνῃ τὴν ἐμὴν ἀκριβώσασα οὐκέτι
στοχαστικῶς ἀλλ' ἐναργῶς θεωρήσει με, ἐκεῖνο γενομένη
κατὰ μίμησιν, ὅπερ ἐγώ εἰμι κατὰ φύσιν. « Γίνεσθε
5 γάρ, εἶπον τοῖς γνῶναι με ποθοῦσιν, οἰκτίρμονες καθὼς
καὶ ὁ πατὴρ ὑμῶν ὁ οὐράνιος οἰκτίρμων ἐστὶ [a] » καὶ
« γίνεσθε εὔσπλαγχνοι καθάπερ ὁ πατὴρ ὑμῶν [b] » καὶ ἐπὶ
πᾶσι γίνεσθε « τέλειοι καθὼς ὁ πατὴρ ὑμῶν ὁ οὐράνιος
τέλειός ἐστιν [c]. » Ἐὰν οὖν μὴ πρότερον σεαυτὴν γνῷς
10 τοιαύτην, οὐδ' ἐμὲ γνῶναι δυνήσῃ, γνώσῃ δὲ σεαυτὴν

22 καὶ ἐπιστημονικώτερον R : om. CV ‖ 23 γενητοῖς CV : -νν- R ‖
καὶ VR : om. C ‖ 26 λογικώτερα CV : -τερον R.
21. 4-6 γίνεσθε ... οἰκτίρμων V : γίνεσθαι ... τέλειός R ‖ γίνεσθε —
ἐστὶ VR : om. C ‖ 7-9 καὶ² — ἐστιν V : om. CR ‖ 9 οὖν C : om. VR ‖
10 τοιαύτην C : om. VR ‖ οὐδ' C : οὐτ' VR

b. Ps. 76, 13.
21. a. Lc 6, 36 b. Éphés. 4, 32 c. Matth. 5, 48

1. Phrase surprenante par son caractère formulaire. Elle peut
évoquer un apophtegme d'Antoine, transmis par Évagre (*Pratique*,
92, *SC* 171, p. 694-695) : le livre d'Antoine, c'est la « nature des
êtres ». Cela rappelle le ch. 72 de la *Vie d'Antoine*, PG 26, 944B qui
appartient, selon Guillaumont, à la plus ancienne collection d'apophtegmes (*SC* 170, p. 119) ; on le lit aussi chez SOCRATE, *Hist. eccl.* IV,
23, *PG* 67, 516C. Nil en modifie l'idée. Pour lui, le livre des *Psaumes*
est le livre issu de la contemplation de la nature par David,

plation [1], applique aux créatures son esprit, tout à fait apte
à la connaissance et à la science. Contemplant la raison qui
leur est intérieure, comme s'il lisait un texte, il disait : « Je
méditerai sur toutes tes œuvres [b]. » En effet il y a plus de
raison dans les écrits que dans les traces pour comprendre
une idée qui touche à la science [2].

Ressembler à Dieu   **21.** Celle qui, dans son propre amour des
hommes, imite le mien et, dans sa propre
justice, s'adapte exactement à la mienne, ne
me contemplera plus par déduction, mais clairement, une
fois devenue par imitation ce que je suis par nature.
« Devenez donc, ai-je dit à ceux qui désirent me connaître,
miséricordieux comme votre père céleste est miséricordieux [a], devenez compatissants comme votre père [b] » et
par-dessus tout devenez « parfaits comme votre père céleste
est parfait [c][3]. » Si donc tu ne te connais pas toi-même
d'abord telle que tu es, tu ne pourras pas non plus me
connaître, mais tu te connaîtras toi-même, lorsque tu te

---

l'équivalent de la science physique pour les Hébreux (cf. PHILON,
Quis heres éd. Harl et n. 1, p. 13-14). Pour le moine la lecture ou la
récitation des *Psaumes* nourrit la méditation qui amène à la
contemplation physique, φυσικὴ θεωρία ; cf. ÉVAGRE, *Schol. Prov.*,
113, 11-14, *SC* 340, p. 210. Le vocabulaire de toute la phrase de Nil
peut évoquer aussi des traditions gnostiques et secrètes, issues en
partie de l'apocalyptique juive (cf. DANIÉLOU, *Théologie du Judéo-
Christianisme*, p. 187-188) et transmises par Clément, Origène et
Évagre. On peut se demander aussi si la formule ne pourrait pas être
l'une des premières expressions de celle qui, sous la forme latine
liber mundi, est promise à un avenir fécond dans l'ésotérisme
médiéval.

2. La phrase joue sur les différents sens de λογικώτερα. Les écrits
contiennent des *mots* (λόγοι) qui s'adressent à la *raison* (λόγος), alors
que les *traces* ne sont que les impressions ressenties par les sens.
Pauvr. vol. 1049D-105AB livre un commentaire différent de la même
citation de *Ps.* 76, 13.

3. Ces textes sont ailleurs cités ensemble par Nil quand il s'agit de
conseiller les moines : *Périst.* 893A ; *Pauvr. vol.* 1024A.

ταῖς εἰρημέναις ἀρεταῖς μορφωθεῖσα πρὸς τὴν ἐμὴν
ὁμοιότητα ᵈ. Ἐπεὶ δὲ, ὡς ἔοικε, γνῶναι σαυτὴν οὐδέπω
δεδύνησαι, οὐ γὰρ ἂν ἐν τοῖς ποιμνίοις με, ἀλλ' ἐν τοῖς
ἁγίοις ἐζήτεις, « τὸν ὕψιστον ὄντα καὶ ἐν ἁγίοις ἀναπαυό-
15 μενον ᵉ ». « Ἔξελθε ἐν πτέρναις τῶν ποιμνίων καὶ ποίμαινε τὰς ἐρίφους σου ἐπὶ σκηνώμασι τῶν ποιμένων », διὰ
τῆς θεωρίας τὰς φύσεις τῶν ὄντων ἐξιχνεύουσα καὶ τὰ
ἄτακτα τῆς ψυχῆς κινήματα διὰ τῆς πρακτικῆς κατασ-
τέλλουσα. Οὕτω γὰρ πάντων ἀποκαθήρασα τῶν
20 μολυσμῶν τὴν θεικὴν εἰκόνα, καὶ ἐκ τῆς εἰκόνος εἰκότως
μὲ γνώσῃ τὸν θεόν. Εἰκὼν γὰρ πᾶσα τὸ ἀρχέτυπον
ὑποδεικνύαι πέφυκεν. Ὁ λέγων δέ· « ἴσθι πρὸς τὸν
μύρμηκα καὶ πορεύθητι πρὸς τὴν μέλισσαν ᶠ » καὶ « γίνεσθε φρόνιμοι ὡς οἱ ὄφεις καὶ ἀκέραιοι ὡς αἱ περιστε-
25 ραί ᵍ », ἐν πτέρναις τῶν ποιμνίων πέμπει τὴν ἐξ αὐτῆς μὴ
μαθοῦσαν τὸ ἀγαθὸν ψυχήν, τῇ τῶν ἀλόγων μιμήσει
παιδαγωγῶν. Ἕκαστον γὰρ ἔχει ἀφορμὰς φυσικὰς
πρὸς διδασκαλίαν τῶν ῥαθυμοτέρων, δυσωπητικῷ παρα-
δείγματι ἐρεθίζοντα πρὸς ζῆλον μιμήσεως τὴν νωθεστέ-
30 ραν κατάστασιν.

13 τοῖς¹ C : om. VR ‖ με C : om. VR ‖ 14 ὄντα VR : om. C ‖ 17
ἐξιχνεύουσα C : ἀνι- VR ‖ 19 ἀποκαθήρασα CV : -σαι R ‖ τῶν VR :
om. C ‖ 20 τῆς εἰκόνος VR : ταύτης C ‖ 21 με R : om. CV ‖ 22 λέγων
δὲ C : ἔλεγε δὲ V δ. ἔ. R ‖ 24 οἱ ὄφεις C : ὁ -ις VR ‖ 24-25 καὶ —
περιστεραί VR : om. C ‖ 25 πέμπει CV : om. R ‖ 26 μαθοῦσαν CV :
-σα + καὶ R ‖ 27 παιδαγωγῶν CV : -γὸν R ‖ 28 ῥαθυμοτέρων C :
ῥαθυμούντων VR ‖ 29 ἐρεθίζοντα C : -ζοντας VR.

d. Cf. Gen. 1, 26   e. Is. 57, 15   f. Prov. 6, 6.8a   g. Matth. 10,16.

seras conformée aux vertus dont il a été question [1], à ma
ressemblance [d]. Puisqu'à ce qu'il paraît, tu n'as pas encore
pu te connaître toi-même, tu ne devrais pas me chercher
dans les troupeaux, mais chez les saints, moi qui suis « le
très-haut et qui repose chez les saints [e]. » « Sors sur les
talons des troupeaux et fais paître les chevreaux près des
campements des bergers », poursuivant à la trace la nature
des êtres par la contemplation et par la pratique modérant
les mouvements désordonnés de l'âme [2]. Après avoir ainsi
purifié de toute tache l'image divine, même à partir de
l'image, semble-t-il, tu me connaîtras comme Dieu. Car
toute image révèle naturellement l'archétype [3]. Celui qui
dit : « Sois près de la fourmi et marche vers l'abeille [f] » et :
« Soyez rusés comme les serpents et candides comme les
colombes [g] » envoie sur les talons des troupeaux l'âme qui
n'a pas encore appris d'elle-même le bien, en lui donnant
pour pédagogue l'imitation des bêtes privées de raison [4].
Car chacune d'elles a des moyens naturels pour enseigner
les paresseux : par un exemple convaincant, elle excite au
désir de l'imiter la condition plus lente.

---

1. Cf. 17, 3 (πολιτείας ὀρθῆς) ; 25, 7.

2. Chez Évagre, la « pratique » (πρακτική) concerne l'acquisition
des vertus par la « conduite droite » et la purification de l'intellect qui
mène à la contemplation (θεωρία), cf. *Pratique*, 78-79 et 87, SC 170,
p. 666, 678 ; *Gnostique*, 13, SC 356, p. 106. Pour Nil, l'ordre est
inverse : « C'est la cause d'un grand progrès que d'aller de la
contemplation à la pratique, car l'action est irréprochable quand on
l'a contemplée au préalable du regard très pénétrant de la connaissance », *Disc. asc.*, 753B.

3. Cf. Grégoire, *In Cant. Or.* XV, 448, 3-4 ; Évagre, *Gnostique*,
50, SC 356, p. 192.

4. Même citation et commentaire analogue de *Prov.* 6, 6 dans
Pauvr. vol., 1052C ; cf. Évagre, *Schol. Prov.*, 71-72, SC 340 et les n.
p. 169 et 171. L'analyse de ces deux scholies donne un bon exemple
de la façon dont Nil simplifie la pensée d'Évagre.

1,9 Τῇ ἵππῳ μου ἐν ἅρμασι Φαραὼ ὡμοίωσά σε, ἡ πλησίον μου.

CVR.

22. Ὄνῳ μὲν καὶ πώλῳ καὶ υἱῷ ὑποζυγίου [a] χρησάμε-
νος φαίνεται ὁ κύριος, ὃν λύσας τῶν δεσμῶν καὶ
ἐλευθερώσας τῆς τῶν ἀντιλεγόντων δεσποτείας ὄχημα
ἑαυτοῦ πεποίηται · ἵππῳ δὲ οὐδαμοῦ. Καὶ γὰρ ἡ προφη-
5 τεία βασιλέα αὐτὸν προσαναφωνήσασα παραγινόμενον
ἥξειν « ἐπιβεβηκότα, φησί, πώλῳ καὶ ὄνῳ καὶ υἱῷ
ὑποζυγίου [b]. » καὶ ἡ ἔκβασις ἐμαρτύρησε τῇ ἀληθείᾳ
ἐλέγξασα τὴν προαγόρευσιν προφητικήν, ὅτε καθεσθεὶς
τῷ πώλῳ τὰ Ἱεροσόλυμα κατέλαβε, πρὸς ὕμνον τὰς
10 γλώσσας τῶν νηπίων τρανώσας ἔνθεον [c]. Πῶς οὖν τῇ
ἵππῳ ἑαυτοῦ ἐν ἅρμασι Φαραὼ νῦν λέγει ὡμοιωκέναι τὴν
νύμφην; Μὴ ποτ' οὖν κατὰ τὰς διαφόρους καταστάσεις
ἀμφότερά ἐστι. Καὶ ἔτι μὲν τὴν νωθεστέραν ἔχουσα
κατάστασιν καὶ μόνην τὴν φάτνην [d], ἐν ᾗ νήπιος ὢν
15 τίθεται ὁ κύριος, ἐπιγινώσκουσα ὄνος καλεῖται, ἡνίκα δὲ
καὶ πρὸς ὀξυτέρας ὑπηρεσίας χρησιμεύει, τῷ λόγῳ καὶ
πολεμοῦντι ἤτοι δυνάμεσιν ἀντικειμέναις ἢ δόγμασιν
ἐναντιουμένοις τῇ ἀληθείᾳ ὑποζεύγνυται · πολεμικὸν γὰρ
τὸ ζῷον ἵππος εἰκότως χρηματίζει.

22. 1 καὶ - ὑποζυγίου VR : om. C ‖ 2-4 ὃν — πεποίηται VR : om.
C ‖ 4-10 καὶ — ἔνθεον VR : om. C ‖ 5 αὐτὸν V : ἑαυ- R ‖ 6 υἱῷ V :
om. R ‖ 7 ἀληθείᾳ R : προφητείᾳ V ‖ 8 προφητικὴν R : ἀληθῆ V ‖ 11
ἑαυτοῦ — φαραὼ VR : om. C ‖ νῦν C : om. VR ‖ 13 ἀμφότερά VC :
-ρόν R ‖ 14-15 ἐν ... κύριος / ἐπιγινώσκουσα VR : ~ C ‖ 17 ἤτοι V : ἢ
C εἴτε R ‖ 19 εἰκότως VR : om. C.

22. a. Cf. Matth. 21, 5   b. Zach. 9, 9   c. Cf. Matth. 21, 15   d.
Cf. Is. 1, 3.

PUISSANCE et HUMILITÉ de l'ÉPOUSE

**1,9 A ma jument dans le char de Pharaon,
je t'ai comparée, ma proche.**

**L'âne et
la jument**   **22.** A l'évidence, le Seigneur s'est servi
d'un âne [1], d'un ânon et du petit d'une bête
de somme [a], dont il a fait sa monture, après
l'avoir libérée des liens et affranchie du pouvoir des
contradicteurs. Nulle part il ne se sert de cheval. Et de fait,
la prophétie qui annonce qu'un roi arrivera en personne
dit : « monté sur un ânon et un âne, petit d'une bête de
somme [b]. » Sa réalisation, en prouvant la prédiction du
prophète, a témoigné pour la vérité, lorsqu'il a atteint
Jérusalem monté sur un ânon, inspirant à la langue des
petits enfants un hymne divin [c]. Comment donc dit-il que
l'épouse est semblable à sa jument dans le char de
Pharaon ? A moins qu'elle ne soit l'un et l'autre selon ses
diverses conditions. Quand elle est encore dans sa condition la plus lente, et qu'elle reconnaît seulement la crèche [d]
où, petit enfant, le Seigneur est déposé, elle est appelée
« âne », mais lorsqu'elle est requise pour les services plus
rapides, elle est attelée au Verbe, qu'il combatte soit les
forces mauvaises, soit les croyances opposées à la vérité.
Car l'animal de combat porte évidemment le nom de
cheval [2].

---

1. Ce passage (22-24) a fait l'objet d'une étude exégétique ; cf. M.-
G. GUÉRARD, « Nil d'Ancyre, quelques principes d'herméneutique
d'après un passage de son *Commentaire sur le Cantique des
cantiques* ».
2. Cf. ORIGÈNE, *ComMatth.*, *GCS* 10, p. 529, 23-24 ; l'expression
πολεμικὸν ζῷον fait certainement allusion à *Prov.* 21, 31 ; cf. ÉVAGRE,
Schol. Prov., 232 qui cite *Hab.* 3, 8, *SC* 340, p. 327.

23. Σύγκρισιν οὖν ποιούμενος τῆς νύμφης καὶ τῶν
λοιπῶν γυναικῶν, ἴσως ταύτης μὲν φερούσης σύμβολον
τῆς ἐκκλησίας, ἐκείνων δὲ τῶν διαφόρων αἱρέσεων, τὴν
μὲν νύμφην ὁμοιοῖ τῇ ἑαυτοῦ ἵππῳ ᾖ, ὅταν ἐπιβῇ, τὴν
5 ἱππασίαν ποιεῖται σωτηρίαν[a] πολλῶν, τὰς δὲ λοιπὰς τὰς
ἐν τοῖς ἅρμασι τοῦ Φαραὼ ἐζευγμένας, ὧν ἡ ἱππασία
ἀπώλεια[b] σπευδουσῶν ἐπὶ βυθὸν ὀλέθριον. Αὗται γὰρ
ἀνεπιστήμονι χρησάμεναι τῷ ἐπιβάτῃ διαπερῶσαι τὴν
τοῦ βίου τούτου θάλασσαν[c] ἐξικέσθαι πρὸς τὸ πέρας οὐχ
10 ἴσχυσαν· κατέδυσαν δὲ ὡσεὶ μόλιβδος[d] ὑπὸ τῶν παθῶν
βαρηθεῖσαι καὶ καταβρίσασαι πρὸς πυθμένα βυθοῦ. Ἡ δὲ
νύμφη αὐτὸν ἑλομένη τὸν κύριον ἔποχον σωτηρίῳ διεπέ-
ρασε λόγῳ ἡνιοχουμένη καὶ οὐδὲν ὑπὸ τῶν κυμάτων
παθοῦσα τοιοῦτον, οἷον αἱ προδηλωθεῖσαι πεπόνθασιν.

24. Ἔθος δὲ τὴν ἵππον πληθυντικῷ καλεῖν ὀνόματι
τὴν ἱππικὴν δύναμιν[a]. Οὗτοι δ᾽ εἰσὶν ἢ τὸ τῶν ἁγίων
δυνάμεων σύστημα, μεθ᾽ ὧν ὁ κυριακὸς ἄνθρωπος τὴν
ἐναντίαν τοῦ ἐχθροῦ προνομεύει δύναμιν, ὅθεν καὶ τὸ

---

23. 4 τὴν VR : om. C ‖ 6 τοῦ V : om. C ‖ φαραὼ / ἐζευγμένας
CV : ~ R ‖ 11 βαρηθεῖσαι CV : βαρυ- R ‖ καὶ καταβρίσασαι VR :
om. C ‖ 12 σωτηρίῳ C : -ρίως V -ρίαν R ‖ 13 καὶ VR : om. C ‖ 14
τοιοῦτον — πεπόνθασιν VR : om. C.

---

23. a. Cf. Hab. 3, 8   b. Cf. Ex. 14, 26-28   c. Cf. Matth. 13,
47   d. Cf. Ex. 15, 5-10.
24. a. Cf. Ex. 14, 7-9

---

1. La mention des hérésies relève ici du lieu commun, cf.
Origène, *ComCant.*, II, 3, 12 ; III, 4, 6 ; III, 5, 8 ; IV, 3, 8 et 10, qui
sert dans la littérature ascétique pour désigner les âmes vouées au
péché.
2. L'appareil scripturaire de tout ce passage évoque des textes qui
étaient sans doute lus dans les offices qui précédaient la fête de

La cavalerie des hérésies **23.** Il établit donc une comparaison entre l'épouse et les autres femmes, l'une symbolisant probablement l'Église, et les autres, les différentes hérésies [1]. Il compare à sa jument et l'épouse, dont la chevauchée devient le salut [a] de beaucoup quand il en est le cavalier, et les autres, attelées au char de Pharaon, dont la chevauchée est perdition [b], parce qu'elles se précipitent vers un abîme funeste. Menées par un combattant inexpérimenté, après avoir traversé la mer de cette vie [c], elles n'ont pas eu la force d'atteindre le terme. Elles ont été englouties comme du plomb [d], alourdies par les passions et entraînées par leur poids au fond de l'abîme [2]. L'épouse, elle, ayant choisi le Seigneur en personne comme cavalier, a traversé avec le Verbe sauveur pour aurige [3] et sans rien subir des flots de ce que les précédentes avaient subi.

La cavalerie des saintes puissances **24.** Il est habituel aussi de donner à la jument le sens collectif de cavalerie [a]. C'est soit l'ensemble des saintes puissances avec lesquelles l'homme seigneurial [4] saccage la puissance adverse de l'ennemi, d'où lui est venu aussi son

Pâques : rappel de la naissance du Christ, épisode de l'entrée à Jérusalem ; en particulier le passage de la Mer Rouge était lié à la liturgie du baptême, cf. CYRILLE DE JÉRUSALEM, *Catéch. myst.* I, 2, 11-14, *SC* 126, p. 86 et n. 1, p. 87. Le sens collectif dégagé ici par Nil se déploie sur deux niveaux : les hérésies sont aussi les âmes entraînées à leur perte par les passions ; l'Église qui traverse sans encombre assure le salut de l'âme, épouse du Verbe. Nil rejoint des thèmes de la littérature ascétique et le développement de GRÉGOIRE DE NYSSE, *De la virg.* XVIII, 5, 20-30, *SC* 119, p. 480-82.

3. L'image du Verbe cavalier ou aurige, entre lesquels Nil ne choisit pas, se trouve déjà chez Origène, qui utilise aussi le cheval blanc d'*Apoc.* 19, 11-14, *ComCant.* II, 6, 6-10, et GRÉGOIRE, *In Cant. Or.* III, 76, 14-77, 13. Elle semble promise à se développer, cf. AUBINEAU, *SC* 187, n. 57, p. 100.

4. Voir la note complémentaire sur κυριακὸς ἄνθρωπος.

5 ὄνομα αὐτοῦ ἐκλήθη « ταχέως σκύλευσον, ὀξέως προνόμευσον[b] », ἢ τὸ τῶν καλῶς πολιτευσαμένων δικαίων
πλῆθος. Καὶ οὗτοι γὰρ ὠκύποδες πρὸς τὸν δρόμον τοῦ
σταδίου γεγόνασιν, ὅθεν καὶ « κατὰ σκοπὸν τῆς ἄνω
κλήσεως[c] » δράμοντες, ἔλεγον ὡς εἷς οἱ πολλοί· « τὸν
10 δρόμον τετέλεκα, τὴν πίστιν τετήρηκα[d] » καὶ τοῖς
ῥαθυμοτέροις παρήνουν λέγοντες· « οὕτω τρέχετε ἵνα
καταλάβητε[e] », καὶ τὸ διάστημα πρὸς ὅπερ ἐπείγεται ἡ
ἀνθρωπίνη φύσις ἰδόντες πολὺ καὶ τὸν χρόνον τῆς ζωῆς
ὀλίγον καὶ μόλις ἀρκοῦντα καὶ τοῖς σπουδαίοις πρὸς
15 κατάληψιν τῆς ἐνδεχομένης τελειότητος.

1,10 Τί ὡραιώθησαν σιαγόνες σου ὡς τρυγόνες, τράχηλός σου ὡς ὁρμίσκοι;

CVR. — τρυγόνες C : -ος VR.

25. Σιαγόνων ἔργον ποτὲ μὲν λεαίνειν τροφήν, ποτὲ δὲ
τῇ γλώσσῃ παρέχειν καιρὸν ἐνεργεῖν τὰ οἰκεῖα. Κινούμεναι γὰρ αὗται, μᾶλλον δὲ σειόμεναι, ἔνθεν γὰρ καὶ
σιαγόνες ὠνομάσθησαν καὶ τῇ φωνῇ τὴν πρόοδον παρέχου-
5 σιν ἀκώλυτον, καὶ τὴν τροφὴν λεαίνουσαι παντὶ παραπέμπουσι τῷ σώματι· ὡραιοῦνται δέ ποτε ὅταν ἀμφότερα ποιῶσιν ἐγκρατῶς. Ὡραιώθη γοῦν σιαγὼν πρακτικῶς

24. 2 ἢ CR : om. V ‖ 5-6 ὀξέως προνόμευσον VR : om. C ‖ 6
πολιτευσαμένων C : πολιτευο- VR ‖ 9-15 τὸν — τελειότητος VR :
om. C.
25. 1 λεαίνειν CR : -νει V ‖ 2 παρέχειν καιρὸν CV : ~ R ‖ 2-3
κινούμεναι — δὲ VR : om. C ‖ 3 ἔνθεν γὰρ VR : γ. αὗται ἔ. C ‖ 5-6
παραπέμπουσι CV : -σαι R ‖ 7-10 ὡραιώθη — λόγον VR : om. C

b. Is. 8, 3   c. Cf. Phil. 3, 14   d. II Tim. 4, 7   e. I Cor. 9, 24.

nom : « Pille-vite, saccage-à-la-hâte [b] », soit la foule des
justes qui ont vécu dans le bien. Ceux-ci en effet sont
devenus rapides pour la course du stade, et c'est pourquoi,
lorsqu'ils couraient « vers le but de l'appel d'en-haut [c] », en
masse ils disaient comme un seul : « J'ai achevé ma course,
j'ai gardé la foi [d] » et exhortaient les plus paresseux en ces
termes : « Courez afin de l'emporter [e] », parce qu'ils
voyaient l'espace vers lequel s'élance la nature humaine
vaste et le temps de la vie bref, suffisant à peine, même aux
hommes pleins de zèle, pour atteindre la perfection
possible [1].

**1,10 Pourquoi tes mâchoires sont-elles belles comme des
tourterelles,
Ton cou, comme des petits colliers ?**

**Les mâchoires :
silence et
patience**

25. Tantôt le rôle des mâchoires est
de broyer la nourriture, tantôt de fournir à la langue l'occasion de remplir sa
fonction propre. Parce qu'elles se meuvent, ou plutôt mâchent — de là leur vient le nom de
mâchoires —, elles fournissent à la voix une émission aisée
et, broyant la nourriture, elles la font passer à tout le corps.
Aussi sont-elles belles quand elles font les deux choses
dans l'abstinence [2]. En tout cas, la mâchoire est belle dans

---

1. La fin de ce développement prend un sens nettement monastique et moral, qui annonce les deux § suivants. Les références sont des
lieux communs de la littérature ascétique, surtout *Phil.* 3, 14, cf.
Disc. asc., 769C ; *Pauvr. vol.*, 1021BC ; 1036B ; 1049AB ; *I Cor.* 9,
24, cf. *Périst.*, 884AB ; 936D ; 924B ; 944B, et la dernière phrase se
retrouve dans des termes presque semblables dans *Disc. asc.*, 801A ;
Pauvr. vol., 1024D ; 1044A.
2. Chez Nil comme chez ÉVAGRE, *Pratique*, 94, *SC* 171, p. 698 ;
Des vices opposés aux vertus 2, *PG* 79, 1141AB, l'ἐγκράτεια s'exerce
d'abord contre la gourmandise, parce qu'elle « est la mère et la
nourrice des passions », *Disc. asc.*, 792A ; cf. GRÉGOIRE DE NYSSE,
De la virg. XXI, 2, 4-6, *SC* 119, p. 506 et n. 4.

μὲν ἐν χειρὶ τοῦ Σαμψών[a], λογικῶς δὲ ἐν τῷ λέγοντι ·
« κύριος δώσει μοι γλῶσσαν παιδείας τοῦ γνῶναι ἡνίκα
10   δεῖ εἰπεῖν λόγον[b] · » ἀλλ᾽ οὐκ ἀρκεῖ τὸ ὡραιωθῆναι τὰς
σιαγόνας, ἐὰν μὴ καὶ ὡς τρυγόνες ὡραιωθῶσιν. Ὁ γὰρ
ἐγκράτειαν μὲν ἐπανῃρημένος καὶ καιρὸν ἐπιτήδειον
εἰδὼς τοῦ τε σιγᾶν καὶ τοῦ λαλεῖν ποιούμενος[c], πρὸς
ἔνδειξιν δὲ ταῦτα ποιῶν, ὡραίας μὲν ἔχει τὰς σιαγόνας,
15   ἀλλ᾽ οὐχ ὡς τρυγόνας. Ὡς γὰρ ἡ τρυγὼν ταῖς ἐρημίαις
ἐνδιατωμένη οὐδένα μάρτυρα τῶν ἰδίων ἔργων ἔχειν
βούλεται ἐπ᾽ ἀδείας νοσσοποιοῦσα ἡσύχως, οὕτως ἡ τὰ
ἑαυτῆς ἔργα ὡς μηδενὸς παρόντος ἐπιτελοῦσα ψυχὴ καὶ
λανθάνειν σπουδάζουσα τὰς τῶν ἀνθρώπων ὄψεις ὡραίας
20   ἔχει τὰς σιαγόνας ὡς τρυγόνας.

Δύναται δὲ καὶ ἡ ῥαπιζομένη σιαγὼν κατὰ μίμησιν τοῦ
κυρίου ὡραία λέγεσθαι σιαγὼν ὡς τρυγόνος, ἐπιεικῶς τὴν
πληγὴν ἐνεγκοῦσα τῆς ῥαπιζομένης χειρὸς διὰ τὸν
εἰπόντα · « ἐάν τίς σε ῥαπίσῃ ἐπὶ τὴν δεξιὰν σιαγόνα,

9 δώσει V : δίδωσι R || 10-11 τὰς σιαγόνας VR : om. C || 11
τρυγόνες C : -νος VR || 13 εἰδὼς VR : om. C || καὶ τοῦ λαλεῖν /
ποιούμενος C : ~ VR || 15 τρυγόνας C : -νος VR et idem 20 || 17
νοσσοποιοῦσα C : νεοττοποιοῦσα VR || 18 ἑαυτῆς C : προειρημένα VR
|| 22 ὡραία λέγεσθαι C : ~ VR || σιαγὼν VR : om. C || 24 τὴν δεξιὰν
CV : τῇ -ιᾷ R || σιαγόνα V : -νι R om. C

25. a. Cf. Jug. 15, 15   b. Is. 50, 4   c. Eccl. 3, 7b

1. Au cours de sa lutte contre les Philistins, Samson s'empare
d'une mâchoire d'âne avec laquelle il abat mille hommes. Cette
anecdote reçoit une explication détaillée dans *Périst.*, 820D : la
mâchoire d'âne devenue une arme dans la main de Samson montre
qu'il a lui-même dominé l'insatiabilité de ses convoitises.
2. Πρακτικῶς et λογικῶς expriment deux aspects complémentaires du progrès dans la vie spirituelle, qui viennent d'ÉVAGRE, v. g.
Pratique, 66, *SC* 171, p. 650 ; *Schol. Prov.*, 293, *SC* 340, p. 385. Le
premier concerne l'exercice des vertus le second l'accession à la
connaissance des réalités qui relèvent de la raison. Pour Nil, la

la main de Samson [a][1], selon la pratique ; elle l'est selon la raison chez celui qui dit : « Le Seigneur me donnera la langue de l'instruction pour que je sache quand il faut dire une parole [b][2]. » Mais il ne suffit pas que les mâchoires soient belles, si elles ne sont pas encore belles comme des tourterelles. Car celui qui s'est engagé dans l'abstinence et sait se ménager le moment favorable pour se taire et pour parler [c], mais qui le fait pour en faire montre, a les mâchoires belles, mais pas comme des tourterelles. La tourterelle en effet, qui habite dans les solitudes, ne veut avoir aucun témoin de ses propres œuvres pour faire tranquillement son nid en sécurité ; de même l'âme, lorsqu'elle accomplit ses œuvres à l'écart de toute présence et prend soin d'échapper aux regards des hommes, a les mâchoires belles comme des tourterelles [3].

Par ailleurs, on peut dire que la joue frappée [4], à l'imitation du Seigneur, est belle comme une joue de tourterelle, puisqu'elle a supporté avec douceur le coup de la main qui la frappe, à cause de celui qui dit : « Si

---

πρακτική se traduit par des attitudes de la vie concrète, des actes, et le λόγος est aussi la parole dispensée dans un enseignement, en particulier lorsqu'il s'agit de direction spirituelle (cf. n. 2 p. 191). Une grande partie du *Sermon sur Lc 22, 36* est consacrée à ce sujet (1273CD).

3. On lit un commentaire analogue de *Cant.* 1, 10a dans *Périst.*, 821CD : 1) l'abstinence permet de lutter contre la gourmandise ; 2) la vertu cache ses œuvres en se servant d'un voile comme la tourterelle de la solitude. Le fait que la tourterelle se cache est mentionné par ORIGÈNE, *ComCant.*, IV, 1, 8, qui emprunte sans doute ce détail à ARISTOTE, *Hist. des An.* VIII, 16, 600a. Chez Nil, les oiseaux qui recherchent la solitude sont une image du moine, qu'il s'agisse de la tourterelle (τρυγών) ou de la colombe (περιστερά, 60, 15-17) ; cependant dans le traité *Sup. des moines*, les moines des villes sont semblables aux colombes et ceux du désert aux tourterelles (1092BC). Sont alors cités : *Cant.* 1, 15 et 2, 12.

4. Le détail de ce développement interdit qu'on puisse en français garder un mot unique pour traduire σιαγών, d'où notre choix de « mâchoire » et « joue ».

25 στρέψον αὐτῷ καὶ τὴν ἄλλην ᵈ. » Οὗτος γὰρ καὶ ὁ τρυγών
ἐστι περὶ οὗ γέγραπται · « φωνὴ τοῦ τρυγόνος ἠκούσθη ἐν
τῇ γῇ ἡμῶν ᵉ · » ὃς καὶ τὸν ῥαπιζόμενον φέρειν ἡσυχῇ
παρήνεσε καὶ ῥαπισθεὶς ᶠ ἤνεγκεν ἀνεξικάκως, τὸ δυνατὸν
τῆς ἐντολῆς βεβαιώσας τῇ πράξει.

26. Βουλόμενος δὲ καὶ τὸ ταπεινὸν αὐτῆς φρόνημα ἐφ᾽
οἷς ἔπραττε παραστῆσαι ὁ λόγος φησὶ τοῦτο · « τράχηλός
σου ὡς ὁρμίσκοι. » Ὡς γὰρ τοῦ ὑπερηφάνου « τὸν τράχηλον νεῦρον » καλεῖ « σιδηροῦν ᵃ » διὰ τὸ δύσκαμπτον,
5 οὕτω τὸν τοῦ μετριόφρονος ὁρμίσκον ὀνομάζει ἀπὸ
τοῦ σχήματος τὸ εἶδος σημαίνων τῆς ἀρετῆς. Κέκαμπται
γὰρ ὁ μετριόφρων δίκην ὁρμίσκου, κἂν ᾖ πολὺ μέγας,
ταπεινὰ περὶ ἑαυτοῦ λογιζόμενος καὶ τὸν παρακολουθοῦν-
τα τῇ ἀρετῇ τῦφον καταστέλλων τῇ ἀσθενείᾳ τῆς φύσεως.
10 Ἀρκεῖ γὰρ πρὸς καθαίρεσιν ἀλαζονείας ἡ τῆς γῆς
ὑπόμνησις καὶ ἡ πρὸς τὸν πηλὸν ἀρχαία συγγένεια ᵇ, κἂν
ἡ τιμὴ τῆς εἰκόνος καὶ τῶν πράξεων τὸ ἐξαίρετον πρὸς
ὄγκον ἐξαίρῃ τὸ μεγάλαυχον. Καὶ τοῦτο δὲ οὐχ ἁπλῶς τὸ
« ὁρμίσκον » προσαγορεῦσαι τὸν τοῦ ταπεινοῦ τράχηλον,
15 ἐπειδὴ γάρ εἰσί τινες δι᾽ ἀνθρωπαρέσκειαν σχηματιζόμε-
νοι τὴν ταπείνωσιν ἐπὶ θήρᾳ δόξης ἀνθρωπίνης, οἷς φησιν

---

25 αὐτῷ VR : om. C ‖ οὗτος C : οὕτω VR.
26. 1 δὲ καὶ CV : om. R ‖ 2 τοῦτο C : om. VR ‖ 2-3 τράχηλός —
ὁρμίσκοι VR : om. C ‖ 4 νεῦρον C : om. VR ‖ 5 τὸν C : om. VR ‖ 8
ἑαυτοῦ C : αὐτ- VR

---

d. Math. 5, 39   e. Cant. 2, 12   f. Cf. Matth. 26, 67.
26. a. Is. 48, 4   b. Cf. Job 10, 9

quelqu'un te frappe sur la joue droite, tends-lui encore l'autre [d]. » C'est lui la tourterelle dont il est écrit : « La voix de la tourterelle s'est fait entendre sur notre terre [e] [1] », lui qui a recommandé à celui qui est frappé de le supporter tranquillement et qui, frappé lui-même [f], l'a supporté avec patience, garantissant par la pratique que son commandement est possible [2].

Le collier de l'humilité **26.** Voulant aussi lui inspirer un sentiment humble dans ses actions, le Verbe dit ceci : « Ton cou comme des petits colliers. » En effet, de même qu'il appelle « le cou » de l'orgueilleux « nerf de fer [a] » à cause de sa raideur, de même il appelle celui du modeste petit collier, désignant par son aspect la forme de la vertu. Car le modeste est courbé comme un petit collier, même s'il est très grand, quand il a de lui-même d'humbles pensées et contient la bouffée d'orgueil qui accompagne la vertu, du fait de la faiblesse de la nature. Car le souvenir de la terre et l'ancienne parenté avec la glaise [b] suffisent à détruire la gloriole même si l'honneur de l'image et l'excellence des actions amplifient l'enflure de l'orgueil [3]. Et il n'a pas appelé le cou de l'humble simplement « petit collier », puisqu'il y en a en effet qui prennent par affectation l'aspect de l'humilité

---

1. Cf. 59, 30-33, où « la voix de la tourterelle » est celle du Christ.
2. Cf. *Disc. asc.*, 752D : « le Seigneur lui-même a agi avant d'enseigner, [... ce qui nous persuade] qu'il faut se fier davantage à l'enseignement par les actes qu'à l'enseignement en paroles », lieu commun de la littérature ascétique, cf. Grégoire de Nysse, *De la virg.*, 23, 1, 14-21, *SC* 119, p. 522-524.
3. On lit une explication semblable de *Cant.* 1, 10b dans *Périst.*, 960D-961A. La bouffée ou l'enflure d'orgueil qui accompagne la vertu est un danger très commun pour le moine, toujours tendu entre « l'ancienne parenté avec la glaise » et « l'honneur de l'image », cf. *Périst.*, 821D-824AB ; *Disc. asc.*, 720C ; *Pauvr. vol.*, 1008D ; cf. Évagre, *Des diverses mauvaises pensées*, XV, *PG* 79, 1217A.

ὁ λόγος· « ἐὰν κάμψῃς ὡς κρίκον τὸν τράχηλόν σου [c] · »
τὴν διαφορὰν δεῖξαι θέλων τούτων καὶ τῆς τελείας ψυχῆς,
τὸ μὲν τούτων ἐπιτήδευμα κρίκῳ παρείκασε σιδερῷ, ὃν
20 ἐπὶ τιμωρίᾳ φοροῦσιν οἱ κατάκριτοι, τιμωρία γὰρ ὕστερον
ἐσχηματισμένη πρὸς δέλεαρ ἀρετή. Τὴν δὲ ἐκείνης
ἀρετὴν ὁρμίσκῳ παρέβαλε χρυσῷ διὰ μὲν τοῦ σχήματος
αἰνιξάμενος τὴν κατάστασιν, διὰ δὲ τῆς ὕλης τὸ δόκιμον [d]. Τί γὰρ δοκιμώτερον ἀρετῆς δι' αὐτὸ τὸ καλὸν
25 ἐπιτελουμένης καὶ θεὸν ἐχούσης τὸν ἐν κρυπτῷ βλέπον-
τα [e] ἐπαινέτην [f]; Ὅτι δὲ τῆς κατ' ἀλήθειαν μὴ γινομένης
ἀρετῆς οὐδὲν ὄφελος, ἐδήλωσεν ὁ κύριος ἐν εὐαγγελίοις
εἰπών· « πᾶν δένδρον μὴ ποιοῦν καρπὸν καλὸν ἐκκόπτεται καὶ εἰς πῦρ βάλλεται [g]. » Οὐ γὰρ μόνον οὐκ ἀπεδέξατο
30 τὴν ὁποίαν δήποτε καρποφορίαν τοῦ ἡμέρου ξύλου, ἀλλὰ
καὶ κατέκρινεν ὁμοίως τοῖς ἀκάρποις. Εἰ γὰρ ὁ μὴ ποιῶν
καρπὸν καλὸν εἰς πῦρ βάλλεται καὶ ὁ πεινῶντα καὶ
διψῶντα καὶ γυμνητεύοντα [h] περιορῶν τὸν πένητα πορεύ-
εται εἰς τὸ πῦρ τὸ αἰώνιον, ἐκ τῆς κατὰ τὴν τιμωρίαν
35 ταυτότητος ἡ κοινωνία τοῦ τρόπου δεδήλωται, ὅτι καὶ ὁ
μηδὲν εἶδος ἀρετῆς μετερχόμενος τιμωρίᾳ ὑπόκειται,
ἄκαρπος γάρ, καὶ ὁ σκοπῷ διεφθαρμένῳ τὸ καλὸν
ἐργαζόμενος οὐκ ἀνεύθυνος, καρπῶν οὐ καλῶν γενόμενος
οἰστικός. Ἐπειδὴ γὰρ καὶ τῆς ἀγρίας ὕλης καὶ τῆς
40 ἡμέρου μὲν οὐκ εὐγενοῦς δὲ ἑκάτερον ξύλον ἀξίνῃ μὲν

20-21 τιμωρία — ἀρετή VR : om. C ‖ 21 ἐκείνης C : -ων VR ‖ 23
αἰνιξάμενος CV : αἰνιζό- R ‖ 26 γινομένης CV : γενο- R ‖ 27 ἐν
εὐαγγελίοις VR : om. C ‖ εἰπών V : διὰ τοῦ C om. R ‖ 29 καὶ —
βάλλεται VR : om. C ‖ 30 ἡμέρου C : ἡμετέρου VR ‖ 32-33 καὶ²
γυμνητεύοντα VR : om. C ‖ 34 τὸ αἰώνιον VR : om. C ‖ 38-39 καρπῶν
— οἰστικός VR : om. C ‖ 39 γὰρ VR : om. C

c. Is. 58, 5   d. Cf. II Cor. 10,18   e. Cf. Matth. 6, 4   f. Cf. Rom.
2, 29   g. Matth. 7, 19   h. Cf. Matth. 25, 41-43

quand ils poursuivent la gloire humaine. Le Verbe leur
dit : « Si tu courbes le cou comme un anneau [c] » ; voulant
montrer la différence entre eux et l'âme parfaite, il a
rapproché leur comportement de l'anneau de fer que
portent les condamnés en châtiment — car la vertu faite
pour leurrer finit par prendre l'aspect d'un châtiment.
Mais la vertu de l'épouse, il l'a comparée à un collier d'or,
laissant entendre sa condition à travers son aspect et son
caractère éprouvé [d] à travers sa matière. Qu'y a-t-il en effet
de plus éprouvé que la vertu quand elle est accomplie en
raison du beau même et trouve en Dieu, qui voit dans le
secret [e] [1], son laudateur [f] ? Pourtant, la vertu qui n'est pas
conforme à la vérité ne sert à rien, comme le Seigneur l'a
révélé dans les évangiles en disant : « Tout arbre qui ne
donne pas de beau fruit est coupé et jeté au feu [g]. » Car non
seulement il n'a pas accepté que l'arbre cultivé fructifie
n'importe comment, mais il l'a condamné aussi tout
comme ceux qui sont stériles. Si en effet celui qui ne donne
pas de beau fruit est jeté au feu, et si celui qui regarde avec
indifférence le pauvre, qui a faim, qui a soif et qui est nu [h],
est envoyé au feu éternel, l'identité de leur châtiment
révèle la similitude de leur conduite : celui qui ne
recherche aucune forme de vertu est soumis au châtiment,
car il est stérile, et celui qui fait le bien dans un but
corrompu n'est pas sans devoir rendre des comptes, parce
qu'il porte des fruits qui ne sont pas beaux. Puisqu'en effet
l'arbre sauvage et celui qui est cultivé, mais pas de bonne

---

1. Développement qui concerne le discernement entre deux sortes
de vertu : celle qui est affectée (δι' ἀνθρωπαρέσκειαν), faite pour
leurrer (πρὸς δέλεαρ), dont l'aspect tordu ressemble finalement à
l'anneau qui entrave les condamnés ; celle qui reste un secret entre
Dieu et l'âme et qui est gratifiée d'un collier d'or, sans doute
souvenir de *Prov.* 1, 9. A plusieurs reprises, Nil établit avec soin cette
distinction entre la vertu accomplie en vue de la gloire humaine et la
vraie vertu, qui recevra sa récompense. Cf. *Disc. asc.*, 721D ; *Périst.*,
872C ; 893A.

ἐκκόπτεται καὶ πυρὶ παραδίδοται, πρὸς τροφὴν γενόμενον
παντάπασιν ἀνόνητον καὶ ἀνεπιτήδειον. Φιλοδοξία γὰρ
φθαρτικὴ τοῦ γινομένου ἐστὶ καλοῦ, ἄμισθον τὴν πρᾶξιν
ποιοῦσα τῷ ἐργαζομένῳ ⁱ, μᾶλλον δ' ἐκεῖνον παρέχουσα
45 μισθόν, ὃν ἔσχεν ἡ πρόθεσις· « ἀμὴν γὰρ λέγω ὑμῖν
ὅτι ἀπέχουσι τὸν μισθὸν αὐτῶν ʲ », ὁ κύριος φησὶ περὶ
τῶν δόξης ἕνεκεν ἀνθρωπίνης πραττόντων· καλῶς ὁ
προφήτης τὴν κενοδοξίαν ἀπόδεσμον εἶναι τετρυπημένον·
« ὁ συνάγων γάρ, φησί, τοὺς μίσθους συνήγαγεν εἰς
50 ἀπόδεσμον τετρυπημένον ᵏ · » ἀπόδεσμον μὲν τὴν πρᾶξιν,
ὀπὴν δὲ τὸν σκοπὸν τῆς δόξης εἰρηκώς. Ὅ γὰρ τῷ πόνῳ
τοῦ γινομένου μένειν νομίζεται, τοῦτο τῇ προθέσει
διαπόλλυται, οὔπω γινόμενον καὶ ἤδη φθειρόμενον, οὐ
χρονίζον ἐν τῷ ἀποδέσμῳ, παρατρέχον δὲ τοῦτον καὶ ἐπὶ
55 τὴν ὀπὴν τῆς ἐξόδου ἐπειγόμενον, ὕδατος δίκην ἐρευνῶν-
τος πᾶσαν διαλύσεως ἀφορμὴν καὶ λιμνάζειν οὐκ εἰδότος,
ὅταν αἰτίας ἐπιλάβηται παρεχούσης κἂν μικρὰν γοῦν
διέξοδον. Εἰ δὲ τὸ ταπεινὸν ὁ ὁρμίσκος σημαίνει, ὁ
ταυτῆς τράχηλος ὡς ὁρμίσκοι ἐπαινούμενοι καὶ τὸ
60 πλῆθος ἀρετῶν ἐμφαίνει καὶ τὴν ἐφ' ἑκάστῃ ταπεινο-
φροσύνην. Ὡς γὰρ ὁ ὁρμίσκος ἐν ὀρθῷ τῷ σχήματι
χαλκευθεὶς ὕστερον κάμπτεται τῇ χρείᾳ σχηματιζόμενος,
οὕτως ὁ τὴν ἀρετὴν τέλειος ταπεινοῦται διὰ συγκατάβασιν, ὀρθὸς ὢν τῷ βίῳ καὶ τῇ γνώμῃ καμπτόμενος.

41 καὶ — παραδίδοται C : εἰς πῦρ δὲ βάλλεται VR ‖ 42 παντάπασιν
VR : om. C ‖ 45-46 ἀμὴν — ὅτι VR : om. C ‖ 47 καλῶς VR : καὶ C ‖
49-50 ὁ — τετρυπημένον VR : om. C ‖ 52 μένειν C : om. VR ‖ 53
διαπόλλυται V : ἀπό- CR ‖ 54 τοῦτον VR : om. C ‖ 57 αἰτίας CV :
-ίαν R ‖ 59 ὁρμίσκοι ἐπαινούμενοι VR : -ος -ος C ‖ 61 ἐν CV : ὁ R.

i. Cf. Rom. 4, 4　j. Matth. 6, 2　k. Aggée 1, 6.

1. L'amour de la gloire (φιλοδοξία) ou la vaine gloire (κενοδοξία)
privent le moine de la récompense de la vertu, cf. *Disc. asc.*, 720BC ;
721B ; *Périst.*, 853C ; 868BC.

souche, sont l'un et l'autre coupés à la hache et livrés au feu, c'est qu'ils sont devenus absolument inutiles et impropres à la nourriture. Car l'amour de la gloire en vient à gâter le produit du bien, il prive l'action de gain pour son auteur [i], ou plutôt lui procure pour tout gain l'intention qu'il a eue [1] : « Amen, je vous le dis en effet, ils reçoivent leur gain [j] », dit le Seigneur à propos de ceux qui agissent à cause de la gloire humaine. Le prophète dit bien que la vaine gloire est une bourse percée : « Car celui qui épargne a serré ses gains dans une bourse percée [k] » ; la bourse selon lui, c'est l'action, et le trou le but de la gloire. Ce qu'on croit garder en effet du produit acquis avec peine est complètement anéanti par l'intention : à peine est-il amassé qu'il est déjà gâté, il ne reste pas dans la bourse, mais s'en échappe et glisse vers le trou par où il sort, comme de l'eau qui cherche à s'écouler par n'importe quel moyen et qui ne peut stagner quand elle trouve ne serait-ce que la moindre occasion de fuite [2]. Si le petit collier désigne ce qui est humble, le cou de l'épouse, comparé aux petits colliers dont on fait l'éloge, montre la foule des vertus et en chacune d'elles, l'humilité. En effet, de même que le petit collier, forgé rectiligne, finit par se courber en prenant l'aspect de son usage, de même celui qui est parfait en vertu s'humilie par abaissement ; droit dans la vie, il se courbe dans sa volonté [3].

---

2. Citation très rare chez nos auteurs d'*Aggée* 1, 6. Il semble que Nil en fasse la version biblique d'une expression de sagesse populaire : cf. ÉVAGRE, *Prière* 22, *PG* 79, 1172BC : « des gens qui puisent de l'eau pour la verser dans un tonneau percé ». La même péricope biblique et son commentaire se trouvent sous une forme plus brève dans le *Récit* 3, 15, p. 18, 17-23, ainsi que dans *Pauvr. vol.*, 977A. On la trouve chez CLÉMENT D'ALEXANDRIE, *Pédagogue*, III, 39, 1, *SC* 108, p. 84 ; *Stomate*, III, 6, 56, *GCS* p. 222.

3. Nil utilise ailleurs cette image de la courbure de la volonté à propos de la difficulté qu'il y a à quitter d'anciennes habitudes : « même si on l'incline un peu de force, elle revient vite à elle-même », *Disc. asc.*, 785C.

1,11 Ὁμοιώματα χρυσίου ποιήσωμέν σοι
μετὰ στιγμάτων τοῦ ἀργυρίου,
12 ἕως οὗ ὁ βασιλεὺς ἐν ἀνακλίσει αὐτοῦ.

CVR. — ὁμοιώματα CV : -μα R ‖ ποιήσωμέν C :
-σομέν VRLXX.

27. Ἐπειδὴ ὡς ἐν μνήστροις ἔδει καὶ τοὺς φίλους τοῦ
νυμφίου δωρήσασθαί τι τῇ νύμφῃ, ἀπελιμπάνετο δέ τι
τῶν πρεπουσῶν αὐτῇ δωρεῶν ἡ τούτων φιλοτιμία,
ἐπιδείκνυνται μὲν τὸ πρόθυμον, ὁμολογοῦσι δὲ καὶ τὸ
5 ἐνδεὲς λέγοντες· « ὁμοιώματα χρυσίου ποιήσωμεν »,
ἐπειδὴ πέφυκέ πως ἡ μίμησις τῶν πρὸς ἀλήθειαν ἀγαθῶν
δευτέραν ἡδονὴν ἐργάζεσθαι τοῖς τέως ἐν ἐνδείᾳ καθεστῶσι τῶν προηγουμένων. Τῶν γὰρ ἀποκειμένων ἐπαγγε-
λιῶν εἰπεῖν τὸ ἀληθὲς ἀκριβῶς οὐκ ἔχοντες, μόνου γὰρ
10 τοῦ νυμφίου ἡ τοιαύτη γνῶσίς ἐστιν, εἰκόνας καὶ
μιμήματα τῇ ἐπ' αὐτοὺς ἐπειγομένῃ ψυχῇ πρὸς παραμυθίαν ὑπογράφουσι. Μείζονα γὰρ καὶ λόγου καὶ ἐννοίας
ἀνθρωπίνης τὰ ἀποκείμενα. Τοῦτο γὰρ δηλῶν ὁ ἀπόστολος ἔλεγε τό· « ἃ ὀφθαλμὸς οὐκ εἶδεν καὶ οὓς οὐκ ἤκουσεν
15 καὶ ἐπὶ καρδίαν ἀνθρώπου οὐκ ἀνέβη, ἃ ἡτοίμασεν ὁ θεὸς
τοῖς ἀγαπῶσιν αὐτόν[a]. » Οὕτω μὲν ὁμοιώματα χρυσίου
ποιοῦσιν οἱ φίλοι τοῦ νυμφίου τῇ νύμφῃ ἐπεὶ μὴ τὴν φύσιν

27. 2 τῇ νύμφῃ CV : τὴν -ην R ‖ τι² VR : om. C ‖ 3 πρεπουσῶν
correxi : πρεπόντων codd. ‖ 5 χρυσίου C : -σοῦ VR ‖ ποιήσωμεν C :
-σομέν + σοι VR ‖ 6-8 τῶν — καθεστῶσι [δευτέραν om. V] CV : om.
R ‖ 8 προηγουμένων CV : προειρημένων R ‖ 9 ἀκριβῶς VR : om. C ‖
10 ἐστιν VR : om. C ‖ 11 αὐτοὺς CR : αὐτὰς V ‖ 14 εἶδεν CV : οἶδεν
R ‖ 14-16 καὶ — αὐτὸν VR : om. C

27. a. I Cor. 2, 9.

ÉPREUVE de la FOI dans la MORT du CHRIST

**1,11 Il nous faut te faire des semblants d'or
avec des points d'argent,
12 tant que le roi est dans son lit de repos.**

Des faux joyaux aux réalités spirituelles   **27.** Comme lors de fiançailles, il fallait que les amis de l'époux eux aussi offrent un présent à l'épouse ; mais leur générosité manquait de cadeaux séants à sa personne, aussi font-ils preuve de bonne volonté et reconnaissent-ils leur indigence en disant : « Il nous faut faire des semblants d'or. » Car l'imitation des biens véritables parvient à produire un plaisir second pour ceux qui sont encore dans l'indigence des biens essentiels. Incapables en effet de dire exactement la vérité des promesses réservées — car une telle connaissance appartient seulement à l'époux —, ils esquissent des images et des contrefaçons pour consoler l'âme qui s'élance vers elles. Car les biens réservés sont plus grands que la raison et la pensée humaines [1]. C'est ce que disait clairement l'Apôtre : « Ce que l'œil n'a pas vu, ce que l'oreille n'a pas entendu, ce qui n'est pas monté au cœur de l'homme, ce que Dieu a préparé pour ceux qui l'aiment [a]. » Ainsi les amis de l'époux font des semblants d'or pour l'épouse,

---

1. Les promesses réservées et les biens réservés : ces notions, qui viennent de la philosophie grecque, sont passées chez Clément, v. g. *Stromate* V, *SC* 278, p. 132-134, et ORIGÈNE, *P. Arch.* IV, 2, 2, *SC* 268, p. 302-304 ; *ComCant. P.* 1, 6-7. Évagre dit les tenir de son maître Grégoire de Nazianze (*Gnostique* 44, *SC* 356, p. 173 et n. p. 177-178). Il s'agit ici, comme l'atteste la citation de *I Cor.* 2, 9 (cf. ORIGÈNE, *ComCant.* I, 5, 3 et II, 1, 36), de la connaissance de Dieu par la vision « face à face » de l'âme qui accède à la contemplation.

αὐτὴν τοῦ χρυσίου παραστῆσαι δύνανται. Ποιοῦσι δὲ καὶ
« στίγματα ἀργυρίου », διὰ τὸ ἀσθενὲς τοῦ λόγου μὴ
20 δυνάμενοι τὰ νοηθέντα προσεχῶς καὶ ἡνωμένως ἑρμη-
νεύειν, ἀλλὰ διατετμημένως καὶ διεσπαρμένως. Ὡς γὰρ τὰ
ἐπεστιγμένα τῷ ὁμοιώματι τοῦ χρυσίου στίγματα οὐ
πᾶσαν περιλαμβάνει τὴν ἐπιφάνειαν τοῦ ὑποκειμένου,
μακρὰν δὲ καὶ ἀπηρτημένως ἐπιδιέστικται, οὕτως ὁ
25 ἀνθρώπινος λόγος, κἂν ὁμοίωμά ποτε τοῦ ἀληθοῦς
ἐννοηθῇ, περιλαβεῖν τὸ νοηθὲν ἀδυνατῶν ἀσθενεῖ πρὸς τὴν
ἐξήγησιν, στιγμάτων δίκην τῷ νοήματι ἐν τοῖς τῆς
ἀσαφείας διαλείμμασιν ἐσπαρμένος.

28. Τοῦτο δὲ ποιήσειν ἐπαγγέλλονται « ἕως οὗ ὁ
βασιλεὺς ἐν ἀνακλίσει » ἐστί, τὸν τοῦ θανάτου καιρὸν
δηλοῦντες διὰ τῆς ἀνακλίσεως · ἐὰν γὰρ ἐκ τῆς ἀνακλίσεως διαναστῇ, οὐκέτι ὁμοιώματα καὶ στίγματα ἀλλ᾽
5 ἀλήθειαν καὶ διαρκὲς σῶμα τὰ θεῖα κατόψεται μυστήρια,
ἃ γὰρ ἐν αἰνίγματι παρὰ τῶν προφητῶν ἤκουσε περὶ τοῦ
νυμφίου καὶ αὐτῆς ὅτι αὐτὸς μὲν καὶ ἐκ παρθένου
γεννηθήσεται [a] καὶ ἐκ τῆς Βηθλέεμ τὴν ἀρχὴν ἕξει τῆς
ἡγεμονίας [b], καὶ βασιλεὺς καὶ σωτὴρ ἀναγορευθήσεται [c],

23 πᾶσαν CV : -σῶν R ‖ 24 μακρὰν CV : -κρῶς R ‖ ἐπιδιέστικται
CV : διέσ- R ‖ 26 ἐννοηθῇ VR : νοη- C ‖ 28 ἐσπαρμένος CV :
ἐπισπαρμένως R.
28. 1 ἐπαγγέλλονται CV : -εται R ‖ οὗ VR : om. C ‖ 3 δηλοῦντες
CV : -ος R ‖ 3-4 ἐκ — ἀνακλίσεως VR : om. C ‖ 4 διαναστῇ VR :
ἀνασ- C ‖ 6-7 περὶ — αὐτὸς VR : ὡς ὁ νυμφίος C ‖ 9 καὶ [1] —
ἀναγορευθήσεται VR : om. C

28. a. Cf. Is. 7, 14   b. Cf. Mich. 5, 1   c. Cf. Matth. 2, 2 ; Lc 2, 12

1. Dans tout ce passage, la traduction de λόγος par « raison » est
insuffisante, c'est évidemment aussi le « langage humain » et ses
déficiences.

puisqu'ils ne peuvent pas fournir un objet tout en or dans
sa nature même. De plus ils font des « points d'argent »,
puisqu'à cause de la faiblesse de leur raison, ils sont
incapables d'expliquer les concepts de façon continue et
liée, mais qu'ils le font de façon discontinue et dispersée.
Car les points qui pointillent le semblant d'or ne recou-
vrent pas toute la surface de l'objet, parce qu'ils sont
poinçonnés à distance et séparément. De la même façon, la
raison [1] humaine, même si elle conçoit un semblant de
vérité, du fait qu'elle est incapable de recouvrir le concept,
est impuissante à l'expliquer : à la façon des points, elle est
dispersée par la représentation dans des intervalles d'obscurité [2].

**Repos du Christ avant
sa résurrection**

28. Ils promettent de faire cela
« tant que le roi est dans son lit
de repos » et signifient claire-
ment le temps de la mort à travers le lit de repos. Car s'il
se relève de son lit de repos [3], elle ne verra plus des
semblants et des points, mais vérité et corps durable, les
mystères divins qu'elle a, de fait, entendus en énigme par
les prophètes au sujet de l'époux et d'elle-même : il sera
engendré d'une vierge [a], inaugurera à Béthléem son
commandement [b], sera proclamé roi et sauveur [c] ; pour

2 . « L'or figure la nature intelligible et incorporelle, et l'argent la
faculté de la parole et de la raison », ORIGÈNE, *ComCant.* I, 8, 14. Nil
dépend ici plus étroitement de Grégoire : les paroles ont la puissance
de l'argent et « les mots sont, comme les braises qui jettent des
étincelles, incapables de signifier avec exactitude le concept qu'ils
contiennent » (*In Cant. Or.* III, 87, 11-14).

3. Ἀνάκλισις désigne la position à demi allongée quand on est
adossé. Mais Origène (*ComCant.* II, 8, 39 : Rufin traduit *recubitus* et
commente *strata*), Grégoire (*In Cant. Or.* III, 87, 15) et Nil
comprennent aussi qu'il s'agit du « lit de repos » sur lequel le roi
prend cette position. Pour lui, *l'énigme* (l. 13-14) est résolue
sémantiquement dans l'expression : ἐκ τῆς ἀνακλίσεως διανάστῃ qui
annonce : μετὰ τὴν ἀνάστασιν (l. 12-15).

10 αὕτη δὲ ἐν πίστει μνηστευθήσεται ^d, καὶ βασίλισσα διὰ
κάλλος ψυχικὸν ὡραιωθεῖσα παραστήσεται « ἐν κροσσω-
τοῖς χρυσοῖς πεποικιλμένη τῷ βασιλεῖ ^e. » Ταῦτα μετὰ
τὴν ἀνάστασιν τοῦ νυμφίου ἀλήθειαν ἔβλεπε τῇ ἐκβάσει
τῶν αἰνιγμάτων πληροφορουμένη. Καλῶς δὲ ἀνάκλισιν
15 εἶπον τὸν θάνατον τὸ ἀπαθὲς αὐτοῦ παραστῆσαι βουλόμε-
νοι· καὶ γὰρ ὁ Παῦλος οὐ θάνατον εἶπεν, ἀλλ᾽ ὁμοίωμα
θανάτου λέγων· « εἰ γὰρ σύμφυτοι γεγόναμεν τῷ ὁμοιώματι τοῦ θανάτου αὐτοῦ ^f· » τῷ μὲν γὰρ Ἀδὰμ διὰ τὴν
ἁμαρτίαν, ἐν τιμωρίας ἐπαχθοῦς εἴδει θάνατος ἦν, τῷ δὲ
20 ἁμαρτίαν μὴ ποιήσαντι Χρίστῳ, οὐ θάνατος, ἀλλ᾽ ὁμοίωμα θανάτου. Τοῦτο δὲ καὶ ὁ Ἡσαΐας δηλῶν ἀμνὸν
ἀποτιθέμενον ὡς ἔριον τὸ σῶμα ^g, διὰ τὸ ἀπαθὲς τοῦ
θανάτου αὐτὸν εἰσήγαγε διὰ τῆς προφητείας, καὶ ὁ
Ἰακὼβ ἐν εὐλογίας εἴδει τὸ αὐτὸ σημαίνων ἔλεγεν·
25 « ἀναπεσὼν ἐκοιμήθης ὡς λέων ^h ». Καὶ γὰρ ἐν τῷ

10 αὕτη — μνηστευθήσεται C : om. VR ‖ 15-16 εἶπον ...
βουλόμενοι VR : -εν ... -νος C ‖ 17-18 θανάτου — αὐτοῦ VR : τῷ
ὁμοιώματι γάρ φησι τοῦ θανάτου C ‖ 19 ἐπαχθοῦς εἴδει C : εἴ.
ἐπαχθεῖς VR ‖ 21 ὁ VR : om. C ‖ 23 εἰσήγαγε C : εἰσῆγε VR ‖ 24 ἐν
— ἔλεγεν VR : om. C

d. Cf. Os. 2, 22   e. Ps. 44, 14b   f. Rom. 6, 5   g. Cf. Is. 53, 7   h.
Gen. 49, 9

1. La réflexion sur la mort et la résurrection du Christ est
inséparable de la compréhension de l'incarnation du Verbe. C'est le
sens des rappels prophétiques de la première partie de la phrase.
Ceux de la seconde concernent l'âme rendue à la dignité royale du
κατ᾽ εἰκόνα par sa contemplation des mystères divins. Elle apparaît
chez Chrysostome parée de la même robe, après le baptême (Catéch.
bapt. III, SC 366, p. 317-318). Origène utilise déjà le Ps. 44 pour
exprimer le mystère de l'incarnation, cf. P. Arch. II, 6, 4-6, SC 252,
p. 316-322; ComCant. I, 3, 11, quand il s'agit d'évoquer l'âme
humaine du Christ « qui s'est unie par amour à Dieu » (P. Arch. II,
6, 3, SC 252, p. 314-315) et la kénose du Verbe (ComCant. II, 10,
10).

elle, elle sera fiancée dans la foi [d] et, reine splendide de
beauté spirituelle, se montrera « au roi, embellie de
vêtements à franges d'or [e] [1] ». Elle voyait cela en vérité
après la résurrection de l'époux, pleinement convaincue de
la réalisation des énigmes. Ils ont bien fait d'appeler la
mort « lit de repos », voulant mettre en évidence son état
impassible. En effet, Paul n'a pas dit « la mort », mais un
semblant de mort, dans ces mots : « Si, en effet, nous
sommes devenus une même plante avec lui par le semblant
de sa mort [f] ». Pour Adam, à cause du péché, il y eut la
mort, sous la forme d'un châtiment rigoureux, mais pour
le Christ, indemne de péché, ce ne fut pas la mort, mais un
semblant de mort [2]. C'est aussi ce qu'Isaïe a représenté en
montrant un agneau qui abandonne son corps comme de la
laine [g] [3], à cause de l'impassibilité de sa mort ; et Jacob,
sous forme de bénédiction, disait pour signifier la même
chose : « Te couchant, tu as dormi comme un lion [h] ». Car

2. Nil paraît être le seul à comprendre ainsi *Rom.* 6, 5 en omettant
la seconde partie de la phrase : Origène (*ComCant.* IV, 1, 5),
Grégoire (*In Cant. Or.* IX, 290, 6-7), ainsi que Cyrille de Jérusalem
(*Catéch. myst.* II, 7, *SC* 126, p. 116) et Chrysostome (*Catéch. bapt.*
II, 4, *SC* 266, p. 180-182) comprennent « par la ressemblance avec sa
mort ». Seul Nil donne à ce mot un sens subjectif — « par le
semblant de sa mort » —, sans préciser les implications théologiques
de son affirmation, cf. Introduction, p. 76-77.
    3. Ce texte d'Isaïe ne faisait pas partie des *testimonia* prophéti-
ques de la mort du Christ et apparaît pour la première fois chez
Athanase (*Sur l'incarn.*, 34, 2, *SC* 199, p. 386 et n. 1, p. 289).
L'interprétation de Nil est assez loin du texte. Il s'arrête à nouveau à
la première partie de la phrase pour mettre l'accent sur le caractère
christologique de la prophétie : la toison abandonnée comme une
dépouille, c'est le corps du Christ. Elle témoigne de l'impassibilité
du Verbe dans la mort. Pour Athanase, elle exprime « la philanthropie du Verbe qui se laisse outrager pour nous, afin que nous soyons
considérés » (trad. Kannengiesser, *ad loc.*) ; chez Grégoire de
Nazianze, elle est un témoignage de « l'anéantissement de la croix »
(*Disc. théol.* 29, 21, 24, *SC* 250, p. 222).

θανάτῳ τὸ βασιλικὸν εἶχε κράτος, ἀμερίμνως ὑπνώσας καὶ τῆς ἀναστάσεως τὴν ἐξουσίαν κεκτημένος ἀνεμποδίστον. Ὅθεν καὶ ἐπιφέρει· « τίς ἐγειρεῖ αὐτόν[i] ; » ἀντὶ τοῦ οὐδείς, ἀλλ' αὐτὸς ἑαυτόν· τὸ δὲ οὐδεὶς καθ' ὑπεξαίρεσιν
30 τοῦ πατρὸς εἴρηται. Κοινὴ γὰρ πᾶσα πατρὸς καὶ υἱοῦ τοιαύτη ἐνέργεια καὶ οὐ κεχωρισμένη τῇ ὑποστάσει τῆς ἰδιότητος ἀλλ' ἡνωμένη τῇ συναφείᾳ τῆς φύσεως.

Καὶ οἱ μὲν φίλοι τοῦ νυμφίου τοιούτῳ τρόπῳ τὴν νύμφην παραμυθοῦνται, αὕτη δὲ τῶν προοιμίων τῆς
35 ἐπιδημίας αἰσθομένη καὶ τὴν τῆς οἰκονομίας εὐωδίαν ἤδη ἀνθοῦσαν μαθοῦσα καὶ πνέουσαν πρὸς τοὺς παραμυθουμένους φησί· « ὁ νάρδος μου ἔδωκεν ὀσμὴν αὐτοῦ ».

1,12b Νάρδος μου ἔδωκεν ὄσμην αὐτοῦ,
13 ἀπόδεσμος τῆς στακτῆς ἀδελφιδός μου ἐμοὶ
ἀνάμεσον τῶν μαστῶν μου αὐλισθήσεται.

CVR. — 12b μου V : μοι CR.

29. Ὅ λέγει τοιοῦτόν ἐστιν· ὑμεῖς μέν, φησίν, ἔτι μακρὰν εἶναι τὸν νυμφίον νομίζοντες οἰονεὶ μιμήμασι καὶ σκιαῖς τοῖς ὑμετέροις λόγοις ψυχαγωγεῖν με διὰ τὸν ἀκάθεκτον περὶ τὸν ἐρώμενον πόθον πειρᾶσθε. Ἐγὼ δὲ
5 ὁμοιώμασιν οὐκέτι παραμυθοῦμαι, παρὸν αὐτῆς ἀπο-

28 ἀντί τοῦ VR : om. C ‖ 29 καθ' ὑπεξαίρεσιν C : οὐ καθ' ὕφεσιν VR ‖ 30 πᾶσα [τοιαύτη om. et post υἱοῦ transp. πᾶσα C] CV : παρὰ R ‖ 33-34 τὴν νύμφην C : ταυτὴν VR ‖ 35 ἤδη CV : om. R ‖ 36 ἀνθοῦσαν CV : διαν- R ‖ πνέουσαν CV : -σα R.
29. 1 ὁ CV : ὅδε R ‖ φησίν VR : om. C ‖ 2 μιμήμασι C : μνήμασι VR

i. Gen. 49, 9.

dans la mort, il avait une force royale, dormant d'un sommeil sans inquiétude et possédant la faculté sans entrave de ressusciter. C'est pourquoi il ajoute encore : « Qui le réveillera[i] ? », pour dire : personne, puisqu'il s'est éveillé lui-même[1]. Ce « personne » a été exprimé en excluant le Père. Car toute activité du Père et du Fils est commune et telle qu'elle n'est pas séparée par la substance de leur caractère propre, mais unie par la conjonction de leur nature[2].

Voilà comment les amis de l'époux consolent l'épouse ; quant à elle, ayant perçu la venue des étapes préliminaires et compris la bonne odeur du plan divin qui s'exhale déjà dans la fleur, elle dit aux consolateurs : « Mon nard a donné son odeur. »

1,12b Mon nard a donné son odeur,
13   mon bien-aimé est pour moi un sachet de myrrhe,
**   il reposera entre mes seins.**

Foi dans l'infâmie de la croix et foi dans les miracles

29. Voici ce que dit le texte : vous, dit-elle, parce que vous avez l'impression que l'époux est encore loin, vous essayez, par vos paroles comme par des contrefaçons et des ombres, de me distraire de mon irrépressible désir à l'égard de l'aimé. Mais moi, on ne me console plus avec des semblants,

---

1. *Gen.* 49, 9 a été utilisé dans la controverse anti-arienne, cf. Rufin d'Aquila, *Les Bénédictions des Patriarches*, SC 140, et n. p. 148. Sur l'usage de ce texte à propos de la résurrection du Christ, voir *Hom. pasc.*, SC 187, p. 464-468. Nous ajoutons seulement aux remarques du P. Aubineau (p. 465) que Nil affirme l'indépendance du Fils par rapport au Père dans la résurrection (καθ' ὑπεξαίρεσιν τοῦ πατρός).

2. Sur le sens de cette affirmation théologique et son manque de fermeté, cf. Introduction, p. 77.

λαύειν τῆς ἀληθείας. Νυκτὸς μὲν γὰρ ἴσως ἀναγκαῖος
τοῖς χρωμένοις ὁ λύχνος, ἡμέρας δὲ καταλαβούσης καὶ τοῦ
ἡλίου φαιδραῖς ἀκτῖσι πάντα καταλάμποντος πλουσίως,
ἔτι προσανέχειν τῷ λυχναίῳ φωτὶ λίαν ἀνόητον. Ἰδοὺ
10 γοῦν ἐγγύθεν ἀντιλαμβάνομαι τῆς τοῦ νάρδου μου ὀσμῆς
καὶ ὅσον οὐδέπω τὸν ἀπόδεσμον τῆς στακτῆς ἀνάμεσον
τῶν μαστῶν μου αὐλισθησόμενον προσδοκῶ. Νάρδον δὲ
αὐτὸν καλεῖ διὰ τὴν εἰς πάντας ἁπλωθεῖσαν αὐτοῦ τῶν
θαυμάτων καὶ τῆς εὐεργεσίας ἐνέργειαν, ἀπόδεσμον δὲ
15 στακτῆς διὰ τὸ πάθος καὶ τὸν θάνατον καὶ τὴν ἐκ τοῦ
σταυροῦ δοκοῦσαν ἀδοξίαν, ὅτε ὡς ἐν ἀποδέσμῳ τῷ
σώματι συνέστειλε τὴν τῆς θεότητος δύναμιν ἀνενέργη-
τον. Οὐχ ὅμοιον γὰρ θαυματουργοῦντι καὶ δοξαζομένῳ
πιστεῦσαι, ὡς σταυρουμένῳ καὶ θαπτομένῳ και νεκρῷ
20 νομιζομένῳ. Τὸ μὲν γὰρ ἀπολαύοντας εὐεργεσιῶν καὶ
σημείοις πολλοῖς πιστευομένους ὁμολογεῖν αὐτοῦ τὴν
θεότητα καὶ τῶν τυχόντων ἐστίν, οὐ τοσοῦτον γὰρ τῆς
γνώμης ὅσον τῆς ἀξιοπιστίας τοῦ θαύματος τὸ ἔργον
ἐστί· τὸ δὲ πάσχοντα καὶ ἐμπαιζόμενον[a] καὶ τὰ τῶν
25 κακούργων ὑπομένοντα[b] ἰδεῖν καὶ μὴ ἐνδοιάσαι μηδὲ
ἀπορῆσαι, ἀλλ᾽ ἐν ἑκατέροις τοῖς καιροῖς τὴν αὐτὴν
φυλάξαι γνώμην, ὀλίγων πάνυ ἢ τάχα μόνης τῆς τελείας

---

6 ἀναγκαῖος CV : -ως R ‖ 8 πλουσίως VR : om. C ‖ 15 στακτῆς C :
ὅταν τῆς [τὴν V] VR ‖ 16 δοκοῦσαν CV : om. R ‖ ἀδοξίαν C : δόξαν
VR ‖ 19-20 καὶ¹ — νομιζομένῳ VR : om. C ‖ 20-21 καὶ —
πιστευομένους correxi : -μένοις VR om. C ‖ 23 γνώμης CV : γνώσεως
R ‖ 24 πάσχοντα — καὶ² VR : om. C

---

29. a. Cf. Lc 23, 36   b. Cf. Lc 23, 39

---

1. Cf. ATHANASE, *Sur l'incarn.* 29, 3, *SC* 199, p. 369 (trad.
Kannengiesser) : « Quand après la nuit le soleil paraît et illumine
toute la surface de la terre », où ce soleil levant désigne l'illumination
de la résurrection ; et surtout BASILE, *Commentaire sur Isaïe*, *PG* 30,

maintenant qu'il est possible de jouir de la vérité même. En effet, si de nuit, la lampe est nécessaire à ceux qui s'en servent, lorsque le jour s'est levé et que le soleil éclaire tout richement de ses rayons brillants [1], il est tout à fait stupide d'user encore de la lumière de la lampe. En tout cas, voici que je me saisis presque de l'odeur de mon nard et que j'attends sous peu le sachet de myrrhe qui reposera entre mes seins. Elle l'appelle « nard », parce que l'action de ses miracles et de son bienfait s'est étendue à tous, et « sachet de myrrhe », à cause de sa passion, de sa mort, et de l'infamie que représente la croix, lorsqu'il a concentré dans son corps, comme dans un sachet, la puissance inactive de sa divinité [2]. Car ce n'est pas la même chose de croire en celui qui fait des miracles et est glorifié, ou en celui qui est crucifié, enseveli et tenu pour mort : quand on jouit de ses bienfaits et que l'on est convaincu par de nombreux signes, reconnaître sa divinité est le propre du commun des hommes, car l'action du miracle ne relève pas tant du jugement que de son caractère plausible; au contraire, le voir souffrir, en butte aux railleries [a], et endurer les injures des malfaiteurs [b], sans incertitude ni perplexité, mais en gardant à chaque fois le même jugement, c'est le fait d'un tout petit nombre, ou peut-être de la seule âme parfaite [3].

245C : « Si celui qui tend devant lui sa lampe, malgré la lumière du soleil, est ridicule, il est bien plus ridicule celui qui, une fois l'évangile annoncé, s'attarde aux ombres de la loi ».

2. La mort du Christ offre de lui une image qui s'oppose à l'action et la puissance qu'il manifestait dans les miracles (cf. 6, 24). Le sachet de myrrhe est une nouvelle illustration de la kénose, cf. 7, 11 ; Origène, ComCant. II, 10, 4.

3. Cf. Athanase, Sur l'incarn. 1, 2, SC 199, p. 260 ; 18, 2-6, p. 330-332, sur la facilité à « reconnaître le Fils de Dieu » dans les miracles ; en conséquence, devant sa mort le doute n'est plus possible (ibid., 19, 3, p. 334). Chez Nil au contraire, la foi est difficile dans les épreuves de la passion, qui exigent de l'âme parfaite qu'elle dépasse les apparences (30 ; 31).

ψυχῆς, διὰ τοῦτό φησι· « νάρδος μου ἔδωκεν ὀσμὴν
αὐτοῦ » καὶ οὐκ εἶπεν « ἐμοί », ἀλλ᾽ ἀπολελυμένως
30 « ἔδωκεν », « ἀπόδεσμος στακτῆς » οὐ πᾶσιν, ἀλλ᾽
« ἐμοί », μόνη μὲν ἑαυτῇ τὴν ἐν τῷ καιρῷ τῶν σκυθρωπῶν
περὶ αὐτοῦ πίστιν ἀναθεῖσα, πᾶσι δὲ τὴν ὅτε διὰ τῶν
θαυμάτων καὶ ἄκοντες ἠναγκάζοντο πείθεσθαι. Οὕτω γὰρ
τοῦτο μὲν εὐχερές, ἐκεῖνο δὲ σπάνιον, ὡς παρὰ μὲν τὸν
35 καιρὸν τῶν θαυμάτων καὶ τοὺς ἀγνώμονας Ἰουδαίους καὶ
αὐτοὺς τοὺς ἐν ἐσχάτῃ κακίᾳ δαίμονας δυσωπεῖσθαι θεὸν
αὐτὸν καὶ υἱὸν θεοῦ ὁμολογεῖν, παρὰ δὲ τὸν σταυρὸν καὶ
τὸν θάνατον καὶ τοὺς ἀποστόλους αὐτοὺς εἰς ἀμφιβολίαν
ἐμπεσεῖν. Τοῦτο γὰρ τάχα καὶ ὁ προφήτης προαναφωνῶν
40 ἔλεγε· « κινηθήσεται ὁ ἄνθρωπος ὁ ἐστηριγμένος ἐν τόπῳ
πιστῷ [c]. » Τὸ δὲ ἀνάμεσον τῶν μαστῶν αὐτὸν τῆς νύμφης
αὐλίζεσθαι τὴν ἕως τῆς νηπιότητος συγκατάβασιν δηλοῖ
καὶ τὴν τῶν ἀνθρωπίνων παθῶν πείνης καὶ δίψης, ὕπνου
τε καὶ κόπου σωματικοῦ ἀνάληψιν.

---

29 αὐτοῦ VR : om. C ‖ 30 ἔδωκεν VR : om. C ‖ ἀπόδεσμος CV : +
τῆς R ‖ 36 αὐτοὺς VR : om. C ‖ 37 καὶ[1] — θεοῦ VR : om. C ‖ 39
προαναφωνῶν C : om. VR ‖ 41 αὐτὸν C : αὐτοῦ VR ‖ 42 τῆς C : om.
VR ‖ νηπιότητος CV : -τα R ‖ 44 ἀνάληψιν CV : ἀνάπαυσιν R.

c. Is. 22, 25.

C'est pourquoi elle dit : « Mon nard a donné son odeur »,
sans ajouter « à moi », mais « a donné » sans régime ; et
« sachet de myrrhe », il ne l'est pas pour tous, mais « pour
moi » : elle s'attribue à elle seule la foi en lui au moment
des sombres événements, et à tous les autres, celle avec
laquelle ils ont été contraints de croire par les miracles,
même contre leur gré. Cette attitude est en effet si aisée et
l'autre si rare, qu'au moment des miracles, les Juifs ingrats
et les démons eux-mêmes au comble de la malice perdent
contenance devant Dieu en personne et reconnaissent le
Fils de Dieu [1]. A l'opposé, devant la croix et la mort, même
les apôtres sont en personne tombés dans le doute [2]. C'est
certainement ce que le prophète a annoncé en ces termes : « L'homme solidement fixé dans un lieu digne de foi
cèdera [c]. » Qu'il repose entre les seins de l'épouse montre
qu'il s'est abaissé [3] jusqu'à l'enfance et a assumé les
souffrances humaines de la faim, de la soif, du sommeil et
de la fatigue physique.

---

1. Sur la reconnaissance par les Juifs et les démons de la divinité
du Christ grâce aux miracles, cf. ATHANASE, *ibid.*, 18, 2, p. 230 ; 19,
2, p. 334 ; 32, 6, p. 380.

2. Les fondements scripturaires du doute des apôtres reposent sur
Matth. 28, 17 (cf. 31, 26) et *Mc* 24, 10 ; nos auteurs en parlent peu
(voir pourtant ORIGÈNE, *HomEx.* 5, 4, *GCS* VI, p. 188-189, où
l'auteur évoque le doute de Pierre dans l'épisode de la tempête
apaisée) ; cela justifie que Nil s'appuie sur un témoignage prophétique.

3. L'évocation de la vie terrestre du Christ et de sa soumission aux
« passions humaines » suggère que συγκατάβασις peut prendre ici le
sens théologique de « condescendance » (cf. n. 4 p. 325), qu'il avait
dans les discussions avec les ariens, comme chez Athanase, (*Sur
l'incarn.*, *SC* 199, p. 129-130) et Chrysostome (*Sur l'incompréhensibilité de Dieu*, *SC* 28, p. 55). Nil passe d'une image kénotique
origénienne à une notion qui relève des controverses christologiques.

1,14 Βότρυς τῆς κύπρου ἀδελφιδός μου ἐμοί,
ἐν ἀμπελῶσιν ἐν Γαδδεί.

CVR. — 14a ἀδελφιδός CR : -δούς V ‖ 14b ἐν¹ CV :
om. R ‖ ἀμπελῶσιν CR : -σι V ‖ ἐν γαδδεί CVR :
εγγαδι LXX.

30. Βότρυν κύπρου ἢ τὴν ἀνθοῦσαν λέγει σταφυλὴν ἢ
τὸν ἐκ τῆς Κύπρου βότρυν, ἴσως ἐξαίρετόν τι ἐχούσης
τῆς πατρίδος ἐν εὐτοκίᾳ βροτρύων. Ὁπότερον δὲ τούτων,
ἂν λέγηται παρὰ τῆς νύμφης, τῷ ὀπίσω συνᾴδει νοήματι;
5 Κἂν γὰρ ἀνθοῦσαν λέγῃ σταφυλὴν τὸν ἑαυτῆς ἀδελφιδόν,
τοιοῦτόν τι λέγει ὅτι, ἕως ἐστὶν ἐν τοῖς δοκοῦσι
περιστατικοῖς οἷον σταυρῷ, θανάτῳ, τάφῳ, κυπρίζων
ἐστὶ βότρυς, οὐδέπω τὸ τῆς ἀναστάσεως πέπειρον ἔχων,
διὸ οὐ τοῖς πολλοῖς φανεῖται θαυμαστός, οὐ πᾶσι γὰρ
10 χρήσιμος ὁ κυπρίζων βότρυς, πλὴν τὸ δι' ἐλπίδος
ἀπεκδεχομένῳ τὴν τούτου τελείωσιν. Ἐμοὶ δὲ καὶ ἄνθει
ὢν εἰ καὶ μὴ τὴν ἐκ τῆς βρώσεως, ἀλλὰ γοῦν τὴν ἐκ τῆς
εὐωδίας παρέχει ἀπόλαυσιν καὶ τὴν ἐκ τῆς ἀναστάσεως
ὑποφαίνει εὐφροσύνην, τῷ ἄνθει λεληθότως τὸν καρπὸν
15 ὑποκλύων καὶ τῇ εὐωδίᾳ τέως τοῦ ἄνθους παραμυθούμενος.

30. 3 τῆς πατρίδος VR : om. C ‖ 3-4 τούτων ἂν λέγηται VR :
λέγοιτο τούτων C ‖ 4 παρὰ — νύμφης VR : om. C ‖ 5 ἑαυτῆς VR :
om. C ‖ ἀδελφιδόν C : ἀδελφιδοῦν ‖ 7 οἷον CR : ἢ V ‖ 9 διὸ οὐ C : δι'
οὗ VR ‖ τοῖς πολλοῖς φανεῖται VR : πολλῶν φαίνεται C ‖ 11 δὲ C : +
ἐν VR ‖ 11-12 ἄνθει ὢν C : τῷ ἀνθεῖν VR ‖ 14-15 τῷ — ὑποκλύων
VR : om. C ‖ 15 τῇ εὐωδίᾳ CV : -ην -ίαν R.

1,14 Mon bien-aimé est pour moi une grappe de cypre, dans les vignes à Gaddi.

Un avant-goût de la résurrection — **30.** Grappe de cypre : elle appelle ainsi la fleur de vigne ou la grappe de Chypre, pays qui possède sûrement quelque chose d'exceptionnel pour la production de belles grappes [1]. Laquelle de ces deux interprétations, si elle est dite par l'épouse, correspond à la représentation précédente ? Si en effet, selon elle, son bien-aimé est une fleur de vigne, elle dit à peu près ceci : tant qu'il est dans les événements tenus pour contingents, comme la croix, la mort, le tombeau, il est une grappe en fleur, puisqu'il n'a pas encore la maturité de la résurrection. C'est pourquoi il ne paraîtra pas admirable à la plupart, car la grappe en fleur n'est pas prisée de tous, mais seulement de celui qui, dans l'espérance, attend ardemment son achèvement. Mais à moi, il me procure dans sa fleur, sinon la jouissance de la nourriture, du moins celle de la bonne odeur et me fait entrevoir la joie de la résurrection, puisque dans la fleur, en secret, il sous-entend [2] le fruit et console en attendant par la bonne odeur de la fleur.

---

1. Grégoire donne la même explication, mais à propos de Gaddi, *In Cant. Or.* III, 97, 9-13.

2. Le commentaire qui commence ici culmine § 45 avec l'idée que l'épouse est capable de comprendre (λογίζεσθαι) au-delà de la passion ce que le Verbe y fait entendre de façon cachée (ὑποκλύων).

31. Ἐν ἀμπελῶσι γάρ ἐστιν ἐν Γαδδεὶ ὅπερ ἑρμηνεύεται ὀφθαλμὸς πειρατηρίου. Ὡς γὰρ ὁ κυπρίζων βότρυς
τοῦ κλήματος ἀπαιωρήμενος τῷ μὲν ἐνεστῶσαν ἔχειν τὴν
ἀπόλαυσιν οὐ πᾶσίν ἐστιν ἐπιθυμητός· σπάνιοι γὰρ οἱ
5 ταῖς ἀναβολαῖς τῶν ἡδονῶν χαίροντες, πεφυκότων πως
τῶν ἀνθρώπων μᾶλλον ταῖς παρούσαις προσέχειν ἀπολαύ-
σεσιν, ὧν δὲ μὴ πάρεστιν εὐθὺς ἡ χρῆσις, ἀλλ' ἐν ἐλπίσι
πρόκειται, ταῦτα μηδ' εἶναι λογίζεσθαι χρηστά· γεωρ-
γικῆς δ' ἐστὶν ἐπιστήμης τὴν μέλλουσαν χρῆσιν ἐν τῇ
10 παρούσῃ ἐννοεῖν καταστάσει τοῦ μηδέπω πεπείρου καρποῦ καὶ ἐν τῷ ὄμφακι βεβαίαν τὴν μέλλουσαν ἐνθεωρεῖν
τοῦ καρποῦ τελείωσιν. Οὕτω καὶ ὁ κύριος κρεμάμενος ἐν
τῷ σταυρῷ[a], ὡς ἐν πειρατηρίῳ τοῖς ἁπάντων ὀφθαλμοῖς,
πολλὴν ἀμηχανίαν παρεῖχε τοῖς ὁρῶσιν. Τίς γὰρ οὐκ
15 εἰκότως ἠπόρει τότε ὁρῶν τὸν ἐπ' ἐλευθερίᾳ τοῦ τῶν
ἀνθρώπων γένους παραγενόμενον τὴν ἐσχάτην ὑπομένοντα τιμωρίαν καὶ τὸν τοσαῦτα ἐργασάμενον θαύματα καὶ
δεσμῶν θανάτου τὸν Λάζαρον ἀπολύσαντα[b] ὑπὸ τῶν
ἥλων ἐν σταυρῷ προσπεπερονημένον καὶ τὴν ζωὴν ἐν

---

31. 2 ὡς C : ὥσπερ VR ‖ 3 ἐνεστῶσαν ἔχειν [ἐστῶσαν C] CR :
ἐνεστὼς ἐνέχειν V ‖ 4 σπάνιοι CV : -ον R ‖ 6 προσέχειν CR : παρ- V ‖
7 εὐθὺς VR : om. C ‖ 8 πρόκειται VR : om. C ‖ χρηστὰ VR : om. C ‖
9-12 τὴν — τελείωσιν [ἐννοεῖν correxi : ἐννοῶν mss] VR : τὸ μέλλον
χρηστὸν ἐν τοῖς παροῦσιν ἐνορᾶν ἐν τῷ ὄμφακι τὸν μέλλοντα καρπόν C
‖ 13 τῷ VR : om. C ‖ ἁπάντων VR : + ἦν C ‖ 14 ἀμηχανίαν παρεῖχε
VR : παρέχον ἀ. C ‖ 15 τότε VR : om. C ‖ 15-16 τῶν ἀνθρώπων VR :
om. C ‖ 17 καὶ VR : om. C ‖ 19 καὶ — ἐν VR : om. C

---

31. a. Cf. Act. 10, 39   b. Jn 11, 41-44

La foi à l'épreuve de la passion   **31.** Il est en effet dans les vignes à Gaddi, qu'on traduit par « œil de l'épreuve [1] ». Car la grappe en fleur, suspendue au sarment, parce qu'elle ne procure pas de jouissance immédiate, n'est pas désirée par tous ; rares en effet sont ceux qui se réjouissent de différer des plaisirs, car les hommes s'attachent naturellement de préférence aux jouissances présentes, tandis que celles dont l'utilité n'est pas immédiate, mais réside dans les espérances, celles-là ils estiment qu'elles n'ont pas même d'utilité [2]. Or, il relève de la science de l'agriculteur de se représenter l'utilité future dans la condition présente du fruit qui n'est pas encore à maturité et d'observer dans le verjus la certitude du futur achèvement du fruit [3]. Le Seigneur également, suspendu à la croix [a], pour ainsi dire dans une épreuve aux yeux de tous [4], a suscité un grand désespoir chez ceux qui le voyaient. Qui donc n'eût alors été à juste titre dans l'incertitude, voyant le libérateur du genre humain subir le châtiment suprême, lui qui a accompli tant de miracles et délié Lazare des liens de la mort [b], être cloué

---

1. Même interprétation chez Origène, *ComCant.* II, 3, *SC* 37 bis, p. 114 ; Rufin et Jérôme traduisent : *oculi tentationis* ; cf. n. 4 p. 211.

2. Grégoire parle ici du « délice » (εἰς τρυφήν) de l'attente des biens, *In Cant. Or.* III, 97, 1-4.

3. Nil se réfère plusieurs fois aux connaissances expérimentales de l'agriculture ou de la médecine comme à des modèles de conduite. Il distingue ici trois états de la vigne : la floraison (βότρυς), le moment où les grains donnent le verjus (ὄμφαξ) et la maturité.

4. Πειρατήριον a ici comme dans la suite du développement un sens concret, c'est le lieu de la mise à l'épreuve ; cf. Euripide, *Iphigénie en Tauride*, 967 : φόνια πειρατήρια ; Job, 7, 1 : « la vie de l'homme sur terre est une épreuve » ; cf. Origène, *ComCant.* II, 11, 10. Pour Nil, la mise à l'épreuve du sujet (le Christ) a un effet

20 θανάτῳ γινομένην; Οὕτω γὰρ ἡ συμβᾶσα καταδίκη τότε
παρὰ τὴν ἐνυπάρχουσαν περὶ αὐτοῦ πᾶσι δόξαν εἰς
ἀμφιβολίαν τοὺς ὁρῶντας ἐνέβαλεν, ὡς πάντα ὀφθαλμὸν
παρὰ τὸν καιρὸν τοῦ πάθους πειρατηρίου πεπληρωμένον
ἐφ᾿ ἑτέραν ὑπόθεσιν ἀποκλίναι καὶ ἐπιλανθανόμενον τῶν
25 θαυμάτων τῷ ὁρωμένῳ συμψηφίζεσθαι πάθει. Οὐ μόνον
γὰρ οἱ Ἰουδαῖοι, ἀλλὰ καὶ αὐτοὶ οἱ μαθηταὶ ἐδίστασαν [c]
τότε ὡς καὶ μετὰ τὸ « ἐγερθῆναι αὐτὸν ἐκ νεκρῶν [d] »
μαθόντας ἀπιστῆσαι [e] τῇ ἀναστάσει. Τοῦτο εἰδὼς ὁ
κύριος ἔλεγε πρὸς αὐτῷ τῷ πάθει γενόμενος τοῖς
30 ἀποστόλοις· « πάντες ὑμεῖς σκανδαλισθήσεσθε ἐν τῇ
νυκτὶ ταύτῃ [f] », νύκτα τὸ σκότος τῆς ἀμηχανίας εἰρηκώς,
τῇ δὲ Μαρίᾳ διὰ τοῦ Συμεών· « καὶ σοῦ δὲ αὐτῆς τὴν
ψυχὴν διελεύσεται ῥομφαία [g] », τὸν ἐκ τῆς ἀπιστίας
ἐνδοιασμὸν ῥομφαίαν καλῶν. Οὕτω δὲ καὶ τῶν Ἰουδαίων
35 ἐβόων οἱ πολλοί· « ἄλλους ἔσωσεν, ἑαυτὸν οὐ δύναται
σῶσαι· εἰ βασιλεὺς Ἰσραήλ ἐστι, καταβάτω νῦν ἀπὸ τοῦ
σταυροῦ καὶ πιστεύσομεν εἰς αὐτόν [h]. » Ἀλλ᾿ οὗτοι μὲν
εἰρωνείᾳ τὸ « καταβάτω καὶ πιστεύσομεν » ἔλεγον, εἰδὼς
δὲ τὴν ἀγνωμοσύνην αὐτῶν ὁ μέγας Μωϋσῆς πόρρωθεν
40 αὐτοῖς καὶ πρὸ πολλοῦ προεφήτευσε λέγων· « καὶ ὄψῃ
τὴν ζωήν σου κρεμαμένην ἀπέναντι τῶν ὀφθαλμῶν σου καὶ

20-24 ἡ — ἐπιλανθανόμενον VR : τὸ συμβὰν εἰς ἀμφιβολίαν πάντας
ἀνέβαλεν ὡς ἐπιλανθανομένους C ‖ 23 πάθους V : om. R ‖ 25 ὁρωμένῳ
C : ὅρῳ VR ‖ 25-30 οὐ — ἀποστόλοις VR : om. C ‖ 30 πάντες VR :
+ γὰρ C ‖ 30-33 τῇ — ῥομφαία VR : καὶ συμεὼν διελεύσεται διὰ τῆς
παρθένου φησίν C ‖ 33-34 τὸν ... ἐνδοιασμὸν ῥομφαίαν καλῶν C : ῥ. τ.
... λέγων ἐνδοιασμόν VR ‖ 34-40 οὕτω — ὄψῃ VR : καὶ ἰουδαῖοι
εἰρωνεύσαντο τοὺς ἄλλους ἔσωσεν λέγει ὅτε καὶ C ‖ 36 νῦν R : om. V ‖
38 καταβάτω R : om. V ‖ 39 μωυσῆς V : μωσῆς R ‖ 41 σου[1] VR :
αὐτῶν C ‖ σου[2] VR : om. C ‖ 41-43 καὶ — προφητεία VR : om. C

c. Cf. Matth. 28, 17   d. Rom. 6, 9   e. Cf. Lc 24, 11   f. Matth. 26,
31 g. Lc 2, 35 h. Matth. 27, 42

sur la croix et sa vie passer dans la mort ? Ainsi la condamnation infligée alors à la renommée que tous lui attribuaient a jeté le doute parmi les témoins oculaires, parce que tout œil, rempli à contre-temps de l'épreuve de la passion, se détourne vers un autre sujet et, oubliant les miracles, s'accorde à la souffrance qu'il voit. Car non seulement les Juifs, mais les disciples eux-mêmes ont alors douté [c], au point que, même après avoir appris qu' « il s'était réveillé d'entre les morts [d] », ils n'ont pas cru [e] à sa résurrection. Le Seigneur le savait, qui disait aux apôtres au moment de la passion même : « Vous serez tous scandalisés cette nuit [f] », appelant nuit la ténèbre de l'incertitude, et à Marie par l'intermédiaire de Siméon : « Et toi-même une épée te transpercera l'âme [g] », appelant épée le doute né de l'incrédulité. De même, la plupart des Juifs criaient : « Il en a sauvé d'autres et ne peut se sauver lui-même. S'il est roi d'Israël, qu'il descende donc de la croix et nous croirons en lui [h]. » Or, ils disaient ce « qu'il descende et nous croirons » par sarcasme ; le grand Moïse, lui, connaissant depuis longtemps leur ingratitude, a prophétisé pour eux bien auparavant par ces mots : « Tu verras ta vie suspendue devant tes yeux et tu ne croiras pas

semblable sur l'objet (les témoins) : l' « épreuve » du châtiment suprême pour le Christ met à l' « épreuve » la foi de ceux qui assistent à la passion (l. 22-25). Pour comprendre le poids de cette remarque, il faut se rappeler que dans l'Antiquité la vérité était établie au tribunal sur la foi dans les dépositions des témoins.

οὐ πιστεύσεις αὐτῇ [i]. » Τότε γὰρ αὕτη ἐπληροῦτο ἡ
προφητεία, ὅτε τὸν εἰπόντα « ἐγώ εἰμι ἡ ζωή [j] » ἐκρέμασαν ἐπὶ ξύλου [k], ἀλλ᾽ οὐχ οὕτως ἡ τελεία ψυχή, βεβαίαν
45 ἔχουσα τὴν εἰς αὐτὸν ἀγάπην καὶ ἐκ τῶν προφητειῶν
πεπεισμένη ὅτι ταῦτα ἔδει γένεσθαι, τὴν ἐκ τοιούτῳ
χειμῶνι γαλήνην ἑαυτῇ μόνη προσμαρτυρεῖ λέγουσα·
« βότρυς τῆς κύπρου, ἀδελφιδός μου ἐμοί ». Κἂν γὰρ
πολλούς, φησί, καὶ πάντας ἐτάραξε τὰ γεγενημένα καὶ
50 ἀπὸ τῆς ὀρθῆς περὶ σοῦ κρίσεως τοὺς μὴ λογισαμένους εἰ
ταῦτα ἔδει γένεσθαι παρεσάλευσεν ἡ ἀμφιβολία, ἀλλ᾽ οὐδὲν
ἐμὲ τούτων παρεκίνησεν, οὐδὲ διστάσαι παρέπεισε, τὸν
γὰρ πολλοῖς διὰ τὸ πάθος κυπρίζοντα φαινόμενον βότρυν
πέπειρον ἐθεώρουν, τὸ τῆς ἀναστάσεως λογιζομένη
55 μυστήριον. Διὸ καὶ πάντων τῇ κατασχούσῃ τότε ἀνωμαλίᾳ
ἀπατηθέντων καὶ ψιλὸν ἄνθρωπον ὑπονοῆσαί σε διὰ τὴν
περίστασιν βιασθέντων, μόνη σε θεὸν ὕψιστον ὡμολό-
γουν· « κεκράξομαι βοῶσα πρὸς τὸν θεὸν τὸν ὕψιστον,
τὸν θεὸν τὸν εὐεργετήσαντά με [l]· » καὶ ἵνα τοὺς ἀπατη-
60 θέντας πρὸς τὴν ἀληθῆ περὶ σου δόξαν ἐπανάγω·
« ὑψώθητι, ἐπεφώνουν, ἐπὶ τοὺς οὐρανοὺς ὁ θεός [m] »,

43 ὅτε VR : ἤτοι C ‖ 43-44 ἐκρέμασαν ἐπὶ ξύλου VR : οὐκ
ἐπέγνωσαν καὶ οἱ μαθηταὶ ἐνεδοίασαν C ‖ 44-45 βεβαίαν — ἀγάπην
VR : om. C ‖ 45 καὶ ἐκ VR : ἀλλὰ τῇ C ‖ 46 πεπεισμένη VR : +
προαγορεύσει C ‖ 48 ἀδελφιδός μου ἐμοί VR : om. C ‖ 49 φησί VR :
+ ἐσάλευσε C ‖ καὶ — ἐτάραξε VR : om. C ‖ 51 οὐδὲν VR : οὐκ C ‖
52 τούτων VR : om. C ‖ παρέπεισε C : παρεσκεύασε VR ‖ 52-53 τὸν
γὰρ VR : ἀλλὰ τ. C ‖ 56 ὑπονοῆσαι VR : om. C ‖ 57 βιασθέντων VR :
ὑπονοησάντων C ‖ σε CV : δὲ R ‖ 57-58 ὡμολόγουν ... βοῶσα C : ὡ.
λέγουσα ... VR ‖ 59 τὸν[1]- με VR : om. C ‖ 60 πρὸς ... δόξαν ἐπανάγω
C : ἐπ. ἐπὶ ... δ. VR

i. Deut. 28, 66 j. Deut. 21, 22 k. Jn 11, 25 l. Ps. 56, 3 m.
Ps. 56, 6a

en elle [i]. » De fait, cette prophétie s'est accomplie quand ils eurent suspendu au bois [j] [1] celui qui disait : « Je suis la vie [k] ». Mais il n'en va pas ainsi de l'âme parfaite, alors qu'elle maintient ferme son amour pour lui, convaincue par les prophéties que cela devait arriver, elle rend témoignage par elle seule du serein au milieu d'un tel mauvais temps [2], en disant : « Grappe de cypre, mon bien-aimé pour moi. » Car même si ces événements troublent bien des gens, voire tous, dit-elle, et si l'hésitation a ébranlé, en leur faisant perdre la rectitude de leur jugement à ton sujet, ceux qui n'ont pas escompté que cela devait arriver, eh bien, moi, rien de tout cela ne m'a émue, ni insidieusement persuadé de douter ; je contemplais, en celui qui apparaissait à beaucoup dans sa fleur à cause de la passion, la grappe mûre, escomptant [3] le mystère de la résurrection. Voilà pourquoi, alors que tous ont été trompés par le désarroi qui les a alors envahis et ont été contraints de supposer que tu étais purement homme [4] à cause de cette infortune, seule, je te reconnaissais comme Dieu très haut dans un cri : « Je pousserai des cris vers le Dieu très haut, le Dieu qui me fait du bien [1] », et afin de ramener vers ta vraie gloire ceux qui ont été trompés, j'invoquais : « Élève-toi, Dieu, au-dessus des cieux [m] ». Je

---

1. Sur l'usage de *Deut.* 28, 66 comme préfiguration de la mort du Christ, cf. *BA* 5, n. p. 296 et ATHANASE, *Sur l'incarn.* 35, 3, *SC* 199, p. 388.

2. Cette phrase anticipe le développement de 59, 25 s.

3. Τοὺς μὴ λογισαμένους (l. 50), λογιζομένη (l. 54), cf. n. 2 p. 209.

4. Son raisonnement achevé, l'épouse peut conclure : croyant ce que leurs yeux ont vu, les témoins oculaires sont dans l'erreur (ἀπατηθέντων), ils ont supposé (ὑπονοῆσαι) que le Christ était ψιλὸς ἄνθρωπος. L'expression est d'abord utilisée dans la polémique anti-juive ; elle appartient aussi à la querelle anti-arienne et se trouve dans des textes faussement attribués à Athanase, v. g. dans la recension courte du traité *Sur l'incarn.* 16, 1, *SC* 199, p. 322, qui serait l'œuvre d'un milieu anti-apollinariste ; cf. KANNENGIESSER, *ibid.*, p. 46 et n. p. 50.

τοῦτο παρὰ τοῦ Δαυὶδ μαθοῦσα λέγοντος « ὅτι ἐπήρθη ἡ
μεγαλοπρέπειά σου ὑπεράνω τῶν οὐρανῶν ⁿ. » Ἕως γὰρ
μένεις ἐπὶ τῆς γῆς διὰ τὴν οἰκονομίαν, περισπῶνται
65 ἀπὸ τῆς σῆς ἀξίας οἱ ὁρῶντες εἰς « τὴν τοῦ δούλου
μορφήν ᵒ ». Ἐὰν δὲ ὑψωθῇς ἐπὶ τοὺς οὐρανούς, τότ᾿ « ἐπὶ
πᾶσαν τὴν γῆν ἔσται ἡ δόξα σου ᵖ », τῶν μαρτυρούντων
τῇ ἀναστάσει τῇ τῶν σημείων δοκιμῇ ἐναγόντων πάντας
εἰς τὸ τὴν σὴν ὁμολογῆσαι δόξαν. Τίς γὰρ Παῦλον
70 θεασάμενος ἄνωθεν καλούμενον �q καὶ τοὺς ὀφθαλμοὺς
τοὺς ἐν τῷ πειρατηρίῳ τυφλούμενον ἵνα μὴ τοῖς αὐτοῖς
ὀφθαλμοῖς ἴδῃ τὴν δόξαν οἷς τὸν σταυρὸν ἐθεάσατο ʳ,
ἀγνώμων ἔτι περὶ τὴν πίστιν γενήσεται; Τίς δὲ τοὺς
ἀποστόλους μαστιγωμένους καὶ « χαίροντας ὅτι κατη-
75 ξιώθησαν ὑπὲρ τοῦ σταυρωθέντος ἀτιμασθῆναι ˢ » ὁρῶν
οὐ τῷ κηρύγματι προσδραμεῖται; Τὸ δὲ « τῶν θεραπευο-
μένων ἐκ ποικίλων ἀρρωστημάτων ᵗ » θαῦμα πόσους
ἐπιστρέφει πρὸς τὴν ἀλήθειαν ὕστερον, κἂν κυπρίζοντα ἐν
ἀρχαῖς τὸν βότρυν παρῃτήσαντο; Θλιβεὶς γὰρ οὗτος ἐν
80 τῷ σταυρῷ γλυκὺ τὸ πόμα τοῖς διψῶσι προήκατο ᵘ, περὶ
τουτουΐ Ἰακὼβ προφητεύων ἔλεγε · « πλύνει ἐν οἴνῳ τὴν
στολὴν αὐτοῦ καὶ ἐν αἵματι σταφυλῆς τὴν περιβολὴν

61 ὑψώθητι ἐπεφώνουν C : ἔλεγον ὑ. VR ‖ 61-63 ὁ — οὐρανῶν VR :
om. C ‖ 65-66 ἀπὸ — μορφήν VR : om. C ‖ 66 ἐπὶ — τότ᾿ VR : om.
C ‖ 67 ἔσται C : om. VR ‖ 67-68 τῶν — τῇ² VR : om. C ‖ 68 δοκιμῇ
VR : om. C ‖ 69 εἰς — δόξαν VR : om. C ‖ 70 ἄνωθεν — καὶ VR :
om. C ‖ 71 τοὺς CR : om. V ‖ 72 ὀφθαλμοῖς VR : om. C ‖ 73 περὶ —
πίστιν VR : om. C ‖ 74 ἀποστόλους VR : μαθητὰς C ‖ μαστιγωμένους
VR : om. C ‖ 74-75 ὅτι — ὁρῶν VR : ἐν τῷ ὑπὲρ τοῦ σταυρωθέντος
ἀξιωθῆναι μαστιγοῦσθαι C ‖ 76-78 τὸ — ὕστερον VR : om. C ‖ 77
ἀρρωστημάτων V : om. R ‖ 79 παρῃτήσαντο VR : -σατο C ‖ 80
προήκατο VR : παρή- C ‖ 82-83 καὶ — αὐτοῦ C : om. VR

n. Ps. 8, 2 o. Cf. Phil. 2, 7 p. Ps. 56, 6b q. Cf. Act. 9, 3-7
r. Cf. Act. 9, 8.18 s. Act. 5, 41 t. Matth. 4, 24 u. Cf. Jn 7,
37; 19, 35

l'avais appris de David qui disait : « Ta majesté a été exaltée au-dessus des cieux ⁿ. » Car tant que tu restes sur terre, du fait du plan divin, ceux qui te voient sont détournés de ta dignité vers « la forme de l'esclave ᵒ ». Mais si tu as été élevé au-dessus des cieux ¹, alors « ta gloire sera sur toute la terre ᵖ », puisque les signes qui rendent témoignage de la preuve de ta résurrection conduisent tous les hommes à reconnaître ta gloire. Qui en effet, considérant l'appel d'en haut ᑫ dont Paul fut l'objet et l'aveuglement de ses yeux dans l'épreuve ², afin qu'il ne voie pas la gloire avec les mêmes yeux dont il avait contemplé la croix ʳ, sera encore insensible à la foi ? Et qui, à la vue des apôtres, subissant le fouet ³, puis « joyeux d'avoir été jugés dignes d'être méprisés au nom ˢ » du crucifié, ne s'élancera pas en courant vers la proclamation ? Et le miracle « de la guérison de diverses maladies ᵗ », combien en convertit-il finalement à la vérité ⁴, même s'ils avaient, à l'origine, rejeté la grappe en fleur ? Car celui-ci, pressuré ⁵ sur la croix, a laissé aux assoiffés un doux breuvage ᵘ ; voici ce que Jacob disait prophétiquement de lui : « Il lavera dans le vin sa robe et dans le sang du raisin son

1. L'élévation du Christ sur la croix anticipe sa résurrection (40).
2. Cf. *Gal.* 4, 14. Mais les *Actes* et les *Épîtres* de Paul emploient le mot πειρασμός ; πειρατήριον n'est pas néo-testamentaire.
3. Cf. *Act.* 22, 26 ou *Hébr.* 11, 34.
4. Sur le sens des guérisons miraculeuses, cf. ATHANASE, *Sur l'incarn.* 38, *SC* 199, p. 398-402.
5. Cf. 45, 10 et n. 1 p. 256.

αὐτοῦ ᵛ. » Οἶνον τὸ ἐκ τῆς πλευρᾶς ἀποστάξαν αἷμα, στολὴν δὲ καὶ περιβολὴν τὸ σῶμα τὸ δεσποτικὸν λέγων.

32. Εἰ δὲ καὶ κατὰ τὴν ἄλλην ἐκδοχὴν βότρυς κύπρου ἐστίν, ἐπισκεπτέον πῶς τῆς Κύπρου βότρυς ὤν, οὐκ ἐν ἀμπελῶσι Κύπρου, ἀλλ' ἐν ἀμπελῶσι Γαδδεὶ λέγεται εἶναι. Τάχα οὖν ὅτε μὲν ἦν ἐν τοῖς κόλποις τοῦ πατρὸς ᵃ
5 πρὸ τῆς ἐνανθρωπήσεως, βότρυς ἦν ὁ τῆς Κύπρου, θεὸς λόγος ὤν, ὅτε δὲ τῷ κόσμῳ ἐπεδήμησε καὶ τὴν ἡμετέραν ἀνέλαβε σάρκα ᵇ, ἐν ἀμπελῶσι γέγονε τῆς Γαδδεί, ἐν ᾗ οἱ ὀφθαλμοὶ τοῦ πειρατηρίου οὐκ ἔχοντες ἀκριβῆ τὴν τῆς ἀληθείας κατάληψιν δυσδιάγνωστον ἐποίουν τὸ φαινόμε-
10 νον, ἰσορρεπῶς τῆς διανοίας ἐφ' ἑκάτερα κλινούσης ἐπί τε τὴν θεϊκὴν ἀξίαν διὰ τὰ θαύματα, ἐπί τε τὴν ἀνθρωπίνην εὐτέλειαν διὰ τὰ πάθη. Μετὰ γοῦν τὴν τοιαύτην ἔν τε ταῖς πράξεσι καὶ δόγμασιν αὐτῆς ἀκρίβειαν ἀμειβόμενος αὐτὴν ὁ νυμφίος, μᾶλλον δὲ τὰ προσόντα αὐτῇ μαρτυρῶν
15 φησίν· « Ἰδοὺ εἶ καλή, ἡ πλησίον μου ».

---

83 ἀποστάξαν C : σταλάξαν V παρατάξαι R ‖ 84 τὸ δεσποτικὸν VR : om. C.
32. 1 τὴν C : om. VR ‖ 2 ἐπισκεπτέον VR : σκεπτ- C ‖ πῶς CV : om. R ‖ 4 ἦν CR : ὂν V ‖ 6 ἐπεδήμησε CR : ὑπε- V ‖ 7 γέγονε CV : λέγεται R ‖ γαδδεὶ VR : γαδδὶ C ‖ 8 ἔχοντες CR : -τος V ‖ 13 ταῖς VR : om. C ‖ αὐτῆς VR : om. C ‖ 15 ἡ — μου VR : om. C.

---

v. Gen. 49, 11.
32. a. Cf. Jn 1, 18   b. Jn 1, 10.14.

vêtement [v]. » Il appelle vin le sang qui s'épanche de son côté, robe et vêtement le corps du Seigneur [1].

Chypre et Gaddi : hésitation de l'intelligence

32. Si selon l'autre interprétation, il s'agit d'une grappe de cypre, il faut se demander comment, alors qu'elle est une grappe de Chypre, elle dit qu'elle est non dans les vignes de Chypre, mais dans les vignes de Gaddi. C'est peut-être que, lorsqu'il était dans le sein du Père [a], avant l'incarnation, il était une grappe de Chypre, étant le Verbe de Dieu, mais lorsqu'il est venu dans le monde et a assumé notre chair [b], il a été dans les vignes de Gaddi, où les yeux de l'épreuve, parce qu'ils n'ont pas une compréhension exacte de la vérité, rendaient l'apparence difficile à discerner ; alors, la pensée restait en balance entre les deux, entre la dignité divine à cause des miracles et la faiblesse humaine à cause des souffrances [2]. En tout cas, après autant de précision dans les actes et les doctrines de l'épouse, l'époux lui répond ou plutôt témoigne de ses qualités propres par ces mots : « Voici, tu es belle, ma proche. »

1. L'interprétation de la prophétie de la passion (cf. Origène, *ComCant.* II, 11, 6-7) souligne ici l'humanité du Christ, dans la matérialité de son corps, vêtement de sa divinité.
2. La certitude antérieure de l'épouse ne se mue pas en doute. L'image de la pesée équilibrée entre divinité et humanité du Christ correspond à une suspension du jugement au moment de l'épreuve (ἐπὶ τὴν ἀμφίβολον διάκρισιν, 34, 14). La décision, marquée par le déséquilibre de la pesée, intervient en 34, 11-14; cf. n. 1 p. 223.

1,15 Ἰδοὺ εἶ καλή, ἡ πλησίον μου,
ἰδοὺ εἶ καλή, ὀφθαλμοί σου περιστεραί.

CVR.

33. Δὶς τὸ καλή λέγει διὰ τὴν ἐν ἀμφοτέροις τοῖς
ἀνθρώποις αὐτῆς τοῦ τε ἔξω καὶ τοῦ ἔσω[a] καθαρότητα,
καὶ μάλισθ' ὅτι τὸ φυσικὸν αὐτῶν κάλλος, ὅπερ αὐτοῖς ὁ
δημιουργὸς συνεκατεσκεύασε, τῇ μὲν ψυχῇ τὸ θεοπρεπεῖς
5 ἔχειν ἐννοίας, τῷ δὲ σώματι τὰς κατ' ἀλλήλους τῶν
ἐννοημένων πράξεις οὐ μόνον ἐτήρησεν, ἀλλὰ καὶ ταῖς
ἐπιμελείαις ἐπεκόσμησεν.

34. Περιστερὰς δὲ τοὺς ὀφθαλμοὺς αὐτῆς εἰκότως
προσαγορεύει, ἐπειδὴ πάντων τῇ διαφορᾷ τῶν περὶ αὐτῶν
οἰκονομηθέντων συμμεταβαλόντων τὴν γνώμην, καὶ ἄλλα
μὲν πρὸ τοῦ πάθους, ἄλλα δὲ ἐν αὐτῷ τῷ πάθει περὶ
5 αὐτοῦ ὑπολαβόντων, καὶ ἑτεροδόξοις ταῖς κατ' ἐναντιότητα φαντασίαις τὸ ἰσχυρὸν τῆς προαιρέσεως κλονησάντων,
μόνη πνευματικῶς ἐνόει τὰ τελούμενα, οὐδὲν τῶν συμβαι-
νόντων κατὰ τὴν τῶν πολλῶν ὑπόληψιν κρίνουσα, τὴν δ'
ἐξ ἀρχῆς περὶ αὐτοῦ ὡς θεοῦ δόξαν ἐν ἀμφοτέροις
10 φυλάξασα τοῖς καιροῖς ἀνόθευτον καὶ τῇ τῆς ἀπιστίας

---

33. 1 δὶς VR : δευτεροῖ C ‖ λέγει VR : om. C ‖ 2 τοῦ² VR : om. C
‖ ἔσω VR : ἔνδον C ‖ 3-6 ὅπερ — πράξεις VR : om. C ‖ 3 αὐτοῖς V :
om. R ‖ 4 τὸ V : om. R ‖ θεοπρεπεῖς V : -πῶς R ‖ 6 ἐννοημένων R :
νενοη- V ‖ 7 ἐπεκόσμησεν C : κατε- VR.
34. 3 τὴν γνώμην CV : -ῇ -η R ‖ 9 ἀμφοτέροις C : ἑκατέροις VR

---

33. a. Cf. II Cor. 4, 16.

BEAUTÉ RESPECTIVE du CHRIST et de l'ÂME

1,15 Voici, tu es belle, ma proche,
Voici, tu es belle, tes yeux sont des colombes.

Beauté de
l'être humain

33. Il dit deux fois « belle » à cause de la pureté qui se trouve dans l'un et l'autre des deux êtres qui sont en elle, l'homme extérieur et l'homme intérieur [a] ; et cela d'autant plus que non seulement elle a préservé leur beauté naturelle — cette beauté que le créateur leur a donnée comme constitution, à savoir pour l'âme, avoir des pensées dignes de Dieu et pour le corps, des actions correspondant à ces pensées [1] —, mais qu'en outre elle l'a parée de ses soins.

Constance de la
foi de l'épouse

34. Il a raison aussi d'appeler ses yeux colombes. Alors que tous ont changé d'avis selon la diversité des formes prises pour l'économie de leur salut, qu'ils se sont fait de lui des idées différentes avant la passion et pendant la passion même, et qu'ils ont jeté la confusion dans la force de leur choix par des illusions hérétiques opposées [2], elle seule appréhendait spirituellement les événements sans rien juger de ce qui arrivait selon l'appréciation du commun : elle a conservé à chacun de ces deux moments, sans falsifier la pesée, son opinion première qu'il était Dieu : elle a opposé au plateau de l'incroyance le dépôt de

---

1. Cf. ORIGÈNE, *ComCant. P.* 2, 4-11.
2. La mention des hérésies dans notre *Commentaire*, d'abord très générale (23, 3), prend, au fur et à mesure que se développe l'interprétation christologique, un sens plus précis, lié aux polémiques anti-ariennes. Il s'agit ici de ceux qui s'opposent à la divinité du Christ et le voient dans sa mort comme ψιλὸς ἄνθρωπος (31, 56).

πλάστιγγι τὴν τῆς πίστεως ἀντιθεῖσα ἔνστασιν, οὔτε
ἰσορροπεῖν ἐπ' ἄμφω συνεχώρησεν, ἀλλὰ πολλῷ τῷ βάρει
τὴν ὀρθὴν κρίσιν ἐπιβαρήσασα, οὔθ' ὅλως ἀφῆκεν ἐπὶ τὴν
ἀμφίβολον ταλαντεῦσαι διάκρισιν τὸ τῆς γνώμης βέβαιον.

35. Πλησίον δὲ αὐτὴν λέγει διὰ τὴν ἐνανθρώπησιν,
ἐπειδὴ τὸ ἐκείνης ἀνέλαβε σῶμα. Καλεῖ δὲ αὐτὴν καὶ
ἀδελφὴν [a] διὰ τὸ τῆς συναφείας ἁγνόν, καὶ νύμφην [b] διὰ
τὸ ἀδιάφθορον. Ἀεὶ γὰρ οὖσα νύμφη, ἀκμάζοντα καὶ
5 νεαρὸν ἔχει τὸν πόθον ἀγαπῶσα καὶ ἀγαπωμένη, διότι
ταῖς γενομέναις γυναιξὶν ὁ χρόνος καὶ ἡ πεῖρα τῆς
γαμηλίας ὁμιλίας παύει τὸν πόθον, κόρον ποιοῦσα τῆς
χάριτος τῇ πληροφορίᾳ τοῦ ἐπιθυμουμένου, ἢ δι' αὐτὴν
ταύτην τὴν αἰτίαν, ἢ ἵνα διαφόροις κλήσεσι τὰς διαφόρους
10 αὐτῆς ἐπινοίας παραστήσῃ.

---

12 ἰσορροπεῖν C : -ρρεπῇ VR ‖ 13 ἐπιβαρήσασα C : -δρίσασα VR.
35. 2 καλεῖ CR : -λὴν V ‖ 4 ἀδιάφθορον C : ἄφθο- VR ‖ οὖσα
νύμφη CV : -αν -ην R ‖ 7 γαμηλίας C : -ίου VR ‖ 8-9 ἢ — αἰτίαν
VR : om. C.

---

35. a. Cf. Cant. 4, 9   b. Cf. Cant. 4, 8.

la foi, elle n'a pas permis l'oscillation entre les deux, mais
en pesant de tout son poids du côté du jugement droit, elle
a absolument empêché la certitude de sa volonté de rester
en suspens dans un discernement équivoque [1].

Vierge et amante   **35.** Il l'appelle proche à cause de l'incarnation, puisqu'il a assumé son corps. Il la
nomme aussi sœur [a] à cause de la pureté de
son union, et épouse [b] à cause de son incorruptibilité. Car
étant toujours l'épousée, elle possède le désir dans toute sa
fleur et sa fraîcheur, amante et aimée, alors que celles qui
sont devenues femmes, le temps et l'expérience de la
relation conjugale font cesser leur désir, en leur donnant la
satiété du plaisir par la pleine jouissance de l'homme qui
est l'objet de leur désir [2]. Il l'appelle ainsi soit pour cette
raison même, soit pour inspirer, par des noms différents,
différentes notions d'elle [3].

1. La balance (32, 10) ne peut pas rester en équilibre
(ταλαντεῦσαι) : la certitude de la volonté la fait pencher du côté du
jugement droit. Le dépôt de la foi et la certitude de la volonté
s'opposent au libre-arbitre, qui fausse la pesée (cf. ÉVAGRE, *Schol.
Prov.*, 217, SC 340, p. 312). M. Aubineau signale (*Hom. pasc.*, SC
187, n. 83, p. 409) que la métaphore de la fausse pesée vise les
hérétiques et leurs erreurs, mais à propos de ζυγοστάτης, ζυγοστα-
τεῖν.
2. La satiété du plaisir dans la vie conjugale relève des lieux
communs sur les embarras du mariage, v. g. CHRYSOSTOME, *Virg.*
LVII, 40, SC 125, p. 310. En fait, Nil s'exprime ici par antithèse
pour insister sur la fraîcheur du désir de l'épouse, qui ne connaît pas
la satiété ; cf. GRÉGOIRE, *In Cant. Or.* XIV, 415, 14-17 : la jouissance
spirituelle, qui ignore aussi cette satiété de l'objet du désir, accroît au
contraire le désir.
3. « L'Écriture applique à l'âme et à ses représentations » différents noms : ÉVAGRE, *Schol. Prov.*, 317, SC 340, p. 408. Le mot
ἐπίνοια désigne habituellement les noms du Christ qui expriment ses
différents aspects. cf. ORIGÈNE, *ComJoh.* I, 198, SC 120, p. 158.

1,16 Ἰδοὺ εἶ καλός, ἀδελφιδός μου,
καί γε ὡραῖος πρός
κλίνη ἡμῶν σύσκιος.

CVR. — ἀδελφιδός CV : -ούς R ‖ κλίνη C : -ην VR.

36. Εὐγνωμόνως πάλιν αὕτη μᾶλλον δὲ ἐκπληττομένη
ἐπὶ τῷ ἀκοῦσαι καλὴ παρὰ τοῦ νυμφίου, μόνῳ γὰρ ἐκείνῳ
τὴν τοιαύτην ἁρμόζειν ἐπίκλησιν ἐνόμιζε, θνητῷ δὲ
οὐδενί· εὐθέως ἐπ᾽ αὐτὸν ἀναστρέφει τὴν μαρτυρίαν, « ἰδοὺ
5 εἶ καλός, ἀδελφιδός μου » λέγουσα « καί γε ὡραῖος
πρός », ἀντὶ τοῦ περισσῶς, οὕτω γάρ τισιν ἔδοξε διαιρεῖν,
καὶ μετὰ τοῦτο· « κλίνη ἡμῶν σύσκιος », τὸ σῶμα
λέγοντες τὸ κοινόν, ἐν ᾧ ἀνεπαύοντο ἀμφότεροι ὅ τε θεὸς
λόγος καὶ ἡ μακαρία ψυχή, φειδομένου τοῦ νυμφίου
10 ὕπαιθρον αὐτὴν ἔχειν, μὴ πάλιν ἐξ ἐπηρείας τῆς τοῦ
ἐναντίου ἡλίου ἀκτῖνος πάθη τι τῆς παλαιᾶς μελανότητος.
Κατὰ δὲ τὴν ἑτέραν διαίρεσιν, οὕτως ἂν νοηθείη ὡσάνει
τῆς νύμφης λεγούσης ὅτι· ὦ νυμφίε, σὺ μόνος ἐνδίκως ἂν
λέγοιο καλὸς καί γε ὡραῖος, μὴ ἐπίκτητον ἀλλὰ φυσικὸν
15 τὸ καλὸν ἔχων. Ὁ δ᾽ ἐν μεθορίῳ τοῦ τε καλοῦ καὶ τοῦ
ἐναντίου κείμενος καὶ μετὰ τὴν κτῆσιν τοῦ καλοῦ
δυνάμενος πάλιν δι᾽ ἀπροσεξίαν τὴν ἐναντίαν ἀναλαβεῖν

36. 1 αὕτη VR : om. C ‖ 2 τῷ CV : τὸ R ‖ 4 ἀναστρέφει CV : ἐπι-
R ‖ 5 ἀδελφιδός CV : -δοῦς R ‖ 7 κλίνη CR : -νην V ‖ 10 αὐτὴν CR :
-τὸν V ‖ 14 φυσικὸν C : φύσει VR ‖ 15 ἔχων VR : + οὐδεὶς ἀγαθὸς
εἰ μὴ εἷς ὁ θεός C ‖ ὁ δ᾽ ἐν C : οὐδεὶς VR ‖ 17 ἀπροσεξίαν CV :
ἀπραξίαν R ‖ ἀναλαβεῖν VR : λαβεῖν C

1. L'expression ne désigne pas le corps humain du Christ (cf. 11,
14 : τὸ σῶμα τὸ κυριακόν), la chair, mais comme l'écrit ORIGÈNE,
ComCant. III, 2, 2, le « corps de l'âme » (corpus animae) « où
l'épouse est estimée digne d'être admise à l'union du Verbe de
Dieu », SC 365, trad. Brésard, p. 503.

1,16 Voici, tu es beau mon bien-aimé, et charmant de plus notre couche est ombragée.

Beauté voilée de l'époux

36. Dans ses bonnes dispositions d'esprit, c'est à son tour d'être encore plus troublée d'avoir entendu de l'époux qu'elle était belle, car elle pensait qu'une telle appellation ne s'appliquait qu'à lui, et à aucun mortel. Immédiatement, elle lui retourne son témoignage en disant : « Voici, tu es beau mon bien-aimé, et charmant de plus », c'est-à-dire extrêmement — car certains ont jugé bon de ponctuer ainsi — et ensuite : « Notre couche est ombragée. » Ces mots désignent le corps commun [1] dans lequel l'un et l'autre reposaient, le Verbe Dieu et l'âme bienheureuse, parce que l'époux évitait qu'elle ne soit en pleine lumière, de peur qu'à nouveau victime du rayonnement du soleil adverse [2], elle ne subisse quelque effet de son ancienne noirceur. Selon l'autre ponctuation [3], il faudrait comprendre que l'épouse dit : époux, de toi seul on pourrait dire à juste titre que tu es beau et charmant, toi qui possèdes la beauté, non par acquis, mais par nature. Mais celui qui se trouve à la limite du beau et de son contraire et qui peut, après avoir acquis le beau, reprendre à nouveau par négligence l'état contraire, comment serait-il beau, s'il

---

2. Deuxième occurrence de l'expression ὁ ἐνάντιος ἥλιος (cf. 17, 6) qui semble propre à Nil. Le sens découle d'Origène : « le soleil qui brûle le juste [est celui] qui se transforme en ange de lumière », *ComCant.* III, 2, 6, trad. Brésard, p. 505. Le soleil qui s'oppose au « soleil de justice » qu'est le Christ, c'est le diable, *P. Arch.* III, 2, 4, *SC* 268, p. 172.

3. La première interprétation, qui fait de πρός un adverbe, est celle d'ORIGÈNE, *ComCant.* III, 2, 2 ; la seconde vient de GRÉGOIRE, *In Cant. Or.* IV, 108, 1. Sur son modèle, Nil récrit le verset l. 19-20.

ἕξιν, πῶς ἂν εἴη καλός, ποτὲ μὲν κάλλει, ποτὲ δὲ αἴσχει
τὴν τῆς ψυχῆς μορφὴν μετατυπούμενος ; Καὶ πρὸς κλίνῃ
20 δὲ ἡμῶν, φησί, γενόμενος καὶ ὡραῖος εἶ καὶ σύσκιος, τὴν
μὲν θείαν τῆς θεότητος ἀκραιφνῆ ἔχων μορφήν,
συσκιάζων δὲ αὐτὴν τῇ τοῦ δούλου μορφῇ [a] καὶ ὡς ὑπὸ
παραπετάσματι τῇ σαρκί, ἐνεργῶν μὲν τὰ τῆς θεότητος
ἴδια, δυσδιάγνωστος δὲ γινόμενος διὰ τὴν ἐπικρύπτουσαν
25 τὰ ἐπιτελούμενα παραδόξως τοῦ σώματος τὴν περιβολήν.
Οὕτω καὶ ὁ προφήτης, σπάνιον εἰδὼς τὸν δυνηθέντα
διαστεῖλαι μὲν ὡς λάσιον δρυμὸν τὰ τῆς οἰκονομίας,
διακύψαι δὲ ἐπὶ τὴν συνεσκιασμένην θεότητα, ἔλεγεν
ἀπορητικῶς · « ὁ βραχίων κυρίου τίνι ἀπεκαλύφθη [b] ; »
30 μόνην τάχα ταύτην σημαίνων τὴν πνευματικοῖς ὀφθαλμοῖς τὰ ἀπόρρητα τῶν ταμιείων κατανοήσασαν μυστήρια.

19 μετατυπούμενος C : μεταποιούμενος VR ‖ κλίνῃ C : -νην VR ‖
21 ἀκραιφνῆ VR : om. C ‖ 22 αὐτὴν CV : -τῶν R ‖ 24 τὴν VR : om. C
‖ 27 λάσιον CV : λύσιον R ‖ 29 ἀπορητικῶς VR : om. C ‖ 30 μόνην
CR : -νη V ‖ 31 τῶν ταμιείων [-μείων R] CR : om. V ‖ κατανοήσασαν
C : κατανθήσασαν VR.

36. a. Cf. Phil. 2, 7   b. Is. 53, 1.

1. Cette phrase est un écho de Grégoire, In Cant. Or, XI, 333,
13-15 : « L'âme humaine est à la limite de deux natures : l'une est
incorporelle, rationnelle et sans mélange (νοερὰ καὶ ἀκήρατος), l'autre
corporelle, matérielle et déraisonnable (ὑλώδης καὶ ἄλογος) ». Nil met
en relief la différence entre la beauté du Verbe, qui vient de sa nature

transforme l'apparence de son âme tour à tour en beauté
et en laideur [1] ? Et auprès de notre couche, dit-elle, tu
es charmant et ombragé, parce que tu possèdes sans
mélange [2] la forme divine de la divinité et que tu l'ombres
de la forme de l'esclave [a] et de la chair comme d'un
voile : tu exerces les actions propres à la divinité, tout en
restant très difficile à connaître à cause de l'enveloppe du
corps qui, paradoxalement [3], cache leur accomplissement.
Ainsi, parce qu'il savait que rare est l'homme capable de
faire la part de ce qui tient du plan divin, sorte de bois
touffu [4], et de voir clair à travers la divinité voilée d'ombre,
le prophète disait de façon dubitative : « Le bras du
Seigneur, à qui a-t-il été découvert [c] ? » Il désignait sûrement celle-là seule qui, avec un regard spirituel, a
contemplé les mystères secrets dans les celliers.

divine, et celle de l'âme humaine, toujours tendue entre des
contraires, dont la seule beauté est « celle que le créateur lui a donnée
comme constitution » (33, 4).

2. Ἀκραιφνής est surtout utilisé pour exprimer la distinction des
trois personnes divines. Nous comprenons qu'appliqué au Verbe, il
sert à affirmer que le Christ n'est pas un composé de Dieu et
d'homme. Mais l'expression manque peut-être de fermeté théologique, d'autant que dans la suite de la phrase, l'humanité du Christ
paraît réduire à l'image du « voile » de sa divinité.

3. Sur παράδοξος, cf. SC 119, n. 4, p. 262-263. L'adv. exprime
bien ici cette « coïncidence des contraires » de la divinité du Christ
dans son humanité. Le paradoxe de sa condition cessera lors de la
parousie.

4. Cf. ἐκ λασίοιο [...] δρυμοῖο, Pseudo-Théocrite, Idylle XXV,
v. 134-135, CUF. Bucoliques Grecs II, p. 78. Nil s'inspire sans doute
de l'image d'une végétation touffue utilisée par Origène à propos de
l'opacité du sens des Écritures, P. Arch. IV, 3, 11, SC 268, p. 382;
ComCant. III, 2, 4.

**1,17 Δοκοὶ οἴκων ἡμῶν κέδροι,
φατνώματα ἡμῶν κυπάρισσοι.**

CVR. — φατνώματα CR : φαυνώματα sic V.

37. Εἰ οἶκός ἐστιν ἡμῶν ἡ ἐκκλησία κατὰ τὸν
λέγοντα · « ἵνα εἰδῇς πῶς ἐν οἴκῳ θεοῦ δεῖ ἀναστρέφεσθαι
ἥτις ἐστὶν ἐκκλησία θεοῦ ζῶντος[a] », οἱ ἀνδρεῖοι τῆς
ἐκκλησίας καὶ διὰ γενναιότητα τοὺς ἄνωθεν ἐκ τῶν
5 πνευμάτων τῆς πονηρίας ἐπερχομένους πειρασμοὺς ἀνα-
στέλλοντες καὶ ἀπομεμφόμενοι, ἵνα μὴ πάντως σταγόνες
χειμεριναὶ ἐκβάλωσί τινα ἐκ τοιούτου οἴκου, εἶεν ἂν δοκοὶ
κέδρου, μηδὲν παθεῖν ἐν τῷ προσομιλεῖν τοῖς ὑετοῖς τῶν
ἐπ᾽ ἀλλήλων πειρασμῶν δυνάμενοι διὰ τὸ τὴν κέδρον
10 ἄσηπτον εἶναι.

Φατνώματα δὲ κυπάρισσοι, οἱ τῇ μὲν πίστει ἐρηρεισ-
μένοι ὡς στύλοις[b], τῇ δ᾽ ἐκ τῶν ἄλλων ἀρετῶν εὐπρεπείᾳ
κόσμον ὁμοῦ καὶ εὐωδίαν τῷ οἴκῳ παρέχοντες, εὐώδης
γὰρ ἡ κυπάρισσος. Φατνώματα γὰρ οἶμαι λέγεσθαι τὰ
15 τοῖς στύλοις ἐπιδιατεινόμενα ξύλα, διὰ τὸ δύο μὲν ὀλίγον

---

37. 1 εἰ CV : om. R ‖ 1-3 κατὰ — ζῶντος VR : om. C ‖ 5
ἐπερχομένους VR : om. C ‖ 7 ἐκβάλωσί C : -λλ- VR ‖ 8 μηδὲν C :
μηδὲ VR ‖ 12 στύλοις C : -λοι VR ‖ 13-14 εὐώδες — κυπάρισσος
VR : om. C ‖ 14 οἶμαι CR : εἶναι V ‖ 15 ἐπιδιατεινόμενα C :
ἐπικείμενα VR

---

37. a. I Tim. 3, 15   b. Cf. I Tim. 3, 15.

LA FLEUR de la RÉVÉLATION

1,17 Les poutres de notre maison sont des cèdres, nos lambris sont des cyprès.

Les sages : lambris odorants

37. Si l'Église est notre maison, selon celui qui dit : « afin que tu saches comment te comporter dans la maison de Dieu qui est l'Église de Dieu vivant [a] [1] », les braves de l'Église doivent être les poutres de cèdre : par leur noblesse, ils écartent les tentations envoyées d'en-haut par les esprits du mal et les repoussent [2], afin que les pluies hivernales ne chassent absolument personne hors d'une telle maison [3], puisque ces poutres ne peuvent subir aucun préjudice du contact avec les averses des tentations successives, parce que le cèdre est imputrescible.

Les pannes sont de cyprès, solidement appuyées sur la foi comme sur des colonnes [b] et grâce à la beauté des autres vertus, elles procurent à la maison ornement et bonne odeur en même temps. Car le cyprès est parfumé [4]. A ma connaissance en effet, on appelle pannes les pièces de bois

---

1. Cf. Origène, *ComCant.* III, 3, 2.

2. Les « braves de l'Église » paraissent anticiper les « soixante forts » qui entourent la couche de Salomon (71, 6). Mais ici, étant donné leur rôle de protection contre les tentations, ce sont sans doute les « saintes puissances ».

3. Sur l'abri contre les intempéries, cf. Origène, *ComCant.* III, 3, 5 et Grégoire, *In Cant. Or.* IV, 109, 16 ; Vitruve, *De l'architecture*, V, 1, 4, parle des basiliques dont la construction doit permettre « aux commerçants de s'y rendre en hiver sans être gênés par les intempéries. »

4. Cf. Origène, *ComCant.* III, 3 6 ; Grégoire, *In Cant. Or.* IV, 109, 6 ; 112, 5, sur les qualités du cèdre et du cyprès ; Vitruve, *ibid.* II, 9, 12-13.

ἀλλήλων ἀπηρτημένα εἶναι τὰ ἐπικείμενα, κάτωθεν δὲ
σανίδι τὴν τούτων διάζευξιν ἐπικρύπτεσθαι ὡς μίαν τοῖς
ὁρῶσι τὴν ὄψιν προφαίνεσθαι φατνοειδῶς τοῦ ἄνωθεν
ἀναγκαίως ἐσχηματισμένου, κενὸν γὰρ ἀπολείπεται τὸ
20 μέσον τῇ τῶν τριῶν ἑνώσει δεικνύμενον. Εἰκότως οὖν
τοὺς σώφρονας τῆς ἐκκλησίας καὶ ἐλεήμονας τῇ τῆς ἀγάπης κοινωνίᾳ εἰς ἓν συναπτομένους εἴποι τις ἂν φατνώματα κυπαρίσσου. Τί γὰρ τούτων κοσμιώτερον ἢ ἡδύτερον,
τί δὲ εὐωδέστερον; Οἳ μετὰ τοῦ κοσμεῖν ἑαυτοὺς τῇ τῶν
25 εἰρημένων ἀρετῶν εὐπρεπείᾳ ἔτι καὶ τοὺς πλησιάζοντας
εὐωδίας πληροῦσι, ζῆλον ἐμποιοῦντες αὐτοῖς τῶν οἰκείων
καλῶν, χρήζουσι δὲ καὶ οὗτοι τῆς ἐκ τῶν κεδρίνων δοκῶν
σκέπης. Ταχέως γὰρ τὸ τῶν φατνωμάτων ἀφανίζεται
κάλλος ὕπαιθρον εὑρεθέν, ἐπεὶ δέ τισι φατνώματα ἔδοξε
30 τὴν ὀρόφωσιν εἰπεῖν κρύπτουσαν ταῖς ποικίλαις γλυφαῖς
τὴν τῶν δοκῶν διάστασιν.

38. Εὐλόγως δοκοὶ μὲν εἰρήσονται αἱ τῆς νῦν πολιτευομένης τοῦ χριστιανισμοῦ ἀγωγῆς προφητεῖαι τῷ ἀποστολικῷ καλλωπισθεῖσαι κηρύγματι· Αὗται γὰρ νῦν προ-
φαίνονται καλυψάσαι τὴν προφητικὴν δόκωσιν· κέδροι
5 γὰρ ἐκεῖναι τοῦ Λιβάνου τῆς Ἰουδαϊκῆς συναγωγῆς,

---

16 ἀπηρτημένα C : ἀπηρτημένον V ἀπηρτισμένον [post εἶναι transp.
R] R ‖ 17 τὴν ... διάζευξιν CV : τῇ ... -ξει R ‖ 18 τὴν CV : om. R ‖
φατνοειδῶς C : φάτνωμα εἰδὼς VR ‖ 22 εἰς ἓν συναπτομένους VR : σ.
εἰς ἑνὶ C ‖ 23 κοσμιώτερον CV : τιμιώτερον R ‖ ἢ ἡδύτερον C : om.
VR ‖ 25 εἰρημένων VR : om. C ‖ 29 ἐπεὶ C : -δὴ VR.
38. 3-4 προφάνονται C : φαί- VR ‖ 5 ιουδαϊκῆς C : ιουδαίων VR

---

1. Nous avons choisi *panne* pour traduire φάτνωμα, d'abord parce
que Nil le comprend comme un terme technique (l. 14-15), ensuite
parce que l'origine étymologique de « panne » est précisément φάτνη

posées entre les colonnes, parce que, placées côte à côte,
elles sont un peu séparées entre elles et que vues par
dessous leur séparation est cachée par un plancher : elles
offrent ainsi aux regards l'apparence une d'une construction continue au-dessus, à la façon d'un plafond à caissons.
Car le milieu qui apparaît à la jonction des trois est laissé
vide [1]. On aurait donc raison d'appeler pannes de cyp ès
les sages de l'Église et les miséricordieux, liés en un seul
par leur communauté d'amour. Qu'y a-t-il de plus décoratif
ou agréable qu'eux ? de plus odorant ? Ceux qui, tout en
s'étant parés de la beauté des vertus susdites, remplissent
en outre leurs compagnons de bonne odeur, parce qu'ils
suscitent en eux l'envie des beautés qui les habitent,
ceux-là ont aussi besoin de s'abriter sous les poutres de
cèdre. Car la beauté des lambris disparaît rapidement
quand il s'en trouve en plein air, puisque certains ont
préféré par ailleurs appeler lambris le plafond qui, avec des
ciselures peintes, cache l'écart entre les poutres [2].

La charpente prophétique   **38.** On appellera poutres à juste titre les
prophéties du mode de vie qu'on mène
maintenant dans le christianisme, embel-
lies par la proclamation de l'Apôtre. Car il apparaît
clairement maintenant qu'elles couvrent la charpente prophétique [3] : en effet, les unes sont les cèdres du Liban de

---

— techniquement, le mot exact serait *sablière*. Dans le plafond à
caissons décrit ici, il s'agit des pièces de bois constituant l'entable-
ment des colonnes, sur lesquelles repose le plancher de l'étage
supérieur. Vus d'en bas, pannes et plancher offrent l'apparence
lambrissée d'un plafond à caisson ; cf. VITRUVE, *ibid.* V, 1.

2. Pour cette dernière interprétation, que Nil emprunte à Grégoire
(*In Cant. Or.* IV, 109, 12, φάτνωσις), c'est bien *lambris* qui convient.

3. Nil comprend que les δοκοί constituent la charpente d'un toit
qui couvre la construction de bois (δόκωσις) dont il vient d'être
question.

κυπάρισσοι δὲ οὗτοι περὶ ὧν πρὸς τὴν ἐκκλησίαν εἴρηται
προφητικῶς · « ἀντὶ τῆς στοιβῆς ἀναβήσεται κυπάρισσος ᵃ.» Στοιβὴ γὰρ ὄντως καὶ φρύγανα τὰ Ἰουδαϊκὰ
συγκρινόμενα τοῖς νῦν · οὕτω γὰρ καὶ ὁ Παῦλος « σκύβα-
10 λα τὴν νομικὴν ἡγήσατο δικαιοσύνην, ἵνα Χριστὸν
κερδήσῃ ᵇ » καὶ ὁ Δαυὶδ δὲ λέγων · « ἀντὶ τῶν πατέρων
σου ἐγενήθησαν οἱ υἱοί σου ᶜ », τῷ τῆς στοιβῆς καὶ τῆς
κυπαρίσσου συνᾴδει νοήματι. Μήτηρ γὰρ τῶν ποτὲ
πατέρων ἡ ἐκκλησία πέφηνε, νεωτέρᾳ χάριτι τὸ παλαιὸν
15 ὑπερβᾶσα πολίτευμα καὶ τοὺς διδασκάλους μαθητὰς
λαβοῦσα διὰ βίου σεμνότητα καὶ δογμάτων ἀκρίβειαν. Εἰ
δέ τις καὶ εἰς ἕκαστον ἐκλαβεῖν ἐθέλοι τὸ εἰρημένον, οἶκον
μὲν ἐκλήψεται τὴν ψυχήν, δοκοὺς δὲ κέδρου τὴν ἀνδρείαν,
φατνώματα δὲ τὰς εἰρημένας ἀρετάς. Εἰσὶ γάρ πως
20 εὐεπηρέαστοι, ἀνδρείας ἄνωθεν μὲν ἐπικειμένης συνε-
χούσης αὐτὰς καὶ διακρατούσης.

7 προφητικῶς VR : om. C ‖ 9 οὕτω VR : om. C ‖ γὰρ καὶ ὁ παῦλος
/ σκύβαλα VR : ∼ C ‖ 11-16 καὶ — ἀκρίβειαν VR : om. C ‖ 11 λέγων
V : -γει R ‖ 12 τῆς² R : τοῦ V ‖ 17 ἐκλαβεῖν C : -θαλεῖν VR ‖ ἐθέλοι
CV : -λει R ‖ 19 δὲ VR : om. C.

38. a. Is. 55, 13   b. Phil. 3, 8-9   c. Ps. 44, 17.

la Synagogue des Juifs, et les autres sont les cyprès dont il a été dit prophétiquement pour l'Église : « Au lieu de l'épine, croîtra un cyprès [a] ». Car ce qui est juif, comparé à ce que nous avons maintenant, est en réalité épine et broussailles. C'est ainsi que Paul « a considéré la justice selon la loi comme déchets, afin de gagner le Christ [b] », et David, quand il dit : « A la place de tes pères te sont nés des fils [c] », est d'accord avec la représentation de l'épine et du cyprès. Car l'Église est apparue comme la mère des pères d'alors [1] ; elle a dépassé par une grâce toute nouvelle l'ancien genre de vie, prenant les maîtres pour disciples à cause de la sainteté de sa vie et de l'exactitude de ses doctrines [2]. Et si on veut une interprétation pour chaque mot [3], on comprendra l'âme pour la maison, le courage pour les poutres de cèdre et les vertus dont il a été question pour les lambris. Car elles sont faciles à endommager si le courage n'est pas imposé d'en-haut, pour les maintenir ensemble et les fixer solidement [4].

---

1. Ce thème de l'Église-mère se trouve à plusieurs reprises chez CHRYSOSTOME, v. g. Catéch. bapt., SC 366, n. 13 p. 119. L'expression nilienne (μήτηρ τῶν ποτὲ πατέρων) ajoute, par le renversement de la hiérarchie généalogique, l'instauration de valeurs radicalement nouvelles dans l'Église.

2. L'idée que les maîtres doivent avant tout être des disciples se trouve aussi dans le Disc. asc., 764A.

3. Sur cette habitude des exégètes de « traduire » le texte de la LXX selon une grille symbolique, cf. M. HARL, « Y a-t-il une influence du « grec biblique » sur la langue spirituelle des chrétiens ? », p. 246.

4. La notion de prééminence du courage sur les vertus vient d'ÉVAGRE, Pratique, 89, SC 171, p. 682 ; Schol. Prov., 371, SC 340, p. 462.

2,1 Ἐγὼ ἄνθος τοῦ πεδίου,
κρίνον τῶν κοιλάδων.

CVR. — ἐγὼ CR : + δὲ V.

39. Ὅμοιον δεῖ παράθεσθαι ῥητὸν ὥστε νοηθῆναι τὰς
κοιλάδας· ἐστὶ δὲ τοιοῦτον· « ὀφθαλμὸν καταγελῶντα
πατρὸς καὶ ἀτιμάζοντα γῆρας μητρός, ἐκκόψαισαν αὐτὸν
κόρακες ἐκ τῶν φαράγγων καὶ καταφάγοισαν αὐτὸν
5 νεοσσοὶ ἀετῶν [a]. » Ὀφθαλμὸν δὲ ἐνταῦθα τὸν ἐσχηκότα
λέγει τὴν θεωρητικὴν δύναμιν καὶ μὴ εἰς δέον, ἀλλ᾽ εἰς
ταπεινὰ καὶ ἀνάξια ὕψους θείων θεωρημάτων καταχρη-
σάμενον τῇ δυνάμει· ἵνα μὴ τούτοις ἐναπομείνῃ, ὁ
κηδεμὼν θεὸς ἐκκόπτειν ἐκ τῶν περὶ τὰ κοῖλα νοήματα
10 φαράγγων ἐπιτρέπει δυνάμεσι προσγειοτέραις καὶ παρα-
δίδοναι εἰς βρῶσιν τοῖς τὰ ὑψηλὰ πετομένοις νεοσσοῖς
ἀετῶν οὐχ ἵνα βρωθέντες εἰς ἀνυπαρξίαν χωρήσωσιν, ἀλλ᾽
ὡς ἂν εἴποι τις ἀναχωνευθέντες δόκιμοι ἐκ τῆς τῶν ἀετῶν
νηδύος προέλθωσι, κατὰ μίμησιν τῶν παρὰ τοῦ Παύλου
15 πάλιν ὠδινομένων [b], ἐπεὶ μὴ ἐκ πρώτης ὠδῖνος ἐμόρφωσαν καλῶς ἐν ἑαυτοῖς τὸν Χριστόν. Ταύταις ταῖς φάραγξι
παραπλησίως δεῖ νοῆσαι τὰς κοιλάδας ὧν κρίνον εἶναι
λέγει ἑαυτὴν ἡ νύμφη· ἡ γὰρ διὰ τὸ ἐμπρέπειν ταῖς διὰ
ταπεινότητα πράξεων ἢ νοημάτων κοίλαις ὀνομαζομέναις

39. 1 ὥστε C : πρὸς τὸ VR ‖ 2 ἐστὶ — τοιοῦτον VR : om. C ‖ 3 καὶ
— μητρός VR : om. C ‖ αὐτὸν VR : om. C id. 4 ‖ τῶν VR : om. C ‖ 5
τὸν ἐσχηκότα VR : om. C ‖ 6 τὴν C : om. VR ‖ καὶ μὴ VR : ἣν οὐκ C
‖ 7-8 καὶ — δυνάμει VR : κατεχρήσατο καὶ θείου ὕψους ἀνάξια ἣν C ‖
9-10 νοήματα φαράγγων VR : νοημάτων C ‖ 10 δυνάμεσι προσγειοτέραις VR : om. C ‖ 12 ἀετῶν C : ἀρετῶν VR ‖ 14 τοῦ VR : om. C ‖ 15
ἐκ πρώτης ὠδῖνος / ἐμόρφωσαν VR : ∼ [ὠδῖνος om.] C

39. a. Prov. 30, 17   b. Cf. Gal. 4, 19

2,1 Je suis la fleur de la plaine,
le lis des vallons.

Fécondité des vallons

39. Il faut citer un verset semblable pour comprendre les vallons ; c'est le suivant : « Un œil qui se moque de son père et qui méprise la vieillesse de sa mère, que les corbeaux l'arrachent des ravins et que les petits des aigles le dévorent [a]. » Dans ce verset, il appelle œil celui qui a eu la faculté contemplative et qui en a fait un usage abusif, non dans une intention convenable, mais pour des préoccupations basses et indignes de la hauteur des contemplations divines. Pour qu'il ne s'y arrête pas, le Dieu protecteur ordonne aux puissances qui volent bas de l'arracher des ravins des représentations creuses et de le livrer en pâture aux petits des aigles qui volent dans les hauteurs [1]. Son intention n'est pas qu'après avoir été dévorés, ils aboutissent au néant, mais que pour ainsi dire repassés au creuset, ils ressortent bien éprouvés du ventre des aigles [2], à l'imitation de ceux qui sont enfantés une seconde fois [b] par Paul, puisque lors du premier enfantement ils n'avaient pas bien formé en eux le Christ. Il faut comprendre qu'ils sont comparables à ces ravins, les vallons où l'épouse est un lis, comme elle le dit. Car en se distinguant au milieu de ce qu'on a appelé creux, à cause de la bassesse de leurs

---

1. Cf. ÉVAGRE, *Schol. Prov.*, 294, *SC* 340, p. 386 et n. p. 387 ; 15-18, p. 488-489 ; sur le « vol dans les hauteurs » des « petits de l'aigle », cf. *Prière*, 82, *PG* 79, 1185A. Sous une forme plus allusive, on retrouve la même interprétation chez Grégoire, à propos de *Cant.* 5, 11, *In Cant. Or.* XIII, 391, 15-18.

2. Le v. ἀναχωνεύειν est rare ; l'image de la purification par le creuset, d'origine biblique, l'est moins, cf. CHRYSOSTOME, *Catéch. bapt.* I, 12, 13-13, 11, *SC* 366, p. 138 et n. 34 ; ou encore à propos du baptême, le texte de Basile de Séleucie, signalé par Aubineau, *SC* 187, p. 132 (ἀναχαλκεύειν).

20 φαιδρῶς ἐν ἑκατέροις κεκοσμημένη καὶ λάμπουσα κρίνον
ἐστὶν ἢ ὅτι κρίνειν μέλλει τὰς τοιαύτας ψυχὰς ἐν τῷ
μέλλοντι ἐκ συγκρίσεως τῶν ἰδίων κατορθωμάτων οὐδὲν
ἔχουσα ἐν τῇ φύσει πλέον ἐκείνων, ὡς Νινευῖται καὶ
νότου βασίλισσα κατακρινεῖ τὴν ἄπιστον γενεάν [c] · πλὴν
25 τάχα ἀφ' οὗ γεγένηται ὡς κρίνον αὕτη ἐν ταῖς κοιλάσι,
πρότερον οὐδενὸς ἐν αὐταῖς φυομένου, ἤρξαντο καρποφο-
ρεῖν, ζηλώσασαι τὸ εὐπρεπὲς τοῦ ἄνθους αὐτῆς, σπέρμα-
τα δεξάμεναι παρὰ τοῦ ἐξελθόντος σπεῖραι σπόρεως [d], καὶ
παρεδέξαντο τὸν λόγον οὐχ ὡς πέτρα πρὸς ὀλίγον
30 γαννυμένη τοῖς λόγοις, οὐδ' ὡς ἀκάνθας ἔχουσα γῆ ὧν τῇ
φυῇ συμπίγνεται ὁ σπόρος, οὐδ' ὡς ὁδὸς ἐπιπολαίως
δεξαμένη τὸν λόγον ὡς εἶναι πρόχειρον τοῖς πατεῖν
ἐθέλουσιν ἀνθρώποις ἢ τοῖς διαρπάζειν ἐπιχειροῦσι πετει-
νοῖς, ἀλλ' ὡς πίων καὶ ἀγαθὴ γῆ πολυπλασιάζουσα τὸν
35 σπόρον [e], ὡς τὸν προφήτην αἰνισσόμενον τὴν τούτων
καρποφορίαν λέγειν καὶ « αἱ κοιλάδες πληθυνοῦσι
σῖτον [f] · » ὅτι γὰρ λογικαί εἰσιν αἱ κοιλάδες τὸ ἐπιφερόμενον δηλοῖ, φησὶ γάρ · « κεκράξονται καὶ ὑμνήσουσιν [g]. »

20 καὶ C : om. VR || 24 νότου βασίλισσα C : ~ VR || κατακρινεῖ —
γενεάν VR : om. C || 27 ζηλώσασαι C : θαυμάσασαι V φύσασαι R || 29
παρεδέξαντο VR : παραδεξάμεναι C || τὸν λόγον VR : om. C || 30
γαννυμένη C : γανου- VR || γῆ C : om. VR || 31 φυῇ CV : φυήσει R ||
32 δεξαμένη VR : -μεναι C || 33-34 ἀνθρώποις ἢ ... πετεινοῖς VR : ἢ
... ἀ. καὶ π. C || 33 ἐπιχειροῦσι VR : om. C || 35-36 τὴν —
καρποφορίαν VR : om. C || 36 λέγειν C : εἰπεῖν VR || 37 ὅτι γὰρ C :
καὶ ὅτι VR || εἰσιν VR : ἐπήγαγε C || 37-38 αἱ — δηλοῖ VR : om. C ||
38 φησὶ γὰρ V : om. RC || κεκράξονται VR : om. C.

c. Cf. Matth. 12, 41-42   d. Cf. Matth. 13, 3-8   e. Cf. Matth. 13,
19-23   f. Ps. 64, 14b   g. Ps. 64, 14c.

actions ou de leurs représentations [1], celle qui est parée magnifiquement et resplendit au milieu d'eux est un lis. Elle l'est aussi parce qu'à l'avenir elle va juger de telles âmes par comparaison avec la perfection de ses actions — quoique dans sa nature elle n'ait rien de plus qu'elles —, comme les habitants de Ninive et la reine du Midi jugeront la génération incrédule [c] [2]. D'ailleurs du fait qu'elle a été comme un lis dans les vallons, où rien ne poussait auparavant, ces vallons se sont peut-être couverts de végétation par envie pour la beauté de sa fleur, quand ils ont reçu les graines du semeur sorti pour semer [d]. Ils ont accueilli la parole, non comme le roc qui se réjouit des paroles pour peu de temps, ni comme une terre couverte d'épines dont la croissance étouffe la semence, ni comme un chemin qui a reçu la parole superficiellement, si bien que les hommes qui le veulent la piétinent facilement ou que les oiseaux s'abattent pour la piller, mais comme une terre grasse et bonne qui multiplie la semence [e] [3]. Ainsi le prophète, faisant allusion à leur fécondité, a dit : « les vallons regorgent de froment [f] » ; et la suite montre bien qu'il s'agit de vallons qui relèvent de la raison [4], puisqu'il dit : « ils crieront et chanteront [g] ».

1. Pour l'interprétation des ravins, cf. ÉVAGRE, *SC* 340, p. 489.

2. La perfection des actions de l'épouse relève de son mode de vie droit et non d'une nature particulière ; la présence qu'elle a acquise par sa connaissance de Dieu (cf. ORIGÈNE, *ComCant.* II, 26-30) lui permet de juger les autres âmes, qui sont tombées dans les ravins.

3. Exemple d'explication d'un texte biblique par un autre, ou mieux, d'un texte de l'Ancien Testament (*Cant.* 2, 1) par une parabole évangélique (*Matth.* 13, 3-23).

4. Cf. *supra*, n. 2 p. 188-189. L'explication donnée par Évagre à ce verset du *Ps.* 64 (*Schol. Prov.*, 341, 19-21, *SC* 340, p. 430) : « "Hymne" et "cri" ne peuvent se produire que dans la nature raisonnable », trad. Géhin, p. 433, éclaire la phrase de Nil.

40. Καὶ « ἄνθος δὲ τοῦ πεδίου » εἶναι λέγεται, τάχα
τῶν μὲν κοιλάδων σημαινουσῶν καὶ διὰ τὸ ταπεινὸν καὶ
ἀγεώργητον καὶ διὰ τὸ πληθυντικῶς ὀνομάζεσθαι τὰ ἐκ
βάθους ἀσεβείας εἰς ἐπίγνωσιν ἐλθόντα ἔθνη[a], τοῦ δὲ
5 πεδίου τὸν Ἰσραὴλ διὰ τὸ ἐξωμάλισθαι[b] πρὸς ἐπιτη-
δειότητα γεωργίας τοῖς προφητικοῖς καὶ νομικοῖς παιδεύ-
μασι. Καλῶς δὲ καὶ τούτων οὐχὶ καρπός, ἀλλ᾽ ἄνθος εἶναι
λέγει. Οὔπω γὰρ τὸ τοῦ σταυροῦ τὴν γῆν ἀνέτεμεν
ἄροτρον ὅπερ τοῖς ἀποστόλοις ὥσπερ βουσὶν ἐπέθηκεν ὁ
10 κύριος ζυγάδην ἀποστείλας ἐπὶ τὴν γεωργίαν αὐτούς[c],
οὐδέπω αἵματι πεπότιστο τῷ δεσποτικῷ, διὸ ἄκαρπος ἦν
καὶ στεῖρα, ἐν μόνον ἄνθος ἐν ὅλῳ ἀνθήσασα τῷ πεδίῳ
τὸν Χριστὸν περὶ οὗ γέγραπται · « ἄνθος ἐκ τῆς ῥίζης
ἀναβήσεται[d]. » Ὅτε οὖν ἐπάγη τὸ τοῦ σταυροῦ ξύλον καὶ
15 ἐδέξατο τὸν κυριακὸν ἄνθρωπον καὶ ἐνύγη τῇ λόγχῃ ἡ
πλευρὰ καὶ ἔσταξεν ἀπ᾽ αὐτῆς ἐπὶ τὴν γῆν τὸ τίμιον
αἷμα[e], τότε ἡ γῆ ἐβλάστησε καὶ δικαιοσύνη ἐκ τῆς γῆς

---

40. 1 δὲ VR : om. C ‖ 8 ἀνέτεμεν C : ἀνατέμνει VR ‖ 9 ὅπερ VR :
ὃ C ‖ τοῖς ἀποστόλοις ὥσπερ βουσὶν ἐπέθεκεν C : ἔθεκεν ὧν β. τ. ἀ.
VR ‖ 9-10 ὁ κύριος VR : om. C ‖ 11 οὐδέπω C : οὐδὲ τῷ VR ‖ 12 ἐν
VR : om. C ‖ 14-28 ὅτε — δηλοῦν VR : ὅτε γὰρ ἐναποστάξαντι ἡ γῆ
κατέστακται αἵματι τότε ἐβλάστησε τοὺς αὔλακας μεθυσθεῖσα καὶ
εὐφρανθεῖσα αὐτῆς τινος τῆς πλευρᾶς ὅτε καὶ ἡ τοῦ λιβάνου δόξα
ἐδόθη τῷ καρμήλῳ ἤτοι τοῖς ἔθνεσιν C ‖ 15 ἐδέξατο V : + καὶ R ‖
κυριακὸν V : om. R ‖ 16 ἐπὶ τὴν γῆν V : om. R ‖ 17 τότε R : om. V

---

40. a. Cf. Act. 15, 17-18 et II Tim. 2, 15   b. Cf. Is. 40, 3-4   c. Cf.
Lc 10, 1   d. Is. 11, 1   e. Jn 19, 34

---

1. A partir de l'explication de *Ps.* 64, 14b, Nil modifie le registre
symbolique, passant du sens individuel — l'âme parfaite et les autres
âmes (39) — au sens collectif et ecclésial qui unit Israël, terre
cultivable, préparée par l'enseignement des prophètes et de la loi (15,
12-13) et l'Église des nations.

Le Christ, fleur de la plaine en Israël

40. Il est dit qu'elle est aussi « une fleur de la plaine ». Si les vallons désignent, parce qu'ils sont bas, en friche et au pluriel, les nations venues à la connaissance [a] depuis la profondeur de l'impiété, la plaine désigne Israël qui fut aplani [b] par les enseignements reçus des prophètes et de la loi, pour être propre à la culture [1]. C'est aussi à juste titre qu'elle dit être non leur fruit, mais leur fleur, car la charrue de la croix n'a pas encore ouvert la terre, cette charrue à laquelle le Seigneur a attelé les apôtres comme des bœufs, en les envoyant par deux pour cultiver [c] [2]. La terre n'a pas encore été non plus humectée du sang du Seigneur, aussi était-elle inféconde et stérile [3], fleurissant d'une unique fleur sur toute la plaine, le Christ dont il est écrit : « Une fleur poussera de la racine [d]. » Donc lorsque le bois de la croix a été cloué, qu'il a reçu l'homme seigneurial, que son flanc a été frappé de la lance et qu'il en a suinté sur la terre le précieux sang [e], alors la terre a

2. Nombreux sont les fondements scripturaires de la métaphore agraire de la mission des apôtres, en particulier *Lc* 9, 62 (« quiconque a mis la main à la charrue... ») qui précède exactement l'envoi des soixante-douze deux par deux. Nil l'utilise dans *Disc. asc.*, 725 A ; *Pauvr. vol.*, 1009 A. Plus souvent encore, pour parler de la vie monastique, il commente *Is.* 2, 4 (« De leurs épées, ils forgeront des charrues... ») : *Disc. asc.*, 760 C ; *Pauvr. vol.*, 1041 B ; *Sup. des Moines*, 1069 D ; *Serm. sur Lc 22, 36*, 1268 BD. Mais notre passage semble être le seul où Nil voit la croix dans l'image de cette charrue (cf. Daniélou, « La charrue et la hache », *Symboles chrétiens primitifs*, p. 95-107, qui en recense les plus anciens témoins). Elle se trouve aussi chez Proclus de Constantinople, *Hom.* 18, 2, (Éloge de l'apôtre Paul), *PG* 65, 820 C. L'origine de cette association réside certainement, comme le mentionne Hippolyte (cf. Daniélou, *ibid.*, p. 102), dans la vision, encore familière dans certaines civilisations agraires, du laboureur portant son araire exactement comme le Christ sa croix.

3. Sur la stérilité d'Israël, voir les textes rassemblés par Aubineau, *SC* 187, n. 41 p. 159, en particulier de Cyrille d'Alexandrie.

τότε ἀνέτειλεν [f], ὡς τοὺς νοήσαντας τὸ τοῦ ψαλμωδοῦ
εἰπεῖν τότε · « ἐν ταῖς σταγόσιν αὐτῆς εὐφρανθήσεται
20 ἀνατέλλουσα [g] · » αὐτῆς εἰπὼν καὶ τίνος οὐ δηλῶσας,
προειπὼν γὰρ « τοὺς αὔλακας αὐτῆς μεθύων, πλήθυνον τὰ
γεννήματα αὐτῆς [h] », ἐπιφέρει · « ἐν ταῖς σταγόσιν αὐτῆς
εὐφρανθήσεται ἀνατέλλουσα », τῷ ἀπαρεμφάτῳ τὴν
πλευρὰν νοεῖν καταλιπὼν τοῦτο σημαίνεται καὶ ἐκ τοῦ ·
25 « εὐφράνθητι ἔρημος διψῶσα καὶ ἀνθείτω ὡς κρίνον, καὶ
ἐξανθήσει τὰ ἔρημα τοῦ Ἰορδάνου ὅτι ἡ δόξα τοῦ Λιβάνου
ἐδόθη αὐτῇ καὶ ἡ τιμὴ τοῦ Καρμήλου [i] · » τὴν γὰρ τῶν
ἐθνῶν κλῆσιν καὶ τὴν τιμὴν ἔοικε ταῦτα δηλοῦν.

2,2 Ὡς κρίνον ἐν μέσῳ τῶν ἀκανθῶν, οὕτως ἡ πλησίον μου ἀνάμεσον τῶν θυγατέρων.

CVR. — 2a τῶν CR : om. V ‖ 2b ἡ πλησίον CR : ἀδελφή V.

41. Αὕτη τοῦ νυμφίου ἐστὶν ἡ φωνὴ μαρτυροῦσα τῇ
νύμφῃ πλέον ὧν ἑαυτῇ προσεμαρτύρησεν. Ἐπειδὴ γὰρ
ἑαυτὴν μὲν εἶπε κρίνον, τὰς δὲ λοιπὰς ψυχὰς κοιλάδας, ἢ

22 γεννήματα correxi [sic L] : γενήματα VR ‖ 28 τὴν R : om. V.
41. 1 ἡ C : om. VR ‖ 3 μὲν C : om. VR

---

f. Cf. Ps. 84, 12   g. Ps. 64, 11   h. Ps. 64, 11   i. Is. 35, 1-2.

---

1. Dans l'allusion à *Jn* 19, 34 (« et il en jaillit aussitôt du sang et
de l'eau »), Nil ne mentionne pas l'eau. Πεπότιστο ne désigne donc
pas un arrosage. D'autre part, la citation d'*Is.* 11, 1 (ἐκ τῆς ῥίζης)
implique non une germination, mais un bourgeonnement (ἐβλάστησε) où la fleur apparaît comme première forme de végétation. Ainsi
le sang est-il assimilé aux gouttes de sève (ἐν ταῖς σταγόσιν) qui
suintent (ἔσταξεν) des rameaux à ce moment. La cohérence de la
métaphore relève des connotations impliquées par le vocabulaire. Cf.

bourgeonné, alors « la justice a levé de la terre [f] », au point que ceux qui ont compris la phrase du Psalmiste peuvent dire : « Celle qui lève se réjouira de ses gouttes [g] ». Il a dit « ses » sans révéler l'identité du possesseur car après avoir dit : « inondant ses sillons, multiplie ses productions [h] », il ajoute : « Celle qui lève se réjouira de ses gouttes [i] » en laissant comprendre le flanc sous l'imprécision du possesseur [2] ; il fait entendre cela aussi par : « Désert assoiffé, réjouis-toi, fleuris comme un lis ; les déserts du Jourdain se couvriront de fleurs, parce que la gloire du Liban lui est donnée et l'honneur du Carmel [i]. » Il semble que ces termes désignent l'appel et l'honneur des nations [3].

2,2 Comme un lis au milieu des épines, ainsi ma proche au milieu des filles.

Insouciante et droite comme un lis   41. Voici la voix de l'époux rendant plus de témoignage à l'épouse qu'elle n'a témoigné pour elle-même. Car lorsqu'elle a dit qu'elle était un lis, et les autres âmes des vallons, elle a fait la comparaison par

ASTÉRIUS LE SOPHISTE, *Hom. sur les Psaumes*, 16, 6, t. 37, p. 237-238 où la mort et la résurrection du Christ sont assimilées à la culture de la vigne : enfouie dans la terre (tombeau), puis taillée (clous et lance), elle laisse suinter sa sève (sang) avant de fleurir (résurrection) ; cf. DANIÉLOU, *Testimonia*, p. 106. L'emploi d'ἀνατέλλειν dans les *Ps.* 64 et 84 (cf. CYRILLE DE JÉRUSALEM, *Catéch. bapt.* 14, p. 175, où le *Ps.* 84 est associé à *Cant.* 5, 1 et 2, 12) boucle étymologiquement le développement amorcé en 15, 43 où le lever du soleil (ἀνατολή) annonçait la résurrection (ἀνατολή). Le symbolisme du sang n'est pourtant pas épuisé ; la croissance de la vigne (31, 10-12) atteint sa maturité dans l'explication de la « maison du vin » (45, 7 s.).

2. Explication grammaticale : selon Nil, le démonstratif-possessif ne renvoie à aucun mot précis dans le texte. Il en comble la lacune en substituant τῆς πλευρᾶς à αὐτῆς, cf. Introduction p. 48-49.

3. Sur l'appel des nations, cf. 15, 30-33 et n. 2 p. 162.

μετριοφρονοῦσα ἢ ἀγνοήσασα, οὐ πάνυ τι στοχαζομένη
5 τῆς ἀληθείας, ἐποιήσατο τὴν σύγκρισιν. Αὐτὸς ὁ μᾶλλον
εἰδὼς τῶν συγκρινομένων καταστάσεων τὰς ἰδιότητας
οἰκείαν τοῖς ὑποκειμένοις προσώποις τὴν ψῆφον ὁρίζει,
τοῖς ἐπικρινομένοις τρόποις ἁρμοζούσας τιθεὶς τὰς
προσηγορίας. « Ὡς κρίνον γάρ, φησίν, ἐν μέσῳ τῶν
10 ἀκανθῶν, οὕτως ἡ πλησίον μου ἀνάμεσον τῶν θυγατέρων », κρίνῳ μὲν ταύτην παρεικάζων διὰ τὸ μηδ' ὅλως
τὴν ὑπὲρ τῶν σωματικῶν μέριμναν ἀναδέχεσθαί ποτε,
ἀφροντίστως δὲ τοῖς παρατυχοῦσι τὴν τοῦ σώματος
ἐκπληροῦν χρείαν· οὕτω γὰρ καὶ ἐν εὐαγγελίοις διδάσκει·
15 « περὶ ἐνδύματα λέγων τί μεριμνᾶτε; καταμάθετε τὰ
κρίνα τοῦ ἀγροῦ πῶς αὐξάνει, οὐ κοπιᾷ οὐδὲ νήθει[a] »,
δεικνὺς ὅτι οἱ τὴν ἀταλαίπωρον καὶ αὐτοσχέδιον ἑλόμενοι
διαγωγὴν διὰ τὴν περὶ τῆς βασιλείας τῶν οὐρανῶν
φροντίδα κρίνοις εἰσὶ παραπλήσιοι, τοῖς ἀπόνως τὴν
20 ἐνδοτέραν τῆς τοῦ Σαλομῶντος ἀλουργίδος φυσικὴν

4 μετριοφρονοῦσα CV : -νήσασα R ‖ στοχαζομένη CV : -μένην R ‖
6 συγκρινομένων R : γινομένων C κρινομένων V ‖ 8 ἐπικρινομένοις
τρόποις CV : ὑποκρινομένοις προσώποις R ‖ 9-11 ὡς — θυγατέρων
VR : om. C ‖ 11 κρίνῳ CV : -νον R ‖ μὲν VR : om. C ‖ 12 σωματικῶν
C : βιωτικῶν VR ‖ 15 περὶ ἐνδύματα λέγων C : λ. π. ἐνδύματος ‖ 16
τοῦ — αὐξάνει VR : om. C ‖ οὐδὲ VR : οὐ C ‖ 17 ἀταλαίπωρον CV :
ταλαί- R ‖ 19-20 τὴν ἐνδοτέραν τῆς ... ἀλουργίδος VR : τὴν ...
ἐνδοξοτέραν C

---

41. a. Matth. 6, 28

---

1. Le vocabulaire peut évoquer celui du théâtre, puisque le
Cantique des cantiques a une forme dramatique (1, 9) : l'époux
attribue aux personnages (προσώποις) des appellations (προσηγορίας)
qui correspondent à leur caractère (τρόποις). Mais au lieu de faire
comme les poètes qui tiraient au sort entre eux les acteurs (*Der
kleine Pauly*. *s. v.* Tragödie), l'époux décide et donne à chacun le
jeton qui lui convient (οἰκείαν [...] τὴν ψῆφον ὁρίζει), en vertu de sa
meilleure connaissance des personnages et des appelations présents
dans le texte. Cette métaphore correspond à une idée exprimée par

humilité, voire par ignorance, sans conjecturer précisément la vérité. Mais lui, qui connaît mieux les propriétés des conditions comparées, détermine le jeton convenable aux personnages proposés, en attribuant aux caractères choisis les appellations accordées [1]. Car il dit : « Comme un lis au milieu des épines, ainsi ma proche au milieu des filles. » Il la compare à un lis parce qu'elle ne se fait absolument aucun souci des choses charnelles, et qu'elle satisfait, sans y attacher d'importance le besoin du corps, quand il s'en trouve. Car il enseigne de même aussi dans les évangiles : « Pour vos vêtements, dit-il, pourquoi vous soucier ? Observez comment croissent les lis des champs, ils ne travaillent ni ne filent [a] », montrant que ceux qui ont choisi un mode de vie libre de contrainte et s'improvisant tout seul [2], parce qu'ils se préoccupent du royaume des cieux, sont comparables à des lis [3] : sans effort, ils sont revêtus d'une gloire naturelle plus intériorisée [4] que la robe

---

Origène : le meilleur exégète, c'est le Christ (*P. Arch.* IV, 1, 6, *SC* 268, p. 282 ; cf. Introduction, p. 53.

2. Ἀταλαίπωρον καὶ αὐτοσχέδιον διαγωγήν : l'expression désigne chez Nil le mode de vie par excellence du moine, *Périst.*, 952C ; *Disc. asc.*, 793A. Le premier adjectif se trouve à plusieurs reprises chez Philon pour qualifier la jouissance d'un bien dont la possession n'est pas le résultat d'un effort (*De Congr.* 37 ; 173). Le second exclut l'idée d'une préparation préalable, qualifie ce qui est improvisé ou impromptu. Dans le contexte évangélique de *Matth.* 6, 25-33, il s'oppose à μεριμνᾶν.

3. *Matth.* 6, 28 est fréquemment utilisé dans les textes ascétiques ; chez Nil, cf. *Disc. asc.*, 800D qui reprend la même explication de *Cant.* 2, 2 ; 741A ; *Périst.*, 932CD.

4. Nous choisissons ici la leçon des mss **VR**. Celle de **C** paraît redondante. Ceux qui « mènent une vie libre de contrainte et s'improvisant toute seule » connaissent une gloire intériorisée, qui n'est pas visible comme celle de Salomon ; l'expression τὴν ἐνδοτέραν δόξαν rappelle aussi *Ps.* 44, 14a : πᾶσα ἡ δόξα αὐτῆς θυγατρὸς βασιλέως ἔσωθεν (cf. 28, 11-12 où ce texte est cité dans un sens christologique) ; cf. *Périst.*, 872A, à propos de la dignité du pauvre, dont « on ne voit pas la robe d'apparat cachée (τὴν κεκρυμμένην ἀλουργίδα) qui habille sa royauté intérieure (τὸν ἔνδον βασιλέα) ».

ἀμφιεννυμένοις δόξαν [b], ἀκάνθαις δὲ τὰς λοιπὰς ὁμοιῶν
διὰ τὸ πᾶσαν τὴν μέριμναν περὶ τὰ βιωτικὰ ἐσχηκέναι
καὶ μηκέτι τὰς ἐν αὐταῖς φροντίδας λέγεσθαι ἀκάνθας,
ἀλλ' αὐτὰς ἐκείνας τῷ ἐκ πολλῆς περὶ τὰ γήϊνα σπουδῆς
25 πεποιῶσθαι κατὰ ταύτας καὶ ἀπὸ τῶν ἐν αὐταῖς ἀκανθῶν
ὡς ἀπὸ χειρίστης ἕξεως εἰς ἀκάνθας μεταβαλούσας. Τάχα
πρὸς ἓν ἡρμόσατο τῷ Χριστῷ παρθένον ἁγνὴν [c] ὁ
Παῦλος, ὡς κρίνον οὖσαν ἐν μέσῳ ἀκανθῶν, ἔλεγεν, « ἐν
οἷς φαίνεσθε ὡς φωστῆρες τοῦ κόσμου, καὶ ἵνα γένεσθε
30 τέκνα θεοῦ ἀμώμητα μέσον γενεᾶς σκολίας καὶ
διεστραμμένης [d]. » Τίς δὲ ἡ διεστραμμένη τῇ σκολιότητι
γενεά; Δεδήλωκε Μωυσῆς πρὸς τοὺς ἀπειθεῖς λέγων ·
« γενεὰ σκολιὰ καὶ διεστραμμένη, ταῦτα κυρίῳ
ἀνταποδίδοτε [e]; » Ἡ δὲ νύμφη εὐθής, διὸ καὶ παρὰ τῆς
35 εὐθύτητος ἠγαπήθη [f] τοῦ νυμφίου Χριστοῦ.

23 καὶ μηκέτι CV : καίτοι R ‖ 24 τῷ correxi : τῶν C τὸ VR ‖
πολλῆς C : om. VR ‖ τὰ γήϊνα C : τὰς μερίμνας VR ‖ 26 ἀκάνθας C :
+ αὗται VR ‖ μεταβαλούσας C : -βαλλόμεναι VR ‖ 26-35 τάχα —
χριστοῦ VR : om. C ‖ 29 καὶ V : om. R.

b. Cf. Matth. 6, 29   c. II Cor. 11, 2   d. Phil. 2, 15   e. Deut. 32,
5-6   f. Cf. Cant. 1, 4.

d'apparat de Salomon [b]. Les autres, il les compare à des
épines parce qu'elles ont le souci absolu des choses du
monde : ce ne sont plus les préoccupations en elles qui sont
appelées épines, mais elles-mêmes, pour avoir reçu des
épines leur qualité, du fait de leur immense empressement
pour les choses terrestres, elles se sont changées en épines,
à partir des épines qu'elles avaient en elles, comme à partir
du pire état [1]. Paul s'est sans doute accordé au Christ pour
faire un avec lui, comme une vierge pure [c] qui est comme
un lis au milieu des épines « où, disait-il, vous brillez
comme les astres du monde, afin que vous deveniez des
enfants de Dieu irréprochables au milieu d'une génération
perverse et dévoyée [d]. » Qui est cette génération dévoyée
par la perversité ? Moïse l'a clairement montré aux incré-
dules en disant : « Génération perverse et dévoyée [2], est-ce
là ce qu'au Seigneur vous rendez en retour [e] ? » L'épouse,
elle, est sans détour, c'est pourquoi elle a été aimée par la
droiture [f] du Christ époux [3].

1. Sur l'usage exégétique de ce genre de métonymie, cf. Évagre,
Schol. Prov., 99, *SC* 340, p. 198 et n. p. 199. Nil lui emprunte aussi
la symbolique des épines (cf. schol. 236 et 317B) et le sens qu'il
accorde à *Deut.* 32, 5-6 (schol. 158 et 317B).

2. La traduction de *Deut.* 32, 5 diffère ici de celle de *BA* 5, p. 523,
pour conserver la parenté étymologique de la figure.

3. Cf. 11, 1-3.

2,3 Ὡς μῆλον ἐν τοῖς ξύλοις τοῦ δρυμοῦ,
οὕτως ἀδελφιδός μου ἀνάμεσον τῶν υἱῶν.
Ἐν τῇ σκιᾷ αὐτοῦ ἐπεθύμησα καὶ ἐκάθισα,
καὶ καρπὸς αὐτοῦ γλυκὺς ἐν λάρυγγί μου.

CVR. — 3c ἐν τῇ σκιᾷ CR : ὑπὸ τὴν σκιὰν V ‖ 3d
καὶ CR : + ὁ V.

42. Ἡ μὲν σύγκρισις δείκνυσι τὴν ὑπεροχήν· πάντας
γὰρ ἀνθρώπους εἰποῦσα ξύλα δρυμοῦ, ἡ νύμφη μῆλον
εἶπεν ἔγκαρπον τὸν ἑαυτῆς νυμφίον. Ἐκείνου γὰρ ἤδη
φθάσαντος αὐτὴν τοῖς ἐπαίνοις καὶ κρίνῳ παρεικάσαντος
5   ὡς ἐν μέσῳ ἀκανθῶν τῶν λοιπῶν γυναικῶν, αὕτη πάλιν
ἀνταμείβεται μῆλον αὐτὸν ἐν μέσῳ ξύλων δρυμοῦ προσα-
γορεύσασα, μᾶλλον δὲ διὰ πάντος τοῦ δράματος τοῦτο
ποιοῦσιν ὥσπερ ἐν ταῖς ἀντιφθόγγοις μελῳδίαις ἀντευ-
φημοῦντες ἀλλήλους καὶ ταῖς συνεχέσι φιλοφροσύναις τὸν
10 πρὸς ἀλλήλους ἐνδεικνύμενοι πόθον. Ἴσως δὲ καὶ κάνονα
τοῦτον τῶν ἐν συζυγίαις τῆς συμβιώσεως παρέχουσιν,
αἰδοῦς καὶ τιμῆς. Εἰ γὰρ ὁ Παῦλος οὐκ ἀπηξίωσε τούτοις
ὅρους ἐκθέσθαι ἀγάπης καὶ τῆς πρὸς ἀλλήλους τιμῆς,
ποτὲ μὲν λέγων· « οὕτως ὀφείλουσιν οἱ ἄνδρες ἀγαπᾶν
15 τὰς ἑαυτῶν γυναῖκας, ὡς καὶ ὁ Χριστὸς τὴν ἐκκλησίαν
ἠγάπησε[a] »· ποτὲ δέ· « ἡ δὲ γυνὴ ἵνα φοβῆται τὸν

42. 2 ξύλα CV : -λον R ‖ 3 ἑαυτῆς VR : om. C ‖ 8 ποιοῦσιν CV :
-σα R ‖ 9-10 τὸν π. ἀ. ἐ. πόθον C : ἐ. τὸν π. ἀ. πόθον VR ‖ 11 τοῦτον /
τῶν ἐν συζυγίαις C : ~ VR [τὸν scr. VR] ‖ συμβιώσεως CV :
ὁμοιώσεως R ‖ 13 ἐκθέσθαι CV : ἐκθέσεως R ‖ 13-14 καὶ — μὲν VR :
om. C ‖ 14 ὀφείλουσιν VR : -λειν C ‖ οἱ ἄνδρες VR : om. C ‖ 15 τὰς
— ὡς VR : om. C ‖ 16 ἠγάπησε VR : om. C ‖ 16-18 ποτὲ — ἀβραάμ
VR : om. C

42. a. Cf. Éphés. 5, 28-30

DÉLICES de la CONTEMPLATION

**2,3 Comme un pommier dans les arbres du bois,
ainsi mon bien-aimé au milieu des fils.
A son ombre, j'ai désiré m'asseoir,
et son fruit est doux à mon palais.**

Chant alterné des époux

42. La comparaison montre la supériorité. Car après avoir dit que tous les hommes sont les arbres d'un bois, l'épouse dit que son époux est un pommier couvert de fruits. En effet, il l'a déjà précédée dans ses éloges et l'a comparée à un lis au milieu des épines que sont les autres femmes. A son tour de répondre en échange en l'appelant pommier au milieu des arbres du bois, ou plutôt ils le font pendant tout le drame, se louant mutuellement comme en des chants alternés [1] et se montrant leur désir mutuel par d'incessantes marques de bonté. Peut-être fournissent-ils aussi comme règle de la vie commune des époux, celle de pudeur et d'estime. Car si Paul n'a pas dédaigné de leur définir les limites de l'amour et de l'estime réciproques, en disant tantôt : « Les maris doivent aimer leur femme comme le Christ a aimé l'Église [a] » et tantôt : « Que la

---

1. Nil apparente le *Cantique des cantiques* à une double tradition littéraire : celle de l'épithalame (cf. 1, 11) et celle des « chants amébées » bucoliques. Il est arrivé à la tradition alexandrine de les mêler, cf. *Epithalame d'Achille et de Déidamie, CUF, Bucoliques Grecs*, II, p. 201-205. Nil n'utilise pas l'adj. ἀμοιβαῖος, mais les trois composés avec ἀντι- évoquent bien cette notion de chant dialogué.

ἄνδρα[b] », ὡς καὶ Σαρρά φησι « κύριον[c] » καλοῦσα τὸν
Ἀβραάμ, τί τὸ ἄτοπον καὶ τούτους ἀντὶ λοιδορίων καὶ
σκωμμάτων εὐφημίας καὶ ἐγκωμία νομοθετεῖν τοῖς ἐν
20 γαμῷ, ὅπως γαληνὸς αὐτοῖς καὶ ἡδὺς γίνεται ταῖς
φιλοφροσύναις ὁ τῆς ζωῆς ταύτης χρόνος, τὸ ἐκ τῶν
πραγμάτων ἀηδὲς ἐπικουφίζουσι ταῖς ἀγαπητικαῖς θερα-
πείαις;

43. Μῆλον δὲ αὐτὸν λέγει ἐν μέσῳ ξύλων τοῦ δρυμοῦ,
πρῶτον ὅτι αὐτὸς μὲν ἔγκαρπόν ἐστι φυτόν, τὰ δὲ ξύλα τοῦ
δρυμοῦ καὶ ἄκαρπα, καὶ τῷ ἀφ᾽ οὗ ποτίζονται ὕδατι τὴν
πρὸς αὐτὸν διαφορὰν σαφῶς ἐνδεικνύμεθα· περὶ μὲν γὰρ
5 τούτων φησὶν ὁ Ἐκκλησιαστής· « ἐποίησά μοι κολυνθή-
θρας ὑδάτων τοῦ ποτίσαι ἀπ᾽ αὐτῶν δρυμῶν βλαστὸν καὶ
τὰ ξύλα[a]· » περὶ δὲ τοῦ νυμφίου ὁ Δαυίδ· « καὶ ἔσται ὡς
τὸ ξύλον τὸ πεφυτευμένον παρὰ τὰς διεξόδους τῶν
ὑδάτων[b]· » οὐχ ὅμοιον δὲ ἀεννάοις περιρρεόμενον ὕδασι
10 ποτίζεσθαι καὶ ἐπινοίαις ἀνθρωπίναις ἐν κολυμβήθραις
συναχθεῖσιν ὕδασιν ἀρδεύεσθαι· τὸ μὲν γὰρ τὸν οὐράνιον
σημαίνει λόγον, τὸ δὲ τὴν ἀνθρωπίνην διδασκαλίαν.

---

17 ἄνδρα CV : + αὐτῆς R ‖ 18 τὸ VR : om. C ‖ 19 καὶ ἐγκωμία
VR : om. C ‖ 20 γίνηται C : γέ- VR ‖ 21 χρόνος C : καιρός VR.
43. 1 μέσῳ ξύλων CV : ξύλῳ μέσον R ‖ τοῦ VR : om. C ‖ 3 καὶ[1]
VR : om. C ‖ 3-12 καὶ[2] — διδασκαλίαν VR : om. C ‖ 4 αὐτὸν V :
-τῶν R ‖ 5 ἐποίησά μοι V : ἐποιησάμην R ‖ 6 δρυμῶν βλαστὸν V :
-μὸν -τῶν R ‖ τὰ V : om. R

---

b. Éphés. 5, 33   c. Cf. v. g. Gen. 18, 13.
43. a. Eccl. 2, 6   b. Ps. 1, 3

femme craigne son mari [b] » — comme Sara dit « Seigneur »
pour appeler Abraham [c] —, qu'y a-t-il d'extraordinaire à ce
qu'eux aussi prescrivent aux gens mariés, à la place
d'injures et de sarcasmes, l'usage d'éloges et de louanges,
afin que le temps de cette vie leur soit serein et agréable
grâce à leurs marques de bonté, s'ils allègent le déplaisir
des choses par leurs prévenances amoureuses [1] ?

43. Elle l'appelle pommier au milieu des
Le goût de arbres du bois, d'abord parce qu'il est une
la pomme plante couverte de fruits, alors que les arbres
du bois sont stériles. Et puis, l'eau qui les arrose nous
montre clairement la différence avec le pommier. Voici en
effet ce que dit l'Ecclésiaste à leur sujet : « Je me suis fait
des bassins d'eau pour en arroser la pousse des bois et les
arbres [a] », et David à propos de l'époux : « Il sera comme
l'arbre planté près des sorties des eaux [b]. » Or, ce n'est pas
la même chose d'être arrosé par les eaux qui courent,
toujours ruisselantes, et d'être irrigué par des eaux recueillies dans des bassins construits sur des desseins humains.
Le premier procédé désigne la parole céleste, l'autre
l'enseignement humain [2].

---

1. Lieu commun de la littérature parénétique à propos du
mariage ; cf. Origène, *ComCant.* III, 7, 16-18 ; Grégoire, *De la
virg.* VII, 3, *SC* 119, p. 356 ; Chrysostome, *Virg.* LIV, 11-13 ; LVII,
40, *SC* 125, p. 202 ; 310. L'exemple de la relation de Sara avec
Abraham sera repris sous un aspect différent § 52.
2. On lit la même citation de *Ps.* 1, 1 dans *Périst.*, 828CD à
propos de « celui qui médite nuit et jour la loi du Seigneur ». La
distinction de deux systèmes agricoles, par arrosage naturel et
irrigation artificielle, et leur symbolisme semblent propres à notre
passage. Τὸν οὐράνιον λόγον désigne « la parole céleste », qui s'oppose
à « l'enseignement humain » et ruisselle comme une eau vive, et non
« le Verbe céleste », puisque le Verbe incarné est désigné par la
pomme. Chez Origène le début d'*Eccl.* 2 (moins le v. 6), est utilisé
comme symbole des doctrines transmises par la loi et les prophètes,
ComCant. I, 2, 10.

Ἔπειθ᾽ ὅτι τὸ μῆλον τῷ δέρματι ἐμπεριεχομένην φυλάττον τὴν εὐωδίαν καὶ ἐπὶ τὸ ἔξω ταύτην διαδίδωσιν 15 ἐγκρεμαμένην τῷ σώματι καὶ διαφοιτῶσαν ἐπὶ τὴν ἐπιπολὴν καὶ περιθέουσαν ὥσπερ ἐκριπιζομένην ἐπὶ τὸ ἔξω τοῦ περιέχοντος, συνημμένην τῷ αἰτίῳ καὶ περιπολοῦσαν τῷ κύκλῳ. Οὕτω δὲ καὶ ἡ θεότης ἐπεκρύπτετο μὲν τῷ σώματι, ἀλλ᾽ ὅμως τὴν ἐνέργειαν διεδίδου καὶ ἐπὶ 20 τὰ ἔξω τοῦ φαινομένου ἐνδιήτατο τῷ σαρκίῳ καὶ περιεφοίτα τὸν ναὸν[c] διὰ τῶν σημείων, πάντας τῆς εὐεργεσίας ἀντιλαμβάνεσθαι παρασκευάζουσα.

Σκιὰ δὲ αὐτοῦ ἐστιν ἐν ᾗ καὶ ἐπεθύμησεν καὶ ἐκάθισεν ἡ νύμφη, ἐπειδὴ μᾶλλον ὡς ἐπὶ τὸ πλεῖστον ἐκ τῶν 25 φύλλων ἡ σκιὰ γίνεσθαι πέφυκε τῷ συνηρεφεῖ τῆς τῶν πετάλων ἑνώσεως τὴν ἡλιακὴν ἀκτῖνα ἀποτειχίζουσα, ὅσα κατὰ φύσιν τῆς ἀνθρωπότητος ἐπετέλει ὁ κυριακὸς ἄνθρωπος ἐσθίων καὶ πίνων, καθεύδων καὶ ὅσα φύσεως ἦν ἔργα, ἐπειδὴ μετά τινος ὠφελείας ἐποίει καὶ ταῦτα, 30 μέτρον οὐ τῆς ὀρέξεως τὸ ἄπληστον, ἀλλὰ τῆς χρείας γινώσκων τὸ αὔταρκες. Κάρπος γὰρ τοῦ μήλου αἱ κατ᾽ ἀρετὴν πράξεις εἰσίν, ὃς καὶ γλυκὺς γεγένηται ἐν τῷ λάρυγγι αὐτῆς τὴν τῆς ψυχῆς αἴσθησιν εὐφράνας τῇ χρηστῇ ποιότητι τῆς γεύσεως. Ὡς γὰρ ἐκ σκιᾶς τῶν

---

13 ἐμπεριεχομένην C : -μενον VR ‖ 14 φυλάττον CV : -ει R ‖ 15-16 ἐγκρεμαμένην — περιθέουσαν VR : om. C ‖ 17 συνημμένην C : συμμένειν VR ‖ 18 δὲ VR : om. C ‖ ἐπεκρύπτετο CV : ἀπε- R ‖ 19 ἀλλ᾽ C : om. VR ‖ 20 τοῦ φαινομένου VR : om. C ‖ 23 ἐκάθισεν VR : καθίσαι C ‖ 24 ἐπειδὴ CV : + γὰρ R ‖ τὸ C : om. VR ‖ 27 τῆς ἀ. ἐπετέλει C : ἐτέλει τ. ἀ. VR ‖ 28 καὶ[1] VR : om. C ‖ 29 ἔργα VR : om. C ‖ 32 εἰσίν VR : om. C ‖ 34-46 ὡς — ἐνοπτριζόμενοι VR : om. C

---

c. Cf. Jn 2, 21

Ensuite la pomme, tout en gardant la bonne odeur contenue sous sa peau, la laisse passer à l'extérieur, parce qu'accrochée à son corps, elle se disperse à sa surface et l'entoure comme si elle était soufflée à l'extérieur de l'enveloppe, unie à son principe et l'enveloppant de son orbe [1]. De même la divinité s'était cachée sous le corps, mais elle répandait pourtant son action, habitait dans la chair à l'extérieur du visible et fréquentait le temple [c] [2] parmi les signes, permettant à tous de prendre part à son bienfait.

Quant à son ombre, à laquelle l'épouse a désiré s'asseoir — puisque le plus souvent, l'ombre vient plutôt des frondaisons quand elle empêche par le couvert de l'union des feuilles le rayonnement du soleil —, c'est tout ce que l'homme seigneurial [3] accomplissait selon la nature de l'humanité, mangeant et buvant, dormant et, puisqu'il trouvait aussi une certaine utilité à faire tout ce qui relevait des œuvres de la nature, prenant pour mesure non l'insatiabilité de l'appétit, mais la satisfaction du besoin. Les actions selon la vertu, voilà le fruit qui est doux à son palais et charme la perception de son âme par la riche qualité de son goût. Puisqu'en effet elle a tiré profit de

---

1. Cette laborieuse explication du phénomène du parfum de la pomme paraît avant tout destinée à permettre l'usage des tours qui expriment habituellement l'incarnation : le parallélisme entre les l. 13-17 et 17-22, souligné par οὕτω, est presque parfait. Nil peut l'avoir empruntée à un naturaliste ancien, justement parce qu'il y trouvait des expressions qui lui parlaient sur un autre registre.

2. Cette image johannique est souvent appliquée à l'humanité du Christ, cf. ATHANASE, *Sur l'incarn.* 8, 3 ; 26, 1 ; 31, 4, *SC* 199, p. 292, 360, 368 et n. 2 p. 292 ; CHRYSOSTOME, *Catéch. bapt.* III, 6, 11, *SC* 50 bis, p. 161 et n. 1.

3. L'ombre rappelle l'explication de *Cant.* 1, 16, (36). Depuis CLÉMENT, « l'ombre de la gloire du sauveur, c'est sa venue ici-bas », *Extr. de Théod.* 18, 2, *SC* 23, p. 90, trad. F. Sagnard ; cf. GRÉGOIRE, *In Cant. Or.* IV, 108, 6-10. Pour l'expression κυριακὸς ἄνθρωπος, cf. note complémentaire II.

35 φυσικῶν ἔργων ὠφελήθη τῷ πάντα καθ᾽ ὁμοιότητα
ἐκείνου ποιεῖν ἐγκρατῶς καὶ τῇ χρείᾳ συμμέτρως καὶ
μᾶλλον σκιᾷ παραπλησίως ἀληθείᾳ ὅθεν καὶ ἐβόα καλῶς·
« βρῶμα γὰρ ἡμᾶς οὐ παρίστησι τῷ θεῷ, οὔτε γὰρ
ἐὰν φάγωμεν περισσεύομεν, οὔτε ἐὰν μὴ φάγωμεν
40 ὑστερούμεθα ᵈ. » Τὸν δὲ καρπὸν οὐχ ὡς ἐν σκιᾷ, ἀλλ᾽
ἀληθῶς γλυκὺν ἐν τῷ λάρυγγι ὁμολογεῖ γεγενῆσθαι, τὴν
γευστικὴν τῆς ψυχῆς αἴσθεσιν τῷ καρπῷ τοῦ πνεύματος
ἡδύνησα, ὅς ἐστιν ἀγάπη, χαρά, εἰρήνη ᵉ. Οἱ γὰρ τὰ μὲν
σωματικὰ σκιὰν ἡγούμενοι, τὰ δὲ πνευματικὰ ἀλήθειαν
45 ἐν σκιᾷ, τοῦ μήλου τῆς γλυκύτητος αἰσθάνονται τοῦ
καρποῦ τῶν νοητῶν τὴν δόξαν τοῖς αἰσθητοῖς ἐνοπτριζόμενοι ᶠ.

44. Ἔχει δὲ πρὸς τῇ ἠθικῇ ταύτῃ θεωρίᾳ καὶ
δογματικὴν τὸ ῥητόν. Εἰ γὰρ σκιὰν ἔχει ὁ νόμος τῶν
μελλόντων ἀγαθῶν ᵃ καὶ ἐστί τινα σκιὰ τῶν μελλόντων,
τὸ δὲ σῶμα Χριστοῦ ᵇ ἀφ᾽ οὗ καὶ ἡ σκιὰ παρυφίσταται ἐν
5 τῇ σκιᾷ τοῦ νόμου, καλῶς ἐκάθισεν ἡ νύμφη οὐκ αὐτὸν
τὸν νόμον ποιοῦσα σωματικῶς, ἀλλὰ τὰ ἐξ αὐτοῦ
σημαινόμενα, ἀργοῦσα μὲν τῶν τυπικῶν παραγγελμάτων,
ἀργίαν γὰρ ἡ κάθισις σημαίνει, τοῦ καρποῦ δὲ ἀπο-

---

35 ἔργων V : om. R ‖ τῷ R : τὸ V ‖ ὁμοιότητα V : -τητι R ‖ 43 μὲν
V : om. R.
44. 8-9 ἀπολαύουσα CV : -βάλλουσα R

---

d. I Cor. 8, 8   e. Cf. Gal. 5, 22   f. Cf. II Cor. 3, 18.
44. a. Cf. Hébr. 10, 1   b. Cf. Col. 2, 17.

---

1. Cf. ORIGÈNE, *ComCant*. III, 5, 15-19.
2. Ἡ ἠθικὴ / δογματικὴ θεωρία sont chez Nil les deux degrés
complétant la φυσικὴ θεωρία (v. n. 113), mais Nil n'établit pas de
solution de continuité ou une progression ἠθικὴ, φυσικὴ, δογματικὴ
θεωρία, sur le modèle d'Évagre et des trois niveaux de connaissance

l'ombre des œuvres de la nature, en faisant tout à sa
ressemblance, dans l'abstinence, de manière mesurée au
besoin et de plus à l'ombre de façon comparable à la
réalité, voilà pourquoi elle avait raison de crier : « Car un
aliment ne nous rapproche pas de Dieu, si nous en
mangeons, nous n'avons rien de plus, et si nous n'en
mangeons pas, nous ne manquons pas [d]. » Elle reconnaît
donc que le fruit est doux à son palais, non comme dans
l'ombre, mais en vérité, puisqu'elle a été séduite dans le
goût de son âme par le fruit de l'esprit, qui est amour, joie
et paix [e]. Car ceux qui pensent que les réalités corporelles
sont ombre et les spirituelles vérité dans l'ombre, perçoivent la douceur de la pomme, lorsqu'ils contemplent,
comme dans un miroir [f] qui reflète les réalités sensibles, la
gloire du fruit des intelligibles [1.]

Jouissances passives de l'épouse

44. Mais outre cette contemplation d'ordre moral, le verset
contient aussi une contemplation
d'ordre doctrinal [2]. Si en effet la loi possède l'ombre des
biens à venir [a] et que certaines choses sont une ombre de
l'avenir, si d'autre part c'est à cause du corps du Christ [b]
que l'ombre subsiste dans l'ombre de la loi, l'épouse a bien
fait de s'asseoir non pour appliquer la loi elle-même d'une
manière corporelle, mais ce qu'elle signifie : oisive, elle
délaisse les prescriptions figurées [3] — car la position assise

explicités par Origène (*ComCant.* P. 3, 1-3). Néanmoins, à la suite de
son modèle (cf. n. 1 p. 252) il voit dans l'image de l'ombre, symbole
de l'incarnation, deux niveaux de réalité. Celle des « réalités
corporelles », i. e. de la vie terrestre, où les « réalités spirituelles »
demeurent voilées (43, 43-46), c'est la « contemplation d'ordre
moral ». Dans la « contemplation d'ordre doctrinal », l'épouse perçoit
« les réalités corporelles » comme « ombre des biens à venir » qui
préfigure la jouissance des bien eschatologiques. Pour le sens de
θεωρία, cf. n. 1 p. 368.
  3. Le sens découle des deux allusions pauliniennes.

λαύουσα πλουσίως καὶ τούτῳ ἐνευωχουμένη καὶ ὀσφρήσει
10 καὶ γεύσει καὶ τέρψει καὶ ἀπολαύσει, ἐπειδὴ τροφῆς μὲν ἡ
γεῦσις ὄργανον, τέρψεως δὲ ἡ ὄσφρησις ψυχαγωγοῦσα τὸ
ἀλύον, οὐ διακρατοῦσα τὸ ἄτονον τῆς δυνάμεως.

**2,4 Εἰσαγάγετέ με εἰς οἶκον τοῦ οἴνου,
τάξατε ἐπ' ἐμὲ ἀγάπην,
στηρίσατέ με ἐν μύροις
5 στοιβάσατέ με ἐν μήλοις,
ὅτι τετρωμένη ἀγάπης ἐγώ.**

CVR. — 4a εἰσαγάγετέ CR : εἰσάγετε V ‖ 4b ἐμὲ
CR : ἐμὸς V ‖ στοιβάσατε CR : στυβάσατε sic V.

45. Εἰκότως ἀπαιτεῖ ἡ νύμφη λοιπὸν τὸ εἰσαχθῆναι
εἰς τὸ οἶκον τοῦ οἴνου. Ἐπειδὴ γὰρ ἐν τῷ σταυρῷ τὸν
βότρυν κρεμάμενον καὶ παρὰ πάντων ἐξουθενηθέντα, διὰ
τὸ ἔτι κυπρίζοντα μὴ πᾶσιν ἐπιφαίνειν τὴν τοῦ οἴνου
5 χρῆσιν, μόνη τὸ ὕστερον ἐπιδειχθησόμενον προεπίστευσεν,
ἐν τῷ λογισμῷ τὴν τοιαύτην προκαθιδρύσασα ἔννοιαν ὡς
πρὸ καιροῦ τοῦ οἴνου οἶνον ἐν τῇ κυπριζούσῃ σταφυλῇ
προθεωρεῖν καὶ ἐν σταυρῷ ὄντι ἄνω θεότητα προσμαρτυ-
ρεῖν καὶ ἐν πάθει ἀπάθειαν καὶ ἐν θανάτῳ ἀνάστασιν
10 φαντάζεσθαι, καὶ τὸ ἐκθλιβήσεσθαι μέλλον τῆς ἐν τῷ

9 τούτῳ ἐνευωχουμένη C : τούτου ἐν εὐφροσύνῃ γενομένη V τοῦτο
ἐνευραμένη R ‖ καὶ² C : ἐν VR.
45. 4 μὴ C : om. VR ‖ 5 προεπίστευσεν C : προεφήτευεν V
προεφήτευσεν R ‖ 6 προκαθιδρύσασα C : καθ- VR ‖ 8 προθεωρεῖν
VR : θεω- C ‖ 9 ἐν¹ C : + τῷ VR ‖ 10 ἐκθλιβήσεσθαι C : -θεσθαι VR

1. L'emploi de προπιστεύειν est lié au développement sur les
capacités de raisonnement de l'épouse au moment de l'épreuve de la

désigne l'oisiveté —, et jouit néanmoins abondamment du fruit et s'en délecte par l'odorat, le goût, le plaisir et la jouissance, puisque le goût est l'organe de la nourriture et l'odorat celui du plaisir qui apaise le trouble sans dominer la mollesse de son pouvoir.

> **2,4 Introduisez-moi dans la maison du vin,**
>   **évaluez l'amour sur moi,**
>   **fortifiez-moi dans des parfums,**
> **5 entassez-moi sur des pommes,**
>   **parce que je suis blessée d'amour.**

Le vin du Verbe sur la croix

45. Naturellement l'épouse demande maintenant à être introduite dans la maison du vin. Puisqu'en effet elle seule a cru d'avance [1] en la grappe suspendue à la croix, cette grappe qui était tenue pour rien par tous les hommes parce qu'encore dans sa fleur elle ne montrait pas à tous l'usage du vin, puisque seule elle a cru d'avance en cette grappe, alors qu'elle serait clairement manifestée plus tard ; puisqu'elle a d'avance établi dans sa pensée une si haute idée, comme avant la saison du vin, qui lui permette d'anticiper la contemplation du vin dans la vigne en fleur, de témoigner en outre par celui qui est sur la croix de la divinité d'en-haut, d'imaginer dans la passion l'impassibilité et dans la mort la résurrection [2] ; puisque seule elle a

---

passion (cf. n. 2 p. 209 ; 31, 7-8) : elle acquiert en quelque sorte une foi immédiate dans « ce qui sera manifesté plus tard ».

2. Noter dans cette longue phrase les itérations de προ- en composition, ainsi que les oppositions temporelles : τὸ ὕστερον / πρὸ καιροῦ ; πρὸ τῆς ἐκβάσεως / μετὰ τὴν ἔκβασιν, destinées à mettre en valeur la foi préalable de l'épouse qui lui permet de « discerner » (τῆς τοιαύτης κρίσεως) dans la mort du Christ ce que le commun aura besoin de constater dans la résurrection.

σταυρῷ σταφυλῆς κήρυγμα ὡς ἤδη λαλούμενον βεβαίως
κατέχουσα κἀκεῖνο παθοῦσα πρὸ τῆς τῶν πραγμάτων
ἐκβάσεως, ὅπερ οἱ πολλοὶ μετὰ τὴν ἔκβασιν ἔπαθον,
ὥσπερ γέρας ἐξαίρετον τῆς τοιαύτης κρίσεως αἰτεῖ τὴν ἐν
15 τῷ οἴκῳ τοῦ οἴνου εἴσοδον. Εἰ δὲ οἶνός ἐστιν ὁ λόγος,
οἶκος τοῦ οἴνου ἂν εἴη ὁ πατήρ · ἐν αὐτῷ γὰρ εὑρίσκεται ὁ
λόγος καθὼς αὐτὸς ἐκεῖνός φησιν · « ἐγὼ ἐν τῷ πατρὶ καὶ
ὁ πατὴρ ἐν ἐμοί[a] », καὶ πάλιν · « οὐκ ᾔδειτε ὅτι ἐν τοῖς
τοῦ πάτρος μου δεῖ εἶναι με[b] ; » Τάχα ὁ Φίλιππος τὸν
20 οἶκον τοῦ οἴνου θέλων ἰδεῖν τῷ κυρίῳ ἔλεγε · « δεῖξον
ἡμῖν τὸν πατέρα καὶ ἀρκεῖ ἡμῖν[c] ».

46. Μετὰ δὲ τὸ γένεσθαι ἐν τοιούτῳ οἴκῳ καλῶς καὶ
ταγῆναι τὴν ἀγάπην ἐπ' αὐτῇ βούλεται, ἀξίαν ἀγάπην
ἤδη διὰ τὴν τοιαύτην ἔνστασιν γεγενημένην, ὥστε
ταγῆναι ἐπ' αὐτῇ τὴν ἀγάπην, μηκέτι ὡς ἔτυχεν αὐτὴν
5 ἀγαπώντων, ἀλλ' ἐν τοῖς τεταγμένοις καὶ ὡρισμένοις,
τῶν ἐξ ὀφειλῆς λοιπὸν ἀγαπωμένων οὖσαν, ἀριθμεῖν καὶ
τάττειν.

16 εἴη / ὁ πατήρ CV : ~ C ‖ αὐτῷ VR : τούτῳ C ‖ 17 αὐτὸς VR :
om. C ‖ ἐκεῖνός V : om. CR ‖ 18-19 καὶ — με VR : om. C ‖ 20 τῷ
κυρίῳ VR : om. C ‖ 21 καὶ — ἡμῖν VR : om. C.
46. 1 δὲ CV : om. R ‖ οἴκῳ καλῶς C : καλῷ VR ‖ 7 τάττειν VR :
ἔχειν C.

45. a. Jn 14, 11　**b.** Lc 2, 49　**c.** Jn 14, 8.

1. Ἐκθλίβεσθαι est utilisé en *Gen.* 40, 11 : le chef échanson rêve
qu'il « presse » la grappe dans la coupe avant de la mettre entre les
mains de Pharaon. Pour Chrysostome ce rêve annonce la résurrection *Catéch. bapt.* I, 2, *SC* 266, p. 114. Ici le mot fait écho à 31, 79-
80 (θλιβείς) ; dans l'instantané de la compréhension de l'épouse, le
vin de la vigne qui bourgeonne dans la croix (40, 16-18) est pressé : le
sang qui coule du flanc du Christ, c'est le vin de la proclamation du
Verbe qui découle de la résurrection. Ainsi s'achève la symbolique
du sang amorcée § 40.

fermement saisi, comme si elle était déjà énoncée, la proclamation de la vigne sur la croix, qui va être pressée [1], qu'elle a ressenti avant la réalisation des faits ce que la plupart a ressenti après leur réalisation, elle demande comme privilège exceptionnel d'un tel discernement à entrer dans la maison du vin. Si le Verbe est le vin, le Père doit être la maison du vin, car en lui se trouve le Verbe, comme il le dit lui-même : « Je suis dans le Père et le Père est en moi [a] », et puis ; « Ne savez-vous pas que je me dois aux affaires de mon Père [b] ? » Et sans doute parce qu'il voulait voir la maison du vin, Philippe disait au Seigneur : « Montre-nous le Père et cela nous suffit [c]. »

Le prix de l'amour   **46.** Une fois installée dans une telle maison, elle fait bien de vouloir aussi que l'amour soit évalué sur sa personne [2], puisqu'il est désormais devenu un amour digne d'un tel établissement, si bien que l'amour est évalué sur sa personne, et qu'il la chiffre et l'évalue non plus, comme par le passé, sur le nombre de ses amants, mais parmi ceux qui sont évalués et mis à prix, puisqu'elle est désormais au nombre de ceux qui sont aimés selon leur dû [3].

---

2. Τάττειν construit absolument peut signifier : « fixer le prix » (cf. Aristote, *Eth. à Nic.*, 1164a, dans le contexte des échanges dans « les amitiés hétérogènes »). La construction de ce passage difficile repose sur l'opposition ταγῆναι / τάττειν dans les deux consécutives, doublée à l'intérieur de la seconde de l'opposition passé (μηκέτι ὡς ἔτυχεν) avenir (ἀλλ' ... λοιπόν).

3. Nil se sépare d'Origène, *ComCant.* III, 7, et de Grégoire, *In Cant. Or.* IV, 121, 6 — 123, 11, qui comprennent *Cant.* 2,4 : « ordonnez en moi l'amour ». Pour notre auteur, l'établissement de l'épouse « dans la maison du vin » témoigne de la valeur de son amour, estimée par l'époux. Dans le passé au contraire, parce qu'elle était une prostituée, sa « valeur » dépendait du nombre de ses amants. Les verbes τάττειν, ἀριθμεῖν et ὁρίζειν peuvent évoquer un mode de taxation.

47. Τὸ δὲ « στηρίσατέ με ἐν μύροις, στοιβάσατέ με ἐν
μήλοις, ὅτι τετρωμένη ἀγάπης ἐγώ » τάχα ἢ ὡς ἀμοιβὴν
τῶν κατωρθωμένων ἀπαιτεῖ τόδε ἐν τούτοις γένεσθαι, ἢ
ὡς ἔτι τετρωμένη τῷ πόθῳ, παραμυθίαν ὡς ἂν εἴποι τις
5 καὶ ψυχαγωγίαν. Τὸ γὰρ εἰπεῖν « ὅτι τετρωμένη ἀγάπης
ἐγώ » αἰτίαν ἦν εἰπεῖν τῆς περὶ τὰ εἰρημένα σπουδῆς,
ἐπειδὴ γὰρ ὥσπερ ἐξελύετο ὑπὸ τῆς πρὸς τὸν ἀγαπώμε-
νον μνήμης, στηριχθῆναι ἐν μύροις τῆς θεωρίας,
στοιβασθῆναι δὲ ἐν μήλοις τῶν θαυμάτων τοῦ νυμφίου
10 καὶ τοῦ καρποῦ τῶν πράξεων ἐπιθυμεῖ, ἐπειδὴ ἡδὺ μὲν ἡ
θεωρία τῇ τῶν νοημάτων τέρπουσα γλαφυρότητι ὡς ὀσμῇ
μυρῶν, ἡ δὲ πρᾶξις μετὰ τοῦ τροφίμου καὶ τὸ εὐῶδες
ἔχει. Ποιεῖ γὰρ καὶ τὰ τῆς ἀρετῆς ἔργα χαρὰν τῇ τῶν
ἀμοιβῶν ἐλπίδι τὴν συνείδησιν τοῦ ἐργαζομένου εὐφραί-
15 νοντα, τοιοῦτος δὲ καὶ ὁ τοῦ μήλου καρπὸς ἀνακεκραμένην ἔχων τὴν εὐωδίαν τῷ ἐδωδίμῳ, ὡς εἶναι πολλὴν ἐκ
τούτων τῇ ἐκ τῆς ἀγάπης τετρωμένῃ τὴν ψυχαγωγίαν
ὀρθουμένη καὶ στηριζομένη ὑπὸ τῶν εἰρημένων παραμυ-
θιῶν πρὸς τὸ μὴ κραδαίνεσθαι ταῖς ἐκλύειν καὶ θηλύνειν
20 δυναμέναις μεταβολαῖς.

47. 2 τετρωμένη C : -μαι VR ‖ ἀγάπης CV : om. R ‖ 3
κατωρθωμένων CV : κατορθουμένων R ‖ τόδε VR : τὸ C ‖ 8
στηριχθῆναι VR : στηρισθῆναι C ‖ 10 ἡδὺ C : ἥδε V εἰδὲ R ‖ 11
νοημάτων C : νοητῶν VR ‖ ὀσμῇ C : -μὴ V -μὴν R ‖ 16 τὴν εὐωδίαν /
τῷ ἐδωδίμῳ C : ～ VR [τοῦ -μου R] ‖ 17-18 τῇ ... τετρωμένη ...
ὀρθουμένη ... στηριζομένη C : τῆς [τὴν R] ... -μένης [-μένως R] ...
-μένην ... -μένην VR ‖ 17 τὴν CR : om. V ‖ 19 τὸ C : om. VR

1. Les commentateurs peinent sur le sens de l'image : στοιβάσατέ
με ἐν μήλοις ; ORIGÈNE, HomCant. II, 8, et n. 2, p. 132 ; ComCant.
III, 8, 12 ; GRÉGOIRE, In Cant. Hom. IV, 124, 10-13 (il imagine un
toit de pommes...). Tous comprennent que l'épouse a besoin d'être
réconfortée. Pour Nil, elle demande à la fois une récompense
(ἀμοιβήν) et une consolation qui la réconforte (παραμυθίαν καὶ
ψυχαγωγίαν), parce qu'elle est affaiblie (ὥσπερ ἐξελύετο). Les

Réconfort de la contemplation

47. « Fortifiez-moi dans des parfums, entassez-moi sur des pommes, parce que je suis blessée d'amour » : ce que contiennent ces mots, peut-être le demande-t-elle comme récompense de sa conduite parfaite, ou bien, pourrait-on dire puisqu'elle est encore blessée par le désir, en guise de consolation et de réconfort. Car les mots « parce que je suis blessée d'amour » expriment la cause de l'empressement de sa demande. Car en quelque sorte affaiblie par son souvenir à l'égard de l'aimé, elle désire être « fortifiée » dans les parfums de la contemplation et « entassée » sur les pommes des miracles de l'époux et du fruit de ses actions, puisque la contemplation offre de l'agrément quand elle charme par l'élégance de ses représentations comme par une odeur de parfum et que la pratique procure la bonne odeur avec la nourriture [1]. Car les œuvres de la vertu produisent de la joie, lorsqu'elles satisfont la conscience de leur auteur par l'espérance des récompenses. Tel est aussi le fruit du pommier qui mêle sa bonne odeur au fait d'être comestible [2], si bien qu'il émane des œuvres un grand réconfort pour celle qui est blessée d'amour : elle est rétablie et fortifiée par ces consolations, pour ne pas être troublée par les changements capables de l'affaiblir et de l'alanguir.

---

pommes sont les miracles de l'époux qu'elle contemple, en même temps que le fruit de ses actions qui la nourrissent. En effet, la contemplation ne vaut que si elle est complétée par la pratique, sinon « immédiatement les représentations contemplatives qui viennent des actions droites s'éteignent, et à leur tour les actions privées de contemplation s'épuisent », *Disc. asc.*, 753A ; cf. ÉVAGRE, *Schol. Prov.*, 224, *SC* 340, p. 318 : « la pratique qui rejoint la contemplation ».

2. Cf. ORIGÈNE, *ComCant.* III, 5, 6 ; GRÉGOIRE, *In Cant. Or.* IV, 117, 6-9 : on lit chez Plutarque les mêmes remarques sur les qualités de la pomme dans les *Propos de table*, V, 8, 683C, *CUF*, IX-2, p. 83.

Τινὲς δὲ τὸ « στοιβάσατέ με ἐν μήλοις » περὶ τοῦ θανάτου εἶπον, ὡς τῆς νύμφης βουλομένης τῆς μετὰ τῶν ἁγίων ἀξιωθῆναι ταφῆς, πάντως ἐκείνους μῆλα νοήσαντες τοὺς εἰπόντας· « Χριστοῦ εὐωδία ἐσμέν[a] ».

2,6 Εὐώνυμος αὐτοῦ ὑπὸ τὴν κεφαλήν μου, καὶ ἡ δεξιὰ αὐτοῦ περιλήμψεταί με.

CVR. — ὑπὸ CV : ἐπὶ R ‖ δεξιὰ CR : δοξιὰ sic V.

48. Διὰ μὲν τῆς εὐωνύμου τὰ τοῦ παρόντος βίου, ὡς ἔοικεν, αἰνίττεται καλὰ ὧν τὴν ἀπόλαυσιν ἤδη ἔχει, διὰ δὲ τῆς δεξιᾶς τὴν τῶν μελλόντων ἐν ἐπαγγελίαις προσδοκίαν ὧν τὴν χρῆσιν ἐν ἐλπίσι προκεῖσθαί φησι· εὖ δὲ καὶ τὸ
5 φάναι τῇ μὲν δεξιᾷ περιλαμβάνεσθαι, τῇ δὲ ἀριστερᾷ τὴν κεφαλὴν ἐπαναπαύεσθαι. Δεῖ γὰρ τὰ τοῦ παρόντος βίου, κἂν πολὺ νομίζηται χρηστὰ καὶ περίβλεπτα, ὑποτετάχθαι τῇ κεφαλῇ τῆς τελείας ψυχῆς μόνην τὴν ἀναγκαίαν χρείαν παρέχοντα τῷ σώματι, ὡς τὸ προσκεφάλαιον τῇ κεφαλῇ,
10 τὰ δὲ τοῦ μέλλοντος αἰῶνος, ἐπειδήπερ θεῖα ὄντα ἐπάνω τῆς ἀνθρωπίνης ἕστηκε φύσεως, διὰ τῆς περιλήψεως τὸ ὑπερέχον ᾐνίξατο. Τάχα δὲ ἐπείπερ αἱ χεῖρες πράξεων εἰσὶ σύμβολον, αἱ δὲ τῆς ἀριστερᾶς χειρὸς πράξεις τὰ τοῦ

22 τῆς² V : om. CR.
48. 1-2 ὡς ἔοικεν C : om. VR ‖ 2 ἀπόλαυσιν C : ὕπαρξιν VR ‖ 4 ἐν ἐλπίσι CV : om. R ‖ 5 δεξιᾷ CV : + τὸ R ‖ 8 χρείαν CV : χρῆσιν R ‖ 9 ὡς — κεφαλῇ C : om. VR ‖ 12 ἐπείπερ C : ἐπειδήπερ VR

47. a. II Cor. 2, 15.

Certains ont dit [1] : « entassez-moi sur des pommes » au sujet de la mort, comme si l'épouse voulait être jugée digne de la sépulture avec les saints ; ils comprennent que les pommes sont assurément ceux qui disent : « Nous sommes la bonne odeur du Christ [a] [2]. »

2,6 Sa main gauche est sous ma tête, sa droite m'enlacera.

Éminence des biens à venir

48. Par la main gauche, elle fait entendre, semble-t-il, les bonnes choses de la vie présente, dont elle a déjà la jouissance ; par la droite, elle désigne l'attente des biens à venir contenus dans les promesses, dont l'usage est proposé, dit-elle, dans les espérances. Elle a raison de dire qu'elle est enlacée par la droite et que sa tête repose sur la gauche. Car il faut que les biens de la vie présente, même s'ils sont jugés tout à fait utiles et considérables, soient placés sous la tête de l'âme parfaite, puisqu'ils fournissent au corps, comme coussin sous la tête, uniquement le strict nécessaire. Quant aux biens du siècle à venir, parce qu'ils se trouvent au-dessus de la nature humaine, étant divins, elle a fait entendre leur éminence par l'enlacement. Puisqu'aussi les mains sont le symbole des actions, les actions de la main gauche désignent ce qui revient au corps, celles

1. Cf. PHILON DE CARPASIA, dans la traduction d'Epiphane : « Entassez-moi sur des pommes, c'est-à-dire enterrez-moi au nombre des justes », *Commento*, p. 90.
2. Sur l'inhumation *ad sanctos*, cf. Introduction, p. 24.

σώματος σημαίνουσιν, αἱ δὲ τῆς δεξιᾶς τὰ τῆς ψυχῆς.
15 Τοῦτο τοῦ λόγου δεικνύντος ὅτι κἂν σφόδρα δοκῇ τὰ
σωματικὰ εἶναι ἀνάγκαια ὑπόκεινται τῷ σώματι τὴν
ἐλάττονα τεταγμένα τάξιν, τὰ δὲ τῆς ψυχῆς δεξιὰ ὄντα
τὸν ἀμείνω κλῆρον εἴληχε περιέχοντα τὰς σωματικὰς
ἀνάγκας καὶ οὐ περιεχόμενα. Ὡς γὰρ ἡ περιλαμβάνουσα
20 χεῖρον καὶ ἐπάνω ἐστὶ καὶ ἐντὸς ἀγκάλης ἔχει τὸ
περιληφθέν, οὕτως αἱ πρὸς τὸν σκοπὸν τῆς μελλούσης
ζωῆς ἀποτεταγμέναι πράξεις, πᾶν κίνημα τοῦ σώματος
ἄλογον περισφίγγουσαι, εὔτακτον καὶ συνδεδημένην φυ-
λάττουσι τὴν ζωήν, οὐδενὸς ἐπιβουλεύειν δυναμένου τῇ
25 περιληφθείσῃ ὑπὸ τοῦ νυμφίου ψυχῇ. Εἰ γὰρ οὐδεὶς
ἁρπάζει ἐκ τῆς ἐκείνου χειρός, ἐν πολλῇ ἀσφαλείᾳ ἐστὶν ἡ
καταξιωθεῖσα περιληφθῆναι παρ᾽ αὐτοῦ ψυχή· εἰ δέ τι
πρὸς τὴν ἔννοιαν ταύτην συντελεῖ τὸ παρὰ τοῦ Ἀβραὰμ
λεγόμενον πρὸς τὸν Λώτ· « διαχωρίσθητι ἀπ᾽ ἐμοῦ· εἰ σὺ
30 εἰς ἀριστερά, ἐγὼ δὲ εἰς δεξιά ᵃ· » ἢ τὸ τῆς Παροιμίας
περὶ σοφίας λεγόμενον· « μῆκος γὰρ βίου ἐν τῇ δεξιᾷ
αὐτῆς, ἐν δὲ ἀριστερᾷ αὐτῆς πλοῦτος καὶ δόξα ᵇ· »
ζητήσει ὁ ταῖς ὁμοίαις λέξεσι συνάγειν τὴν τῶν νοημάτων
συμφωνίαν δυνάμενος.

---

19 καὶ — περιεχόμενα VR : om. C ‖ 20 χεῖρον C : χεὶρ VR ‖
ἀγκάλης C : ἀνάγκης VR ‖ 25-34 εἰ — δυνάμενος VR : om. C.

48. a. Gen. 13, 9   b. Prov. 3, 16.

de la droite ce qui revient à l'âme [1]. Voilà donc ce que le texte montre : même si les réalités corporelles sont, à ce qu'il semble, tout à fait nécessaires, elles sont soumises au corps, placées au rang le plus humble, et celles de l'âme, qui sont la main droite, ont obtenu la meilleure part parce qu'elles contiennent les nécessités corporelles sans en être contenues. Car de même qu'elle enlace ce qui est inférieur, qu'elle se trouve au-dessus et tient embrassé ce qu'elle enlace, de même les actions assignées au but de la vie future, lorsqu'elles enserrent tout mouvement irraisonné du corps, gardent la vie bien réglée et unie, puisque nul ne peut nourrir de mauvais desseins contre l'âme enlacée par l'époux. Car si nul ne l'arrache de sa main, l'âme jugée digne d'être enlacée par lui se trouve dans une grande sûreté. Ce que dit Abraham à Lot concourt-il un peu à cette idée : « Sépare-toi de moi, si tu vas à gauche, moi je vais à droite [a] [2] » ? ou bien le mot du Proverbe à propos de la sagesse : « Longueur de la vie dans sa droite, dans sa gauche richesse et gloire [b] » ? Quiconque est capable de réunir l'harmonie des représentations par des textes semblables le cherchera [3].

---

1. Les mains symbolisent les vertus pratiques ou l'activité pratique chez ÉVAGRE, *Schol. Prov.*, 203, *SC* 340, p. 298 et n. p. 299. La spécialisation de chacune des mains s'explique par le symbolisme traditionnel de la gauche moins noble et favorable que la droite. Nil se sépare ici des explications données et par Origène et Grégoire. Cette explication sera de nouveau longuement développée à propos de *Cant.* 4, 6.

2. Cf. *Disc. asc.*, 733B où l'usage de *Gen.* 13, 9 est différent : les possessions, parce qu'elles provoquent des discordes, sont aussi pernicieuses à la vie du corps qu'à celle de l'âme.

3. Nos auteurs font souvent appel à l'initiative du lecteur pour continuer la recherche ; cf. ORIGÈNE, *ComCant.* II, 5, 15 ; *P. Arch.* IV, 1, 7 ; GRÉGOIRE, *In Cant. Or.* V, 135, 10-12, précisément à propos du v. suivant.

2,7 Ὥρκισα ὑμᾶς, θυγατέρες Ἱερουσαλήμ,
    ἐν ταῖς δυνάμεσι καὶ ἐν ταῖς ἰσχύσεσι τοῦ
    ἀγροῦ,
    ἐὰν ἐγείρητε καὶ ἐξεγείρητε τὴν ἀγάπην, ἕως
    ἂν θελήσῃ.

CVR. — ὥρκισα CR : -κησα V ‖ ταῖς¹⁻² CR : om. V ‖
ἐγείρητε καὶ ἐξεγείρητε CV : ἐξεγείρητε ἐπ᾽ ἐμὲ R ‖ ἂν C
(S) : οὗ VRLXX ‖ θελήσῃ CR : -σει V.

49. Πολλὴν μὲν ἀπορίαν ἔχει τὸ ῥητόν· ὅμως δεῖ
πολλάκις ἐπὶ τὸν σκοπὸν τοῦ προκειμένου ἀφεῖναι τὴν
διάνοιαν, μιμούμενον τοὺς κατὰ τὴν τοξικὴν γυμναζομέ-
νους, οἳ πολλὰ μὲν ἐπὶ τὸν σκοπὸν ἀκοντίζουσι βέλη,
5 ἅπαξ δὲ μόλις ἐπιτυγχάνουσιν. Καὶ γὰρ ἐοίκασι τοξόταις
οἱ τῇ θείᾳ γραφῇ ἐπιβάλλοντες τὴν κατασκευὴν ὥσπερ
βέλος ἐπὶ τὸν τοῦ κεφαλαίου σκοπὸν ἀπευθύνοντες. Οὐκ
εὔκολον γὰρ εἰπεῖν ποίῳ προσώπῳ ἁρμόζει τὸ τὴν
ἀγάπην διεγεῖραι· μᾶλλον δὲ τὸ μὲν διεγεῖραι σαφῶς ταῖς
10 θυγατράσιν Ἱερουσαλὴμ εἴρηται, τὴν ἐν τίνι δὲ ἀγάπην
τὴν ἐν αὐταῖς, ἢ τὴν ἐν τῷ νυμφίῳ, ἢ τὴν ἐν αὐτῇ
λεγούσῃ, ἄδηλον. Οὐκοῦν δεῖ ἐπὶ πάντων γυμνάσαι τὸ
ῥητὸν καὶ ὅπερ ἂν εὑρεθῇ πλησίον βληθὲν τῆς ἀγάπης ἢ
τῆς ἀληθείας, τοῦτο ὡς ἐπιτυχῶς εἰρημένον ἐγκριτέον.

49. 1 μὲν VR : om. C ‖ ὅμως VR : διὸ C ‖ 6 ὥσπερ CV : ἅπερ R ‖
7 τοῦ CV : om. R ‖ 8 εὔκολον C : εὔλογον VR ‖ προσώπῳ CV : τρόπῳ
R ‖ 9 σαφῶς CV : om. R ‖ 13 βληθὲν / τῆς ἀγάπης V : ∼ R τῆς ἀ.
om. C ‖ ἢ VR : om. C ‖ 14 ἐγκριτέον VR : κρατεῖν C.

_____

1. Origène et Grégoire utilisent la métaphore de l'archer à propos
de *Cant.* 2, 5b. Nil y voit une image des efforts de l'exégète (cf.
PLUTARQUE, *Sur la disparition des oracles*, 437F, *CUF*, *Œuvres*

LES DISPARITIONS de l'ÉPOUX

**2,7 Je vous conjure, filles de Jérusalem,
par les puissances et les forces du champ,
d'éveiller et de réveiller l'amour, jusqu'à ce qu'il le
veuille.**

Les flèches de la démonstration   **49.** Le passage est d'une grande difficulté. Pourtant, il faut souvent laisser aller l'intelligence vers le but du texte, en imitant ceux qui s'exercent au tir à l'arc ; ils lancent de nombreuses flèches sur la cible, mais l'atteignent à grand peine une seule fois. En effet, ils ressemblent à des archers, ceux qui appliquent à la divine Écriture leur démonstration comme une flèche, en l'envoyant droit au but du passage. Il n'est pas facile de dire à quel personnage s'applique l'expression « réveiller l'amour » ; ou plutôt il est clair que c'est bien aux filles de Jérusalem qu'il a été dit de réveiller l'amour, mais en qui ? en elles-mêmes, dans l'époux ou dans celle qui parle ? c'est incertain. Il faut donc essayer le sens du passage sur chaque cas et ce qu'on trouvera comme une flèche lancée tout près de l'amour ou de la vérité, il faudra l'admettre comme explication réussie [1].

---

morales VI, à propos de l'oniromancie). Il tente trois explications successives, § 50 ; 51 ; 52. La difficulté du texte biblique tient au fait que la formule affirmative ὥρκισα ὑμᾶς ἐὰν ἐγείρητε a en fait un sens négatif, cf. THACKERAY, *Grammar*, p. 54, qui signale que εἰ introduit une apodose de sens négatif dans les serments. Origène (*ComCant.* III, 10), Grégoire (*In Cant. Or.* IV, 129, 20 — 135, 14) ne le comprennent plus et commentent la phrase dans son sens affirmatif. Nil explique d'abord le verset dans le sens affirmatif (50 ; 51), puis sous une forme négative (52).

50. Εἰ μὲν οὖν τὴν ἐν ἐκείναις ἀγάπην διεγερθῆναι βούλεται, δύναται τοιοῦτόν τι λέγειν ὅτι· ὦ βραδεῖς καὶ ἀσυναίσθητοι τῶν συμφερόντων· ὅσον κέρδος παρορᾶτε δι' ἀπειρίαν, ὅπερ τοῖς ἀγαπῶσι τὸν νυμφίον ἐκ τοῦ
5 ἀγαπᾶν περιγίγνεται. Ὁρκίζω ὑμᾶς κατὰ τῶν δυνάμεων τοῦ ἀγροῦ τῶν τὰ τοῦ κόσμου διοικουσῶν καὶ τῆς ἰσχύος αὐτῶν, ἐν ᾗ καταργοῦσι τοὺς ἐναντίους, ἐγεῖραι καθεύδουσαν ἐν ὑμῖν, καὶ ἐξεγεῖραι τὴν πρὸς τὸν νυμφίον ἀγάπην καὶ γνῶναι τὴν ἡδονὴν τὴν ἐμὴν ἐκ τοῦ ἐν πείρᾳ
10 γένεσθαι αὐτῆς. Θέλουσα γὰρ αὐταῖς διηγήσασθαι τὴν ἐγγινομένην τοῖς ἀγαπῶσιν αὐτὸν εὐφροσύνην, ἐπεὶ μηδὲ δύναται λόγῳ παραστῆσαι τοῦτο, εἰς πεῖραν αὐτὰς ἐλθεῖν παρακαλεῖ τοῦ πράγματος ἵνα μάθωσιν ἐκ ταύτης ὅπερ λόγῳ μαθεῖν οὐκ ἠδυνήθησαν, ἀκριβῶς ἐπισταμένη τὰς
15 φύσεις τῶν πραγμάτων πείρᾳ μᾶλλον ἢ λόγῳ καταλαμβάνεσθαι. Παρακαλεῖ δὲ αὐτὰς τὸ ἐκείνων κέρδος σκοποῦσα καὶ τὴν ὠφέλειαν αὐτῶν λογιζομένη, ὠφελητική τις οὖσα καὶ πολλοὺς εἶναι τοὺς σῳζομένους βουλομένη· τοιοῦτος ἦν καὶ ὁ Παῦλος λέγων· « ὑπὲρ
20 Χριστοῦ οὖν πρεσβεύομεν, ὡς τοῦ θεοῦ παρακαλοῦντος δι' ἡμῶν· δεόμεθα ὑπὲρ Χριστοῦ, καταλλάγητε τῷ θεῷ[a] », ἱκεσίᾳ πολλῇ καὶ παρακλήσει τοὺς ἀγνώμονας προσκαλούμενος καὶ πενθεῖν[b] σπουδάζων καὶ γοῦν τοσαύτην τῆς ἑαυτῶν ἔχειν σωτηρίας φροντίδα ὅσην ἄλλοι ἔχουσιν
25 αὐτῶν διὰ συμπάθειαν.

50. 1 εἰ μὲν C : ἐὰν VR ‖ διεγερθῆναι C : ἐγερ. VR ‖ 2 δύναται CR : + τὸ V ‖ 3 ὅσον C : πόσον VR ‖ 8 καὶ ἐξεγεῖραι τὴν VR : om. C ‖ 10 αὐτῆς CV : -τοῖς R ‖ 17 αὐτῶν λογιζομένη VR : om. C ‖ 20 οὖν VR : om. C ‖ 20-21 ὡς — θεῷ VR : καὶ ἑξῆς C ‖ 24 ἔχειν σωτηρίας C : ~ VR.

50. a. II Cor. 5, 20   b. Cf. II Cor. 12, 21.

**Imiter
l'épouse**
50. Si donc elle veut que soit éveillé l'amour chez les jeunes filles, voici ce qu'elle peut dire : que vous êtes indolentes et inconscientes de ce qui importe ! Quel profit vous négligez par inexpérience — celui que les amants de l'époux tirent de l'amour ! Je vous conjure par les puissances du champ, qui régissent les affaires du monde, et par leur force, grâce à laquelle elles défont les adversaires [1], d'éveiller l'amour qui dort en vous, de réveiller votre amour pour l'époux et de connaître le plaisir que je prends à l'éprouver. Car lorsqu'elle veut leur faire part de la joie qui vient aux amants de l'époux, puisqu'elle est incapable de l'exprimer par la parole, elle les exhorte à faire l'expérience de la chose, afin qu'elles en apprennent ce qu'elles n'ont pu apprendre par la parole, sachant bien qu'on comprend mieux la nature des choses par l'expérience que par la parole [2]. Et elle les y exhorte en visant leur profit et en réfléchissant à les aider. Car elle veut apporter son aide et désire que les sauvés soient nombreux. Tel était aussi Paul quand il disait: « Nous sommes donc en ambassade pour le Christ, comme si Dieu exhortait par nous ; nous vous en supplions au nom du Christ, réconciliez vous avec Dieu [a] » et, quand par la solennité de sa prière et de son exhortation, il en appelle aux ingrats et s'emploie à pleurer sur eux [b] pour qu'ils se préoccupent au moins autant de leur propre salut que d'autres ne le font par compassion pour eux.

1. Cf. Grégoire, *In Cant. Or.* IV, 132, 10 — 135, 2.

2. L'enseignement en actes est supérieur à l'enseignement en paroles : Nil revient sur cette idée à diverses reprises, *supra* 25, 28-29 ; *Disc. asc.*, 752C ; cf. n. 2 p. 191.

51. Ἐὰν δὲ τὴν τοῦ νυμφίου ἀγάπην διεγερθῆναι θέλῃ,
τοῦτό φησιν· ὁρκίζω ὑμᾶς, θυγατέρες Ἱερουσαλήμ,
προσελθεῖν τῷ ὑπ᾽ ἐμοῦ ἀγαπωμένῳ καὶ τὸν ἐμὸν πάθος
ἀναγγεῖλαι αὐτῷ, ὅπως αὐτὸν ἀγαπῶσα οἴκοι μένειν οὐ
5 δύναμαι, ἐξελαύνοντός με τοῦ πόθου καὶ πάσας ἐπίεναι
τὰς ὁδοὺς ἀναγκάζοντος μήπου κἂν ἐκ τύχης συναντήσω
τῷ ποθουμένῳ. Οὐ μικρόν τι γὰρ τῷ ἀγαπῶντι τοῦτο εἰς
παραμυθίας λόγον ἀρκουμένῳ καὶ σκιᾷ καὶ φαντασίᾳ
νυκτερινῇ [a], ὅταν ἡ ἀληθὴς πληροφορία μὴ παρῇ. Ἀμφι-
10 βάλλει γὰρ τάχα μήποτε οὐκ ἀληθῶς ἀγαπᾶται κἂν ἤδη
φαίνηται καὶ συντυχοῦσα καὶ λόγους ἀκούσασα παρὰ τοῦ
νυμφίου τὴν ἀγάπην δηλοῦντας· τοιοῦτον γάρ τι οἱ τὴν
ἀγάπην ἔχοντες πάσχουσι, πολλάκις μικρὸν ἀποστραφέν-
τας ἐὰν ἴδωσι τοὺς ἀγαπωμένους, μεμισῆσθαι ὑπολαμβά-
15 νουσιν καὶ τότε μᾶλλον ἐπιτείνουσι τὸν πόθον ἢ ὅτε
ἀπολαύουσι τῶν ποθουμένων ἀκωλύτως. Καὶ τοῦτο εἰδὼς
ὁ νυμφίος ὑποχωρεῖ πολλάκις, πλέον αὐτῆς τὸν ἔρωτα
διεγείρων καὶ πρὸς ἀκμὴν νεάζουσαν ἀεὶ γυμνάζων αὐτῆς
τὸν ἔρωτα καὶ τὸ μαραινόμενον τῆς ἐπιθυμίας ἀναρρι-
20 πίζων τῇ πρὸς ὀλίγον ἀπουσίᾳ, ἵνα μὴ τὸ τῆς ἀπολαύσεως ἀκώλυτον τῷ χρόνῳ σβέσῃ τὸν ἔρωτα οὐδενὶ τῶν
πεφυκότων ἐκκαίειν πρὸς ζῆλον ἐρεθιζόμενον. Ὁρκίζει
οὖν τὰς νεανίδας ἐνδοιάζουσα ἢ καὶ ἀπιστοῦσα ὅτι

---

51. 4 ἀναγγεῖλαι CV : ἀπαγγ- R ‖ 5 με CV : μου R ‖ 6 μήπου CV :
μήπω R ‖ 7 τι V : om. CR ‖ 7-8 τῷ ἀγαπῶντι τοῦτο [post τοῦτο
transp. τῷ ἀγαπῶντι V] / εἰς ... λόγον CV : ∼R [om. τοῦτο] ‖ 9 ἡ
CV : om. R ‖ 11 ἀκούσασα VR : -σασαι C ‖ 12 τι CV : + καὶ R ‖ 15-
16 ἐπιτείνουσι ... ἀπολαύουσι CV : -νωσι ... -αύωσι R ‖ 18-19 καὶ —
ἔρωτα VR : om. C ‖ 24-25 ἡ ... διάθεσις C : ὁ ... πόθος VR.

---

51. a. Cf. Job. 20, 8.

---

1. Lors de sa première errance (*Cant.* 1, 7 = 18; 19) l'épouse a
connu la contemplation physique, sans rencontre directe avec

Croissance du désir dans l'absence

51. Mais si elle veut que soit réveillé l'amour dans l'époux, elle dit : Je vous conjure, filles de Jérusalem, d'aller vers celui que j'aime et de lui annoncer ma passion. Dites-lui comment, puisque je l'aime, je ne peux rester à la maison. Le désir me chasse et me contraint à parcourir tous les chemins [1], au cas où, par hasard, je pourrais retrouver l'objet de mon désir. Il n'est pas sans importance en effet, pour l'amant, de se contenter de l'ombre et de l'illusion nocturnes [a] à titre de consolation, quand manque la pleine certitude de la vérité [2]. Peut-être doute-t-elle d'être vraiment aimée, même s'il est clair qu'elle l'a déjà rencontré et a entendu de la part de l'époux des paroles révélatrices d'amour. Voici en effet ce qu'éprouvent les amoureux : souvent s'ils voient leur amant se détourner un peu d'eux, ils s'imaginent qu'on les hait et tendent leur désir plus que lorsqu'ils jouissent sans frein de l'objet de leur désir. L'époux le sait bien, qui se retire souvent, réveille en elle plus d'amour, exerce toujours son amour au comble de sa jeunesse et ranime par une brève absence un désir qui se consume, afin qu'avec le temps, la jouissance effrénée n'éteigne pas l'amour, si rien de ce qui l'attise naturellement ne vient l'exciter à la ferveur [3]. Dans son hésitation ou même son refus de croire qu'elle est

l'époux. Son désir ainsi avivé la chasse à nouveau au dehors et sa seconde sortie (*Cant.* 3, 2) lui permettra de « trouver Dieu sans délai » (67, 40-41).

2. Grâce à la vision, elle a connu « la relation d'affection » (4, 11-12). Puis elle a affirmé : « On ne me console plus avec des semblants » (29, 5), certaine de sa capacité à reconnaître la divinité dans le corps du Christ. Nil imagine maintenant une forme d'impatience de l'épouse qui aime sans avoir de preuve qu'elle est vraiment aimée (μήποτε οὐκ ἀληθῶς ἀγαπᾶται).

3. Si la relation conjugale éteint le désir (35, 6-8), le jeu amoureux de la séduction l'excite : lieu commun de la littérature érotique sur les jeux de la séduction. Chez Origène, l'épouse est délaissée après de brèves visites de l'époux, pour être éprouvée ; *ComCant.* III, 11, 17 et 21 ; III, 14, 10.

ἀγαπᾶται καὶ μένει πρὸς αὐτὴν ἀδιάφθορος ἡ τοῦ νυμφίου
25 διάθεσις συντυχεῖν αὐτῷ καὶ εἰπεῖν τὸν ταύτης ἔρωτα, εἴ
πως διεγείρουσιν αὐτὸν εἰς τὸ ὁμοίως αὐτὸν ἀγαπᾶν.

52. Ἔχει δὲ καὶ οὕτως ἔν τισι τῶν ἀντιγράφων·
« μὴ ἐγείρητε, μηδὲ ἐξεγείρητε τὴν ἀγάπην ἕως ἂν
θελήσῃ. » Ἐὰν μὲν τὴν πρὸς αὐτὴν τοῦ νυμφίου, ὅτι οὐ
χρείαν ἔχω μεσίτου· οἶδα γὰρ ὅτι ἀξία γενομένη αὐτὸ τὸ
5 θέλημα αὐτοῦ πρὸς τὴν ἐμὴν ἀγάπην διεγείρω, οὐ γὰρ
μαστροπεύεται ὁ οὐράνιος ἔρως, αὐτὸς δὲ ἐπιφοιτᾷ τῷ
κάλλει τῆς ψυχῆς ἑλκόμενος καὶ τοῖς ἔργοις τῶν ἀρετῶν
πληροφορούμενος, οὐχὶ δὲ φήμαις τῶν γινομένων πειθόμε-
νος· ἐὰν δὲ τὴν ἐκείνων, μὴ ἐγείρητε τὴν πρὸς αὐτὸν
10 ἀγάπην, ἔτι γὰρ ὑμῖν χρεία καιροῦ τοῦ ἐν φόβῳ δουλεύειν
αὐτῷ[a] οὐκ ἐχούσαις τέως βεβηκυῖαν τὴν τῶν ἀγαπώντων
κατάστασιν, μήπως ἀώρως τὴν ἀγάπην κινήσασαι, κα-
ταστρηνιάσητε[b] αὐτοῦ, ἅτε μηδέπω μαθοῦσαι κεχρῆσθαι
τῇ ἀγάπῃ καλῶς καὶ παθῆτε τὸ μηδ' ἐν καιρῷ δυνηθῆναι
15 τὴν πρὸς αὐτὸν ἀγάπην ἀναλαβεῖν, ἀκαίρως καὶ παρ'
ἡλικίαν τὴν τοιαύτην ἀγάπην κινήσασαι. Ἐστὶ γάρ τις καὶ
νηπιώδης ἄωρος ἔρως, οὐκ ἐκ φυσικῆς ἀκμῆς ὁρμώμενος,
ἀλλ' εὐκολίᾳ γνώμης συμβαίνων ἁπλῶς ὡς ἔτυχεν, οὐ

---

52. 3 αὐτὴν C : ἑαυ- VR ‖ 9 αὐτὸν CV : ἑαυτῶν R ‖ 10 ὑμῖν CV :
ἡμῖν R ‖ 11 ἐχούσαις C : -σαι VR ‖ 13 μηδέπω VR : μήπω C

---

52. a. Cf. Ps. 2, 11.   b. Cf. I Tim. 5, 11

---

1. D'après Field (p. 414), Nil est le seul témoin de cette leçon,
transmise aussi par Procope. On peut se demander s'il s'agit d'un
ἀντίγραφον ou d'une glose du texte biblique.

aimée et que la disposition de l'époux reste intacte à son
égard, elle conjure donc les jeunes filles de le rencontrer et
de lui dire son amour, si elles parviennent à le réveiller,
pour qu'il l'aime de la même manière.

52. Par ailleurs, on trouve ceci dans
**L'amour
immature**
certains exemplaires : « N'éveillez pas, ne
réveillez pas l'amour, jusqu'à ce qu'il le
veuille [1]. » S'il s'agit de celui de l'époux pour l'épouse, cela
veut dire : je n'ai pas besoin d'intermédiaire, car je sais
que, devenue digne, je réveille sa volonté elle-même pour
qu'il m'aime, puisque l'amour céleste ne se sert pas
d'entremetteur [2], mais vient de lui-même, attiré par la
beauté de l'âme et rempli d'assurance par les œuvres des
vertus, sans se laisser persuader par les bruits qui courent.
Mais s'il s'agit de l'amour des jeunes filles, il faut
entendre : n'éveillez pas votre amour pour lui, car il vous
faut encore un moment le servir dans la crainte [a] ; puisque
vous ne possédez pas encore la condition des amoureux
dans sa stabilité, il est à craindre que, provoquant
prématurément l'amour, vous n'éprouviez des désirs indignes de l'époux [b], parce que vous n'avez pas encore appris
à faire bon usage de l'amour. Il se peut aussi que vous ayez
à souffrir de ne pas avoir été capables d'assumer votre
amour à son égard au bon moment, puisque vous avez
suscité un tel amour à contre temps et à un âge indû. Car
il existe aussi une sorte d'amour puéril et immature, qui
ne jaillit pas d'une pleine vigueur naturelle, mais sur-
vient simplement par hasard, par un laisser-aller de la

2. Μαστροπεύειν signifie *servir d'entremetteur*. Ici à la voix
moyenne, il exprime le fait que l'épouse refuse l'intermédiaire des
jeunes filles, convaincue que sa beauté seule est capable d'attirer
l'époux dont l'amour céleste (οὐράνιος ἔρως « traduit » ἀγάπη de
Cant. 2, 7) n'a pas besoin, pense-t-elle, d'entremetteuses.

μένων ἔτι πολύ, οὐδὲ διαρκῶν πρὸς διάστημα χρόνου τῷ
20 μὴ πρὸς πάθος ἑκτικῶς κινεῖσθαι τῆς προαιρέσεως, ὃ καὶ
Φαραὼ πέπονθεν ὁ δοξομανὴς ἐπιμορφωσάμενος τὴν πρὸς
τὴν ἀρετὴν Σαρρὰν ἄωρον κοινωνίαν[c], διὰ τὴν ἐκ τῶν
πολλῶν ἀνόνητον εὐφημίαν ὁρῶν τὸ ἀοίδιμον τοῦ συνοι-
κοῦντος αὐτῇ νομίμως, τελείου κατὰ ἕξιν ἀνδρός, καὶ
25 νομίσας ἡδονὴν ἕπεσθαι τῇ τῆς ἀρετῆς κοινωνίᾳ ὀδύνας
ὑπέμεινεν ἀργαλεωτάτας. Βάσανος γὰρ οὐ μικρὰ τῷ
ἀκρατεῖ ἐγκράτεια καὶ τῷ ἀκολάστῳ σωφροσύνη, ὑφ' ὧν
στρεβλούμενος ὁ παρὰ καιρὸν ἐρασθεὶς αὐτῶν ἀποπέμπε-
ται τὴν ἀρετήν, οὔτε τό τε γνησίως δυνηθεὶς ὁμιλῆσαι
30 αὐτῇ διεφθαρμένῳ σκοπῷ καὶ τὴν εἰσαῦθις ἀρνησάμενος
φόβῳ τῶν δυσχερῶν κοινωνίαν. Ἀρετῆς γὰρ πόνος τῷ
μὲν προαιρέσει κεκριμένῃ ἑλομένῳ αὐτὸν εὐφροσύνην
ποιεῖ καὶ θυμηδίαν πολλήν, παραμυθίαν ἔχοντι τοῦ
καμάτου τὴν προσδοκωμένην ἐπὶ τῇ ἀρίστῃ ἕξει τρυφὴν
35 καὶ ἀπόλαυσιν, τῷ δὲ μὴ γνώμῃ προσελθόντι βάσανος
γίνεται καὶ μάστιξ διηνεκής, ἕως ἢ ποθήσει τὸ καλὸν ἢ
ἀπείπηται τὸ παρὰ γνώμην ἧτταν ὁμολογήσας, καθάπερ
ἀθλητὴς παρείμενος τὴν προθυμίαν καὶ ἀναπεπτωκὼς

19 οὐδὲ CV : οὐ R ‖ 20 ὃ C : τοῦτο γὰρ VR ‖ 21 φαραὼ CV : φασί
R ‖ 26 ἀργαλεωτάτας C : -τους VR ‖ 27 καὶ VR : om. C ‖ 29 τε C :
om. VR ‖ 31 κοινωνίαν CV : -ίᾳ R ‖ ἀρετῆς CR : -τῶν V ‖ 32
κεκριμένῃ CV : om. R ‖ 36 ἕως CV : ἡγοῦν R ‖ ποθήσει CV : -ση R ‖
38 ἀθλητὴς C : ἀληθὴς VR

c. Cf. Gen. 12, 14-20.

1. Sur les difficultés de l'amour précoce, cf. PLUTARQUE, *Dialogue
sur l'amour*, 754C ; JAMBLIQUE, *Vie de Pythagore*, 209-210.

volonté [1]. Il ne persiste pas longtemps, ni ne résiste à la
durée, parce qu'il n'est pas provoqué de manière continue
en vue d'une passion délibérément choisie. Pharaon, ce fou
de gloire, a éprouvé cela, après avoir formé sa relation
immature avec Sara-la vertu [c] [2]. A cause de la vaine
réputation que lui faisait la plupart, quand il comprend
que celui qui cohabite légalement avec elle, un homme
parfait dans son comportement, est digne de louange, et
parce qu'il avait pensé qu'un plaisir suit la relation avec la
vertu, il a enduré des douleurs très pénibles [3]. Car ce n'est
pas une faible épreuve pour l'intempérant que l'abstinence
et pour le licencieux que la continence. Torturé par elles,
celui qui en est amoureux à contre-temps répudie la vertu
et, incapable d'avoir avec elle des relations légitimes à
cause de son intention corrompue, il renonce à une union
ultérieure, par crainte de conséquences fâcheuses. En effet
l'effort de la vertu procure à celui qui l'assume par un
choix délibéré de la joie et une grande satisfaction. Il est
assuré, pour consolation de son labeur, du délice et de la
jouissance qu'il attend pour son excellent comportement.
Au contraire, pour celui qui s'en approche sans le vouloir,
cet effort se fait épreuve et châtiment continu, jusqu'à ce
qu'il désire le beau, ou bien qu'il renonce à contre-cœur en
reconnaissant son échec [4], comme un athlète qui a relâché
son ardeur et s'est laissé abattre par nonchalance à cause de

2. « Sara-la vertu », cf. Philon, *De Abrah.* 99 ; Wutz, p. 91.

3. L'épisode du stratagème d'Abraham qui fait passer Sara pour sa
sœur est ici passé sous silence. Seul importe à Nil l'exemple de
l'intempérance de Pharaon (cf. Origène, *HomGen.* VI, *GSC* VI,
p. 67, 2). Le même passage de *Gen.* est commenté de façon plus
détaillée dans *Périst.*, 912BCD : les douleurs subies par Pharaon
détournent de Sara l'opprobre de la souillure.

4. Sur l'importance de la volonté dans l'exercice de la vertu ; cf.
supra 26, 61-64 ; *Disc. asc.*, 789B.

ῥαθυμίᾳ διὰ ῥαστώνην πολλήν, τὴν πρὸς τὸν γενναῖον καὶ
40 παρεστῶτα παραιτησάμενος μάχην καὶ ἀθλήσεως ὄκνῳ
τῆς ἐκ τῶν βραβείων ἀλογήσας τιμῆς.

**2,8 Φωνὴ τοῦ ἀδελφιδοῦ μου,
ἰδοὺ οὗτος ἥκει, πηδῶν ἐπὶ τὰ ὄρη,
διαλλόμενος ἐπὶ τοὺς βουνούς.**

CVR.

53. Ἐπεὶ θεὸς ἦν ὁ ἀγαπώμενος, οὐ τεκμηρίοις
σωματικοῖς πιστούμενος, διαθέσει προσέχων καὶ λογισ-
μοὺς ἐμβατεύων εὐθὺς ἐπιφαίνεται τῆς ἀγαπώσης τὸν
πόθον παραμυθούμενος, ὡς ἐκείνην αἰσθομένην τοῦ κατὰ
5 τὴν φωνὴν ἰδιώματος εἰπεῖν ἐκ πολλῆς τῆς περιχαρείας
τὸ « φωνὴ τοῦ ἀδελφιδοῦ μου, ἰδοὺ οὗτος ἥκει ». Τὸν γὰρ
Ἰωάννην θεασαμένη, ὃς ἦν φωνή[a], εὐθὺς καὶ τὸν λόγον
φαντάζεται καὶ δεικτικῶς φησίν· « ἰδοὺ οὗτος ἥκει ».
Λόγου γὰρ παρρησίαν σημαίνει φωνὴ καὶ τὴν ἀκοὴν
10 ἐπιστρέφουσα τῇ ὄψει δείκνυσι τὸ ἀκουσθέν.

54. Τὸ δὲ « πηδῶν ἐπὶ τὰ ὄρη, διαλλόμενος ἐπὶ τοὺς
βουνούς », τοιοῦτόν ἐστι· τῆς μὲν φωνῆς αὐτοῦ πόρρωθεν
ἀκήκοα, ἤδη δὲ καὶ αὐτὸν ἐκεῖνον ὁρῶ πηδῶντα ἐπὶ τὰ
ὄρη καὶ διαλλόμενον ἐπὶ τοὺς βουνούς, ὅπερ ἐπληροῦτο

40 παραιτησάμενος CR : παραστησά- V || 41 τῆς CV : om. R.
53. 1 ὁ CR : om. V || 2-3 λογισμοὺς CR : -οῖς V || 3-4 τὸν πόθον /
παραμυθούμενος CR : ~ V || 9 γὰρ VR : om. C || φωνὴ CV : -νὴν R ||
10 ἐπιστρέφουσα CV : -σαν R.
54. 2 ἐστι CR : om. V || 3-4 ἐπὶ τὰ ὄρη VR : om. C || 4 βουνούς
VR : ὄρη C || 5 ἐνανθρωπήσεως C : + τοῦ θεοῦ VR

53. a. Cf. Matth. 3, 3.

sa grande paresse, parce qu'il a refusé le combat contre celui qui s'y était généreusement préparé, et n'a pas tenu compte, par mollesse devant la lutte, de l'honneur des récompenses [1].

2,8 Voix de mon bien-aimé,
voici qu'il est là, sautant sur les montagnes,
bondissant sur les collines.

Voix de l'époux

53. Puisque l'aimé était Dieu, n'ayant pas confiance dans des signes corporels, mais attentif à ses dispositions et envahissant ses pensées, il se montre soudain pour apaiser le désir de l'amante, si bien qu'après avoir perçu le timbre particulier de sa voix, elle dit sous l'effet d'une intense jubilation : « Voix de mon bien-aimé, voici qu'il est là ! » En effet, ayant contemplé Jean qui était la voix [a], elle s'imagine soudain le Verbe aussi et dit sous la forme présentative : « Voici qu'il est là ! » Car « voix » du Verbe désigne son assurance et, en attirant son attention auditive, cette voix lui fait voir ce qu'elle a entendu [2].

Les bonds des pensées sur les montagnes des prophéties

54. « Sautant sur les montagnes, bondissant sur les collines », en voici le sens : J'ai entendu sa voix de loin et déjà je le vois en personne sauter sur les montagnes et bondir sur les collines, ce qui s'est accompli lors de l'incarnation. Car la

---

1. Sur le refus de la lutte lié au refus du dépouillement, cf. *Disc. asc.*, 797C.
2. Cf. Origène, *ComCant.* III, 11, 2.

5 ἐπὶ τῆς ἐνανθρωπήσεως· αἱ γὰρ ἐκβάσεις τῶν περὶ αὐτοῦ
προηγγελμένων πηδήματα αὐτοῦ ἦν καὶ ἅλματα, ὄρη δὲ
καὶ βουνοὶ οἱ τὰ περὶ αὐτοῦ προειπόντες προφῆται, ἐφ'
ὧν διαλλόμενος καὶ ἀφ' ἑτέρων εἰς ἕτερα πηδῶν, τὴν
ἑκάστου προφητείαν ᾠκείου πρὸς τὴν ἑτέραν, ἓν σῶμα
10 τὰς διαφόρους ποιῶν προφητείας καὶ συνάπτων τοῖς
ἅλμασι τῶν νοημάτων τὰ διαστᾶναι δοκοῦντα ὄρη τῶν
λέξεων· ὁ γὰρ λέγων εὐαγγελιστής· « ὅπως πληρωθῇ τὸ
ῥηθὲν διὰ Ἠσαΐου τοῦ προφήτου· ἰδοὺ ἡ παρθένος ἐν
γαστρὶ ἕξει καὶ τέξεται υἱόν[a]· » καὶ πάλιν· « ἐξ Αἰγύ-
15 πτου ἐκάλεσα τὸν υἱόν μου[b]· » καὶ πάλιν· « ὁ ζῆλος τοῦ
οἴκου σου κατέφαγέ με[c]· » καὶ πάλιν· « ἔδωκαν εἰς
βρῶμά μου χολὴν καὶ εἰς τὴν δίψαν μου ἐπότισάν με
ὄξος[d]· » καὶ ὁ Δανιὴλ φάσκων· « λίθος ἐτμήθη ἐξ ὄρους
ἄνευ χειρῶν[e]· » πηδῶντα αὐτὸν ἐπὶ τὰ ὄρη δείκνυσι καὶ
20 διαλλόμενον ἐπὶ τοὺς βουνοὺς καὶ τοῖς πηδήμασι τὰ ὄρη
συνάπτοντα. Πολλάκις δὲ καὶ ἑκάστη ψυχὴ τοῦτο πάσχει
τὸν νοῦν τῶν ῥημάτων οὐδέπω καταλαμβάνουσα, φωνῆς
δὲ μόνον ὡς εἰπεῖν ἠχούσης ἀκούουσα καὶ κατὰ τὴν
ἔννοιαν ὁρῶσα τὸν λόγον ὑψηλοῖς καὶ μεγάλοις ἐπιτρέ-

7 καὶ CR : + οἱ V ‖ περὶ αὐτοῦ CV : om. R ‖ 10 προφητείας VR :
om. C ‖ 11-12 τῶν λέξεων CV : λέγων R ‖ 12-13 εὐαγγελιστὴς —
προφήτου VR : om. C ‖ 13 προφήτου VR : + τὸ C ‖ 13-14 ἐν —
πάλιν VR : om. C ‖ 14-15 καὶ — υἱόν CR : om. V ‖ 15 πάλιν[1] V :
αὖθις R ‖ 17-18 καὶ[1] — ὁ δανιὴλ φάσκων [correxi : τὸν δανιὴλ
φάσκοντα codd.] VR : om. C ‖ 18 ἐξ ὄρους VR : om. C ‖ 19 δείκνυσι
C : -νύει VR ‖ 19-20 καὶ — καὶ VR : om. C ‖ 20 τοῖς πηδήμασι τὰ
ὄρη VR : τοῖς ἅλμασι ταῦτα C

54. a. Matth. 1, 23; Is. 7, 14   b. Matth. 2, 15; Os. 11, 1   c. Jn 2,
17; Ps. 68, 10a   d. Matth. 27, 34; Ps. 68, 22   e. Dan. 2, 34.

réalisation des prédictions faites à son sujet était ses sauts et ses bonds, les prophètes qui avaient prédit ce qui le concernait, les montagnes et les collines [1]. Bondissant sur elles et sautant des unes aux autres, il unissait l'une à l'autre la prophétie de chacun, en faisant un corps unique des différentes prophéties et en rapprochant par les bonds des concepts les montagnes des expressions qui semblent éloignées. En effet, l'évangéliste dit : « Pour que soit accomplie le dit du prophète Isaïe : Voici que la vierge aura dans son sein et enfantera un fils [a] » ; et puis : « D'Égypte, j'ai appelé mon fils [b] » ; et puis : « Le zèle pour ta maison m'a dévoré [c] »; et puis : « Ils m'ont donné pour nourriture de la bile et, dans ma soif, ils m'ont donné à boire du vinaigre [d] [2] » ; et quand Daniel dit : « Une pierre a été coupée de la montagne sans l'aide de la main [e] », il le montre sautant sur les montagnes, bondissant sur les collines et rapprochant les montagnes par ses bonds [3]. Souvent, chaque âme aussi éprouve en particulier cela, parce qu'elle ne comprend pas encore l'esprit des paroles, mais qu'elle en entend seulement le son, pour ainsi dire en écho, qu'elle voit, conformément à l'idée, le Verbe parcou-

---

1. Cf. ORIGÈNE, *ComCant.* III, 12, 4 : « comme si, feuilletant chaque page du texte prophétique, [l'épouse] trouvait le Christ surgissant hors d'elle » (trad. L. Brésard, p. 615).

2. Exemples de passages de l'A. T. expliqués par le Nouveau : Les deux premiers textes se trouvent dans le même ordre chez Athanase (qui intercale entre eux quatre autres citations, *Sur l'incarn.*, 33, 4-5, *SC* 199, p. 382-385 et n. 1, p. 385) ; le troisième fait allusion à la prédication du Christ ; son usage est propre à Nil. Le dernier évoque un épisode de la passion ; Athanase cite alors *Is.* 53, 6-8 et *Deut.* 28, 66. Ici, cf. 28, 21-22 ; 57, 21-22 et 31, 40-42. Cette méthode d'explication du texte biblique, dont le principe a été formulé par Origène (*P. Arch.* IV, 2, 6, *SC* 268, p. 324-326 ; *ComCant.* III, 12, 7), prend chez Nil un regain de dynamisme dans l'idée de correspondance entre les prophéties.

3. Cf. ORIGÈNE, *HomCant.* II, 10, *SC* 37 bis, p. 138 et n. 1, p. 138-139.

25 χοντα νοήμασι καὶ ὡσανεὶ πηδῶντα καὶ διαλλόμενον, μὴ
δυναμένη παρακολουθεῖν τοῖς ὀξέως καὶ συνεχῶς γινομέ-
νοις ἅλμασι τῶν νοητῶν. Οὕτω δὲ καὶ ποτὲ μὲν συνεῖναι
φαίνεται αὐτῷ ἡ νύμφη, ποτὲ δὲ ζητεῖν ὡς ἀπόντα. Αἱ
μὲν γὰρ ἐπαπορήσεις τὴν τοῦ ἀπόντος λόγου σημαίνουσι
30 ζήτησιν, αἱ δὲ καταλήψεις τὴν παρουσίαν. Ὁμοίως γὰρ
εὐφραίνει ἀγαπωμένου παρουσία καὶ θεωρία τοῦ ζητουμένου νοήματος, πάντως δὲ καὶ πλέον ἐπεὶ τὸ μέν ἐστι
φιλοσώματον πάθος, τὸ δὲ καθαρᾶς διανοίας πόθος
ἐφιεμένης οἰκείας καὶ συγγενοῦς λόγου καὶ νοημάτων
35 τροφῆς. Ὄρη μὲν οὖν εἰσιν οἱ τὰ τῆς θεότητος αὐτοῦ
λέγοντες προφῆται, βουνοὶ δὲ οἱ τὰ τῆς οἰκονομίας. Οἱ
γὰρ βουνοί, κἂν ὑπερανέχωσι τῆς ἄλλης γῆς, ὅμως ἔχουσι
τὸ γεῶδες, τὰ δὲ ὄρη λίθος ἐστὶν ἀκραιφνής, γεώδους
οὐσίας ἀμέτοχος.

27 νοητῶν C : νοημάτων VR ‖ 32 ἐπεὶ C : -δὴ VR ‖ ἐστι CR : ἔτι V
‖ 35 μὲν οὖν C : δὲ VR ‖ 37 γὰρ CV : om. R ‖ 38 ἐστὶν VR : εἰσὶν C ‖
39 ἀμέτοχος C : -χα VR.

---

1. En citant *Dan.* 2, 34, Nil se sépare d'Origène (*ComCant*. III,
12, 11), mais dépend de Grégoire (*In Cant. Or.* V, 140, 1-4) à propos
du désespoir qui saisit l'âme de jamais parvenir à comprendre les
réalités supérieures sans l'aide de la parole évangélique.

rir des concepts élevés et nobles comme s'il sautait et bondissait, et qu'elle ne peut suivre les bonds des intelligibles qui se produisent de façon rapide et continue [1]. Ainsi l'épouse paraît tantôt avoir une relation intime avec lui, tantôt le rechercher comme s'il était absent. Les passages difficiles à comprendre expriment la recherche du Verbe absent et ceux que l'on comprend directement, sa présence [2]. En effet la présence de l'être aimé réjouit tout aussi bien que la contemplation de la représentation qu'on recherche, et celle-ci le fait assurément davantage, puisque l'une est passion attachée au corps et l'autre désir de pensée pure, convoitant une nourriture appropriée et apparentée à la raison [3] et à ses représentations. Donc les prophètes qui expriment ce qui concerne sa divinité sont les montagnes et ceux qui expriment ce qui concerne l'économie les collines [4] ; car les collines, même si elles dépassent le reste de la terre, ont pourtant la nature de la terre, alors que les montagnes sont de pierre pure, qui ne participe pas de la substance de la terre.

---

2. Pour l'exégète, cette remarque découle aussi de *Cant.* 2, 7 ; cf. *supra* 49, 1 ; 51, 16-19.

3. Συγγενοῦς λόγου τροφῆς : la nourriture apparentée à la raison l'est évidemment aussi au Verbe.

4. Τὰ τῆς θεότητος αὐτοῦ / τὰ τῆς οἰκονομίας : l'économie regarde tout ce qui concerne la vie terrestre du Christ. Grégoire écrit de son côté que l'évangile révèle τὴν τοῦ θεοῦ λόγου οἰκονομία, annoncée par les prophètes et rendue visible διὰ τῆς κατὰ σάρκα τοῦ θεοῦ ἐπιφανείας ; *In Cant. Or.* V, 140, 9-12.

2,9 Ὅμοιός ἐστιν ἀδελφιδός μου τῇ δορκάδι,
ἢ νεβρῷ ἐλάφων ἐπὶ τὰ ὄρη Βαιθήλ.

CVR. — βαιθήλ C : βεθήλ VR.

55. Βαιθήλ ἐστί τε καὶ ἑρμηνεύεται οἶκος θεοῦ, ὄρη δὲ
ταύτης οἱ διὰ μέγεθος ἀρετῆς οὕτω χρηματίζοντες· ὡς
γὰρ ὑπερανέστηκεν ὕψει καὶ διαφέρει κραταιότητι τῆς
λοιπῆς γῆς τὰ ὄρη, οὕτως ἐν τοῖς ἀνθρώποις ὑπερέχουσι
5 οἱ ἅγιοι τῷ ὑψηλῷ τῆς πολιτείας διεγηγερμένοι. Τούτοις
οὖν ἐπιδιατρίβοντα τὸν ἀδελφιδὸν ἑαυτῆς ἡ νύμφη βλέπει
ὁμοιούμενον διὰ μὲν τὴν θεωρητικὴν δύναμιν καὶ τὸ
κριτικὸν εἶναι ἐνθυμήσεων καὶ ἐννοιῶν ἀνθρωπίνων
δορκάδι· πάντων γὰρ τῶν ὁράσει καταλαμβανόντων τὰ
10 αἰσθητὰ ὀξυωπέστερον τοῦτο τὸ ζῷον εἶναι λέγεται· διὰ
δὲ τὴν πρακτικὴν καὶ τὴν πρὸς τὰς ἐναντίας δυνάμεις
ἀντιπάθειαν νεβρῷ ἐλάφων· ἀναιρετικὴ γὰρ ἰοβόλων
ἑρπετῶν ἡ ἔλαφος. Διὰ τί δὲ μὴ εἶπεν ἔλαφον αὐτόν, ἀλλὰ
νεβρὸν ἐλάφου, ὅτι οἱ μὲν πολλοὶ τῶν ἀνθρώπων ἢ καὶ

55. 1 βαιθήλ C : βεθήλ VR ‖ τε VR : om. C ‖ 2 χρηματίζοντες
CV : -ται R ‖ 3 κραταιότητι CV : -ος R ‖ 8 καὶ — ἀνθρωπίνων VR :
om. C ‖ 9 δορκάδι CV : δορκάδα + δὲ R ‖ τῶν CV : τῇ R ‖ 10 τοῦτο
VR : om. C ‖ εἶναι λέγεται VR : om. C ‖ 12 νεβρῷ ἐλάφων CV : ∼ R
‖ 13 ἑρπετῶν VR : om. C ‖ ἡ C : om. VR ‖ ἔλαφος CV : om. R ‖
αὐτὸν VR : om. C ‖ 14 ἐλάφου C : -φων VR ‖ μὲν VR : om. C

1. Cf. Origène, *ComCant.* III, 13, 51; *HomJug.* V, 3; Wutz,
p. 382.
2. Cf. Évagre, *Schol. Prov.*, 341, 6, SC 340, p. 430.
3. Origène lie cette capacité de la gazelle à l'étymologie : « On
l'appelle gazelle — δορκάς — en raison de sa grande acuité visuelle,
c.-à-d. παρὰ τὸ ὀξυδερκέστερον ». *HomCant.* II, 11, SC 37 bis, trad.
O. Rousseau, p. 141; il mentionne des sources : « Selon la physiolo-

L'APPEL du VERBE INCARNÉ

**2,9 Mon bien-aimé est semblable à la gazelle
ou au faon des biches sur les montagnes de Béthel.**

**Puissance de
l'homme seigneurial
dès l'enfance**

55. Béthel existe et est traduit par maison de Dieu [1] ; ceux qui sont appelés ainsi à cause de l'éminence de leur vertu en sont les montagnes, car de même que les montagnes s'élèvent en altitude et diffèrent en vigueur du reste de la terre, de même les saints qui se sont élevés au sommet de leur genre de vie l'emportent sur les hommes [2]. Donc, lorsqu'il passe son temps avec eux, l'épouse regarde son bien-aimé, semblable à une gazelle par sa puissance contemplative et sa faculté à discerner les réflexions et les idées humaines — car on dit que cet animal possède une vue plus perçante que tous ceux qui saisissent visuellement les choses sensibles [3] —, et au faon des biches par la pratique et l'aversion à l'égard des puissances ennemies — car la biche est le prédateur des serpents venimeux [4]. Pourquoi ne le dit-elle pas cerf, au lieu de faon de la biche ? Parce que la plupart des hommes, voire presque tous, ont, dans leur

---

gie de ceux qui dissertent de la nature de tous les animaux », *ibid.* ; « ceux qui ont l'expérience de la médecine », *ComCant.* III, 13, 45, *SC* 376, trad. L. Brésard, p. 649. S'agit-il de PLINE, *Hist. Nat.* 28, 11 ? Cf. GRÉGOIRE, *In Cant. Or.* V, 141, 5-7. Nil, qui utilise un vocabulaire sensiblement différent, se réfère-t-il exclusivement à Origène et Grégoire ?

4. Sur le cerf, prédateur des serpents, cf. ORIGÈNE, *HomCant.* II, 11, *ibid.*, p. 140-141 ; *ComCant.* III, 13, 32 ; 42 ; 50 ; GRÉGOIRE, *In Cant. Or.* V, 142, 4-6 ; PLINE, *Hist. Nat.* VIII, 32, 118 ; ELIEN, *De Nat. Anim.* II, 9 ; *Physiologus.* éd. Sbordone, p. 97 s. ; cf. *infra* 66, 15-21.

15 πάντες σχεδὸν ἐν τῇ παιδικῇ ἡλικίᾳ εἰ καὶ μὴ τῶν
αἰσχρῶν ἀλλ᾽ οὖν τινων παθῶν ἡττήθησαν, ὀψὲ καὶ μόλις
μετὰ τὸ τῆς νεότητος ἄτακτον πρεσβυτικὸν ἀναλαβόντες
καὶ σώφρονα λογισμόν· ὁ δὲ κυριακὸς ἄνθρωπος, « πρὶν ἢ
γνῶναι καλεῖν πάτερα καὶ μήτερα[a] », ἠπείθησε πονηρίᾳ
20 τὰς νεωτερικὰς ἐπιθυμίας πρεσβυτικῇ καταπατήσας
γνώμῃ καὶ τὰς τῶν ἀντικειμένων δυνάμεων ἐνεργείας ἐν
τῷ ἔτι νεβρὸς εἶναι κατήργησε, καὶ τὴν κακίαν γὰρ ἀνεῖλε
πολιτείᾳ καὶ διδασκαλίᾳ πρεπούσῃ λογικῇ φύσει καὶ τοὺς
ἐνεργοῦντας αὐτὴν ἐνέκρωσε δαίμονας[b]. Τάχα δορκὰς ἦν,
25 ὅτε τὰς ἐνθυμήσεις αὐτῶν ὀξεῖ βλέπει καθορῶν ἔλεγεν·
« ἵνα τί ἐνθυμεῖσθε ἐν ταῖς καρδίαις ὑμῶν πονηρά[c]; »
νεβρὸς δὲ ἐλάφων, ὅτε τῷ λεγεῶνι τῶν δαιμόνων ἔλεγεν·
« ἔξελθε ἐκ τοῦ ἀνθρώπου, τὸ πνεῦμα τὸ ἀκάθαρτον[d] »·
ὡς ἐκ χηραμῶν τῶν ἀνθρωπείων σωμάτων ἐνδομυχοῦντα
30 ἀνέλκων τὰ τῶν δαιμόνων συνεσπειραμένα συστήματα.

---

15 σχεδὸν CV : om. R ‖ 16 ἀλλ᾽ οὖν C : ἀλλὰ γοῦν VR ‖ 19 καλεῖν
— μήτερα CV : μήτερα καλεῖν R ‖ πονηρίᾳ CV : -ίαν R ‖ 21 γνώμῃ
CV : om. R ‖ 24 ἐνέκρωσε δαίμονας CV : ~ R ‖ 25 ὀξεῖ βλέπει C :
ὀξὺ τῷ βλέμματι VR ‖ 26 ὑμῶν correxi [sic L] : ἡμῶν V om. CR ‖ 27
ἐλάφων VR : om. C ‖ τῶν δαιμόνων VR : om. C ‖ 29 ἀνθρωπείων C :
-πίνων VR.

---

55. a. Is. 8,4　b. Cf. Matth. 8, 31-32　c. Matth. 9, 4　d. Mc. 5, 8.

jeune âge, succombé aux passions honteuses, du moins à
certaines, reprenant sur le tard et avec peine, après le
désordre de la jeunesse, une pensée rassise et chaste. Quant
à l'homme seigneurial, avant de savoir appeler son père et
sa mère [a], il a repoussé la malice, foulant aux pieds par une
intention rassise les désirs de jeunesse, et les actions des
puissances adverses, quand il était encore un faon, il les a
rendues impuissantes, car il a anéanti le vice aussi par un
genre de vie et un enseignement appropriés à la nature
raisonnable et a mis à mort les démons qui agissaient sur
elle [b]. Il était sans doute une gazelle lorsque, pénêtrant
leurs réflexions d'un regard perçant, il disait : « A quelle
fin méditez-vous dans vos cœurs la malice [c] ? », et le faon
des biches lorsqu'il disait à la légion des démons : « Sors de
l'homme, esprit impur [d] ! », comme s'il arrachait de la
tanière des corps humains l'ensemble des démons qui s'y
tapissent [1] pelotonnés.

1. Les qualités qui font de l'homme seigneurial une gazelle et un
faon voient leur efficacité unifiée dans la lutte contre la malice, les
puissances adverses, les démons, qu'ils s'en prennent à lui (cf. 58, 12-
15) ou aux autres hommes.

2,9c Ἰδοὺ οὗτος ἕστηκεν ὀπίσω τοῦ τοίχου ἡμῶν,
παρακύπτων διὰ τῶν θυρίδων,
ἐκκύπτων διὰ τῶν δικτύων.
10 Ἀποκρίνεται ἀδελφιδός μου καὶ λέγει μοι·
« Ἀνάστα, ἐλθέ, ἡ πλησίον μου, καλή μου,
περιστερά μου,
11 ὅτι ἰδοὺ ὁ χειμὼν παρῆλθεν,
ὁ ὑετὸς ἀπῆλθεν, ἐπορεύθη ἑαυτῷ.
12 Τὰ ἄνθη ὤφθη ἐν τῇ γῇ,
καιρὸς τῆς τομῆς ἔφθακεν,
φωνὴ τοῦ τρυγόνος ἠκούσθη ἐν τῇ γῇ ἡμῶν,
13 ἡ συκῆ ἐξήνεγκεν ὀλύνθους αὐτῆς,
αἱ ἄμπελοι κυπρίζουσιν, ἔδωκαν ὀσμήν. »

CVR. — 9c ἕστηκεν VR : om. C ‖ 11b ἐπορεύθη CR :
-ρεύθ' V ‖ 12b καιρὸς CR : ὁ κ. V ‖ 12c ἠκούσθη CR :
ἠκούσθ' V ‖ 13a ἐξήνεγκεν R : -κε V ἐξηνε//// C ‖ 13b αἱ
VR : καὶ αἱ C ‖ ἄμπελοι CV : + ἡμῶν R ‖ 13c om.
CVR : similis 10b LXX.

56. Τοῖχον τὸ σῶμα τοῦ κυριακοῦ λέγει ἀνθρώπου,
κρύπτοντα τοῦ θεοῦ λόγου τὴν ἐνανθρώπησιν. Ὡς γὰρ τὸν
ὀπίσω τοῦ τοίχου ἑστῶτα ὀφθαλμὸς οὐχ ὁρᾷ, ἐπιπροσ-
θούμενον τῷ διαφράγματι, ἐννοίᾳ δὲ μόνῃ φαντασιοῦται,
5 χωρεῖ γὰρ καὶ διὰ τῶν ἄγαν παχυτάτων τῇ νοήσει
διαθροῦσα καὶ αὐγάζουσα τὰ τῇ αἰσθήσει δυσκατάληπτα,
οὕτω τὸν ὑπὸ τοῦ σώματος κρυπτόμενον θεὸν λόγον νοῦς
ἀκραιφνὴς θεωρεῖ ἐκ τῶν θαυμάτων τὴν δύναμιν στοχα-
ζόμενος. Μόνη οὖν αὕτη δεδύνηται ἐκ τῶν περὶ αὐτοῦ
10 προφητευθέντων καὶ ἐκ τῶν προηγγελμένων σημείων τῷ

56. 8 νοῦς VR : ἡ οὖσα C ‖ 8-9 στοχαζομένος VR : -η C ‖ 10 ἐκ
τῶν VR : om. C

2,9c Voici qu'il se tient derrière notre mur,
se penchant aux fenêtres,
regardant à travers les grillages.

10 Mon bien-aimé me répond et me dit :
« Lève-toi, va, ma proche, ma belle, ma colombe,

11 car voici que la tourmente est passée,
la pluie s'en est allée, elle est partie d'elle-même.

12 Les fleurs ont paru sur la terre,
la saison de la cueillette est arrivée,
la voix de la tourterelle s'est fait entendre sur notre
terre.

13 Le figuier a donné ses premières figues,
les vignes sont en fleur, elles ont donné leur parfum.

Le corps du Christ, mur qui cache sa divinité

56. Elle appelle mur le corps de l'homme seigneurial [1], parce qu'il cache l'incarnation du Verbe Dieu. Car de même que l'œil ne voit pas celui qui se tient derrière le mur, masqué par la cloison, mais qu'il se forme une image par la seule idée — or elle se dirige aussi vers ce qui est de loin le plus opaque à l'intelligence lorsqu'elle regarde attentivement et fixe le regard sur des objets difficilement perceptibles par la sensation —, de même un intellect pur contemple le Verbe Dieu caché sous le corps, quand il conjecture sa puissance à partir des miracles [2]. Elle seule donc a pu, grâce aux prophéties énoncées à son sujet et aux signes annoncia-

---

1. Nouveau symbole de l'incarnation qui connote en commun avec les précédents — le cellier, 11, 14 ; la couche, 36, 22 ; la pomme, 43, 18-19 — l'opacité et l'ombre.
2. Cf. *supra* 6, 22-25 ; 29, 20-24.

ὀφθαλμῷ τῆς ψυχῆς διὰ τῆς παχύτητος τοῦ οἴκου διελάσαι καὶ ἰδεῖν τὸν κρυπτόμενον τῷ σώματι, ἐπεὶ καὶ Πιλᾶτος[a] καὶ Ἡρώδης[b] εἶδον τὸν κύριον, ἀλλ᾽ οὐκ ἐνόησαν τὸ μυστήριον· τὸ τοῖχον γὰρ εἶδον μόνον. Τὸν
15 δὲ ὀπίσω τοῦ τοίχου ἑστῶτα οὐ διαθρήσαντες Ἰουδαῖοι δὲ καὶ ἐπεβούλευσαν τῷ τοίχῳ. Ὅπερ γὰρ ὁ Σαοὺλ ἱστορικῶς ἐπὶ τοῦ Δαυὶδ πεποίηκε, τοῦτο οἱ Ἰουδαῖοι ἐπὶ τοῦ Χριστοῦ δεδράκασι. Καὶ γὰρ ἐκεῖνος κατὰ τοῦ Δαυὶδ ἀκοντίσας τὸ δόρυ τῷ τοίχῳ τοῦτο ἐνέπηξε[c], καὶ
20 Ἰουδαῖοι κατὰ τοῦ Χριστοῦ μελετήσαντες τὸν φόνον τὴν σάρκα ἐσταύρωσαν· ἔδει γὰρ τὴν εἰκόνα συγγενῆ πρὸς τὴν ἀλήθειαν φέρειν τὸν τύπον.

57. Ἔστι δὲ τοῖχος πάλιν ὁ νόμος οὗ ὀπίσω ἔστηκε κρυπτόμενος ὁ νυμφίος, θεσπίσας τὸν νόμον καὶ οὐ γνωριζόμενος τοῖς νομοθετουμένοις, ἀκολουθῶν τῷ λαῷ καὶ τὴν ἐν ἐρήμῳ δίψαν παραμυθούμενος, ἄγνωστος δὲ
5 αὐτοῖς τέως γινόμενος, ἕως ἐλθὼν Παῦλος εἶπεν ἀποκαλύπτων τὸ μυστήριον[a] · « ἔπινον γὰρ ἐκ πνευματικῆς ἀκολουθούσης πέτρας[b], ἡ δὲ πέτρα ἦν ὁ Χριστός[c]. » Καὶ

15 δὲ VR : om. C ‖ τοῦ τοίχου VR : om. C ‖ 16 ὅπερ VR : om. C ‖ γὰρ ὁ VR : ∼ C ‖ 16-17 ἱστορικῶς VR : om. C ‖ 17 τοῦ VR : om. C ‖ 17-18 πεποίηκε — δαυὶδ VR : om. C ‖ 20 τοῦ VR : om. C.
57. 1 δὲ VR : om. C ‖ τοῖχος πάλιν C : ∼ VR ‖ 4 ἐν ἐρήμῳ δίψαν C : δ. τὴν ἐν τῇ ἐ. VR ‖ ἄγνωστος δὲ C : καὶ ἄ. VR ‖ 5 εἶπεν CV : om. R ‖ 5-6 ἀποκαλύπτων C : ἀνα- VR ‖ 6 ἔπινον — πέτρας VR : om. C ‖ γὰρ V : + φησίν R ‖ 7-12 καὶ — καταβολῆς VR : om. C

56. a. Cf. Matth. 27, 13 et passim   b. Cf. Matth. 2, passim   c. I Sam. 19, 10.
57. a. Cf. Rom. 16, 25   b. Cf. Ex. 17, 6   c. I Cor. 10, 4

annonciateurs, s'élancer avec l'œil de l'âme à travers
l'opacité de la maison et voir celui qui est caché par le
corps, puisque même Pilate [a] et Hérode [b] ont vu le
Seigneur, mais sans concevoir le mystère : ils n'ont vu que
le mur. Mais des Juifs aussi ont comploté contre le mur,
sans avoir regardé attentivement celui qui se tenait derrière
le mur. Car ce que Saül a fait à la lettre [1] dans le cas de
David, les Juifs l'ont accompli dans celui du Christ. En
effet, en lançant sa flèche contre David, Saül l'enfonça
dans le mur [c], et les Juifs, en méditant le meurtre contre le
Christ, ont crucifié sa chair. Car il fallait que la figure
porte l'image à laquelle elle est apparentée en vue de la
vérité [2].

La loi, mur brisé par le Christ
57. Par ailleurs, la loi est encore le
mur derrière lequel l'époux se tenait
caché, lui qui a institué la loi sans être
connu des législateurs, qui accompagne le peuple, et apaise
sa soif au désert, tout en leur restant inconnu, jusqu'à la
venue de Paul qui a dévoilé le mystère [a] en ces termes :
« Ils ont bu en effet à un rocher [b] spirituel qui les
accompagnait, et le rocher était le Christ [c]. » Et c'est bien

---

1. Ἱστορικῶς : Origène commence presque toutes ses explications
du *Cant.* par un exposé conforme à ce que Rufin traduit par
historicus intellectus / ordo (v. g. *ComCant.* I, 5, 2 ; II, 4, 3), suivi
du développement le plus long, qui constitue l'*intelligentia mystica
/ i. spiritalis* (*ibid.* II, 4, 4 ; II, 6, 2 ; III, 1, 3 ; 8, 3). Ici, la traduction
de l'adv. par *selon le sens historique* rendrait le deuxième membre
de la phrase difficilement compréhensible, car c'est bien « selon
l'histoire » aussi que le Christ est mort. L'idée est que l'attentat de
Saül contre David, qui n'a pas eu la mort pour conséquence,
préfigure *à la lettre*, par la flèche fichée dans le mur, le meurtre réel
du Christ par les Juifs.

2. L'expression τὴν εἰκόνα συγγενῆ [...] φέρειν τὸν τύπον consacre
en David la *préfiguration* du Christ, puisqu'historiquement la mort
du Christ est conforme à l'image qu'en a donnée David. La figure
était donc bien *en vue de la vérité*, πρὸς τὴν ἀλήθειαν.

ὅτι αὐτὸς ἦν ὁ τεθεικὼς τὸν νόμον, ὁ εὐαγγελιστὴς
σαφῶς φησι διὰ τοῦτο · « ἐν παραβολαῖς ἐλάλει αὐτοῖς ἵνα
10 πληρωθῇ τὸ γεγραμμένον ἐν τῷ νόμῳ ᵈ · ἀνοίξω ἐν
παραβολαῖς τὸ στόμα μου, ἐρεύξομαι κεκρυμμένα ἀπὸ
καταβολῆς ᵉ. » Ὅτι δὲ καὶ τοῖχος ὁ νόμος, σαφῶς ὁ
Παῦλος ἐδήλωσεν εἰπών · « καὶ τὸ μεσότοιχον τοῦ
φραγμοῦ λύσας, τὴν ἔχθραν ἐν τῇ σαρκὶ αὐτοῦ, τὸν νόμον
15 τῶν ἐντολῶν ἐν δόγμασι καταργήσας ᶠ. » Βλέπει οὖν
αὐτὸν ἑστῶτα μὲν ὀπίσω τοῦ τοίχου, ὡς εἴρηται τοῦ
νόμου, τοῖς πολλοῖς οὐχ ὁρώμενον διὰ τὸ ἀσαφῶς ἐν
τούτῳ καὶ συνεσκιασμένως ἄγαν εἰρῆσθαι τὰ περὶ αὐτοῦ.
Τίς γὰρ πέτραν ὁρῶν ἐνόει Χριστόν ; Τίς δὲ θάλασσαν ᵍ
20 βλέπων ἐνεθυμεῖτο βάπτισμα ; Τίς δι' ὄφιν ἐπὶ σημείου ʰ
σταυρούμενον ἀπείκασε Χριστόν ; Τίς δὲ προβάτου αἵματι
τὸ τοῦ ἀμώμου ἐσημειώσατο αἷμα ἀμνοῦ ⁱ ; Τίς δὲ
κιβωτῷ ʲ καὶ ναῷ ᵏ ἐτεκμηριώσατο τὸ ἅγιον σῶμα ; Ἡ

---

11 κεκρυμμένα V : ἀπο- R ‖ 12 σαφῶς V : om. CR ‖ 12-13 ὁ
παῦλος / ἐδήλωσεν C : ~ VR ‖ 14-15 τὴν — καταργήσας VR : om. C
‖ 16 ὡς εἴρηται VR : om. C ‖ 17 ἀσαφῶς CV : σαφῶς R ‖ 18 ἄγαν
VR : om. C ‖ τούτῳ ... εἰρῆσθαι τὰ περὶ αὐτοῦ C : τούτῳ τὰ περὶ α.
... εἴ. VR ‖ 20 ἐνεθυμεῖτο VR : ἐνόει C ‖ δι' correxi [sic L] : δὲ V δ' R
om. C ‖ ὄφιν CV : ὄφησιν R ‖ 21 σταυρούμενον — χριστόν CV : om.
R ‖ ἀπείκασε V : om. C ‖ τίς δὲ V : om. CR ‖ 21-22 προβάτου —
ἀμνοῦ VR : om. C ‖ 22 ἐσημειώσατο αἷμα ἀμνοῦ V : ἀμν. ἐ. αἵματι R
‖ δὲ VR : om. C ‖ 23 κιβωτῷ ... ναῷ CV : -ὸν ... -ὸν R ‖
ἐτεκμηριώσατο C : -ρίσατο VR ‖ τὸ V : om. CR ‖ ἢ VR : om. C

---

d. Matth. 13, 34-35   e. Ps. 77, 2   f. Éphés. 2, 14-15   g. Cf. Ex.
14-15 passim   h. Cf. Nombr. 21, 9   i. I Pierre 1, 19; cf. Is. 53, 7   j.
Cf. Ex. 25, 10   k. Cf. Ex. 25, 8

---

1. Cf. M.-G. GUÉRARD, « Testimonia christologiques et pédagogie
monastique : la notion de prophétie chez Nil d'Ancyre », à paraître
dans le vol. d'hommages à M. Harl.

lui en personne qui a établi la loi, l'évangéliste le dit
clairement par ces mots : « Il leur parlait en paraboles afin
que ce qui est écrit dans la loi soit accompli [d] : j'ouvrirai
ma bouche en paraboles, je crierai des choses cachées
depuis l'origine [e]. » Que la loi aussi bien est mur, Paul l'a
clairement révélé en disant : « Et ayant ouvert le mur
mitoyen de clôture, l'inimitié dans sa chair, ayant aboli la
loi des commandements dans ses doctrines [f]. » Elle le voit
donc alors qu'il se tient derrière le mur, c'est-à-dire la loi,
invisible à la plupart, parce que ce qui y est dit à son
propos l'est à mots couverts et de façon complètement
voilée [1]. Qui en effet, voyant le rocher concevait le
Christ [2] ? Qui, regardant la mer [g], déduisait le baptême [3] ?
Qui, à travers le serpent sur l'étendard [h], s'est représenté le
Christ crucifié [4] ? Qui, dans le sang du mouton, a vu le
signe du sang de l'agneau sans tache [i] [5] ? Qui, du coffre [j] et
du temple [k] a tiré la preuve du saint corps [6] ? Qui encore,

2. La phrase renvoie évidemment à *I Cor.* 10, 4 (1. 6-7), qui sert à
Nil de paradigme pour la suite, tout en légitimant les images
« minérales » qui lui servent de point de départ. Les trois listes de
textes prophétiques sont unies par l'emploi de λίθος (8, 13-14 =
Dan. 2, 45 ; 54, 18-19 = *Dan.* 2, 34) et πέτρα (57, 6-7 = *Ex.* 17, 6 +
I Cor. 10, 4) ; sur le « Christ-Pierre », cf. Daniélou, *Sacramentum
Futuri*, p. 210-211.

3. Le passage de la Mer Rouge, préfiguration du baptême (cf.
supra, n. 2 p. 184) est souvent lié à *I Cor.* 10, 1-2 : Origène,
HomEx. 5, 2, *GCS* VI, p. 184, 8-10.

4. Cf. Basile, *Traité du Saint-Esprit*, 14, 31, 22, *SC* 17 bis,
p. 356. On peut rapprocher *Nombr.* 21, 9 de *Deut.* 28, 66 et des
textes où il est question d'élévation pour préfigurer la crucifixion.

5. L'allusion à *I Pierre* 1, 19 renvoie ici à *Is.* 53, 7, et aussi à *Ex.*,
12, 5-7 ; cf. Cyrille de Jérusalem, *Catéch. myst.* I, 2-3, *SC* 126,
p. 86.

6. Sur le coffre, cf. *BA* 2, p. 253-254 et n. *ad loc.*, ainsi que : M.
Harl, « Le nom de l'arche de Noé dans la Septante ». Pour les Pères.
c'est une image de l'humanité du Christ. Le temple (LXX : ἁγίασμα)
relève de la même symbolique, cf. *BA* 2, p 252 et n. *ad loc.* ; à
propos du mot νάος, cf. *supra* 43, 21, n. 2 p. 251.

τίς λυχνίᾳ μὲν ἑπταφώτῳ¹ τὸν παρὰ τοῦ Δαυὶδ
25 « λύχνον » ἐφαντάσθη προφητευόμενον « ἡτοιμάσθαι τῷ
Χριστῷ ᵐ » τὸν ἄνθρωπον σημαίνοντα τὸν κυριακόν, ᾧ
ἐπανεπαύσατο ἡ ἑπταλαμπὴς τοῦ πνεύματος δύναμις,
θαλάσσῃ δὲ χαλκῇ μόσχοις ἐπικειμένη δυοκαίδεκα ⁿ
Χριστὸν καὶ ἀποστόλους πρὸ τῆς ἐκβάσεως τῶν πρα-
30 γμάτων ἀνεθεώρησεν; ὀπίσω γὰρ ἦν τοῦ τοίχου ταῦτα
κεκρυμμένα, κεκρυμμένοις αἰνίγμασιν ἀμυδρῶς παραδη-
λούμενα. Διὰ τοῦτο καὶ ὁ εὐαγγελιστὴς καθ' ἕκαστον τῶν
ἐπιβαινόντων ἐπισημαίνεται, ὡς τότε καὶ οὐ πρότερον
νοηθὲν λέγων ᵒ, « τότε συνῆκαν οἱ ἀπόστολοι ὅτι ταῦτα ἦν
35 περὶ αὐτοῦ γεγραμμένα ᵖ ».

---

24 τὸν — δαυὶδ VR : om. C ‖ 25 λύχνον ... προφητευόμενον C : π.
... λ. VR ‖ ἡτοιμάσθαι C : om. VR ‖ 26 χριστῷ C : + μου VR ‖ τὸν¹
— κυριακόν [σημαίνοντα correxi : σημαίνων VR] VR : om. C ‖ 30
ἀνεθεώρησεν C : ἐθεώ- VR ‖ 30-31 ταῦτα κεκρυμμένα C : ∼ VR ‖ 33
ἐπισημαίνεται VR : παρα- C ‖ 33-34 ὡς [πότε R] — λέγων VR : om.
C.

---

l. Cf. Ex. 25, 31-37   m. Ps. 131, 17b   n. Cf. III Rois 7, 10-13   o.
Cf. Matth. 16, 9; Mc. 8, 17   p. Cf. Jn 12, 16.

---

1. Le chandelier à sept branches n'est pas seulement un signe du
Christ, ses sept lumières préfigurent « les sept dons » de l'Esprit : cf.
BA 2, n. p. 262 et surtout CLÉMENT, *Stromate* V, 35, 1-2, *SC* 278,
p. 82. Le Boulluec (*SC* 279, n. p. 144) rapproche le chandelier de
l'*Ex.* de celui de *Zach.* 4, 2 puis d'*Is.* 11, 13 qui énumère les « sept
esprits » : « esprit de sagesse et d'intelligence, esprit de conseil et de
force, esprit de connaissance et de piété et l'esprit de crainte du
Seigneur ». Nil utilise *Ex.* 25, 31-37 dans le *Disc. asc.* 756C pour
illustrer la vertu du maître spirituel, lumière qui éclaire les autres.

dans le chandelier à sept branches [1], s'est imaginé la
prophétie de David : « La lampe est prête pour le
Christ [m] », désignant l'homme seigneurial sur lequel s'est
reposée la puissance aux sept lumières de l'Esprit [1] ; qui
enfin, dans la mer de bronze reposant sur douze bœufs [n],
a contemplé le Christ et les apôtres [2] avant l'accomplissement des choses ? Car celles-ci avaient été cachées derrière
le mur, parce qu'elles étaient obscurément suggérées par
des énigmes cachées [3]. C'est pourquoi, même l'évangéliste
en fait la remarque à propos de chacun des événements,
disant d'abord qu'il n'était pas compris d'emblée [o], « ensuite les apôtres saisirent que ces choses avaient été écrites
à son sujet [p] [4] ».

2. La mer de bronze reposant sur douze bœufs est un bassin de
purification dans le temple de Salomon. L'interprétation en paraît
dictée par la présence du nombre douze. Dans le *Disc. asc.* 756C, Nil
associe le chandelier à la mer de bronze comme images de la pureté
nécessaire à celui qui se charge des fautes des autres, le maître
spirituel. Ces deux textes reçoivent dans le *Disc. asc.* une explication
plus proche de la littéralité des images. Si l'interprétation christologique témoigne d'un progrès dans l'intelligence spirituelle de la
Bible, on pourrait envisager pour notre *Commentaire* une date de
rédaction postérieure à celle du *Disc. asc.*; cf. n. 1 p. 349.

3. Le sens de ἀμυδρῶς, absent des dictionnaires, découle de
l'emploi par Platon (*Tim.* 49a) de l'adjectif, pour qualifier le
troisième genre d'être que son obscurité rend difficile à connaître.

4. La péricope de *Jn* 12, 16 citée par Nil diffère du texte
évangélique qu'on lit sous la forme : τότε ἐμνήσθησαν ἐπ' αὐτῷ
γεγραμμένα. Le développement qui a commencé avec l'évocation du
doute des apôtres (29, 38-39) s'achève ici par le rappel de leur
difficulté à comprendre. Il leur manquait ce dont l'âme parfaite est
désormais pourvue : l'assurance de la proclamation achevée par Paul.

58. Βλέπει δὲ αὐτὸν καὶ παρακύπτοντα διὰ τῶν
θυρίδων τῶν λόγων τῶν προφητικῶν καὶ ἐκκύπτοντα διὰ
τῶν δικτύων τοῦ ἀποστολικοῦ κηρύγματος. Μερικῶς γὰρ
αὐτὸν ὥσπερ ἀπὸ θυρίδος παρακύπτοντα οἱ προφητικοὶ
5 ὑποφαίνουσι λόγοι, ὅλον δὲ τηλαυγῶς ἡ ἀποστολικὴ
δείκνυσι διδασκαλία, ἁλιευτικοῖς λόγοις τοὺς εὐπειθεῖς εἰς
σωτηρίαν ἀγρεύουσα[a].

Δύναται δὲ θυρίδας τις λέγειν καὶ τῆς νύμφης τὰ
αἰσθητήρια, ἅπερ ἔχουσα καθαρὰ ἥλιον δι᾽ αὐτῶν καὶ
10 ζωὴν ἐδέχετο, τῶν ἁμαρτωλῶν θάνατον διὰ τούτων
εἰσδεχομένων, περὶ ὧν γέγραπται · « θάνατος ἀνέβη διὰ
τῶν θυρίδων ἡμῶν[b]. » Δίκτυα δὲ τοὺς ἐν τῇ ἐρήμῳ
προσαχθέντας αὐτῷ παρὰ τοῦ σατανᾶ πειρασμούς, ὅτε
πειράζων αὐτὸν ὁ διάβολος καθάπερ δικτύοις περιέχειν
15 ἐνόμιζε τοῖς πειρασμοῖς. Τὸ γὰρ « εἰ υἱὸς εἶ τοῦ θεοῦ,
εἰπὲ ἵνα οἱ λίθοι οὗτοι ἄρτοι γένωνται[c] », καὶ τὸ « βάλε
σεαυτὸν κάτω[d] », καὶ τὸ « ταῦτά σοι πάντα δώσω ἐὰν
πεσὼν προσκυνήσῃς μοι[e] », δίκτυα ἦν καὶ παγίδες, ὧν
ἀνώτερος φανεὶς ὁ κύριος, καὶ συντρίψας τὰς παγίδας καὶ

---

58. 2 προφητικῶν C : -τῶν VR ‖ 5 ὑποφαίνουσι C : ἀπο- VR ‖ 8 δὲ
θυρίδας τις CV : δ. τ. θ. R ‖ 9 ἅπερ ἔχουσα VR : παρέχουσα C ‖
αὐτῶν CV : -τὸν R ‖ 10-11 τούτων εἰσδεχομένων CV : -τον -νον R ‖
12 τῶν VR : om. C ‖ 13 παρὰ τοῦ σατανᾶ [post πειρασμούς transp. R]
VR : om. C ‖ ὅτε VR : οἷς ὁ C ‖ 14 αὐτὸν / ὁ ... δικτύοις VR : ~ C ‖
ὁ διάβολος VR : om. C ‖ 15 εἰ — θεοῦ VR : om. C ‖ 16 οὗτοι VR :
om. C ‖ καὶ τὸ VR : om. C ‖ 17-18 κάτω — μοι [με R] VR : om. C ‖
19-20 τὰς — δίκτυα VR : αὐτὰ C

---

58. a. Cf. Matth. 4, 19　b. Jér. 9, 21　c. Matth. 4, 3　d. ibid. 4,
6　e. ibid. 4, 9.

58. Elle le voit à la fois quand il se
penche aux fenêtres des paroles prophétiques et regarde à travers les grillages [1]
de la proclamation apostolique. Car, comme s'il se pen-
chait à une fenêtre, les paroles prophétiques ne le font
entrevoir qu'en partie, alors que l'enseignement apostolique le montre tout entier distinctement [2], pêchant en vue
du salut ceux qui se laissent prendre aux filets [a] de ses
paroles.

**Les fenêtres
des tentations**

On peut aussi appeler fenêtres les sens de l'épouse, par
lesquels elle recevait soleil et vie, parce qu'ils sont purs en
elle, alors que les pécheurs en reçoivent la mort, eux dont
il est écrit : « La mort est montée par nos fenêtres [b] [3]. »
Quant aux grillages, ce sont les tentations auxquelles il a
été exposé par Satan dans le désert, lorsque le diable, en le
tentant, a pensé l'enfermer en quelque sorte dans les
grillages de ses tentations : « Si tu es le fils de Dieu, parle
pour que ces pierres deviennent pains [c] » et « jette-toi en
bas [d] » et « tout cela, je te le donnerai, si tu te jettes en
prosternation devant moi [e]. » Voilà quels sont les grillages
et les nasses. Le Seigneur, se montrant plus élevé qu'eux,
déchirant les nasses et passant la tête par les grillages grâce

---

1. Nil utilise dans cette page tous les sens de δίκτυον, qui désigne
indifféremment plusieurs objets de structure réticulaire. Il s'agit
d'abord de l'appareil grillagé (l. 3), peut-être adapté de l'*opus
reticulatum* romain (cf. Rufin traduisant ORIGÈNE, *ComCant.* III, 14,
8), certainement mobile, qui garnit une fenêtre (θυρίς), puis le filet de
pêche (l. 6), enfin la nasse (l. 12-15) qui sert de piège (παγίς l. 18).
   2. Les composés de -κύπτειν sont employés dans le texte biblique
au sens physique pour désigner l'attitude de celui qui se penche pour
regarder par une fenêtre. Lorsque le Verbe se penche à la fenêtre
pour regarder au dehors (παρακύπτοντα), l'épouse l'entrevoit seulement à travers les grillages (fermés), mais lorsqu'il regarde à travers
(ἐκκύπτοντα) les grillages (ouverts), elle le voit distinctement. Chez
Grégoire, les fenêtres sont les prophètes et les grillages les préceptes
de la loi, *In Cant. Or.* V, 145, 1-6.
   3. Cf. ORIGÈNE, *ComCant.* III, 14, 16.

20 τὰ δίκτυα ταῖς εὐθυβόλοις ἀποκρίσεσιν ὑπερκύψας,
ἐξέκυπτε διὰ τῶν δικτύων, τὴν τῆς θεότητος δύναμιν
ὑποφαίνων τῇ ὁρατικῇ ψυχῇ.

59. Ὅθεν λοιπὸν καὶ διηγεῖται ταῖς θυγατράσιν Ἱερουσαλὴμ ἡ νύμφη, ὃ παρουσίᾳ μὲν ἔλεγεν ἐκείνων ὁ
νυμφίος, ἤκουε δὲ πλὴν ἐκείνης οὐδείς. « Ἀποκρίνεται
γάρ, φησίν, ἀδελφιδός μου καὶ λέγει μοι· ἀνάστα, ἐλθέ, ἡ
5 πλησίον μου, καλή μου, περιστερά μου, ὅτι ὁ χειμὼν
παρῆλθεν, ὁ ὑετὸς ἀπῆλθεν, ἐπορεύθη ἑαυτῷ.» Τὸ δὲ
ἀνάστα καλοῦντός ἐστι καὶ διεγείροντος· ἀπὸ γὰρ τῶν
κατὰ τὸν νόμον ταπεινῶν πραγμάτων ἢ τῶν παραγγελμάτων ἐπὶ τὰ ὑψηλότερα μαθήματα τῶν εὐαγγελικῶν
10 παραδόσεων αὐτὴν διεγείρων καλεῖ, ἀνάστα λέγων, ἐλθέ,
ἡ πλησίον μου, κατάλιπε τὸν νηπιώδη νόμον τὸν τὴν
ἐνέργειαν τῶν ἁμαρτημάτων κωλύοντα, καὶ ἐλθὲ ἐπὶ τὴν
χάριν τὴν ἐκκύπτουσαν. Καὶ τὸ φαῦλον ἐνθύμιον ἐκεῖνος
ἔλεγεν· « οὐ φονεύσεις[a] », σὺ μαθὲ μήδε ὀργίζεσθαι·
15 ἐκεῖνος μοιχείαν ἐκώλυσε[b], σὺ δὲ διδάχθητι μηδὲ ὁρᾶν
πρὸς ἐπιθυμίαν. Ἀνάστα ἀπὸ τῶν γηΐνων, πρόκοψον ἐπὶ
τὰ οὐράνια· ἀνάστα ἀπὸ τῶν τύπων, πορεύθητι ἐπὶ τὴν
ἀλήθειαν· ἀνάστα ἀπὸ τοῦ στοιχειώδους νόμου, φθάσον
ἐπὶ τὴν τελειότητα. Τὸ γὰρ « ἀνάστα » ἀπόλειψιν ἀπὸ τῆς

20 ὑπερκύψας CR : om. V ‖ 21 δικτύων CV : θυρίδων R ‖ 22
ὁρατικῇ CV : διορα- R.
59. 2 παρουσίᾳ CV : -αν R ‖ ἔλεγεν ἐκείνων C : ∼ VR ‖ 3 ἤκουε
C : -σε VR ‖ δὲ VR : om. C ‖ 5-6 καλή — ἑαυτῷ VR : om. C ‖ 6
ἀπῆλθεν V : ἐπ- R ‖ ἑαυτῷ VR : + τὰ ἄνθη ὤφθη ἐν τῇ γῇ R ‖ 7
διεγείροντος CR : -ροντο V ‖ γὰρ C : om. VR ‖ 8 πραγμάτων ἢ τῶν
V : om. CR ‖ 12 καὶ VR : om. C ‖ 13 ἐκκύπτουσαν V : ἐκκόπ- CR ‖
14 οὐ CV : μὴ R ‖ μάθε μήδε C : δὲ μάθε μὴ VR ‖ 15-17 ἐκεῖνος —
οὐράνια VR : om. C ‖ 16 ἀνάστα C : ἀνάστηθι VR ‖ 19 ἀπὸ V : om.
CR ‖ 20 τότε C : om. VR ‖ προκοπὴν CV : -πῇ R ‖ τὴν CV : om. R

59. a. Ex. 20, 13   b. Cf. Ex. 20, 17

à la pertinence de ses réponses, a regardé à travers les grillages laissant entrevoir la puissance de sa divinité à l'âme douée de la vue [1].

Au-delà de la loi vers la vérité — **59.** A partir de là, l'épouse raconte aussi aux filles de Jérusalem ce que l'époux disait en leur présence, mais que personne n'entendait, sauf elle : « Car mon bien-aimé, dit-elle, répond et me dit : Lève-toi, va, ma proche, ma belle, ma colombe, parce que la tourmente est passée, la pluie s'en est allée, elle est partie d'elle-même. » Ce « lève-toi » est l'expression de celui qui appelle pour réveiller. Car son appel la réveille des humbles actions ou des préceptes selon la loi, pour les connaissances plus élevées des traditions évangéliques, lorsqu'il dit : Lève-toi, va, ma proche, abandonne la loi de l'enfance qui empêche l'action des péchés, et va vers la grâce qui se fait entrevoir. La loi exprimait une idée simple : « Tu ne tueras pas [a] » ; toi, apprends aussi à éviter la colère ; elle a empêché l'adultère [b], apprends encore à ne pas regarder avec envie. Lève-toi des considérations terrestres, avance vers les célestes ; lève-toi des figures, pars vers la vérité ; lève-toi de la loi élémentaire, hâte-toi vers la perfection [2]. Car « lève-

---

1. La puissance du Christ face aux tentations de Satan, couramment figurées par l'image du piège, v. g. CHRYSOSTOME, *Catéch. bapt.* II, 9, 43, *SC* 366, p. 202, est semblable à celle d'un animal qui déchire son piège et passe à travers. Cf. ORIGÈNE, *ComCant.* III, 11, 4 ; 14, 27-28. L'âme dont « les sens sont purs » comprend que cet épisode évangélique manifeste la divinité du Christ.
2. Cette triple paraphrase de ἀνάστα, ἐλθέ marque l'abandon définitif de l'ancien mode de vie, et le départ — il n'y a pas d'arrêt, mais trois verbes de mouvement — de l'âme vers les réalités célestes, la vérité, la perfection dans un élan immédiat (ἐπὶ τὰ νῦν πεφανερω-μένα μυστήρια) vers un progrès ; cf. GRÉGOIRE, *In Cant. Or.* V, 149, 13-17 ; 162, 5-8.

20 τότε πολιτευομένης λατρείας, τὸ δὲ « ἐλθὲ » προκοπὴν τὴν
ἐπὶ τὰ νῦν πεφανερωμένα μυστήρια σημαίνει. Διὰ τοῦτο
καὶ Παῦλος ἐβόα· « ὁ νόμος, λέγων, παιδαγωγὸς ἡμῶν
γέγονεν εἰς Χριστόν[c] », τὰ στοιχεῖα διδάξας καὶ τῷ
τελείῳ παραπέμψας διδασκάλῳ.

25 Χειμῶνα δὲ λέγει τὸν τοῦ πάθους καιρὸν ἐν ᾧ πάντες
ἐχειμάσθησαν τῷ τῆς ἀπιστίας πνεύματι. Ἀλλὰ καὶ
αἰσθητὸς χειμὼν ἦν κατὰ τὸν καιρὸν ἐκεῖνον ὅθεν καὶ
Πέτρος μετὰ τῶν ὑπηρετῶν παρὰ τὴν ἀνθρακίαν ἐθερμαί-
νετο[d]. Παρελθόντος δὲ τοῦ χειμῶνος καὶ ὁ ὑετὸς
30 ἐπαύσατο ὁ νομικὸς καὶ προφητικὸς λόγος. Τῆς γὰρ
φωνῆς τοῦ τρυγόνος ἀκουσθείσης ἐν τῇ γῇ τῆς λε-
γούσης· « δεῦτε πρός με, πάντες οἱ κοπιῶντες καὶ
πεφορτισμένοι, κἀγὼ ἀναπαύσω ὑμᾶς[e] », οὐκέτι ἦν χρεία
τοῦ καταβαίνοντος ὡς ὑετοῦ ἀποφθέγματος νομικοῦ
35 λόγου. Καὶ τῶν ἀνθῶν ὀφθέντων ἐν τῇ γῇ, τῶν ἐν
χριστιανισμῷ ἀνθησάντων ἁγίων ἀνδρῶν, « καιρὸς τῆς
τομῆς ἔφθακε », τῆς ἀποβολῆς τῶν Ἰουδαίων, καὶ ἡ
συκῆ, ἣν κόψαι διὰ τὸ μὴ φέρειν καρπὸν[f] ὁ οἰκοδεσπότης
ἐκέλευσε, τοὺς τῆς μετανοίας ἐξήνθησεν ὀλύνθους, μετὰ
40 τὴν ἐπιδημίαν τοῦ Χριστοῦ, τὰ τῆς ἰδιωτικῆς διδασκαλίας δεξαμένη κόπρια[g]· καὶ αἱ ἄμπελοι δὲ αἱ ἐκ τῶν
κλημάτων τῆς ἀληθινῆς ἀμπέλου[h] μεταφυτευθεῖσαι ἐκ

22 ἐβόα VR : ἔλεγεν C ‖ ὁ CV : + δὲ R ‖ λέγων VR : om. C ‖ 26
ἀλλὰ καὶ C : κ. γὰρ VR ‖ 27 κατὰ — ἐκεῖνον VR : om. C ‖ 28 παρὰ
τὴν ἀνθρακίαν VR : om. C ‖ 30 νομικὸς ... προφητικὸς VR : ~ C ‖ 31
ἐν τῇ γῇ VR : om. C ‖ 32 πρός με VR : om. C ‖ 32-33 καὶ — ὑμᾶς
VR : om. C ‖ 34 ὡς CV : om. R ‖ ἀποφθέγματος CV : om. R ‖ 35
λόγου VR : om. C ‖ 36 ἁγίων CV : om. R ‖ τῆς CV : om. R ‖ 37
ἔφθακε CR : -σε V ‖ 38 οἰκοδεσπότης CR : δεσπότης V ‖ 41 αἱ[1] CV :
om. R ‖ τῶν C : om. VR

c. Gal. 3, 24   d. Cf. Jn 18, 18   e. Matth. 11, 28   Cf. Lc 13, 7   g.
Cf. Lc 13, 8   h. Cf. Jn 15, 5

toi » signifie l'abandon du culte jadis en vigueur et « va », un progrès vers les mystères maintenant manifestes. C'est pourquoi Paul aussi criait : « La loi a été notre pédagogue vers le Christ [c] » : elle nous a enseigné les rudiments et nous a conduits vers le maître parfait.

Il appelle [1] tourmente le moment de la passion, durant lequel tous ont été tourmentés [2] par l'esprit d'incroyance [3]. Et il y avait bien une tourmente sensible au moment où Pierre, avec les serviteurs, se chauffait auprès du braséro [d]. La tourmente passée, la pluie aussi a cessé, c'est-à-dire la parole de la loi et des prophètes. Car une fois que s'est fait entendre sur la terre la voix de la tourterelle qui dit : « Venez à moi, vous tous qui êtes las et chargés sous le faix, et moi je vous soulagerai [e] », il n'était plus besoin de la parole de la loi, sentence qui tombe comme la pluie. Quand les fleurs ont paru sur la terre, à savoir les saints hommes qui ont fleuri dans le christianisme, « la saison de la cueillette », du rejet des Juifs, « est arrivée » et le figuier que le maître de maison a ordonné de couper, parce qu'il ne portait pas de fruits [f], s'est couvert des premières figues de la conversion, parce qu'il a reçu, après la venue du Christ, la fumure [g] de l'enseignement destiné aux ignorants. Les vignes, marcottées sur les provins de la vraie vigne [h], ont donné le parfum de leur fleur [4] ; ce sont ceux

---

1. Le sujet de λέγει est le même que l. 4 : ἀδελφιδός μου, suite du discours rapporté.

2. La figure étymologique rappelle 31, 47.

3. Cf. *supra* 31, 33-34. Nil justifie le lien entre le froid hivernal et l'incrédulité par l'allusion au reniement de Pierre. Chez Origène, l'hiver figure les vices (*ComCant.* IV, 1, 6), chez Grégoire, le mal (*In Cant. Or.* V, 151, 8-11).

4. Ce tableau du printemps et son tissu de références scripturaires doit à Origène (*ComCant.* IV, 1, 7-11). Nil y file aussi la métaphore agraire de la vie chrétienne, cf. *supra* 40, 12 s.

τοῦ κυπρισμοῦ ἔδωκαν ὀσμήν, οἱ λέγοντες· « Τοῦ
Χριστοῦ εὐωδία ἐσμὲν ἐν τῷ θεῷ ἐν τοῖς σωζομένοις καὶ
45 ἐν τοῖς ἀπολλυμένοις [i] », καὶ αὐτοὶ γὰρ οἱ ἀπιστοῦντες τῷ
εὐαγγελίῳ καὶ τὸν λόγον ἐθαύμαζον τοῦ κηρύγματος καὶ
τῶν σημείων ἐξεπλήττοντο τὴν δύναμιν.

**2,14 Καὶ ἐλθὲ σύ, περιστερά μου, ἐν σκέπῃ τῆς
πέτρας,
ἐχόμενα τοῦ προτειχίσματος.
Δεῖξόν μοι τὴν ὄψιν σου,
καὶ ἀκούτισόν μοι τὴν φωνήν σου,
ὅτι ἡ φωνή σου ἡδεῖα καὶ ἡ ὄψις σου ὡραία.**

CVR. — καὶ — σύ CR : δεῦρο σεαυτῇ V.

60. Ἐν τοῖς πρὸ τούτοις ἀνέστησεν αὐτὴν εἰπών·
« Ἀνάστα, ἐλθέ, ἡ πλησίον μου· » καὶ ἐπεὶ μὴ ἐσήμανε
τὸν τόπον ἔνθα ἥκειν αὐτὴν ἐκέλευσε, νῦν πάλιν καλεῖ
αὐτὴν καὶ τὸν τόπον δηλῶν· « ἐλθὲ γάρ, φησίν, ἐν σκέπῃ
5 τῆς πέτρας, ἐχόμενα τοῦ προτειχίσματος. » Ἐπειδὴ γὰρ
ἦν ἐπερωτήσασα τὸν νυμφίον· « ποῦ ποιμαίνεις, ποῦ
κοιτάζεις ἐν μεσημβρίᾳ [a]; » οὐκ ἀπεκρίνατο δὲ ὁ μᾶλλον
ἐκείνης εἰδὼς τὸ καιρὸν τῆς ἀποκρίσεως· νῦν γνωρίζει
τὸν τόπον αὐτῇ τῆς νομῆς, ἵνα μὴ ὅπερ ἐκείνη ἔλεγε

43-45 οἱ — ἀπολλυμένοις VR : om. C ‖ 43 τοῦ R : om. V ‖ 47
ἐξεπλήττοντο CV : om. R.
60. 1 τούτοις C : -ως V -ου R ‖ 3 νῦν CV : + δὲ R ‖ 3-4 καλεῖ ἀ.
καὶ τ. τ. δηλῶν CV : δηλοῖ ἀ. καὶ καλεῖ δηλῶν καὶ τ. τ. R ‖ 4-5 ἐλθὲ
— προτειχίσματος VR : om. C ‖ 4 γάρ φησίν R : γράφηται V ‖ 5
ἐπειδὴ VR : ἐπεὶ C ‖ 6 ἦν CR : ἦ V ‖ ἐπερωτήσασα VR : ἐρωτή- C ‖
τὸν νύμφιον VR : om. C ‖ ποιμαίνεις C : -νει V om. R ‖ 7 κοιτάζεις
correxi [sic Mai] : -ζει VR om. C ‖ ἐν μεσημβρίᾳ VR : om. C

i. II Cor. 2, 15.
60. a. Cant. 1, 7b

qui disent : « Nous sommes la bonne odeur du Christ en
Dieu, parmi ceux qui sont sauvés et ceux qui sont
perdus [1] », et ceux-là mêmes qui n'ont pas cru à l'évangile
admiraient la parole de la proclamation et étaient frappés
de stupeur à la puissance des signes [1].

2,14 Et va, ma colombe, dans le creux du rocher,
　　　près de l'avant-mur.
　　　Montre-moi ton apparence
　　　et fais-moi entendre ta voix,
　　　car ta voix est harmonieuse et ton apparence belle. »

60. Dans les paroles précédant celles-ci, il
l'a fait lever en disant: « Lève-toi, va, ma
proche », et puisqu'il ne lui a pas indiqué le
lieu où il lui a ordonné d'aller, il l'appelle à nouveau et lui
montre le lieu : « Va, dit-il, dans le creux du rocher, près
de l'avant mur ». Car lorsqu'elle avait demandé à l'époux :
« Où fais-tu paître, où fais-tu reposer à midi [a] ? », il n'avait
pas répondu, lui qui sait mieux qu'elle le moment où
répondre. Maintenant, il lui apprend le lieu du pâturage,
afin, comme elle l'avait dit, qu'elle ne soit pas « comme

*A l'abri
du Christ*

1. Cf. 6, 22-24 et n. 1 p. 139.

10　γένηται « ὡς περιβαλλομένη ἐπ' ἀγέλαις ἑταίρων αὐτοῦ ᵇ », ἀλλ' « ἐλθέ, λέγων, περιστερά μου, ἐν σκέπῃ τῆς
πέτρας » τῆς σημαινούσης τὸν Χριστόν, ἐφ' ἧς ἴχνος
κακίας ὁ ὄφις ποιῆσαι οὐ δύναται ᶜ, ἐν ᾗ « οἱ χοιρογρύ-
λλοι, τὸ ἔθνος τὸ ἰσχυρόν, τοὺς ἑαυτῶν ἐποίησαν οἴ-
15　κους ᵈ », ἐν ᾗ καὶ κατὰ τὸν προφήτην νοσσεύσουσιν αἱ
περιστεραί, « ἐγένοντο, φησίν, ὡς αἱ περιστεραὶ νοσσεύ-
σουσαι ἐν πέτραις ᵉ », ἐξ ἧς ἔπινεν ἐπακολουθούσης ὁ
Ἰσραήλ ᶠ, « ἔπινον γάρ, φησίν, ἐκ πνευματικῆς ἀκολουθούσης πέτρας · ἡ δὲ πέτρα ἦν ὁ Χριστός ᵍ », ἵνα
20　σκεπαζομένη ἐν τῇ σκέπῃ ταύτης τῆς πέτρας μηδὲν αὐτῷ
δέξηται ἐν τῷ διανοητικῷ παρὰ τῶν ἀντικειμένων
δυνάμεων ἴχνος πονηρίας, μιμουμένη τὴν ἐν τοῖς τοιού-
τοις ἀντιτυπίαν τῆς σκεπαζούσης αὐτὴν πέτρας.

61. Καὶ « ἑχόμενα δὲ τοῦ προτειχίσματος » αὐτὴν
καλεῖ, ἐκεῖ βουλόμενος ἀκοῦσαι τῆς ἡδείας αὐτῆς φωνῆς
καὶ τὸ ὡραῖον αὐτῆς πρόσωπον κατανοῆσαι. Φωνὴ δὲ
ἡδεῖα ἐστίν, ἠθικῶς μὲν σεμνολόγουσα καὶ χάριν διδοῦσα

---

10 ἐπ' — ἑταίρων VR : om. C ‖ 10-11 αὐτοῦ ἀλλ' V : om. CR ‖ 11
περίστερά μου VR : om. C ‖ 13-19 ἐν — χριστός VR : om C ‖ 14
ἑαυτῶν R : -τοῦ V ‖ 15 καὶ CV : + οἱ R ‖ 16 ὡς αἱ V : om R ‖ 20 τῆς
πέτρας VR : om. C ‖ αὐτῷ VR : om. C ‖ 21 παρὰ CV : περὶ R ‖ 22-23
μιμουμένη — πέτρας VR : om. C.
61. 2. ἐκεῖ βουλόμενος CV : βουλόμενον ἐ. R ‖ 3 τὸ ὠ. α. πρόσωπον
κατανοῆσαι C : κ. τ. ὠ. α. π. VR ‖ 4-5 σεμνολόγουσα καὶ χάριν
διδοῦσα VR : σεμνοὶ λόγοι καὶ χάριν δίδοντες C

---

b. Cant. 1, 7c　c. Cf. Prov. 30, 19　d. Prov. 30, 26　e. Jér. 31,
28　f. Cf. Ex. 17,6; Nombr. 20, 11　g. I Cor. 10, 4.

environnée au milieu des troupeaux de ses compagnons [b][1] » : « Va, ma colombe, lui dit-il, dans le creux du
rocher » qui désigne le Christ, sur lequel le serpent ne peut
pas laisser une trace de vice [c], dans lequel « les porcs-épics,
nation pleine de vigueur, ont fait leur demeure [d][2] », dans
lequel aussi, selon le prophète, les colombes nicheront —
« ils sont devenus, dit-il, comme des colombes qui nicheront dans les rochers [e][3] » —, dont Israël buvait quand il les
accompagnait [f] — « car ils buvaient, dit-il, à un rocher
spirituel qui les accompagnait ; et ce rocher, c'était le
Christ [g] » —, afin que, protégée dans le creux du rocher,
elle ne reçoive dans son intelligence même aucune trace de
malice venant des puissances adverses, parce qu'elle prend
exemple sur les cas cités de la solidité du rocher qui la
protège [4].

Le doux appel   **61.** Il l'appelle « près de l'avant-mur »,
voulant y entendre sa voix harmonieuse
et considérer son beau visage. Sa voix est harmonieuse,
parce que dans un sens moral, elle parle avec gravité et
témoigne de la bienveillance à ceux qui écoutent, dans un

---

1. Nil cite *Cant.* 1, 7c dans le texte de la LXX. Le commentaire
suggère un troisième sens pour ὡς περιβαλλομένη (cf. *supra* 18, 12-14
et n. 4 p. 173). L'épouse veut savoir où retrouver l'époux pour ne pas
risquer une rencontre à l'improviste avec les troupeaux des compagnons, pour ne pas être « comme environnée » au milieu d'eux ; cf.
ORIGÈNE, *ComCant.* II, 4 9 ; GRÉGOIRE, *In Cant. Or.* II, 62, 20 — 63,
1.

2. Sur *Prov.* 30, 26, cf. ÉVAGRE, *Schol. Prov.*, SC 340, p. 487.
Prov. 30, 19 est absent du commentaire évagrien.

3. Cf. n. 3 p. 189.

4. Sur le rocher, symbole du Christ, cf. n. 2 p. 289. L'épouse
choisit de se tourner définitivement vers les réalités spirituelles et se
place ainsi sous la protection du Christ ; les notions de sécurité et de
vigilance de l'âme sont développées *infra* 72, 5 s. à propos de *Cant.*
3, 8.

5 τοῖς ἀκούουσι, δογματικῶς δὲ ἡ τοῦ ἐν σταυρῷ βοῶντος
λῃστοῦ· « μνήσθητί μου, κύριε, ὅταν ἔλθῃς ἐν τῇ
βασιλείᾳ σου[a] », μηδένα σαθρὸν λόγον προσφερομένη.
Ταύτην γὰρ καὶ ὁ Δαυὶδ εἰδὼς ἡδεῖαν τὴν φωνὴν ηὔχετο
λέγων· « ἡδυνθείη αὐτῷ ἡ διαλογή μου[b] »· καὶ ἡ
10 ἀτάραχος δὲ καὶ κατεσταλμένη φωνὴ ἡδεῖά ἐστιν, ἐπειδὴ
καὶ ἡ θορυβώδης βδελυκτὴ παρὰ τῷ θεῷ[c], ὅθεν καὶ δι᾿
Ἰερεμίου προφητικῶς περὶ τῆς συναγωγῆς ἔλεγεν· « ὀψὲ
φωνὴ αὐτῆς ὠλόλυξε[d] καὶ ἔδωκεν ἐπ᾿ ἐμὲ τὴν φωνὴν
αὐτῆς, καὶ διὰ τοῦτο ἐμίσησα αὐτήν[e] »· καὶ γὰρ ἦν ὄντως
15 μισητὴ ὅτε ἔδωκεν ἐπὶ τὸν κύριον τὴν φωνὴν αὐτῆς
λέγουσα· « ἆρον, ἆρον, σταύρωσον αὐτόν[f] »· διὸ πρὸς μὲν
τὴν ἐκκλησίαν φησίν· ἡ φωνή σου ἡδεῖα, βοῶσα διὰ τῆς
ἀπαρχῆς τοῦ λῃστοῦ· « μνήσθητί μου, κύριε, ὅταν ἔλθῃς
ἐν τῇ βασιλείᾳ σου[g] »· μισεῖ δὲ τὴν συναγωγὴν διὰ τὴν
20 προειρημένην φωνήν. Ὄψις δέ ἐστιν ὡραία, ἡ ἐκ τῆς
εἰρηνικῆς καταστάσεως γαληνιάζουσα, ἣν εἰκόνα τῶν
ἑαυτῆς ἔχουσα ἡ ψυχὴ κινημάτων, τοὺς ἀφανεῖς τῶν
ἠθῶν τύπους δημοσιεύει δι᾿ αὐτῆς, συνδιατιθημένης πῶς
τοῖς ἔνδον, καὶ τὸ λανθάνειν πάθος ἐν ἀπορρήτῳ δυνάμε-

6-7 ὅταν — προσφερομένη VR : om. C || 7 μηδένα V : μηδὲν R || 8
σαθρὸν R : σαπρὸν V || 8-10 ταύτην [-η V] — ἀτάραχος δὲ VR : om. C
|| 10 φωνὴ CV : φησί R || ἐπειδὴ VR : ἐπεὶ C || 11 τῷ R : om. V || 12
προφητικῶς VR : om. C || περὶ ... / ἔλεγεν C : ~ VR || 14 καὶ διὰ
τοῦτο VR : διὸ C || 14-16 καὶ² — ἆρον¹ VR : ἐμισήθη γὰρ δοῦσα
φωνὴν τὸ ἆρον C || 15 ἐπὶ τὸν κύριον V : κατὰ τοῦ κυρίου R || 16 αὐτὸν
VR : om. C || 16-17 πρὸς μὲν τὴν ἐκκλησίαν VR : περὶ δὲ τῆς
ἐκκλησίας C || 17 φησίν VR : τὸ C || 18 λῃστοῦ VR : + τὸ C || 18-20
μου — φωνήν VR : om. C || 21 εἰρηνικῆς CV : εἰρημένης R || 23
δημοσιεύει / δι᾿ αὐτῆς CV : ~ R

---

61. a. Lc 23, 42　　b. Ps. 103, 34　　c. Cf. Prov. 12, 22　　d. Jér. 2,
23　　e. Jér. 12, 8　　f. Jn 19, 15　　g. Lc 23, 42

---

1. Cf. n. 2 p. 252. Ἠθικῶς, le sens moral, concerne la recherche
du bien dans la vie terrestre ; δογματικῶς, le sens doctrinal, concerne

sens doctrinal[1], c'est la voix du larron qui crie sur la croix : « Souviens-toi de moi, Seigneur, lorsque tu iras dans ton royaume[a] », parce qu'elle ne profère pas une parole qui sonne faux. David en effet, qui connaissait aussi cette voix harmonieuse, priait en ces termes : « Puisse mon entretien lui plaire[b] » ; la voix tranquille et posée est harmonieuse, alors que la voix criarde est abominable pour Dieu[c] ; c'est la raison pour laquelle, par l'intermédiaire de Jérémie, elle disait prophétiquement de la Synagogue : « Bien après, sa voix a poussé des cris[d], elle a donné de la voix contre moi, à cause de cela, je l'ai haïe[e]. » Car elle était vraiment haïssable lorsqu'elle donnait de la voix contre le Seigneur en disant : « A mort! A mort! Crucifie-le[f] ! » C'est pourquoi il dit à l'égard de l'Église : « Ta voix est harmonieuse », puisqu'elle crie à travers les prémices du larron : « Souviens-toi de moi, Seigneur, lorsque tu iras dans ton royaume[g] » ; mais il hait la Synagogue, à cause de la voix qui vient d'être mentionnée[2]. La belle apparence, c'est l'âme qui connaît la sérénité issue de sa condition paisible. Lorsqu'elle la possède comme image de ses propres émotions, elle manifeste à travers elle, selon ses dispositions intérieures, les formes invisibles de son comportement, en peignant sur elle comme sur un tableau[3] même

la vie de l'âme dans l'Église (61, 15-17) : le cri du larron est celui de l'Église qui implore le pardon.

2. Le dialogue entre le Christ et le larron est à l'origine d'une abondante production homilétique (réf. *ap.* AUBINEAU, *SC* 187, n. 26, p. 87). Nil n'évoque pas ce dialogue à proprement parler ; il souligne l'antithèse entre la douceur de la requête du larron et l'agressivité de la Synagogue, ce qui lui permet de voir dans le premier, qui offre au Christ « un lieu où reposer » (15, 23-33), l'accueil de la proclamation par les nations.

3. L'exemple de la technique picturale relève chez nos auteurs du lieu commun rhétorique, cf. GRÉGOIRE, *In Cant. Or.* I, 28, 7-17. L'origine s'en trouve certainement dans le célèbre passage du *Philèbe*, 39b : « Un peintre qui vient après l'écrivain et dessine dans l'âme les images correspondantes aux paroles ».

25 νον ὡς ἐπὶ πίνακος ἐφ' αὑτῆς ζωγραφοῦσα· «δεῖξον οὖν
μοι, φησί, τὴν ὄψιν σου καὶ ἀκούτισόν μοι τὴν φωνήν
σου», καὶ ἤθει καὶ λόγῳ πρὸς ἐμὴν κοσμουμένη ἀρέσ-
κειαν καὶ κάλλος πράξεων καὶ ἐμμέλειαν δογμάτων
σύμφωνον ἐπιδεικνυμένη.

30 Εἰ δέ τις εἴποι τεῖχος εἶναι τὸν νόμον, ὡς ἀλλαχοῦ
φραγμὸς [h] εἴρηται, προτείχισμα τὸν φυσικὸν ἐρεῖ νόμον
οὗ ἐχόμενά ἐστιν ἡ πέτρα. Μᾶλλον γὰρ τοῦ ῥητοῦ νόμου ὁ
φυσικὸς πλησιαίτερος ὑπάρχει Χριστοῦ, ᾧ καὶ πρὸ
ἐγγράφου νόμου πολιτευσάμενοι οἱ ἅγιοι εὐηρέστησαν
35 τῷ θεῷ, φυσικαῖς ὁρμαῖς ἐπιγνόντες τὸ δίκαιον καὶ διδάσκαλοι τῶν καθηκόντων αὐτοὶ ἑαυτῶν γενόμενοι, οὐ
γράμμασιν ὑπομνησθέντες ἀλλὰ συνειδήσει καθαρᾷ παι-
δευθέντες πρὸς ἔννομον καὶ ἀνεπίληπτον διαγωγὴν καὶ ἡ
Χριστοῦ ταυτὴν ἔδειξε νομοθεσία [i] ἀρνησαμένη τὴν ἀσέ-
40 βειαν καὶ τὰς κοσμικὰς ἐπιθυμίας, σωφρόνως καὶ εὐσεβῶς
ζῆν πείσασα ἐν τῷ νῦν αἰῶνι. Τοῦτο γὰρ καὶ ὁ Παῦλος
ἐβόα λέγων· «νόμος δὲ παρεισῆλθε [j]», τὴν ἀρχαίαν καὶ
τὴν ὑστάτην μίαν οὖσαν μεσολαβήσας πολιτείαν καὶ

---

25 οὖν C : om. VR ‖ 28 ἐμμέλειαν CV : εὐτέλειαν R ‖ 30 τεῖχος C :
τοῖχον VR ‖ 33 πλησιαίτερος C : πλησιέστερος VR ‖ ὑπάρχει C : ὢν
τυγχάνει VR ‖ ᾧ C : τούτῳ V τοῦτο R ‖ 34 ἐγγράφου VR : τοῦ C ‖
πολιτευσάμενοι CV : -όμενοι R ‖ 35 τῷ θεῷ VR : om. C ‖ 36 αὐτοὶ
V : om. CR ‖ ἑαυτῶν V : -τοῖς C αὐτοὶ R ‖ 36-41 οὐ — αἰῶνι VR :
om. C ‖ 37 γράμμασιν V : γραφὴν R ‖ 39 νομοθεσία V : -ίαν R ‖
ἀρνησαμένη R : -νους V ‖ 41 γὰρ V : δὲ R om. C ‖ ὁ VR : om. C ‖
ἐβόα VR : βοᾷ C ‖ λέγων VR : om. C

---

h. Cf. Éphés. 2, 14   i. Cf. Matth. 5, 17   j. Rom. 5, 20.

sa capacité à cacher ce qu'elle ressent en secret [1]. « Montre-moi donc ton apparence, lui dit-il, et fais-moi entendre ta voix », puisque tu es embellie par ton comportement et ta parole pour me séduire et que tu arbores dans tes actions une beauté et dans tes doctrines une harmonie qui se font écho [2].

Par ailleurs, si on dit que la loi est le mur — elle est appelée ailleurs clôture [h] —, on dira que la loi naturelle est un avant-mur dont le rocher est proche. Car la loi naturelle se trouve plus proche du Christ que le texte de la loi [3] ; par elle les saints qui ont vécu même avant la loi écrite ont plu à Dieu : ils ont appris à reconnaître ce qui est juste par des élans naturels et sont devenus eux-mêmes maîtres de leurs propres devoirs, non parce qu'ils se souvenaient des lettres, mais parce qu'ils étaient éduqués avec une conscience pure à une conduite conforme à la loi et irréprochable. Cette conduite, la législation du Christ [i] a montré qu'elle était refus de l'impiété et des désirs du monde, qu'elle persuadait au contraire de vivre de façon chaste et pieuse dans le siècle présent [4]. Paul aussi criait cela en disant : « La loi est intervenue [j] », marquant une séparation entre le mode de vie ancien et le nouveau qui sont un, et les divisant comme

1. « La nature a fait de l'aspect extérieur (ὄψιν) le miroir de l'âme (ἔσοπτρον ψυχῆς) », écrit Nil dans *Périst.*, 865B, et les émotions les plus secrètes transparaissent sur le visage. L'explication s'applique ici à l'âme du larron, modèle de l'âme-épouse.

2. Variation sur le thème de l'harmonie entre actions et paroles, cf. n. 2 p. 188.

3. Cette explication découle de GRÉGOIRE, *In Cant. Or.* V, 162, 14-163, 10. La notion de loi naturelle vient de la morale stoïcienne, cf. SPANNEUT, *Stoïcisme des Pères*, p. 252 s. Il en va de même des expressions de la suite : φυσικαῖς ὁρμαῖς, διδάσκαλοι τῶν καθηκόντων.

4. La vie du Christ est le modèle philosophique à imiter, cf. *Disc. asc.*, 721C ; la vie dans la continence et la piété avec les œuvres, « dans le siècle présent », constituent l'idéal monastique. cf. *Pauvr. vol.*, 1033CD.

διελὼν καθάπερ μέσην ἐπιστολὴν τότε συμφωνοῦσαν τοῖς
45 τμήμασιν, ὅτε τὴν μέσην ἐκλείπων χώραν, ὁ νόμος
ἑνωθῆναι τὰ διαστάντα παρασκευάσει πρὸς μίαν συνάφειαν.

2,15 Πιάσατε ἡμῖν ἀλώπεκας
μικροὺς ἀφανίζοντας ἀμπελῶνας
καὶ αἱ ἄμπελοι ἡμῶν κυπρίζουσιν.

CR.

62. Τοῖς τῆς ἐκκλησίας τροφίμοις προστάσσει λοιπὸν
τοῖς ἔτι τὸ ἄνθος ἐπιδεικνυμένοις τῆς ἀρετῆς καὶ
δυναμένοις εὐχερῶς ἀδικηθῆναι ὑπὸ τῶν παθῶν. Οὐχ
οὕτω γὰρ ἀδρυνθεῖσα βλάπτεται ἡ ἄμπελος ὡς ἐν
5 προοιμίοις ἐπιβουλευομένη · ὡς γὰρ ἡ ἀνθοῦσα σταφυλή,
ἐὰν τιναχθῇ, ἀφίησι τὰς ῥάγας ἀσθενῶν ἔτι τῶν στε-
μφύλων ἐξηρτημένας, οὕτως ἡ ἄωρος ἀρετὴ ὑπὸ τῶν
παθῶν κλονηθεῖσα πρὸς ἀκμὴν οὐκ ἔρχεται τῆς τελειότητος, τῶν πεπανθῆναι ὀφειλόντων ἐπιτηδευμάτων διαρρυ-
10 έντων πρὸ τῆς βεβαίας καὶ ἑκτικῆς καταστάσεως.
Κενοδοξία γὰρ λυμαίνεσθαι πέφυκε τὸ τῶν ἀρετῶν ἄνθος

44 διελὼν CV : διελθὼν R ‖ 45 ὅτε CR : τότε V ‖ 46 παρασκευάσει
V : -ση CR ‖ 46-47 πρὸς — συνάφειαν VR : om. C.
62. 1 προστάσσει CR : προ- V ‖ 4 ἀδρυνθεῖσα C : ἐνδρυν- VR ‖ 7
ἐξηρτημένας correxi : -μένους codd. ‖ 8 τῆς VR : om. C ‖ 9
ὀφειλόντων C : -λουσῶν VR

---

1. Le passage évoque la pratique du σύμβολον — objet partagé
entre deux personnes — comme signe d'alliance (cf. PLATON,
Banquet, 191d, 193a; *Der kleine Pauly*, s. v. symbolon). Une lettre
(ἐπιστολή) pouvait servir de σύμβολον, cf. PLATON, *Lettre* XIII, 360a.
Le vocabulaire qu'emploie Nil à propos du rôle de la loi, à la fois
point de rupture et mode d'union, rappelle un passage des *Lois* de

une lettre coupée par le milieu dont les parties se raccordent, jusqu'à ce que, après avoir quitté la position médiane, la loi permette que les parties séparées soient unies par une union unique [1].

L'INCARNATION du VERBE, GARANTE du PROGRÈS dans la VERTU

2,15 Attrapez-nous les petits renards parce qu'ils détruisent les vignes, et nos raisins sont en fleur.

Les petits renards et les petites vignes

62. Il donne ensuite un ordre aux nourrissons de l'Église, qui arborent encore la fleur de la vertu et peuvent facilement subir un préjudice des passions. Car lorsqu'il est à maturité, le raisin n'est pas gâté de la même façon que lorsqu'on s'en prend à lui dans ses prémices. De même que la treille en fleur, si on la secoue, perd ses grains, parce qu'ils sont suspendus à des pampres encore faibles, de même la vertu immature, quand elle est ébranlée par les passions, ne parvient pas au comble de la perfection, parce que les occupations qui ont besoin de mûrir se sont épuisées avant de parvenir à une condition stable et continue. La vaine gloire, en effet, endommage naturelle-

---

Platon, à propos du découpage du territoire de la cité (745e). Malgré l'hétérogénéité des images utilisées ici par l'auteur, le sens est en conformité avec *Matth.* 5, 17 : « je ne suis pas venu abolir, mais accomplir [la loi et les prophètes] » ; la législation du Christ marque la rupture avec la loi ancienne qui instaure l'alliance nouvelle, l'unique union (μίαν συνάφειαν) entre ce qui l'a précédée et ce qui lui succède. Les *Homélies sur le Cantique* d'Origène s'achèvent avec l'explication de ce verset (*Cant.* 2, 14).

καὶ ἀλαζονεία τοῖς ἀρχομένοις τῆς θεοσεβείας ἐμπόδιον
γίνεται προκοπῆς, τὰς βελτιώσεις τῇ οἰήσει ἀποτινάσσουσα καὶ ἐν ἄνθει μαραινόμενον ἀφανίζουσα τὸν καρ-
15 πόν. Συμβουλεύει τοίνυν ὁ λόγος ἔτι μικρὰς πιάσαι τὰς
ἀλώπεκας, τοῦτ' ἔστιν ἁπαλῶν ἔτι κρατῆσαι καὶ ἀσθενῶν
τῶν παθῶν, πρὶν ἕξις δυσμετακίνητος τὸ ἔθος γένηται
τοῦ κακοῦ. Χαλεπὸν γὰρ καὶ λίαν δύσκολον ἕξει μάχεσθαι
φύσεως ἰσχὺν τῇ πολλῇ νομῇ κτησαμένη · τοῦτο γὰρ καὶ
20 ἑτέρωθι λέξεσιν ἄλλαις παραινεῖ λέγων · « ἐξολοθρεύσατε
σπέρμα ἐκ Βαβυλῶνος ᵃ » · καὶ αὐτὴν εἰδὼς τὴν φυὴν
ἐπιζήμιον ἄλλος δὲ καὶ μακαρίζει τὸν τὰ νήπια τῆς
Βαβυλῶνος ἀφανίζοντα πρὸ τῆς αὐξήσεως ᵇ, ὡς τὴν ἐν τῷ
κακῷ προκοπὴν κωλύοντα, κἂν συνέβη προοιμιασθῆναι
25 ταῦτα τῆς νηδύος τῶν λογισμῶν, καὶ εἰς ἐνεργείας φῶς
παρακύψαντα.

Ἡ τοῦτ' οὖν κατὰ τὴν εἰρημένην διαίρεσίν ἐστι τὸ
λεγόμενον ἵνα οὕτως ἀναγνωσθῇ · « πιάσατε οὖν ἀλώπεκας μικρούς » · ἢ ἑτέρως διαιρεθῆναι · « μικροὺς ἀφανί-
30 ζοντας ἀμπελῶνας » · κρατῆσαι δὲ δεῖ καὶ πιάσαι τὰς
ἀλώπεκας, ἔτι μικρῶν οὐσῶν τῶν ἀμπέλων καὶ τὴν τῶν
ἐπιβουλευόντων ἀζημίως οὐ φερουσῶν προσβολήν. Μεγάλους γὰρ ἀφανίζειν ἀμπελῶνας αἱ ἀλώπεκες οὐ δύνανται,
ἐν ἕξει τοῦ ἀγαθοῦ γενομένους καὶ τὴν τῶν σοφισμάτων
35 εὐπαράγωγον ἀπάτην χλευάζοντας καὶ ἐκ τῆς πείρας τοῦ
καλοῦ βεβηκότας ἀσφαλῶς, καὶ γὰρ τῶν μικρῶν ἴδιον τὸ

15 τὰς CR : om. V ‖ 16 καὶ ἀσθενῶν C : om. VR ‖ 18 λίαν C : om.
VR ‖ 19 πολλῇ CV : om. R ‖ 20 λέξεσιν ἄλλαις VR : om. C ‖ 22 ἄλλος
C : -ως VR ‖ τὸν CV : om. R ‖ 23 τῷ VR : om. C ‖ 24 κωλύοντα R :
-λύων CV ‖ 25 τῶν λογισμῶν CV : τὸν -μὸν R ‖ καὶ C : om. VR ‖ 27
τοῦτ' VR : οὕτως C ‖ 27-29 ἐστι — μικροὺς [ἢ — μικροὺς om. R]
VR : ἢ διαιροῦντας ἀναγνῶναι μικροὺς C ‖ 36 καὶ VR : om. C ‖ γὰρ /
τῶν μικρῶν VR : ~ C [om. τῶν]

62. a. Jér. 27, 16   b Cf. Ps. 136, 9

ment la fleur des vertus [1] et la gloriole devient pour les
débutants dans la piété un obstacle au progrès, parce
qu'elle détruit les améliorations par la présomption et
anéantit le fruit en le desséchant dans la fleur. Le Verbe
conseille donc d'attraper les renards encore petits, c'est-à-
dire de dominer les passions encore fragiles et faibles,
avant que l'habitude du mal ne devienne un état difficile à
changer. Car il est difficile et très déplaisant de combattre
un état qui a acquis une force naturelle par l'étendue du
domaine qu'on lui concède. Il y exhorte aussi ailleurs dans
d'autres textes en ces termes : « Exterminez la semence de
Babylone [a] » et, sachant la race elle-même nuisible, un
autre souhaite même la bénédiction de celui qui détruit les
petits de Babylone avant leur croissance [b] [2], comme pour
empêcher le progrès dans le mal, même s'il arrive qu'on se
représente d'avance ces produits de la matrice des mauvaises pensées, et parvenir à les voir dans la lumière de leur
activité.

Donc, ou bien tel est le texte selon la ponctuation
précédente afin qu'on le lise : « Attrapez donc les petits
renards » ; ou bien il doit être ponctué autrement :
« détruisant les vignes, petites [3]. » Il faut vaincre et attraper
les renards, alors que les vignes sont encore petites et ne
supportent pas l'attaque de ceux qui s'en prennent à elles
de façon inoffensive. Car les renards ne peuvent pas
détruire de grandes vignes, quand elles sont dans l'état du
bien, qu'elles se moquent de l'artifice séduisant des
sophismes et sont établies en sécurité sur l'expérience du
beau, alors que c'est le propre des petites de se laisser

---

1. L'expression « fleur des vertus » se trouve chez Origène,
ComCant. IV, 3, 2.
2. Jér. 27, 16 et Ps. 136, 9 sont aussi associés dans le Disc. asc.,
780BC et Sup. des moines, 1069B, dans le même contexte de lutte
contre les passions avant qu'elles n'aient acquis trop de force.
3. Cf. Origène, ComCant. IV, 3, 33.

σκανδαλίζεσθαι, οὕτω γὰρ ὁ κύριος φησίν· « ὃς ἐὰν
σκανδαλίσῃ ἕνα τῶν μικρῶν τούτων [c] »· τῶν δὲ τὸν νόμον
ἀγαπώντων τελείων, τὸ ὑπεράνω τῶν σκανδάλων εἶναι,
40 διὰ τὴν παρέχουσαν αὐτοῖς τὸ ἀσφαλὲς εἰρήνην τοῦ θεοῦ,
τοῦτο γὰρ ὁ Δαυὶδ λέγων δηλοῖ· « εἰρήνη πολλὴ τοῖς
ἀγαπῶσι τὸν νόμον σου καὶ οὐκ ἔστιν αὐτοῖς σκάνδα-
λον [d] ».

Ὥσπερ δ' ἐπιτείνων τὴν ἐκ τοῦ φόβου ἀπορίαν φησί·
45 « καὶ αἱ ἄμπελοι ἡμῶν κυπρίζουσιν. » Οὐ μόνον γὰρ ἔοικε
δεδοικέναι ὅτι τρυφεροὶ καὶ νεοπαγεῖς εἰσιν οἱ ἀμπελῶνες
μικροὶ τυγχάνοντες, ἀλλ' ὅτι καὶ κυπρίζουσιν εὐχείρωτοι
ταῖς ἐκτινασσούσαις τὸ ἄνθος ὄντες ἀλώπεξι. Τοιούτους
ἐκτετιναγμένους οἶδεν ἡ γραφὴ περὶ ὧν φησι· « ὡσεὶ
50 βέλη ἐν χειρὶ δυνατοῦ, οὕτως οἱ υἱοὶ τῶν ἐκτετιναγμένων [e] »· τούτους ὁ μὲν ἀπόστολος κλάδους ἐκκεκλασμένους καλεῖ ἐλαίας [f], ὁ δὲ Δαυίδ· « χόρτον δωμάτων,
ὃς πρὸ τοῦ ἐκσπασθῆναι ἐξηράνθη [g] », διαφόροις ὀνόμασι
τὴν μίαν κατάστασιν αἰνιξάμενοι καὶ συνωνυμούσας
55 προσηγορίας καθ' ἑνὸς τάξαντες ὑποκειμένου. Τοὺς δ'
αὐτοὺς ὁ κύριος καὶ κλῆμα ἔξω τῆς ἀμπέλου βεβλημένον [h]
ὀνομάζει, τὸ ἄκαρπον αὐτῶν καὶ ἀπόβλητον αἰνιττόμενος.

37-39 οὕτω — τὸ VR : om. C ‖ 39 ὑπεράνω VR : + δὲ C ‖
σκανδάλων VR : + οἱ τέλειοι C ‖ εἶναι VR : om. C ‖ 41 τοῦτο —
δηλοῖ VR : δηλοῖ VR om. C ‖ εἰρήνη VR : + γὰρ C ‖ 44 τὴν —
ἀπορίαν VR : om. C ‖ ἐκ τοῦ φόβου / ἀπορίαν φησί V : ∼ R ‖ 48
τοιούτους C : -τοις V -τον R ‖ 49 ἐκτετιναγμένοις VR : -νους C ‖ 50
βέλη CR : βόλη V ‖ 51 τούτους ὁ μὲν ἀπόστολος VR : οὓς Παῦλος μὲν
C ‖ 51-52 ἐκκεκλασμένους καλεῖ ἐλαίας C : ἐλ. ἐκκ. κ. VR ‖ 53-56 ὃς
— αὐτοὺς VR : om. C ‖ 56 ὁ κ. καὶ VR : ὁ δὲ κ. C ‖ 56-57 βεβλημένον
— αἰνιττόμενος [βεβλημένου V] VR : δι' ἀκαρπίαν βαλλόμενον C.

c. Matth. 18, 6   d. Ps. 118, 165   e. Ps. 126, 4   f. Rom. 11,
20   g. Ps. 128, 6   h. Cf. Jn 15, 6.

scandaliser, ainsi que le Seigneur le dit : « Quiconque scandalise un de ces petits [c] ». Ceux qui aiment la loi au contraire sont les parfaits ; qu'ils soient très au-dessus des scandales grâce à la paix de Dieu qui leur procure la sûreté, David le montre par ces mots : « Grande paix pour ceux qui aiment ta loi et pour eux, il n'y a pas de scandale [d] [1]. »

Comme pour accroître l'embarras causé par la crainte, il ajoute : « et nos raisins sont en fleur », car non seulement il redoute probablement que les vignes, précisément du fait de leur petitesse, ne soient fragiles et à peine reprises, mais aussi qu'en fleur elles ne soient la proie facile des renards qui brisent la fleur en la secouant. L'Écriture connaît de tels êtres brisés par commotion, dont elle dit : « Comme les flèches dans la main du puissant, ainsi les fils de ceux qui ont été brisés par commotion [e] », l'apôtre les appelle « rameaux d'olivier cassés [f] » et David « herbe des terrasses qui se dessèche avant d'avoir été arrachée [g] ». Ils ont laissé entendre par des noms différents une unique condition et ont attribué des appellations synonymes à un sujet unique. Les mêmes, le Seigneur les appelle aussi « sarment de vigne jeté dehors [h] », pour désigner celui d'entre eux qui est stérile et doit être rejeté [2].

1. Cf. Origène, *ComCant.* IV, 3, 34.
2. Dans la traduction de Rufin, le *Commentaire* d'Origène s'achève avec l'explication de ce verset (*Cant.* 2, 15).

2,16 Ἀδελφιδός μου ἐμοί, κἀγὼ αὐτῷ,
ὁ ποιμαίνων ἐν τοῖς κρίνοις,
17 ἕως οὗ διαπνεύσῃ ἡ ἡμέρα καὶ κινήθωσιν αἱ
σκιαί.

CR.

63. Μόνα ἑαυτὴν ἀνατίθησι τῷ νυμφίῳ καὶ τὸν
νυμφίον πάλιν μόνης ἑαυτῆς εἶναι λέγει, διὰ τὴν τῶν
κατορθωμάτων οἰκειότητα μαθοῦσα παρὰ τοῦ Παύλου
ὅτι κολλώμενος τῷ κυρίῳ ἓν σῶμά ἐστιν[a] · ἐπειδὴ γὰρ
5 τὸ σῶμα ἑαυτῆς οὐ τῇ πορνείᾳ, ἀλλὰ τῷ κυρίῳ, διὰ τοῦτο
καὶ ὁ κύριος ἐνανθρωπήσας τῷ ἐκείνης γεγένηται σώματι. Οὕτω γὰρ πολλαχοῦ οἱ ἅγιοι τὸν κοινὸν κατὰ τὸν τῆς
δημιουργίας λόγον θεὸν οἰκειοῦνται διὰ τὴν τῆς ἀρετῆς
πρὸς αὐτὸν κοινωνίαν, « κύριε, ὁ θεός μου, λέγοντες, καὶ
10 ὁ θεός, ὁ θεός μου, πρόσχες μοι[b] », μᾶλλον ἐκ πολιτείας
ἢ ἐκ τῆς δημιουγίας οἰκειοτέραν εἶναι δηλοῦντες τὴν πρὸς
αὐτὸν συνάφειαν.

Ποιμαίνοντα δὲ αὐτὸν ἐν τοῖς κρίνοις λέγει, τὰς
ἀμερίμνους ψυχὰς ὑπ' αὐτοῦ ποιμαίνεσθαι σημαίνουσα,
15 ὡς τῶν περισπωμένων ὑπὸ τῆς σωματικῆς ἀσχολίας ἔξω
τῆς τούτου ποιμαντικῆς ὄντων, περὶ ὧν ὁ προφήτης τάχα

63. 1 μόνα CR : -νῳ V ‖ ἑαυτὴν CV : om. R ‖ 2 πάλιν VR : om. C
‖ εἶναι C : om. VR ‖ διὰ τὴν VR : ἐκ C ‖ 3-4 παρὰ — ἐστιν VR : om.
C ‖ 6 ἐνανθρωπήσας τῷ ἐκείνης γεγένηται σώματι C : τ. ἐ. σ. ἐν. γ.
VR ‖ 7 οἱ ἅγιοι C : om. VR ‖ τὸν² CV : om. R ‖ 7-8 τῆς δημιουργίας
CV : τοῦ -γοῦ R ‖ 8 οἰκειοῦνται C : ἰδιοποιοῦνται VR ‖ 9-10 καὶ —
μοι VR : om. C ‖ 14 σημαίνουσα C : λέγουσα VR ‖ 16-19 περὶ —
αἰνισσόμενος VR : om. C

63. a. Cf. I Cor. 6, 16-18   b. Ps. 21, 2

2,16 Mon bien-aimé est à moi et moi à lui,
     lui qui paît dans les lis,
  17 jusqu'à ce que souffle le jour et que les ombres se
     mettent en mouvement.

L'union à la place
de l'errance

63. Seule, elle se confie à l'époux et dit à nouveau que l'époux est à elle seule [1], parce que grâce à son intimité avec les belles actions, elle a appris de Paul que celui qui s'unit au Seigneur est un seul corps [a]. Car, puisqu'elle a donné son corps non à la prostitution [2], mais au Seigneur. Voilà pourquoi le Seigneur, quand il s'est incarné, l'a fait dans son corps [3]. Ainsi en effet souvent les saints s'approprient le Dieu commun selon la raison de la création par la communauté de vertu avec lui, en disant : « Seigneur, mon Dieu, et Dieu, mon Dieu, occupe-toi de moi [b] » ; ils montrent que leur union est davantage apparentée à leur mode de vie qu'à la création [4].

Elle dit qu'il paît dans les lis, faisant entendre que les âmes libres d'inquiétude sont menées par lui au pâturage, alors que ceux qui sont distraits par les préoccupations corporelles sont en dehors de sa responsabilité pastorale. A leur sujet, le prophète dit peut-être : « ils allaient de

1. Cf. 31, 44-48, sur *Cant.* 1, 14.
2. Cf. 2, 17.
3. Cf. 11, 15 ; 36, 7-8.
4. Cf. *Disc. asc.*, 736A : « La vertu dépasse en excellence la nature ».

φησί· « ἐξ ὄρους ἐπὶ βούνον ᾤχοντο, ἐπελάθοντο κοίτης
αὐτῶν, πάντες οἱ εὑρίσκοντες αὐτοὺς κατανήλισκον
αὐτούς ᶜ », τὸ εὐεπιβούλευτον αὐτῶν αἰνισσόμενος καὶ ὅτι
20 τούτου ἀποφοιτήσαντες, οὔτε τόπον χλόης, οὔτε ὕδωρ
ἀναπαύσεως οἴδασιν ᵈ, ἔτι θηρίοις προκείμενοι ᵉ δι᾽ αὐθά-
δειαν.

64. Ποιμαίνει οὖν ἐν κρίνοις οὐ διὰ παντός, ἀλλ᾽ ἕως
τοῦ διαπνεῦσαι τὴν μέλλουσαν ἡμέραν καὶ κινηθῆναι τὰς
σκιάς, ἐπειδὴ γὰρ τὰ παρερχόμενα καὶ οὐχ ἑστῶτα
πεπηγέναι καὶ μένειν οἱ πολλοὶ νομίζουσι τῷ ζόφῳ τῆς
5 ἀγνοίας τὸ διακριτικὸν ἀμαυρούμενοι, χρείᾳ τῆς ἡμέρας
ἵνα ὀφθῶσι κινούμεναι αἱ σκιαὶ τῶν κοσμικῶν πραγμάτων καὶ οὐδὲν ἔχουσαι πάγιον. Πάντα γάρ ἐστι σκιὰ
τὰ παρόντα ᵃ, ἐκ τῶν οὐρανίων ἀγαθῶν τὰς ἀφορμὰς
ἔχοντα καὶ τῇ τῶν ἐκεῖ πραγμάτων ἀληθείᾳ παρυφιστά-
10 μενα σκιοειδῶς. Οὕτω γὰρ οἷς ἡ νὺξ προέκοψεν, ἡ δὲ
ἡμέρα ἤγγικε καὶ ἀνέστηκε ᵇ, καθάπερ ἐν ἡλιακῷ φωτὶ
τὰς φύσεις τῶν ἐνταῦθα αὐγάσαντες ἔλεγον· « σκιά
ἐστιν ὁ βίος ἡμῶν ἐπὶ τῆς γῆς ᶜ », καὶ πάλιν· « αἱ
ἡμέραι μου ὡσεὶ σκιὰ ἐκλίθησαν ᵈ », τὸ ἀδρανὲς καὶ
15 ὠκύμορον τῆς βιωτικῆς εὐπαγίας σημαίνοντες. Καὶ ὁ

19-20 καὶ ὅτι τούτου VR : οὗ οἱ C ‖ 20 ἀποφοιτήσαντες C : -τος VR
‖ 20-21 οὔτε τόπον χλόης [οὔτε χλόην R] / οὔτε ὕδωρ ἀναπαύσεως
VR : ~ C ‖ 21 προκείμενοι CV : προσ- R.
64. 1 οὖν VR : δὲ C ‖ 3 ἐπειδὴ VR : ἐπεὶ C ‖ παρερχόμενα CV :
ἐρχό- R ‖ 4 μένειν C : ποιμαίνειν VR ‖ 8-9 τὰς ἀφορμὰς / ἔχοντα C :
~ VR ‖ 9 τῶν ἐκεῖ πραγμάτων CV : om. R ‖ 9-10 παρυφιστάμενα
σκιοειδῶς C : σκιωδῶς π. VR ‖ 10 οὕτω γὰρ οἷς VR : τοῦτο γὰρ καὶ
τὸ C ‖ 11-13 καὶ — γῆς VR : om. C ‖ 13 πάλιν VR : τὸ C ‖ 14 μου
CV : om. R ‖ 15 σημαίνοντες VR : -νον C

c. Jér. 27, 6-7   d. Ps. 22, 2   e. Cf. Os. 13, 5-8.
64. a. Cf. Sag. 5,9   b. Éz. 7, 7   c. Job 8, 9   d. Ps. 101, 12

montagnes en colline, ils avaient oublié leur bergerie, tous ceux qui les trouvaient les dévoraient [c] », laissant entendre qu'ils sont très vulnérables et que, du fait qu'ils ont reculé devant lui, ils ne connaissent ni le lieu du gazon, ni l'eau du repos [d], exposés en outre aux fauves [e], à cause de leur obstination [1].

64. Il paît donc dans les lis, non pas **Retourner à Dieu** pour toujours, mais jusqu'à ce que **dans la lumière** souffle le jour suivant et que les ombres se mettent en mouvement, puisqu'en effet la plupart des gens pensent que les événements qui passent et ne sont pas stables ont été fixés et demeurent, parce que leur faculté de discernement est obscurcie par la ténèbre de l'ignorance, ils ont besoin du jour afin de voir les ombres des choses de ce monde bouger et n'avoir rien de solide. Car toutes les réalités présentes sont ombre [a], tirant leur origine des biens célestes et subsistant de façon semblable aux ombres, avec la vérité des choses d'ici-bas. Ainsi en effet ceux pour lesquels la nuit a avancé et le jour s'est approché et levé [b], après avoir clairement vu, comme à la lumière solaire, la nature des choses d'en haut, disaient : « Notre vie sur la terre est ombre [c] » et aussi : « mes jours, comme l'ombre, ont décliné [d] », pour signifier la faiblesse et la fugacité de la réussite temporelle. Et celui qui dit :

1. Cf. Évagre, *Des diverses mauvaises pensées*, PG 79, 1220C, où l'anachorète garde le troupeau de ses pensées, de peur que, livrées à elles-mêmes, elles ne soient la proie des bêtes sauvages.

λέγων δὲ « εἴπερ εἰσὶ θεοὶ πολλοὶ καὶ κύριοι πολλοί, ἀλλ᾽
ἡμῖν εἷς θεὸς ὁ πατήρ, ἐξ οὗ τὰ πάντα καὶ ἡμεῖς εἰς
αὐτόν, καὶ εἷς κύριος Ἰησοῦς Χριστός, δι᾽ οὗ τὰ πάντα
καὶ ἡμεῖς δι᾽ αὐτοῦ ᵉ, » δύναται λέγειν τὸ « ἀδελφιδός
20 μου ἐμοὶ κἀγὼ αὐτῷ », ἰσοδυναμούσης ἐν ἀμφοτέροις
τῆς λέξεως· καὶ θεοὺς γὰρ καὶ κυρίους ὁ ἀρνησάμενος
ἕνα θεὸν καὶ κύριον ἐπιγράφεται, ἐξ αὐτοῦ ὢν καὶ εἰς
αὐτὸν ἀναλύων, « ἡμῖν γὰρ εἷς θεός, φησίν, ἐξ οὗ τὰ
πάντα καὶ ἡμεῖς εἰς αὐτόν », σαφῶς τὸ « αὐτὸς ἐμοὶ
25 κἀγὼ αὐτῷ » διαγορεύων.

Ὁ δὲ Σύμμαχος ἐκδεδωκὼς ἀντὶ τοῦ « ὁ ποιμαίνων
ἐν τοῖς κρίνοις » « ὁ ποιμαίνων τὰ ἄνθη » ἔδειξεν ὅτι οὐκ
ἐν τόπῳ κρίνων, ἀλλ᾽ αὐτὰ τὰ κρίνα ποιμαίνει, τὰς ἀμερίμνους ψυχὰς ὡς ἀποδέδοται, καὶ τῶν γηΐνων ἀφροντισ-
30 τούσας διὰ τὴν ἀληθῆ φροντίδα τῆς οὐρανῶν βασιλείας,
αἷς καὶ τὰ μεριμνώμενα τοῖς πολλοῖς ἀφροντίστως παρα-
γίνεται· « ζητεῖτε γάρ, φησί, τὴν βασιλείαν τοῦ θεοῦ
πρῶτον καὶ τὴν δικαιοσύνην αὐτοῦ καὶ ταῦτα πάντα
προστεθήσεται ὑμῖν ᶠ » καὶ τὴν ἀνωτέρω δὲ εἰρημένην
35 βέβαιοι διάνοιαν ἐν ᾗ « τὰ ἄνθη ὤφθη ἐν τῇ γῇ ἡμῶν ᵍ »
καὶ « καιρὸς τῆς τομῆς ἔφθακεν ᵍ » ζητοῦντες ἐλέγομεν
ἄνθη μὲν εἶναι τοὺς ἐν τῷ χριστανισμῷ ἀνθήσαντας
ἁγίους, καιρὸν δὲ τῆς τομῆς τὴν ἀναβολὴν τῶν Ἰουδαίων·

16 δὲ CR : + τὸ V ‖ εἰσὶ CV : + οἱ R ‖ θεοὶ πολλοὶ CR : ∼ V ‖ 17
ὁ — πάντα VR : om. C ‖ 18-19 καὶ — αὐτοῦ VR : om. C ‖ 19 δύναται
C : -ανται VR ‖ 20 αὐτῷ VR : om. C ‖ 24-25 καὶ — διαγορεύων VR :
om. C ‖ 26 ἐκδεδωκὼς C : πεποιηκὼς VR ‖ 27-28 ἀντὶ - κρίνοις VR :
om. C ‖ 29 ὡς C : καθὼς VR ‖ 29-30 ἀφροντιστούσας C : οὐ
φροντιζούσας VR ‖ 30 ἀληθῆ C : ἀληθινὴν VR ‖ 31-34 αἷς — ὑμῖν
VR : om. C ‖ 33 πρῶτον V : om. R ‖ τὴν VR : om. C ‖ 34-37
εἰρημένην — εἶναι VR : ἄνθη λέγεσθαι τοῦ πεδίου ἔφαμεν C ‖ 36 τῆς
V : om. R et idem 38 ‖ 38-39 καιρὸν — ἄνθη VR : οὓς καὶ νῦν
ποιμαίνει C

e. I Cor. 8, 6   f. Matth. 6, 33   g. Cant. 2, 12ab

« S'il y a beaucoup de dieux et beaucoup de seigneurs, pour nous, en tout cas, il n'y a qu'un Dieu, le Père, de qui tout vient et pour qui nous sommes, et un seul Seigneur Jésus-Christ, par qui tout est et par qui nous sommes [e] », celui-là peut dire : « Mon bien-aimé est à moi et moi à lui », puisque le sens est identique dans les deux textes. Car celui qui refuse les dieux et les seigneurs se réclame d'un seul Dieu et Seigneur, d'où il vient et où il retourne, « car pour nous, il y a un seul Dieu, dit-il, d'où tout vient et pour qui nous sommes », expliquant clairement « lui à moi et moi à lui ».

Symmaque de son côté en éditant, à la place de : « lui qui paît dans les lis », « lui qui paît les fleurs [1] » a montré qu'il paît non seulement à l'endroit des lis, mais les lis eux-mêmes, les âmes libres d'inquiétude, comme on l'a expliqué [2], et qui ne se soucient pas des réalités terrestres à cause de leur vrai souci de la royauté des cieux : l'objet des inquiétudes de la plupart ne leur cause aucun souci. « En effet, dit-il, cherchez d'abord le royaume de Dieu et sa justice et tout le reste vous viendra par surcroît [f] » et il rend certaine la pensée exprimée plus haut où, pour expliquer : « les fleurs ont paru sur notre terre » et « la saison de la coupe est arrivée [g] », nous disions : les saints qui ont fleuri dans le christianisme sont les fleurs et le rejet des juifs, la

---

1. L'utilisation de la variante de Symmaque permet à Nil de compléter son explication (cf. *Cant.* 1, 7c et n. 4 p. 173). Elle n'est pas reprise à propos de *Cant.* 6, 3, où la répétition du même verset donne lieu à une explication très brève.

2. Cf. 41, 9-23.

καὶ ἐνταῦθα οὖν ταῦτα ποιμαίνει τὰ ἄνθη ὁ ποιμὴν ὁ
40 καλός, ὁ τὴν ψυχὴν αὐτοῦ ὑπὲρ τῶν προβάτων τιθείς [h].

65. Καὶ τὸ « κινηθῶσι δὲ αἱ σκιαὶ » κατὰ ταύτην τὴν
διάνοιαν τὴν τῶν νομικῶν ἔργων περιαίρεσιν σημαίνειν
νομιστέον, σκιὰν εἰρημένην πολλαχοῦ παρὰ τοῦ Παύλου ὡς « σκιὰν ἔχων ὁ νόμος τῶν μελλόντων ἀγα-
5 θῶν, οὐκ αὐτὴν τὴν εἰκόνα τῶν πραγμάτων [a] » καὶ πά-
λιν· « ἅτινά ἐστι σκιὰ τῶν μελλόντων, τὸ δὲ σῶμα
Χριστοῦ [b] » καὶ πάλιν· « ὑποδείγματι καὶ σκιᾷ λατρεύειν
τῶν ἐπουρανίων [c] », εἰρηκὼς τοὺς κατὰ νόμον ἱερεῖς.
Τοῦτο δὲ καὶ δηλοῦν ἔοικεν ὅτι ἐπαύσατο μὲν ἡ σκιὰ τοῦ
10 νόμου κινηθεῖσα, πολιτεύεται δὲ ἡ ἀλήθεια τῆς χάριτος
ἐπὶ τῆς πέτρας βεβηκυῖα, ἧς « πύλαι ᾅδου οὐδέποτε
κατισχύσουσιν [d] ».

2,17b Ἀπόστρεψον, ὁμοιώθητι σύ, ἀδελφιδέ μου,
τῷ δόρκωνι ἢ νεβρῷ ἐλάφων
ἐπὶ τὰ ὄρη τῶν κοιλωμάτων.

3,1 Ἐπὶ κοίτην μου ἐν νυξὶν
ἐζήτησα ὃν ἠγάπησεν ἡ ψυχή μου
ἐζήτησα αὐτὸν καὶ οὐχ εὗρον αὐτόν,
ἐκάλεσα αὐτὸν καὶ οὐχ ὑπήκουσέν μου.

40 ὁ — τιθεὶς V : ὁ τιθεὶς τὴν ψυχὴν αὐτοῦ ὑπὲρ τῶν προβάτων R
om. C.
65. 2 σημαίνειν correxi [sic L] : συναίνεσθαι V σημαίνει R om. C ||
3 παρὰ τοῦ παύλου V : κατὰ παῦλον C τὰ περὶ τοῦ παύλου R || 4-12 ὡς
— κατισχύσουσιν VR : om. C || 5 πραγμάτων V : μελλόντων R || 5-6
καὶ — δὲ V : om. R || 7 χριστοῦ V : om. R.

h. Jn 10, 11.
65. a. Hébr. 10, 1   b. Col. 2, 17   c. Hébr. 8, 5   d. Matth. 16, 18.

saison de la coupe [1]. C'est là donc qu'il paît ces fleurs, le
bon pasteur qui livre son âme pour ses brebis [h].

65. « Que les ombres se mettent en
L'ombre des   mouvement » : il faut considérer que
réalités célestes   cela désigne, selon le sens précédem-
ment élucidé, l'abrogation des œuvres de la loi ; ombre
souvent citée par Paul en ces termes : « la loi qui possède
l'ombre des biens à venir et non l'image même des
réalités [a] » et aussi : « ce qui est ombre de l'avenir, c'est le
corps du Christ [b] [2] », et encore : « ils rendent un culte à la
copie et à l'ombre des réalités célestes [c] », à savoir les
prêtres selon la loi. Ainsi montre-t-il sûrement qu'une fois
dissipée, l'ombre de la loi a pris fin et que la vérité de la
grâce s'instaure, affermie sur le rocher « contre lequel les
portes de l'Hadès ne tiendront pas [d] [3]. »

2,17b Retourne, fais-toi semblable, toi, mon bien-aimé,
au chevreuil ou au faon des biches,
sur les montagnes des vallées.

3,1 Sur ma couche, dans les nuits,
j'ai cherché celui que mon âme aime,
je l'ai cherché et ne l'ai pas trouvé,
je l'ai appelé et il ne m'a pas entendue ;

1. Cf. 59, 35-37.
2. Cf. 44, 2-4.
3. Cette citation annonce le développement suivant (66, 22-26) et
celle de *Job* 38, 17.

2　Ἀναστήσομαι δὴ καὶ κυκλώσω ἐν τῇ πόλει
ἐν ταῖς ἀγοραῖς καὶ ἐν ταῖς πλατείαις
καὶ ζητήσω ὃν ἠγάπησεν ἡ ψυχή μου,
ἐζήτησα αὐτὸν καὶ οὐχ εὗρον αὐτόν.

3　Εὕροσάν με οἱ τηροῦντες οἱ κυκλοῦντες ἐν τῇ
πόλει,
μὴ ὃν ἠγάπησεν ἡ ψυχή μου εἴδετε;

4　Ὡς μικρὸν ὅτε παρῆλθον ἀπ' αὐτῶν
ἕως οὗ εὗρον ὃν ἠγάπησεν ἡ ψυχή μου,
ἐκράτησα αὐτὸν καὶ οὐκ ἀφῆκα αὐτὸν
ἕως οὗ εἰσήγαγον αὐτὸν εἰς οἶκον μητρός μου
καὶ εἰς ταμεῖον τῆς συλλαβούσης με.

CVR. — 2,17b μου RL : om. CV ‖ τῷ δόρκωνι R :
τῇ δορκάδι CV ‖ 17d τὰ CVR : om. LXX ‖ τῶν CV :
om. R ‖ 3,1a ἐπὶ CR : + τὴν V ‖ 1d ὑπήκουσεν C :
+ σε VR ‖ 2b ταῖς[1] C : om. VR ‖ 2c ἠγάπησεν CV :
-ση R ‖ 2d ἐκάλεσα αὐτὸν καὶ οὐχ ὑπήκουσέ μου add.
R post αὐτὸν[2] ‖ 3b ὃν CR : ὃ V ‖ 4a ὅτε παρ- VR :
ὅταν ἐπαρ- C ‖ 4b οὗ CV : om R ‖ 4c ἀφῆκα CVR (BS) :
ἀφήσω LXX ‖ ταμεῖον C : -ιεῖον VRLXX.

66. Πῶς ἤδη εἰποῦσα τὸ « ὅμοιός ἐστιν ἀδελφιδός μου
τῇ δορκάδι ἢ νεβρῷ ἐλάφων ἐπὶ τὰ ὄρη Βαιθήλ[a] » νῦν
πάλιν φησίν · « ἀπόστρεψον, ὁμοιώθητι σύ, ἀδελφιδέ μου,
τῷ δόρκωνι ἢ νεβρῷ ἐλάφων », οὐκ ἐπὶ τὰ ὄρη Βαιθήλ,
5　ἀλλ' « ἐπὶ τὰ ὄρη τῶν κοιλωμάτων », τὸ μὲν ὡς ἤδη
γενόμενον εἰποῦσα, τὸ δὲ προστατικῶς ἀναλαβεῖν αὐτὸν

66. 1 τὸ CV : om. R ‖ ἀδελφιδός μου VR : om. C ‖ 2 τῇ δορκάδι C
[τῇ om. C] V : τῷ δόρκωνι R ‖ ἢ — βαιθήλ [scr. βεθήλ VR et sic cett.
loc.] VR : om. C ‖ 3 πάλιν φησίν CV : ∼ R ‖ 3-4 σύ — τῷ VR : om.
C ‖ 4-5 ἢ — κοιλωμάτων VR [τῶν om. R] : om. C ‖ 4 τὰ CV : om. R

66. a. Cant 2, 9ab

2 je me lèverai et je tournerai dans la ville,
  sur les places et dans les rues
  et je chercherai celui que mon âme aime ;
  je l'ai cherché et je ne l'ai pas trouvé.

3 Ceux qui veillent, qui tournent dans la ville m'ont
    trouvée :
  N'avez-vous pas vu celui que mon âme aime ?

4 A peine les avais-je dépassés
  que j'ai trouvé celui que mon âme aime,
  je l'ai saisi et je ne le lâche pas,
  jusqu'à ce que je l'aie introduit dans la maison de
    ma mère
  et le cellier de celle qui m'a conçue.

**Les vallées de l'Hadès :
condescendance du Christ**

66. Alors qu'elle a déjà dit : « Mon bien-aimé est semblable à une gazelle ou au faon des biches sur les montagnes de Béthel [a] [1] », comment peut-elle redire maintenant : « Retourne, fais-toi semblable, toi, mon bien-aimé, au chevreuil ou au faon des biches », non sur les montagnes de Béthel, mais « sur les montagnes des vallées », d'une part en répétant ce qui a déjà eu lieu, d'autre part en l'exhortant à recommencer au mode impératif ? En

1. Cf. 55, sur *Cant.* 2, 9.

παρακελευομένη; Ἀλλὰ μήποτε ἡ διαφορὰ τῆς τῶν ὅρων
ὀνομασίας ἐν οἷς γίνεται λύει τὸ ἀπορούμενον· ἐκεῖ γὰρ
εἶπεν « ἐπὶ τὰ ὄρη Βαιθήλ », ἐνταῦθα δὲ « ἐπὶ τὰ ὄρη τῶν
10 κοιλωμάτων ». Τάχα οὖν τὸ μὲν σημαίνει τὸ περίγειον
τόπον, τὸ δὲ τὸν ἅδην ἀπὸ τῆς κοιλότητος, ὡς εἶναι τὸ
λεγόμενον τοιοῦτον. Ἤδη μὲν γάρ φησιν· ὡμοιώθης, ὦ
νυμφίε, τῷ δόρκωνι καὶ νεβρῷ ἐλάφων ἐπὶ τὰ ὄρη
Βαιθήλ, εὐεργετήσας τοὺς τῇδε καὶ τὰς ἐναντίας δυνάμεις
15 ὑποτάξας[b] καὶ δεδωκὼς ἐξουσίαν πατεῖν ἐπάνω ὄφεων
καὶ σκορπίων[c], λείπεται δὲ τό· καὶ τοὺς ἐν τῷ καταχθονίῳ τόπῳ κατεχομένους διὰ τοῦ ἐπὶ πάντων βασιλεύοντα
θάνατον, ἀπολαῦσαι τῆς σῆς εὐεργεσίας. Ἴθι δή, πάλιν
ὁμοιώθητι δόρκωνι ἢ νεβρῷ ἐλάφων ἐπὶ τὰ ὄρη τῶν
20 κοιλωμάτων καὶ τὰς ἐκεῖ κρατούσας δυνάμεις τῇ ὀσφρήσει καθάπερ ἔλαφος ἀνιμησάμενος κατάργησον[d], ἃς ὁ
μὲν Ἰὼβ πυλωροὺς ἅδου ὠνόμασεν εἰπών· « πυλωροὶ δὲ
ἅδου ἰδόντες σε ἔπτηξαν[e] »· αἷς καὶ οἱ δὲ προπορευό-
μενοι τοῦ βασιλέως ἄγγελοι παρεκελεύοντο λέγοντες·
25 « ἄρατε πύλας οἱ ἄρχοντες ὑμῶν καὶ ἐπάρθητε πύλαι
αἰώνιοι καὶ εἰσελεύσεται ὁ βασιλεὺς τῆς δόξης[f] », ἵνα
πάσης τῆς ἀνθρωπότητος, ἀλλὰ μὴ μέρους, ὠφέλεια
γένηται ἡ σὴ παρουσία. Τοιοῦτόν τι καὶ Ἰωάννης λέγει·

9 τῶν CV : om. R ‖ 11-12 τὸ λεγόμενον / τοιοῦτον C : ∼ VR ‖ 12
γὰρ VR : om. C ‖ φησι VR : om. C ‖ 14-15 δυνάμεις ὑποτάξας CV :
∼ R ‖ 16 καὶ — σκορπίων VR : om. C ‖ τὸ καὶ CV : ∼ R ‖ 16-17 τῷ
καταχθονίῳ τόπῳ VR : καταχθονίοις C ‖ 17 πάντων C : -τας VR ‖ 18
ἴθι C : ἴσθι VR ‖ δὴ C : δὲ + λοιπόν VR ‖ 19 ὁμοιώθητι — ἐλάφων
VR : ὁμοιώθης ἐλάφῳ C ‖ 19-20 ἐπὶ — κοιλωμάτων VR : om. C ‖ 21
καθάπερ ἔλαφος VR : om. C ‖ μὲν C : om. VR ‖ 22 ἅδου[1] CV : om. R
‖ 22-23 εἰπὼν — καὶ VR : om. C ‖ 23 δὲ C : om. VR ‖ 24-26
παρεκελεύοντο — δόξης VR : τὰς πύλας αἴρειν διακελεύοντα C ‖ 27
μὴ CR : μὲν V ‖ 28-36 τοιοῦτόν — ψυχάς VR : om. C

b. Cf. I Cor. 15 passim   c. Cf. Lc 10, 19   d. Cf. I Cor. 15, 26; II
Cor. 2, 16   e. Job 38, 17   f. Ps. 23, 7.9

fait, peut-être les déterminatifs différents des montagnes sur lesquelles il est résolvent-ils la difficulté. Car elle a dit plus haut : sur les montagnes de Béthel, et ici : sur les montagnes des vallées. Sans doute la première expression désigne-t-elle le lieu terrestre et l'autre, l'Hadès à cause du creux, si bien que le texte s'exprime ainsi. En effet, elle dit déjà : tu as été semblable, époux, au chevreuil et au faon des biches sur les montagnes de Béthel, quand tu as dispensé tes bienfaits à ceux d'ici-bas, soumis les puissances ennemies [b] et donné le pouvoir de fouler aux pieds serpents et scorpions [c] [1] ; et elle poursuit : même ceux qui sont prisonniers dans le lieu souterrain, du fait que la mort règne sur tout, ont joui de ton bienfait. Va donc, à nouveau fais-toi semblable au chevreuil ou au faon des biches sur les montagnes des vallées et, comme une biche qui les a fait lever, détruis par ton odorat les puissances qui dominent là [d] [2] et que Job a appelées portiers de l'Hadès dans ces mots : « les portiers de l'Hadès, à ta vue, ont été frappés de stupeur [e] [3] », celles à qui les messagers de l'avant-garde du roi aussi ordonnaient : « Levez vos portes, princes, portes éternelles, ouvrez-vous et le roi de gloire entrera [f] [4] », afin que ton arrivée soit utile à toute l'humanité et pas seulement à une partie. Jean dit aussi à peu près la même chose en ces termes : « Est-ce toi qui vas ou devons-nous en

1. Cf. 55, 12-13.
2. Cf. n. 4 p. 281 pour les sources possibles du passage. Nous comprenons τῇ ὀσφρήσει ... κατάργησον : « détruis par ton odorat » ; le cerf tue les serpents qu'il a fait lever « au flair ». Origène et ses devanciers, Pline et Elien, disent qu'il fait sortir les serpents de leur trou *par le souffle de ses narines*.
3. Sur les portiers de l'Hadès. cf. AUBINEAU, *SC* 187, n. 23, p. 137-138.
4. Sur l'usage pascal du *Ps.* 23, 7-9, cf. *ibid.*, n. 37, p. 89-91.

« σὺ εἶ, φάσκων, ὁ ἐρχόμενος ἢ ἕτερον προσδοκῶμεν[g] ; »
30 βουλόμενος κἀκεῖ τοῖς κατεχομένοις αὐτὸν εὐαγγελίσασ-
θαι. Ἴσον γάρ ἐστι τὸ εἰπεῖν « ἀπόστρεψον, ὁμοιώθητι
δόρκωνι » τὸ εἰπεῖν · « σὺ εἶ ὁ ἐρχόμενος ἢ ἕτερον
προσδόκωμεν ; » κἂν τὸ μὲν προστατικῶς, τὸ δὲ πυσμα-
τικῶς εἴρηται, δι᾽ ἀμφοτέρων γὰρ ἡ εἰς τὸν ᾅδην κάθοδος
35 τοῦ Χριστοῦ σημαίνεται, ὃν σκυλεῦσαι κατέβη καὶ τὰς
ἀπ᾽ αἰῶνος ἐλευθερῶσαι κατεχομένας τοῦ κόσμου ψυχάς.

Παρατηρητέον δὲ ὅτι πανταχοῦ μὲν ὄρεσιν ἀναγκαίως
ἐπαναπαύεται ὁ λόγος ἢ τὸ γοῦν ἔλαττον βουνοῖς · ἐὰν δέ
που ἐνδεχομένως εὑρεθῇ ἐν κοιλάσιν ἢ ἐν φάραγξι, διὰ
40 πολλὴν συγκατάβασιν εὑρίσκεται, τοὺς ἐκεῖθεν ἐπὶ τὰ
ὑψηλότερα διὰ φιλανθρωπίαν ἀνάγειν βουλόμενος.

67. Τὰς καταστάσεις ἑαυτῆς, ἐν αἷς γέγονεν, ἡ νύμφη
διηγεῖται, τὸν λόγον ζητοῦσα καὶ τὴν τελειότητα καὶ τὴν
ἐν τῇ τελειότητι ἑπομένην καὶ ταῦτά φησι πρὸς τὴν τῶν
λοιπῶν ὠφέλειαν διδάσκουσα ὅτι οὐκ ἔστι μετὰ ἀναπαύ-
5 σεως ζητοῦντα τὸν ποθούμενον εὑρεῖν · ἀσκήσει γὰρ τῶν
καλῶν ῥαστώνη πολέμιον. Τὸ γὰρ « ἐπὶ κοίτῃ μου ἐν
νυξὶν ἐζήτησα ὃν ἠγάπησεν ἡ ψυχή μου », τοιοῦτόν ἐστιν
ὡσάνει τῆς νύμφης διηγουμένης ταῖς νεάνισιν, ὅτι ἐνόμι-
σα κοῦφον εἶναι καὶ εὐχερὲς τὸ κτήσασθαι τὴν ἀρετὴν καὶ

29 φάσκων V : om. R ‖ ὁ R : om. V ‖ 30-33 βουλόμενος —
προσδοκῶμεν R : om. V ‖ 37 μὲν ὄρεσιν C : ~ VR ‖ 38 ἐπαναπαύεται
/ ὁ λόγος C : ~ VR ‖ 39 ἐν² VR : om. C.
67. 1 καταστάσεις ἑαυτῆς CV : ~ R ‖ 2 καὶ² VR : om. C ‖ 3-4
πρὸς — μετὰ CR : om. V ‖ 5 τὸν CV : τὸ R ‖ 6 κοίτῃ C : -την VR ‖ 7
ὃν — μου VR : om. C

g. Matth. 11, 3.

1. Κάθοδος et καταβαίνω appartiennent au vocabulaire de la
descente aux Enfers; cf. *ibid.*, n. 35, p. 150-152.
2. Sur σκυλεύειν, cf. *ibid.*, n. 54, p. 98-99.

attendre un autre [g] ? », voulant qu'il annonce la bonne
nouvelle à ceux qui sont prisonniers là-bas. Car dire :
« retourne, fais-toi semblable à un chevreuil » revient à
dire : « Est-ce toi qui vas ou devons-nous en attendre un
autre ? ». Même si la première expression est impérative et
l'autre interrogative, l'une et l'autre désignent en effet la
descente du Christ vers l'Hadès, où il est descendu [1] pour
dépouiller [2] et délivrer du monde les âmes détenues par le
siècle [3].

Il faut en outre remarquer que, partout, il est nécessaire
que le Verbe se repose sur des montagnes, ou au moins sur
des collines. Et si jamais on l'a trouvé dans des vallées ou
dans des gouffres, on l'y trouve dans une grande condescendance, avec l'intention de ramener, par amour pour les
hommes, ceux d'en-bas vers les réalités plus élevées [4].

**Recherche et
saisie de Dieu**

67. L'épouse raconte les conditions qui
sont les siennes lorsqu'elle cherche le
Verbe, la perfection et celle qui lui
succède dans la perfection, et elle dit ces mots pour donner
aux autres un enseignement utile : il n'est pas possible, en
cherchant tout en se reposant, de trouver l'objet de son
désir. Car la paresse est un ennemi dans l'exercice du beau.
En effet, « sur ma couche, dans les nuits, j'ai cherché celui
que mon âme aime », c'est comme si l'épouse racontait aux
jeunes filles : j'ai pensé qu'il était aisé et facile d'acquérir
la vertu et de s'approprier la sagesse, je les cherchais non

---

3. La descente du Christ dans l'Hadès consacre la libération des
âmes : v. g. *ibid.*, p. 124, 3, 9 ; p. 378, 6, 20-23.

4. Non seulement le Verbe saute de montagne en colline (54),
mais il s'y repose, « puisqu'il est au-dessus de tout », ATHANASE, *Sur
l'incarn.*, *SC* 199, p. 288. Sa descente dans l'Hadès — premier sens
de συγκατάβασις — est un signe de sa condescendance, puisque « par
philanthropie » il en tire les âmes humaines qui y séjournent,
dominant la mort. Ce passage reprend les termes essentiels des ch. 8
et 9 du traité d'ATHANASE, *Sur l'incarn.*, *SC* 199, p. 288-298.

10 τὴν σοφίαν οἰκειώσασθαι καὶ ἐζήτουν οὐ μετὰ πόνου,
    ἀλλ' ἀνειμένως καὶ ῥαθύμως, καὶ τοῖς σωματικοῖς ὡς
    κλίνῃ ἐπαναπαυομένη. Ἐπειδὴ δὲ ἡ ζήτησις αὕτη ἡστόχει
    τῆς καταλήψεως, μετέβαλον ἐπὶ τὸ καὶ ἐργάζεσθαι τὴν
    ἀρετήν, διὸ καὶ εἶπον· « ἀναστήσομαι δὴ καὶ κυκλώσω ἐν
15 τῇ πόλει, ἐν ταῖς ἀγοραῖς καὶ ἐν ταῖς πλατείαις »,
    καταλιποῦσα τὴν κλίνην ἐπὶ τὸ δι' ἔργων ποιήσασθαι τὴν
    ζήτησιν· ἀλλ' οὐδὲ τοῦτό με πρὸς τὴν εὕρεσιν ὡδήγησε,
    δέον γὰρ ἐργαζομένην τὰ τῆς ἀρετῆς κρύψαι τὸν πόνον,
    ἐπιδεικτιῶσα τοῦτον ἐδημοσίευον ἐν πλατείαις καὶ ἐν
20 ἀγοραῖς, τὸν τῶν ἀνθρώπων ἔπαινον θηρωμένη. Διὸ οὐδ'
    οὕτως εὑρεῖν δεδύνημαι. Οὐδὲν γὰρ συντελεῖ πρὸς τὴν
    κτῆσιν τοῦ ἀγαθοῦ πόνος, ὅταν μετὰ φιλοδοξίας γίνηται,
    πέρας οὐ προκοπὴν ἔχων, ἀλλὰ τὴν τῶν πολλῶν εὐ-
    φημίαν.

25 Ἀλλ' ὅταν εὗρον αὐτὴν οἱ φύλακες « οἱ τηροῦντες ἐν τῇ
    πόλει », οὗτοι δ' εἰσὶ λειτουργικὰ πνεύματα τῇ τῶν
    ἀνθρώπων σωτηρίᾳ διακονοῦντα ἢ τῇ διοικήσει τοῦ βίου
    ἐφεστῶτα[a], καὶ ἐπερωτηθέντες περὶ τοῦ ἀγαπωμένου,
    σιωπῇ παρῆλθον αὐτὴν ὡς οὐκ ἀξίαν ἀποκρίσεως. Ἐκ
30 τῆς ἀποστροφῆς στοχασαμένη ὡς οὐκ ἔστιν αὐτοῖς
    εὐάρεστος ὁ τοιοῦτος βίος, ἐλογίσατο δεόντως μὴ ἀνόνη-
    τα μοχθεῖν, μηδὲ τὸ τραχὺ τῆς ἀρετῆς ὑπομένουσα
    ὑστερίζειν τῆς προκοπῆς διὰ τὸν ἐκ τῶν ὁρώντων

---

11 ῥαθύμως CR : προθύμως V ‖ 12-13 ἡστόχει / τῆς καταλήψεως
C : ~ VR ‖ 13 καὶ VR : om. C ‖ 15 ἐν — πλατείαις VR : om. C ‖ 18
ἐργαζομένην CV : -ζεσθαι R ‖ τὰ τῆς ἀρετῆς κ. τὸν πόνον CV : τὴν
ἀρετὴν τὰ τοῦ πόνου κ. R ‖ 19 ἐπιδεικτιῶσα C : -τικῶς VR ‖ ἐν² VR :
om. C ‖ 22 γίνηται C : γέ- + οὔτε VR ‖ 23 οὐ C : οὔτε VR ‖ 26-27
τῶν ἀ. σωτηρίᾳ διακονοῦντα C : δ. τὴν σωτηρίαν τῶν ἀ. V δ. τὴν τῶν
ἀ. σ. R ‖ 28 ἐπερωτηθέντες CV : ἐπερωτᾷ R ‖ 32 τραχὺ CV : βραχὺ R
‖ ὑπομένουσα VR : -σαν C ‖ 33 τὸν C : τὸ VR

---

67. a. Cf. Hébr. 1, 14.

pas avec effort, mais négligemment et mollement [1], en me reposant sur les réalités corporelles comme sur un lit. Puisque cette recherche échouait à les saisir, je l'ai changée pour accomplir aussi la vertu ; c'est pourquoi j'ai dit : « Je me lèverai et je tournerai dans la ville, sur les places et dans les rues », j'ai quitté mon lit pour mener ma recherche en agissant. Mais cela non plus ne m'a pas conduite à la découverte, car lorsqu'on accomplit ce qui relève de la vertu, il faut cacher son effort, alors que je le montrais avec ostentation, dans les rues et sur les places, à l'affût des compliments des hommes. C'est pourquoi je n'ai pu trouver de cette manière non plus. Car l'effort ne concourt en rien à la possession du bien, puisqu'il trouve sa fin non dans le progrès, mais dans les louanges de la plupart [2]. Finalement, quand les gardes, ceux qui veillent dans la ville, l'eurent trouvée — ce sont les esprits dont le ministère est d'être au service du salut des hommes ou qui sont préposés au bon ordre de la vie [a] [3] —, interrogés au sujet de l'aimé, ils l'ont dépassée en silence, parce qu'elle n'était pas digne d'obtenir une réponse. Après avoir déduit de leur attitude — ils s'étaient détournés — qu'une telle vie ne leur était pas agréable, elle a décidé, comme il le fallait, de ne plus se donner de mal en vain et d'endurer la

1. Ces deux adverbes sont l'envers négatif des adj. ἀταλαίπωρος et αὐτοσχέδιος (cf. n. 2 p. 243). Chez Nil, l'absence de souci et l'improvisation qualifient la conduite du moine à l'égard des biens matériels. Quant à la recherche spirituelle, elle doit se faire dans l'effort (μετὰ πόνου), sans négligence ni mollesse. Ces notions découlent du stoïcisme.

2. L'ostentation dans l'effort de la vertu aboutit à la vaine gloire ; un tel effort est complètement stérile : lieu commun souvent répété par Nil, cf. supra 26, 15-21 ; Disc. asc., 720C ; Périst., 821D ; 829A.

3. Cf. GRÉGOIRE, In Cant. Or. VI, 182, 4 — 183, 5. Il s'agit « des anges qui ont la charge des hommes » ; ÉVAGRE, Schol. Prov., 189, 16-17, SC 340 ; DANIÉLOU, Les anges et leur mission, p. 126-141.

ἔπαινον· καὶ οὕτως εὗρε τὸν ζητούμενον, οὐδένος ἔτι
ἑτέρου χάριν ἢ αὐτοῦ τοῦ καλοῦ τὸ ἀγαθὸν ἐργαζομένη
καὶ δικαίως τὸ δίκαιον διώκουσα. Ὅθεν καὶ οὐ μετὰ
πολύ, οὐδὲ βραδέως, ἀλλ᾽ εὐθέως εὑρηκέναι λέγει·
« μικρὸν γάρ, φησί, ὡς παρῆλθον ἀπ᾽ αὐτῶν, εὗρον ὃν
ἠγάπησεν ἡ ψυχή μου ». Τῷ γὰρ παρελθόντι τὰς
40 προειρημένας καταστάσεις καὶ φθάσαντι ἐπὶ τὴν τελειότητα ἀνυπερθέτως εὑρίσκεται ὁ θεός, συνεργὸν ὡς φῶς τὴν
ἀλήθειαν προλαβόντι πρὸς τὴν κατάληψιν τοῦ ζητουμένου. Ὅπερ γάρ ἐστι φῶς ὀφθαλμοῖς, τοῦτο τῷ νῷ
ἀλήθεια· φωτὶ μὲν γὰρ ἁρμόζεται πρὸς χρῶμα ὀφθαλμὸς
45 δικάζων ἀδεκάστῳ κρίσει ταῖς ποιότησι καὶ τὰς φύσεις
τῶν ὑποκειμένων καταλαμβάνων, οὐδένος ἑρμηνεύοντος,
ἀλήθεια δὲ διάνοιαν ὁδηγεῖ ἐπὶ τὴν τοῦ θεοῦ κατάληψιν
ἀπλανῶς.

68. Μέγα δὲ ἐγκώμιον ἐν τοῖς ἑξῆς εἴρηται τῆς
νύμφης τὸ « ἐκράτησα αὐτὸν καὶ οὐκ ἀφῆκα αὐτὸν ἕως
εἰσήγαγον εἰς οἶκον μου καὶ εἰς ταμεῖον τῆς συλλαβούσης
με. » Κτήσασθαι μὲν γὰρ πόνῳ τὸ καλὸν ἴσως πολλῶν,
5 φυλάξαι δὲ τὴν ἐπιμονὴν ὀλίγων· οἱ μὲν γὰρ πολλοί, ὅταν
φθάσωσιν ἐπὶ τὸ σπουδαζόμενον, ἢ κόρον λαβόντες αὐτοῦ
τῷ χρόνῳ, ἢ περὶ ἕτερα τὴν προθυμίαν ἀποκλίνατες,

36 καὶ VR : om. C ‖ 37 οὐδὲ C : οὕτω V οὔτε R ‖ 38 γὰρ VR : om.
C ‖ φησί VR : om. C ‖ 38-39 ὡς — μου VR : παρελθοῦσα C ‖ 42
προλαβόντι CV : προσ- R ‖ 43 φῶς ὀφθαλμοῖς CV : ὀφθαλμοῦ φ. R ‖
45 ἀδεκάστῳ CR : ἀδι- V ‖ 46 οὐδένος ἑρμηνεύοντος VR : om. C ‖ 47
ἀλήθεια CV : ἀλήθειαν R ‖ δὲ CV : + καὶ R ‖ ὁδηγεῖ CV : ἐνάγει R.
68. 1 δὲ CV : οὖν R ‖ 2-4 οὐκ — με VR : ἑξῆς C ‖ 4 γὰρ CV : om.
R ‖ 7 ἢ CV : om. R

rudesse de la vertu sans plus différer son progrès en écoutant les compliments des passants. Et ainsi, elle a trouvé celui qu'elle cherchait, en pratiquant le bien sans autre raison désormais que le beau lui-même, et en poursuivant le juste avec justice. Et c'est pourquoi elle dit l'avoir trouvé sans attente ni retard, mais immédiatement : « Car à peine, dit-elle, les avais-je dépassés que j'ai trouvé celui que mon âme aime. » Quiconque en effet dépasse les conditions dont on a parlé et se hâte vers la perfection trouve Dieu sans délai, quand il s'est d'abord assuré le concours de la vérité comme d'une lumière pour saisir celui qu'il cherche [1]. Car ce qu'est la lumière pour les yeux, la vérité l'est pour l'intellect ; en effet, quand il émet un jugement impartial, l'œil s'adapte à la lumière en fonction de la couleur et saisit grâce à leur qualité, sans aucune explication, même la nature des objets proposés [2] ; la vérité, elle, mène la pensée à saisir Dieu sans dévier.

Constance dans la vertu

68. Un grand éloge de l'épouse est exprimé dans la suite : « Je l'ai saisi et je ne le lâche pas, que je ne l'aie introduit dans la maison de ma mère et le cellier de celle qui m'a conçue. » Car acquérir le beau avec effort, c'est le fait de beaucoup sans doute, garder la constance, celui d'un petit nombre. Presque tous les hommes en effet, lorsqu'ils se hâtent vers l'objet de leur zèle, soit qu'avec le temps ils s'en fatiguent, soit qu'ils détournent leur ardeur vers d'autres buts, se relâchent et, par une certaine négligence,

---

1. Les différentes conditions de l'âme qui précèdent la perfection sont souvent figurées par les différents âges de la vie ; cf. *Périst.*, 949B. Depuis *Cant.* 2, 7, l'âme a accompli des progrès : elle est passée de « l'ombre et de l'illusion nocturnes » (51, 8-9) à la lumière de la vérité qui permet une saisie immédiate de Dieu.

2. Sur le phénomène de la vision, cf. GRÉGOIRE, *In Cant. Or.* IV, 105, 12-14. À partir de la vision de la qualité d'un objet. l'œil peut en percevoir la nature.

ἀφίστανται καὶ μικρὸν ἀμελήσαντες ἐκπίπτουσι τῆς
ἀρίστης ἕξεως, πολὺν ἀχρειοῦντες πόνον· αὕτη δὲ
10 καμάτῳ εὑροῦσα τὸν ἀγαθὸν οὐκ ἐνόστησεν ὀπίσω, ἀλλ'
ἴσην ἐτήρησε τὴν προθυμίαν, ἕως γνησίως ᾠκειώσατο τὸν
ποθούμενον, μέχρι τῶν ἐνδοτάτων ταμείων εἰσοικήσασα
τὴν ἀρετὴν ἑκτικῶς, οὐ πάροικον[a] αὐτὴν καὶ πρὸς
μετανάστασιν ἑτοίμην, ἀλλὰ κάτοικον ποιήσασα καὶ
15 αὐτὴν αὐτόχθονος διαφέρουσαν οὐδέν. Εἰσήγαγε γὰρ
αὐτὸν οὐκ ἐν προθύροις ἢ προαυλίοις, ἀλλ' ἐν τῷ ταμείῳ
τοῦ οἴκου· τοιοῦτος ἦν καὶ ὁ Ἀβραάμ, ὃς τῷ πυθομένῳ
« ποῦ Σαρρά, ἡ γυνή σου; » ἀποκρίνεται· « ἰδού, λέγων,
ἐν τῇ σκηνῇ[b]·» ἀρετὴν μὲν τὴν Σαρράν, σκηνὴν δὲ τὴν
20 ἕξιν αἰνιξάμενος.

**3,5 Ὁρκίζω ὑμᾶς, θυγαθέρες Ἱερουσαλήμ,
ἐν ταῖς δυνάμεσι καὶ ἐν ταῖς ἰσχύσεσι τοῦ
ἀγροῦ,
ἐὰν ἐγείρητε καὶ ἐξεγείρητε τὴν ἀγάπην ἕως ἂν
θελήσῃ.**

CVR. — ἐγείρητε καὶ VR : om. C ‖ ἂν CV : οὗ R ‖
θελήσῃ CR : -σει V.

69. Τοῦτο δεύτερον ὁρκίζει τὰς θυγατέρας Ἱερουσαλὴμ ἡ νύμφη ἐξεγεῖραι τὴν ἀγάπην[a] πάντως καθεύδουσαν. Ἡ δὲ ἔννοια ἐν τοῖς πρὸ τούτων δεδήλωται· διὸ

9 ἀχρειοῦντες C : ἀξιοῦντες VR ‖ 15 διαφέρουσαν R : -σα CV ‖ 17
καὶ ὁ VR : om. C ‖ 18 ἀποκρίνεται C : om. VR ‖ λέγων VR : ἔφη C ‖
19 ἐν CR : ἐπὶ V.
69. 1 τοῦτο CV : om. R ‖ ὁρκίζει CV : om. R ‖ 3 ἐν — τούτων
[τούτου R] VR : om. C ‖ 3-6 διὸ — δηλωθήσεται VR : om. C.

68. a. Cf. Gen. 23, 4　　b. Cf. Gen. 18, 9.
69. a. Cf. Cant. 2, 7c.

s'écartent du comportement excellent en rendant inutile un grand effort [1]. Mais elle, qui s'est donné la peine de trouver le bien, n'est pas retournée en arrière, elle a conservé au contraire une ardeur égale, jusqu'à ce qu'elle s'approprie intimement celui qu'elle désire, ayant établi la vertu à demeure, jusqu'au plus profond des celliers, parce qu'elle la considère non comme une résidente [a], prête à la migration, mais comme une habitante, ne différant en rien quant à elle d'une autochtone [2]. En effet, elle l'a introduite non dans les vestibules ou les antichambres, mais dans le cellier de la maison. Tel était aussi Abraham qui répond à celui qui s'enquiert : « Où est Sara, ta femme ? » en disant : « La voici, dans la tente [b] », laissant entendre que Sara est la vertu et son état, la tente [3].

**3,5 Je vous conjure, filles de Jérusalem,
par les puissances et les forces du champ,
d'éveiller et de réveiller l'amour, jusqu'à ce qu'il le
veuille.**

**Réveiller l'amour
une deuxième fois**

69. Pour la deuxième fois, l'épouse conjure les filles de Jérusalem de réveiller l'amour [a], évidemment endormi. L'idée en a été éclaircie dans un précédent

---

1. Nil répète inlassablement que tout effort n'est pas couronné de succès, car il ne faut pas le relâcher avant d'avoir atteint le but, *Pauvr. vol.*, 1036B ; ni se détourner du but, ce qui rend vain l'effort, *ibid.*, 1048C.

2. Le mot πάροικος est utilisé dans la *Genèse* pour parler du statut d'Abraham et de sa famille dans le pays où ils ont émigré et jouissent d'un statut différent de celui des habitants (κάτοικος) autochtones (cf. *BA* 1, p. 66). Chez Nil, ce commentaire de *Cant.* 3, 4de — la vertu est établie à demeure dans l'âme comme au plus profond des celliers — est induit par l'équivalence Sara = vertu, cf. n. 2 p. 273.

3. Si dans la LXX οἶκος peut être un équivalent de σκηνή (cf. *BA* 1, p. 66), Nil interprète ici à rebours σκηνή comme un lieu d'habitation stable. Sara est l'image de la vertu installée à demeure dans l'âme.

περὶ τῶν αὐτῶν πάλιν λέγειν οὐκ ἀκόλουθον, κἂν δὲ ἔχῃ
5 τινὰ λόγον τὸ δὶς ἢ τρὶς εἰρῆσθαι, ἐν τοῖς ἑξῆς
δηλωθήσεται.

3,6 Τίς αὕτη ἡ ἀναβαίνουσα ἀπὸ τῆς ἐρήμου
ὡς στελέχη καπνοῦ τεθυμιαμένη
σμύρναν καὶ λίβανον ἀπὸ πάντων κονιορτῶν
μυρεψοῦ;

CVR. — 6b στελέχη CV : τελέχη sic R ‖ 6c σμύρναν
... λίβανον C : -α ... -ος VR.

70. Ἔκπληξιν παρέσχε τοῖς ὁρῶσιν διὰ πολλὰ ἡ
νύμφη ὅτι καὶ ἀπὸ ἐρήμου ἀνέβαινε καὶ « ὡς στελέχη
καπνοῦ τεθυμιαμένη » καὶ ὅτι οὐκ ἄλλοθεν τεθυμιαμένη,
ἀλλ᾽ ἀπὸ σμύρνης καὶ λιβάνου καὶ κονιορτῶν μυρεψοῦ·
5 ταῦτα δὲ πάντα σημαίνει τὴν ἀναχώρησιν τῶν γηΐνων
πραγμάτων. Ἡ γὰρ ἀποσχομένη τῆς κακίας ψυχὴ καὶ
τῶν φαύλων πράξεων ἀργίαν ἄγουσα καὶ τὸν τῶν
ζιζανίων σπορέα[a] ἀρνησαμένη ἐν ἐρήμῳ ἐστί· προκό-

70. 2 ὡς VR : ὅτι C ‖ 2-3 στελέχη καπνοῦ VR : om. C ‖ 4 ἀλλ᾽ —
μυρεψοῦ VR : om. C ‖ 5 ταῦτα δὲ πάντα VR : ἃ πάντα C ‖ 6
πραγμάτων VR : om. C

70. a. Cf. Matth. 13, 25

1. Rappel du commentaire de *Cant.* 2, 7, cf. 49-52.
2. Cf. *infra* sur *Cant.* 5, 8 et le bref commentaire de Nil où
l'épouse blessée demande humblement l'aide des jeunes filles.
3. Ἀναχώρησις est rare chez Nil. Ἀναχωρεῖν se trouve dans
Périst., 848C ; 849A et dans le *Dic. asc.*, 797A (ἀ. τῶν παρόντων). On
trouve dans le même traité (800C) une image apparentée à celle que
Nil voit ici : « Ce qu'est la poussière dans ce contexte — celle que les
lutteurs jettent sur le corps huilé de leur adversaire —, ce sont les

passage [1] ; c'est pourquoi il n'y a pas lieu ici d'en reparler ; et s'il y a une raison à la répétition de cette phrase une deuxième ou une troisième fois, elle sera éclaircie dans la suite [2].

TÉMOIGNAGE de l'INCARNATION CONTRE les HÉRÉTIQUES

3,6 Quelle est celle qui monte de la solitude toute fumante comme des colonnes de fumée, de myrrhe et d'encens de toutes les poudres de parfumeur ?

Les parfums de la vie céleste

70. L'épouse a, pour bien des raisons, causé de l'étonnement à ceux qui la voyaient, parce qu'elle montait de la solitude, qu'elle était toute fumante comme des colonnes de fumée et que la fumée n'avait plus sur elle d'autre origine que la myrrhe, l'encens et les poudres du parfumeur ; tout cela désigne la séparation des choses terrestres [3]. Car l'âme qui se tient à l'écart du vice, agit en s'abstenant des mauvaises actions et refuse le semeur d'ivraie [a], est dans la solitude. Aussi lorsqu'elle progresse

choses terrestres dans notre combat, quant à l'huile, c'est pour nous l'absence de souci. » *Sup. des moines* (1073A-1076B) offre le plus long développement sur la nécessité de cette séparation d'avec les hommes, retraite au désert sur le modèle de Moïse, Jésus fils de Navé, Elie et Elisée, Jean-Baptiste, Jérémie et Jésus, destinée à procurer à « ceux qui mènent la vie monastique et retirée » (οἱ τὸν μοναστικὸν καὶ ἀναχωρήμενον ἐπανῃρημένοι βίον) la tranquillité (ἡσυχία), la sérénité (γαλήνη), le repos (ἠρεμία) qui endorment les passions. Dans notre texte, Nil glose ἡ ἀναβαίνουσα ἀπὸ ἐρήμου dans l'expression : τὴν ἀναχώρησιν τῶν γηΐνων πραγμάτων.

πτουσα δὲ ἐν τοῖς ἀγαθοῖς ἔργοις, ἄρχεται ἀναβαίνειν ἀπὸ
10 τῆς ἐρήμου ὡς στελέχη καπνοῦ τεθυμιαμένη· ὡς γὰρ ὁ
καπνὸς ἀπὸ γῆς ἀρξάμενος στελεχοῦται μὲν ἐπὶ τὸν ἀέρα,
ἔχεται δ' ὅμως ῥίζης τῆς συμπεπλεγμένης τοῖς ξύλοις
φλογός, ὅταν δ' ἐκλίπῃ κατώθεν ἡ ὕλη, διαζευχθεὶς τῆς
γῆς ὅλος ἀναχωρεῖ, τῷ ἀέρι συναναμιγνύμενος καὶ
15 ἀναστοιχειούμενος εἰς ἑαυτόν, οὕτως ἡ τῶν γηΐνων
ἀναχωροῦσα ψυχή, κἂν προκόπτῃ ἐπὶ τὰ οὐράνια, οὐ
πρότερον μεθίσταται τελείως ἐπ' αὐτά, πρὶν ὁλοσχερῶς
ἐκλίπῃ τὰ γήϊνα. Τὸ δὲ σμύρναν καὶ λίβανον εἶναι τὴν
συναναμιγνυμένην εὐωδίαν τῷ στελέχει τοῦ καπνοῦ τὴν
20 νέκρωσιν τοῦ σώματος καὶ τὸν ἐξ ἐγκρατείας ὑποπιασμὸν
δηλοῖ, μεθ' ὧν προκόπτουσα ἐμύριζε τοὺς παρατυγχάνον-
τας. Καὶ ὁ κονιορτὸς δὲ τῶν ἀρωμάτων σύμφωνός ἐστι
τῷ τοῦ καπνοῦ νοήματι· καὶ γὰρ οὗτος ἀποτριβεὶς τῆς
παχείας γῆς λεπτὸς ἐπιπολάζει τῷ προσώπῳ ταύτης,
25 κινούμενος δὲ τοῖς τῶν ὁδοιπορούντων ποσί, μετέωρος
ἐξαίρεται πρὸς ὕψος χωρῶν.

Ἀλλ' ἐὰν μὲν αἱρετικὴ ψυχὴ οὖσα τύχῃ ἡ τὸ καλὸν διά
τι ποιοῦσα καὶ οὐ δι' ἑαυτό, κονιορτός ἐστι γῆς, ὀλίγον
ὑψουμένη καὶ πάλιν πρὸς τὸν οἰκεῖον εὐχερῶς καταφερο-

11 ἔχεται δ' ὅμως VR : ὅμως ἔχεται ὡς C || 14 ὅλος C : ὅλως VR ||
15 ἑαυτὸν C : αὐτ- VR || 17 πρὶν C : πλὴν VR || 18 ἐκλίπῃ C : -λείπει
VR || 19 τῷ — καπνοῦ V [τῇ στελέχῃ scr. V] R : om. C || 20 ἐξ ἐγ-
hinc habet C unius folii lacunam || 23 τῷ V : om. R || 24 λεπτὸς V : -
ῶς R || 25 μετέωρος R : -ον V || 27 τύχῃ V : om. R || 29 εὐχερῶς V :
om. R

1. Cette description du phénomène de la fumée rappelle l'existence d'un lien physique entre le feu et l'air, dont on trouve la trace chez
PLUTARQUE, *Sur la disparition des oracles*, 32, 427CD ; *Fragm. der*

dans les bonnes œuvres, elle commence à monter de la
solitude, fumante comme des colonnes de fumée. Car la
fumée qui part de la terre monte en colonne dans l'air tout
en prenant son origine dans la flamme entremêlée au bois,
mais quand la matière a disparu d'en-dessous, perdant tout
lien avec celle-ci, elle se sépare complètement de la terre
pour se mêler intimement à l'air et retrouver en lui son
élément primitif [1] ; de la même façon l'âme qui se sépare
des choses terrestres, même si elle progresse vers les
célestes, ne se change pas parfaitement en elles, avant
d'avoir définitivement quitté les terrestres. Que la bonne
odeur mêlée à la colonne de fumée soit la myrrhe et
l'encens montre la mortification du corps et sa macération
par l'abstinence dont elle parfumait ceux qu'elle rencont-
rait au cours de ses progrès. La poudre des aromates
s'harmonise à la représentation de la fumée ; en effet,
débarrassée de la matérialité de la terre, celle-ci flotte,
légère sur son visage et, soulevée par les pieds des
voyageurs, elle s'élève en l'air, en s'éloignant vers le haut [2].

Mais s'il arrive que ce soit une âme hérétique, qui fait le
bien dans un but particulier et non pour lui-même, elle est
la poussière de la terre qui s'élève un peu et redescend
facilement vers son lieu d'origine du fait de son attirance

Vorsokratiker, Héraclite, B 76 ; Théophraste, *De igne*, III, 51, 24 s.
Les verbes διαζευχθείς et ἀναστοιχειούμενος rappellent un contexte
de philosophie stoïcienne qui, si l'on en croit un fragment de Longin
cité par Eusèbe (*Prép. év.* XV, 21, 3, *SC* 338, p. 330), voyait
précisément dans l'âme « une exhalaison » (ἀναθυμίασις), « une
fumée » (καπνός).

2. Selon Aristote, *De anima* (I, 2, 404 a 16) : « pour certains
pythagoriciens, l'âme est constituée de poussière en suspension dans
l'air » (τὰ ἐν τῷ ἀέρι ξύσματα). A partir d'ici, sous le même mot
κονιορτός, Nil distingue deux phénomènes bien connus des habitants
des déserts : la poudre, ténue comme une fumée, s'élève jusqu'à
former des nuages ; la poussière terreuse soulevée par le vent
retombe tout de suite.

30 μένη τόπον διὰ τὴν πρὸς τὰ κάτω προσπάθειαν ἢ συγγενῆ
βαρύτητα. Ἐὰν δὲ ἐκκλησιαστικῇ καὶ τῇ ὀρθῇ πίστει
σκοπῷ τῆς πρὸς θεὸν εὐαρεστήσεως τὸ ἄνω φυτὸν ἔχουσα
κονιορτός ἐστι μυρεψοῦ, τῇ ὑψελῇ πολιτείᾳ τὴν τῶν
δογμάτων εὐωδίαν ἀνακεκραμένην ἔχουσα· οὕτω καὶ
35 « νεφέλαι κονιορτὸς ποδῶν τοῦ θεοῦ b » τινες εἴρηνται, οἱ
ἀπὸ τῆς τῶν ῥημάτων αὐτοῦ ἀπορίας διεγειρόμενοι πρὸς
τὴν ὑψελοτέραν καὶ οὐράνιον διαγωγὴν καὶ ἀπὸ γῆς
νεφέλαι γινόμενοι καὶ ἀπὸ τῆς χοϊκῆς ζωῆς εἰς οὐράνιον
μετατιθέμενοι πολιτείαν κατὰ τὸν λέγοντα· « ἐπὶ γῆς γὰρ
40 περιπατοῦντες, οὐκ ἐπὶ γῆς πολιτευόμεθα. Ποῦ δὲ πολι-
τεύονται; ἐν ἄλλοις », φησίν· « ἡμῶν δὲ πολίτευμα ἐν
οὐρανίοις ὑπάρχει c », ἐπὶ γῆς μὲν ὄντων τῇ ἀνάγκῃ τοῦ
σώματος, ἐν οὐρανίοις δὲ διαγόντων τῇ ἐπιθυμίᾳ τῆς
προθέσεως κἀκεῖ τὸν νοῦν ἐχόντων καὶ τὴν καρδίαν ὅπου
45 τῆς στρατείας τὰ βασίλεια. « Ἐν σαρκὶ γὰρ περιπατοῦντες,
φησίν, οὐ κατὰ σάρκα στρατευόμεθα· τὰ γὰρ ὅπλα τῆς
στρατείας ἡμῶν οὐ σαρκικά, ἀλλὰ δυνατὰ τῷ θεῷ πρὸς

---

32 σκοπῷ V : om. R ‖ 35 τοῦ θεοῦ τινες εἴρηνται V : εἴρηνται θεοῦ
R ‖ 38 τῆς V : om. R

---

b. Nah. 1, 3   c. Phil. 3, 20

---

1. L'âme hérétique est plus matérielle et plus lourde que l'âme
parfaite. cf. 23, 6-11 où la cavalerie de Pharaon (= les hérésies) est
entraînée vers l'abîme par le poids des passions.
2. Τὸ ἄνω φυτόν : cette expression qui rappelle celle du *Timée*
(90a φ. οὐράνιον) est devenue un cliché. Ici il s'agit d'évoquer les
affinités de l'âme avec le ciel et les réalités spirituelles.
3. L'adj. χοϊκῆς fait figure étymologique par allusion à *Gen.* 2, 7 ;
cf. *BA* 1 n. p. 101. Il s'agit de qualifier la vie terrestre de façon à en
souligner la matérialité « terreuse » en rappelant la poussière (χοῦς)
dont l'homme est fait.

pour le bas ou de sa pesanteur naturelle [1]. Si au contraire,
par la foi droite et fidèle à l'Église dans le but de plaire à
Dieu, elle possède le germe d'en-haut [2], elle est la poudre
du parfumeur, pourvue de la bonne odeur des doctrines,
mélangée à un mode de vie sublime. Ainsi certains ont-ils
été appelés « nuages, poussière des pieds de Dieu [b] », ceux
qui sont encouragés par la difficulté de ses paroles à la
conduite très sublime et céleste et qui deviennent des
nuages loin de la terre et échangent la vie terrestre [3] pour
un mode de vie céleste, selon celui qui dit : « Car, tout en
vivant sur la terre, nous ne sommes pas citoyens sur
terre [4]. Où sont-ils citoyens ? ailleurs, » dit-il. « Notre
citoyenneté se trouve dans les cieux [c] », puisque, sur terre,
nous subissons la nécessité du corps et que, dans les cieux,
nous nous conduisons avec le désir de notre intention [5] et
plaçons notre intellect et notre cœur là où se trouve le siège
royal de notre milice. « Certes, nous vivons dans la chair,
dit-il, mais nous ne combattons pas selon la chair, car les
armes de notre milice ne sont pas charnelles, mais
puissantes par Dieu pour la destruction des forte-

---

4. « Κατὰ τὸν λέγοντα » introduit une citation du IIIᵉ *Dialogue
sur la Trinité*, 27, édité parmi les œuvres d'Athanase (*PG* 28,
1245C) : « οἱ ἐπὶ γῆς περιπατοῦντες καὶ ἐν οὐρανοῖς τὸ πολίτευμα
ἔχοντες ». On note que la version citée par Nil est davantage
dialoguée que le texte reproduit par Migne. Si les *Dialogues sur la
Trinité* sont bien l'œuvre de Didyme l'Aveugle — cf. A. GÜNTHÖR,
« Die sieben peudoathanasianische Dialoge, ein Werk Didymus' des
Blinden von Alexandrien », *Studia Anselmiana* 11 (1941) —, on
peut supposer que son nom, comme ceux d'Origène et d'Évagre,
était déjà suspect à l'époque de Nil. On lit chez Didyme un texte très
proche : *Sur la Genèse*, SC 244, p. 244-246.

5. Cf. *Pauvr. vol.*, 1021C. Nombreux sont les textes où il est
question de « quitter des yeux les réalités temporelles et d'élever le
regard vers les éternelles », ATHANASE, *Sur l'incarn.*, 47, 5, *SC* 199,
p. 441 ; et aussi toute la fin de la VIIᵉ *Catéch. bapt.* de Chrysostome
SC 50 bis, VII, 11-23, p. 234-241, avec la même citation de *Phil.* 3,
20. Le plus souvent cette élévation de l'âme s'exprime à travers les
images d'aile et d'envol empruntées au *Ps.* 54, 7, v. g. *Périst.*, 937A.

καθαίρεσιν ὀχυρωμάτων[d]. » Δύναται δὲ καὶ δογματικῶς
περὶ τῆς ἐκκλησίας λέγεσθαι· ἀπὸ ἐρήμου γὰρ τῆς μὴ
50 ἐχούσης ἄνδρα, αὕτη ἀνέβη, σμύρναν καὶ λίβανον πνέουσα
διὰ τὸ συντετάχθαι Χριστῷ καὶ διὰ τὸ τὸν κονιορτὸν τῶν
κοσμικῶν πραγμάτων εἰς δέον χρήσασθαι, τούτοις κονιορτὸν ποιῆσαι μυρεψοῦ καὶ διὰ τὴν εὔλογον χρῆσιν τὸ
κονιορτῶδες μεταβαλεῖν εἰς εὐωδίαν Χριστοῦ[e]. Ὁ γὰρ τὰ
55 μὴ ἑστῶτα, ἀλλὰ τὰ φερόμενα ὑπὸ τῶν ἀνέμων τῆς
κοσμικῆς αὔρας, δι' ἐλεημοσύνης ποιῶν τίμια τὸν κονιορτὸν τῆς γῆς ἐποίησε κονιορτὸν μυρεψοῦ τῇ εὐλόγῳ χρήσει
τῶν δεομένων, τὸ κονιορτῶδες αὐτῶν καὶ ἐσκεδασμένον
μεταβαλὼν εἰς ἀρωματικὴν εὐωδίαν καὶ φίλην ὄντως
60 θεοῦ[f].

58 τὸ R : τῷ V.

---

d. II Cor. 10, 3-4   e. Cf. II Cor. 2, 15   f. Cf. Sag. 7, 27.

---

1. La citation de *II Cor.* 10, 3-4 annonce les développements (71-
72) qui expliquent les deux versets suivants, *Cant.* 3, 7-8. Constatons
ici encore que les thèmes des développements niliens correspondent
aux rites baptismaux décrits par Cyrille de Jérusalem, *Catéch.
myst.* III, 4, *SC* 126, p. 126-127 : après la chrismation sur les narines,
« afin qu'en recevant ce parfum divin vous disiez : « Nous sommes
pour Dieu la bonne odeur du Christ », vient celle sur la poitrine,
« cuirasse de justice », « panoplie de l'Esprit-Saint afin de résister à
l'influence adverse et de la combattre. »
2. Cf. 61, 5 ; n. 1 p. 303. La formule est particulièrement
appropriée ici où il va être question du combat de l'Église contre les
hérésies.

resses [d] [1]. » On peut dire cela d'une manière doctrinale de l'Église [2]. En effet, puisqu'elle n'a pas d'homme, la voici qui monte de la solitude, embaumant la myrrhe et l'encens parce qu'elle s'est unie au Christ, s'est servi à propos de la poussière des choses du monde pour en faire de la poudre de parfumeur et que, par son usage plein de raison, elle a transformé la matière poudreuse en bonne odeur du Christ [e]. Car celui qui rend précieux par miséricorde les matières non stables et portées par les vents de la brise du monde [3], celui-là a fait de la poussière de la terre une poudre de parfumeur, par l'usage plein de raison de ses besoins, puisqu'il a transformé leur matière poudreuse et dispersée en bonne odeur parfumée et vraiment amie de Dieu [f] [4].

3. « les matières [...] portées par les vents de la brise du monde » : cette belle image, qui désigne sans doute les opinions erronées des hérétiques, évoque la poésie cosmique d'une phrase qu'on lit chez Aétius : « une grande quantité de matière s'étant encore enroulée autour de la terre, sous l'effet des brises qui viennent des souffles et des étoiles... ». *Fragm. der Vorsokratiker*, II, 77, 24, Leukippos 24.

4. On peut comprendre que l'Église, « par l'usage plein de raison de ses besoins », a réussi à unifier les doctrines dispersées des hérétiques. Le passage peut aussi s'appliquer à l'âme individuelle qui ne doit pas se laisser alourdir par les biens du monde ; en effet « il convient que les hommes aient des jambes qui se plient, pour se livrer tantôt aux occupations corporelles, tantôt à celles qui élèvent l'âme et que, du fait de la parenté de l'âme avec les puissances d'en-haut, ils vivent le plus souvent avec elles dans les régions élevées (συμμετεωροπολεῖν) », *Disc. asc.*, 737C.

3,7 Ἰδοὺ ἡ κλίνη τοῦ Σαλομών,
ἑξήκοντα δυνατοὶ κύκλῳ αὐτῆς
ἀπὸ δυνάτων Ἰσραήλ ·
8 πάντες κατέχοντες ῥομφαίαν
δεδιδαγμένοι πόλεμον ·
ἀνὴρ ῥομφαία αὐτοῦ ἐπὶ τὸν μηρὸν αὐτοῦ
ἀπὸ θάμβους ἐν νυξίν.

VR. — 8c ῥομφαία R : -ίαν V ‖ τὸν VR : om. LXX.

71. Καὶ τὸ « κλίνη ἡμῶν σύσκιος [a] » γυμνάζοντες παρὰ
τῆς νύμφης πρὸς τὸν νυμφίον εἰρημένον ἐλέγομεν κλίνην
εἶναι τὸ σῶμα τὸ κυριακόν, σύσκιον δὲ ἐπειδὴ συνεσκίαζε
τῷ σώματι τὴν θεότητα καὶ ἔκρυπτε περιέλκον εἰς ἑαυτὸ
5 τοὺς ὁρῶντας. Καὶ νῦν τὸ αὐτὸ σημαίνειν ἔοικεν ἡ κλίνη
τοῦ Σαλομών, κυκλουμένη ὑφ' ἑξήκοντα δυνατῶν Ἰσραὴλ
κατεχόντων ῥομφαίαν καὶ δεδιδαγμένων πόλεμον. Εἴτε
γὰρ ἁγίας δυνάμεις τις ἐρεῖ κύκλῳ τοῦ κυριακοῦ ἀνθρώπου κατὰ τὸ « προσῆλθον ἄγγελοι καὶ διηκόνουν αὐτῷ [b] »
10 καὶ τὸ « τοῖς ἀγγέλοις αὐτοῦ ἐντελεῖται περί σου τοῦ
διαφυλάξαι σε ἐν πάσαις ταῖς ὁδοῖς σου [c] » καὶ τὸ « ὄψεσθε
τοὺς ἀγγέλους τοῦ θεοῦ ἀναβαίνοντας καὶ καταβαίνοντας
ἐπὶ τὸν υἱὸν τοῦ ἀνθρώπου [d] », οὐχ ἁμαρτήσει, εἴτε τὰς
τῶν ἁγίων ψυχὰς τὰς διὰ τὸ δεδιδάχθαι τὸν πόλεμον

71. 3 σύσκιον V : -ος R ‖ 4 περιέλκον V : -ων R ‖ 6 σαλομών V :
σαλομῶντος R ‖ 7 δεδιδαγμένων correxi : διδαγμένων VR ‖ 11 ὄψεσθε
V : -σθαι R ‖ 13 εἴτε V : ὥστε R ‖ 14 δεδιδάχθαι V : διδάχ- R

71. a. Cant. 1, 16b   b. Matth. 4, 11   c. Ps. 90, 11   d. Jn 1, 51

1. Cf. 36, 8-25.
2. Cf. note complémentaire II.

3,7 **Voici la couche de Salomon,**
  soixante forts l'entourent,
  parmi les forts d'Israël,
 8 **tous portant l'épée**
  et experts à la guerre.
 Chaque homme a son épée au côté,
 à cause des frayeurs des nuits.

Les forts du Seigneur

71. En étudiant « notre couche est ombragée [a] », parole de l'épouse à l'époux, nous disions que le corps du Seigneur est la couche et qu'elle est ombragée, puisque par son corps, il couvrait d'ombre la divinité et la cachait en attirant sur lui les regards [1]. A présent, la couche de Salomon paraît signifier la même chose, entourée par soixante forts d'Israël, portant l'épée et experts à la guerre. Car on ne se trompera pas, soit qu'on le dise des saintes puissances autour de l'homme seigneurial [2] selon cette parole : « Des anges s'approchèrent et ils le servaient [b] » et « il a donné ordre pour toi à ses anges de te garder dans toutes ses voies [c] » et encore : « vous verrez les anges de Dieu monter et descendre au-dessus du Fils de l'Homme [d] [3] », soit qu'on le dise des âmes des saints [4] qui, parce qu'elles sont expertes à la guerre, louent Dieu en ces

---

3. Les anges du ciel escortent le Seigneur dans la descente de l'incarnation comme dans la montée de l'ascension. « Partout les anges se montrent : quand il naît, quand il meurt, quand il monte au ciel », CHRYSOSTOME, *Sermon sur l'Ascension*. 4, PG 50, 449.

4. Cette seconde interprétation repose sur le fait que les saints sont assimilés aux anges depuis Origène, *P. Arch.*, I, 8, 4 ; cf. ÉVAGRE, *Schol. Prov.*, 354, SC 340, p. 442-443 : « Ceux qui sont maintenant " miséricordieux " seront dans le siècle à venir pris en miséricorde par Dieu, ils deviendront des anges » ; *Périst.*, 868CD : « La compassion introduit les miséricordieux aux royaume des anges ».

15 εὐλογούσας τὸν θεὸν καὶ λεγούσας· « εὐλογητὸς κύριος, ὁ
θεὸς ἡμῶν, ὁ διδάσκων τὰς χεῖρας ἡμῶν εἰς παράταξιν
καὶ τοὺς δακτύλους ἡμῶν εἰς πόλεμον ᵉ. » Οὐδὲν γὰρ
ἄτοπον πάντας λέγειν ὅπερ εἶπεν ὁ Δαυίδ· κοινοπραγοῦσι
γὰρ τῶν ἀρετῶν οἱ ἅγιοι καὶ τὰ ἀλλήλων οἰκειοῦνται ἔξω
20 τοῦ θείου χοροῦ τὴν βασκανίαν ἐλάσαντες.

72. Κυκλοῦσιν οὖν οὗτοι καὶ περιέπουσι τὴν βασιλικὴν
κλίνην τοῦ Χριστοῦ, « κατέχοντες ῥομφαίαν » καὶ πάλιν·
« ἔχοντες ῥομφαίαν ἐπὶ μηροῦ. » Οἱ γὰρ καὶ τὸ πρακτικὸν
λόγῳ κοσμήσαντες καὶ τὸ παθητικὸν λόγῳ νεκρώσαντες
5 εὐλόγως κυκλοῦσι τὸν βασιλέα, κόσμον ὁμοῦ καὶ ἀσφά-
λειαν παρέχοντες, καθ' ὁμοιότητα τῶν σεραφὶμ τῶν
κυκλούντων τὸν τοῦ θεοῦ θρόνον ᵃ. Τὸ ἑξήκοντα δὲ
προσαγορεύονται, ἀριθμῷ τέλειοι κατὰ πάντα γεγενημέ-
νοι καὶ βεβηκότες ἑδραίως καὶ παγίως· κύβος γὰρ καὶ
10 τετράγωνος ἀριθμὸς ὁ ἑξήκοντα, ἴσος πᾶσι τοῖς ἑαυτοῦ
πάντοθεν μέρεσι καὶ ἀσάλευτος, ἐκ τεσσάρων πεντεκαιδε-
κάδων καὶ ἐξ δεκάδων καὶ πεντάδων δεκαδύο καὶ
τριάδων εἴκοσι συνεστὼς καὶ ἐκ τούτων ἔχων τὸ

15-16 ὁ — ἡμῶν R : om. V ‖ 16-17 παράταξιν … πόλεμον V : ∼ R.
72. 2-3 καὶ — ῥομφαίαν V : om. R ‖ 6 τῶν² V : om. R ‖ 8
προσαγορεύονται V : -εται R ‖ 11 πάντοθεν V : om. R ‖ 12 καὶ² V :
om. R

e. Ps. 143, 1.
72. a. Cf. Is. 6, 2

1. Cf. PLATON, *Phèdre*, 247a : « car la place de l'envie est hors du
chœur divin »; CLÉMENT D'ALEXANDRIE, *Stromate* V, 30, 5, *SC* 278,
p. 74. Le chœur divin est celui des vertus, cf. ORIGÈNE, *P. Arch.*, IV,
4, 10; la compassion et le partage rapprochent de la philanthropie de
Dieu, alors que l'incommunication n'est pas loin de l'envie satanique,
Périst. 868D.
2. Τὸ πρακτικόν, τὸ παθητικόν : vocabulaire d'origine évagrienne,
cf. *Pratique*, 32, 5; 49, 3; 74, 1, *SC* 171, p. 515-520, que Nil

termes : « Béni soit le Seigneur notre Dieu qui instruit nos mains pour la bataille et nos doigts pour la guerre [e] ». Car il n'y a rien d'inconvenant à ce que tous disent ce qu'a dit David. Les saints en effet participent aux vertus et s'approprient mutuellement leurs bienfaits après avoir chassé l'envie hors du chœur divin [1].

Le combat contre les hérétiques

72. Ceux-ci encerclent donc la couche royale du Christ et lui assurent leur vigilance, portant l'épée, et encore : « ayant leur épée au côté ». En effet, ceux qui parent de la raison la faculté pratique et mortifient par la raison la faculté passionnée ont raison d'encercler le roi, lui procurant apparat tout autant que sécurité [2], à la ressemblance des séraphins qui entourent le trône de Dieu [a] [3]. On dit qu'ils sont soixante, rendus parfaits en tout par leur nombre et se tenant fermement et solidement. Car le nombre soixante est un cube et un carré, égal à toutes ses parties dans tous les sens et inébranlable puisque composé de quinze fois quatre, dix fois six, cinq fois douze ou trois fois vingt et tirant de ces qualités stabilité et solidité [4].

---

réinterprète. Il paraît s'agir de deux facultés de l'âme. La première concerne l'exercice des vertus qui purifient la seconde. La raison, comme participation au Logos divin, joue le rôle d'un « ornement » dans l'exercice des vertus. Par la raison, le παθητικόν — chez Évagre, l'équivalent de la « partie irrationnelle de l'âme », τὸ ἄλογον μέρος — est « mortifié », anéanti en tant que capacité négative, tournée vers le mal. La raison a donc une fonction protectrice. Nil peut aussi vouloir dire ici que le Logos « protège » le corps du Christ.

3. D'après *Is.* 6, 2, deux séraphins se tiennent au-dessus du trône de Dieu en chantant le *Trisagion*. Maints textes, liés à la vision d'*Apoc.* 7, 11 et à la liturgie, ne précisent par leur nombre. Il est simplement dit qu'ils « entourent » le trône de Dieu ; v. g. CYRILLE DE JÉRUSALEM, *Catéch. mystag.*, V, 6, 8, *SC* 126, p. 154.

4. Ces réflexions rappellent celles de Méthode d'Olympe, à propos de *Cant.* 6, 8, dans *Le Banquet*, VIII, XI, 200-201, *SC* 95, p. 228-231 ; cf. note complémentaire III.

ἐρηρεισμένον καὶ πάγιον. Διὰ τοῦτο γὰρ ὄντες τοιοῦτοι
15 καὶ ἀπὸ δυνάτων Ἰσραὴλ ἐξελέχθησαν ὡς δυνάτων
δυνατώτεροι καὶ πρὸς τὰ ἐν νυκτὶ θάμβων μένοντες
ἀκατάπληκτοι, ψυχῆς γὰρ παραστήματι καὶ βοηθείᾳ
ὅπλων καὶ ἐμπειρίᾳ πολεμικῇ κεκτημένοι τὸ ἄφοβον καὶ
τοῖς ἐναντίοις ἐκ τοιαύτης παρασκευῆς ὄντες φοβεροὶ καὶ
20 ἀπρόσιτοι. Τάχα δὲ καὶ οἱ νῦν προασπίζοντες τῆς
ἐκκλησίας καὶ λόγῳ καὶ πράξεσιν ὑπερμαχοῦντες τοῦ
Χριστοῦ κύκλῳ εἰσὶ τῆς κλίνης τοῦ Σαλομών, διὰ μὲν τὸ
ἀνθίστασθαι τῷ λόγῳ τοῖς αἱρετικοῖς, ἐν τῇ χειρὶ
κατέχοντες ῥομφαίαν, διὰ δὲ τὸ σωφρόνως καὶ ἐγκρατῶς
25 βιοῦν, ἐπὶ μηροῦ τὴν ῥομφαίαν φοροῦντες διὰ τοὺς
νυκτερινοὺς φόβους. « Ἀνὴρ γάρ, φησί, ῥομφαία αὐτοῦ
ἐπὶ μηρὸν αὐτοῦ ἀπὸ θάμβους ἐν νυξίν. » Οὐ μόνον γὰρ
τοὺς φανεροὺς ἐχθροὺς ἔβαλον τοῖς ἐλέγχοις τῆς ἀληθείας, ἀλλὰ καὶ τὰς λαθραίους δεδοικότες ἐπηρείας διὰ
30 « τοὺς ἐν σκοτομήνῃ κατατοξεύοντας τοὺς εὐθεῖς τῇ
καρδίᾳ b » καὶ ἐν νυκτὶ ἔμενον ὁπλοφοροῦντες, τὰς ἐφε-
δρείας τῶν ἐπιβούλων ὑφορώμενοι καὶ τοῦ μὲν λέγοντος ·
« οὐ φοβηθήσῃ ἀπὸ φόβου νυκτερινοῦ, ἀπὸ βέλους πετο-
μένου ἡμέρας c » ἀκούοντες, τὸ δὲ ἄφοβον οὐ μόνον ἐλπίδι
35 τῇ εἰς θεὸν ἀμερίμνως, ἀλλὰ καὶ παρασκευῇ τῶν ὅπλων
καὶ γυμνασίᾳ τοῦ πολέμου καὶ ἀγρυπνίᾳ φυλακτικῇ τῶν

---

15 ἐξελέχθησαν correxi : ἐξελέγησαν VR ‖ 20-21 τῆς — ὑπερμαχοῦντες R : om. V ‖ 23 ἀνθίστασθαι V : ἀνίσταθαι (sic) R ‖ 26 φησί
V : + ἡ R ‖ 28 φανεροὺς V : φοб- R ‖ 29 δεδοικότες V : om. R ‖ 32-
33 ὑφορώμενοι — νυκτερινοῦ V : om. R

---

b. Ps. 10, 2c   c. Ps. 90, 5

---

1. Cf. Grégoire, In Cant. Or. VI, 197, 6-17 : chacune des douze
tribus d'Israël a fourni cinq forts qui appartiennent à l'élite des
guerriers pour entourer la couche du roi : l'expression nilienne
δυνάτων δυνατώτεροι découle de cette explication.

Voilà pourquoi, étant tels, ils ont aussi été choisis parmi les forts d'Israël, parce qu'ils sont plus forts que les forts [1] et qu'en outre ils restent impassibles dans la nuit des frayeurs, puisqu'en effet avec la fermeté de l'âme, le secours des armes et l'expérience de la guerre, ils sont pleins d'intrépidité, rendus redoutables et inaccessibles à leurs adversaires, du fait d'une telle préparation. Peut-être aussi les actuels défenseurs de l'Église, qui combattent pour le Christ en parole et en actes, sont-ils autour de la couche de Salomon, parce qu'ils s'opposent par la parole aux hérétiques, l'épée à la main, et vivent dans la chasteté et l'abstinence, portant l'épée au côté à cause des peurs nocturnes [2]. Car « chaque homme, dit-il, a son épée au côté à cause des frayeurs des nuits » : non seulement ils ont repoussé les ennemis manifestes avec les preuves de la vérité, mais encore par crainte des attaques furtives de « ceux qui, dans l'obscurité, tirent sur les êtres au cœur droit [b] », ils sont restés en armes aussi de nuit, par appréhension de ceux qui complotent des embuscades. Ils ont écouté celui qui dit : « tu ne craindras pas la peur nocturne, ni le trait qui vole de jour [c] » et fondent leur intrépidité non seulement sur une espérance en Dieu dénuée d'inquiétude, mais aussi sur la préparation des

---

2. Cette explication de *Cant.* 3, 7 porte à nouveau sur l'union dans le Christ de l'humanité et de la divinité. Après le Second Concile Œcuménique de Constantinople (381), il est vraisemblable que Nil vise à travers « les actuels défenseurs de l'Église » les Pères qui ont contribué à la définition du dogme de la double nature du Christ et luttent contre l'arianisme ; il explicite ainsi la phrase de GRÉGOIRE, *In Cant. Or.* VI, 197, 18 — 198, 2 : « une seule Église et un seul peuple [...] rassemblés sous un seul chef et guide ». Il n'est pas dans l'habitude des Anciens de citer des noms. En outre, à Ancyre précisément, Nil cherche sans doute à ne pas ranimer de querelle ; cf. Introduction, p. 20-21.

ἐπιβουλεύειν ταῖς ἀνέσεσιν εἰωθότων πραγματευόμενοι.
Τοῦτο γὰρ καὶ αὐτοῖς ἐκείνοις καὶ τοῖς ἀσπιζομένοις
παρέχει τὸ ἀκίνδυνον, πόρρωθεν τὰς ἐφόδους φυλασσομέ-
40 νοις νήψει διηνεκεῖ καὶ οὐ θορυβουμένοις ἀθρόᾳ τῶν
ἐχθρῶν προσβολῇ· ἐγρηγορῶσι μὲν γὰρ καὶ καθωπλισμέ-
νοις, ταχεῖα μὲν καὶ εὔκολος ἡ ἐπέξοδος κατὰ τῶν
ἐπιθεμένων λαθραίως, νηφάλεος δὲ ἡ μάχη καὶ ἡ νίκη
πολλάκις ἀναίμακτος, καθεύδουσι μέντοι καὶ ἀποθεμένοις
45 τὰ ὅπλα, ἀργὸν μὲν διὰ τὸν φθάσαντα καιρὸν τὸ ἐκθορεῖν,
βραδὺ δὲ τὸ ἀποθέσθαι τὴν ἐκ τοῦ ὕπνου νώθειαν, ἄπορον
δὲ τὸ πρακτέον διὰ τὸ ἄσκεπτον ὡς φθάσαι παθεῖν, πρὶν
ἐπίνοιαν τῆς ἀμύνης λαβεῖν.

Διὰ τοῦτο ἐν ταῖς πολεμικαῖς παρατάξεσιν ἑκάστη
50 παρεμβολὴ πολλῆς τῆς φυσικῆς ἐπιμελείας καὶ καθεύδουσι καὶ ἀριστοποιουμένοις· οὐ γὰρ πᾶσιν ἄρδην ἐφεῖται
τοῦτο ποιεῖν, ἀλλ' εἰσὶ διαδοχαὶ τῆς ἀνέσεως, ἄλλοτε
ἄλλων παρεχόντων τοῖς ἀνειμένοις τὸ ἀμέριμνον καὶ τὰς
τῶν ἐναντίων κωλυόντων ἢ μηνυόντων ἐφόδους.

55 Οὐκ ἄκαιρον δὲ νῦν εἰπεῖν καὶ περὶ τοῦ Μεμφιβάαλ[d],
ὅτι τῶν αἱρετικῶν φέρει σύμβολον, ἠμελημένην ἔχων τὴν
φυλακήν, ἐπειδὴ γυναῖκα θυρωρὸν ἔχων ἀναγέγραπται
οὗτος καὶ πυροὺς καθαίρουσαν[e]. Τῆς γὰρ ἐκκλησίας ἀπὸ

---

37 ἀνέσεσιν V : + τῶν R || 43 νηφάλεος correxi : νηφάλαιος codd. ||
44 καθεύδουσι VR : -δουσι hic inc. C post lacunam || μέντοι VR : δὲ
C || 45 διὰ — καιρὸν VR : om. C || 46 ἀποθέσται CV : ἀπολέσθαι R ||
ἐκ VR : om. C || 49-50 διὰ — ἐπιμελείας VR : ἐν ταῖς παρεμβολαῖς
πολλὴ ἀμφοτέρας τῆς φυλακῆς ἡ ἐπιμέλεια C || 51 πᾶσιν ἄρδην C :
ἄρδην π. VR || 52 τοῦτο ποιεῖν CV : τοῦ π. τοῦτο R || ἀνέσεως C :
ἀναπαύσεως VR || 53-69 καὶ — ψυχήν VR : om. C

---

d. Cf. II Sam. 4, 4 (L). e. Cf. II Sam. 4, 6.

armes, l'entraînement au combat et la veille qui préserve des habituels complots ourdis pendant les moments de détente. Cela leur assure en effet, à eux-mêmes et à ceux qu'ils défendent, d'être à l'abri du danger parce que, préservés des incursions aventureuses par une vigilance continuelle [1], nulle agression massive des ennemis ne sème la déroute chez eux. Car lorsqu'ils sont éveillés et armés, l'offensive contre une attaque surprise est rapide et facile, le combat est bref et la victoire souvent obtenue sans effusion de sang. Au contraire, s'ils dorment et qu'ils ont déposé leurs armes, ils mettent du temps à se réveiller quand il y a urgence, ils sont lents à quitter l'engourdissement du sommeil et ont du mal à agir parce qu'il est inconsidéré de se jeter sous les coups avant d'avoir réfléchi au moyen de se défendre.

C'est pourquoi, dans les guerres en batailles rangées, tout bivouac est l'objet d'un grand soin naturel pour le sommeil comme pour les repas : il n'est pas permis à tous à la fois d'y prendre part, mais il y a un roulement pour la détente : chacun pourvoit à tour de rôle à l'absence d'inquiétude de ceux qui se détendent, en empêchant ou signalant les incursions des adversaires [2].

Justement, il n'est pas hors de propos de dire aussi au sujet de Memphibaal [d] qu'il porte le symbole des hérétiques, à cause de la négligence de sa garde : on rapporte qu'il avait pour portière une femme et qu'elle mondait du blé [e]. En effet le petit troupeau de l'Église est dans une

---

1. Sur la nécessité de la vigilance (νῆψις), en particulier pour déjouer embûches et complots (ἐπιβουλαί), cf. *Pauvr. vol.*, 1048B.

2. Tout ce passage traduit le goût de l'auteur pour la narration. Il rappelle le récit mouvementé de l'incursion des bédouins au Sinaï « au cœur de l'aube » (*Récit*, p. 20, 3 ; v. l'index pour les références aux emplois de ἐπηρεία, προσβολή, ἔφοδος, παρεμβολή, νηφαλίος). On en trouve aussi un écho, dans des termes assez proches, avec l'évocation des techniques du combat nocturne, dans *Sup. des moines*, 752AC.

δυνάτων Ἰσραὴλ κατεχόντων ῥομφαίας φυλασσομένης ἐν
60 πολλῇ ἀσφαλείᾳ ἐστὶ τὸ ποίμνιον, τῶν δὲ αἱρετικῶν
ἀνάγκη τὰ συστήματα ῥᾳδίως ἐπιβουλεύεσθαι, τῶν ἐγκε-
χειρισμένων τὴν ἐπιμέλειαν αὐτῶν, διὰ μὲν τὸ πρὸς τοὺς
πόνους εὐένδοτον γυναικιζομένων, διὰ δὲ τὸ περὶ τὰς
ἡδονὰς ἐπιμελὲς σιτοπόνων μᾶλλον ἢ προαγωνιστῶν τάξιν
65 ἐπεχόντων. Κἀκεῖ γὰρ ἡ θυρωρὸς ἐκάθαιρε πυροὺς καὶ
ἐνύσταξεν· ὕπνος δὲ ψυχῆς ἡ τῶν σωματικῶν ἀσχολία
καὶ μάλιστα ὅταν ἡ φροντίς, ὑπερβαίνουσα τὴν χρείαν,
ματαίαν ἐλέγχῃ τὴν ἀσχολίαν καταθανεῖν ὥσπερ ποιοῦσα
τὴν ἐπὶ ταῦτα φερομένην καὶ καθελκομένην ψυχήν.

3,9 **Φορεῖον ἐποίησεν ἑαυτῷ ὁ βασιλεὺς Σαλομών,**
  ἀπὸ ξύλων τοῦ Λιβάνου,
10 **στύλους αὐτοῦ ἐποίησεν ἀργύριον,**
  καὶ τὸ ἀνάκλιτον αὐτοῦ χρυσίον,
  ἐπίβασιν αὐτοῦ πορφύραν,
  ἐντὸς αὐτοῦ λιθόστρωτον,
  ἀγάπην ἀπὸ θυγατέρων Ἰσραήλ.

CVR. — 10b τὸ ἀνάκλιτον CV [τὸ om. LXX] : ἀνάκλητον
R ‖ χρυσίον CV (S) : χρύσεον R ‖ 10c ἐπίβασιν ... πορφύραν
CV : -εις ... -αι R -ις ... -α LXX ‖ 10e ἰσραήλ CV : ἱερου-
σαλήμ RLXX.

63 εὐένδοτον V : ἀνέν- R ‖ 68 καταθάνειν correxi [sic L] :
καταλανθάνειν V κατὰ γὰρ θάνειν R.

grande sécurité, protégée qu'elle est par les forts d'Israël portant l'épée. La masse des hérétiques, au contraire, ne peut échapper à des machinations grossières, puisque ceux qui prennent en main eux-mêmes de pourvoir à leurs besoins s'efféminent par laisser-aller devant les efforts, et occupent par goût des plaisirs plutôt le rang des boulangers que celui des combattants de première ligne. Or, la portière mondait du blé et s'était assoupie : l'occupation à des réalités corporelles, c'est le sommeil de l'âme, surtout quand le souci, outrepassant le besoin, prouve la vanité de l'occupation, comme s'il faisait mourir l'âme portée et entraînée vers ces basses réalités [1].

LA GLOIRE du CHRIST et l'APPEL des NATIONS

**3,9   Le roi Salomon s'est fait une litière
de bois du Liban,
10   il en a fait les montants d'argent,
le siège d'or,
le marchepied en est de pourpre,
à l'intérieur, un pavement,
amour des filles d'Israël.**

---

1. Le même passage de *II Sam.* 4 est commenté plus longuement dans *Disc. asc.*,740-741A, où le personnage est appelé Ἰεϐουθέ; l'apparat critique de Rahlfs signale *ad loc.* que la forme Μεμφιϐαάλ vient d'une « recension lucianique » (= L). Le sens développé y est uniquement individuel et spirituel, alors qu'ici l'auteur passe du sens collectif de la situation respective de l'Église et des hérétiques au sens individuel : le sommeil de l'âme, et rejoint le début de son développement (72, 6 s.). C'est pourquoi on peut se demander si le *Commentaire*, où l'explication, plus allusive, est aussi plus élaborée, n'est pas plus tardif que le *Disc. asc.*

73. Τὸ φορεῖον σκεῦός ἐστι θρόνῳ παραπλήσιον δεχόμενον τὸν καθεζόμενον. Τοῦτο δὲ τάχα ὁ Παῦλος περὶ οὗ αὐτὸς ὁ ἀληθινὸς Σαλομὼν πρὸς τὸν Ἀνανίαν φησί · « πορεύου ὅτι σκεῦος ἐκλογῆς μοί ἐστιν οὗτος τοῦ
5 βαστάσαι τὸ ὄνομά μου[a] · » τὸ δὲ βαστάζον σκεῦος ἢ θρόνος ἐστὶν ἢ φορεῖον, καὶ γὰρ θρόνον αὐτὸν ἀλλαχοῦ καλεῖ ἡ σοφία λέγουσα · « παρείμην ἡνίκα ἀφώριζε τὸν ἑαυτοῦ θρόνον ἐπ᾽ ἀνέμων[b] · » καὶ ὅτι οὗτός ἐστιν ὁ ἀφορισθεὶς θρόνος, αὐτός φησιν · « ὅτε δὲ εὐδόκησεν ὁ
10 θεὸς ὁ ἀφορίσας με ἐκ κοιλίας μήτρος μου ἀποκαλύψαι τὸν υἱὸν αὐτοῦ ἐν ἐμοί[c] · » ἐπ᾽ ἀνέμων δὲ ἀφωρίσθη οὗτος διὰ τὸ πλῆθος τῶν πειρασμῶν καὶ τῶν περιστάσεων καὶ διὰ τὸ φέρεσθαι διὰ παντὸς καὶ ἀποφέρεσθαι, ἢ καὶ διὰ τὸ κούφοις ποσὶ τὴν οἰκουμένην περιδραμεῖν τῇ σπουδῇ τοῦ
15 κηρύγματος[d]. Καὶ φορεῖον οὖν ἐστιν ὁ Παῦλος, τὸν μὲν νοῦν ἔχων ἀνάκλιτον χρύσεον, ἐφ᾽ οὗ ἀναπαύεται ὁ νυμφίος, τὸν δὲ λόγον στύλους ἀργυρίους. Τῷ γὰρ ἀποστολικῷ λόγῳ στηρίζεται τὸ καύχημα τὸ ἐκκλησιαστικόν. Στύλοι οὖν οἱ λόγοι διὰ τὸ ἑδραῖον καὶ ἀμετάθετον,
20 ἀργύριον δὲ διὰ τὸ δόκιμον καὶ ἀνεπίληπτον τοῦ ἀποστό-

---

73. 2 καθεζόμενον CR : καθήμενον V ‖ 3-4 περὶ — πορεύου VR : om. C ‖ 4 ὅτι — οὗτος VR : ἐστι σκεῦος ὢν ἐκλογῆς C ‖ 4-6 τοῦ — φορεῖον VR : τὸ θεῖον βαστάζουσιν ὄνομα C ‖ 6 καὶ VR : om. C ‖ γὰρ θρόνον VR : ∼ C ‖ 6-7 ἀλλαχοῦ καλεῖ V : ∼ R ὠνόμασεν C ‖ 8 καὶ VR : om. C ‖ 8-9 ὁ — θρόνος VR : om. C ‖ 9-10 ὅτε — θεὸς VR : om. C ‖ 10-11 ἐκ — ἐμοί VR : τοῦ βαστάζειν τὸ ὄνομα αὐτοῦ C ‖ 11 οὗτος VR : om. C ‖ 12 καὶ — περιστάσεων VR : om. C ‖ 13 φέρεσθαι — ἀποφέρεσθαι VR : πανταχοῦ περιφέρεσθαι C ‖ 14 κούφοις ποσὶ VR : κούφως C ‖ τὴν οἰκουμένην περιδραμεῖν C : ∼ VR ‖ 15 φορεῖον V : + μὲν R om. C ‖ ἐστιν VR : om. C ‖ παῦλος VR : αὐτὸς C ‖ 17 ἀργυρίους VR : -ου C ‖ 18 καύχημα VR : κήρυγμα C ‖ τὸ ἐκκλησιαστικὸν VR : om. C ‖ 19 καὶ ἀμετάθετον VR : om. C ‖ 20 ἀργύριον VR : -ου C ‖ δὲ VR : om. C ‖ 19-22 καὶ — ἔλεγεν VR : om. C

---

73. a. Act. 9, 15   b. Prov. 8, 27   c. Gal. 1, 15   d. Cf. Gal. 1, 16-2,2

Paul, véhicule du Christ

73. La litière est un appareil comparable à un trône, parce qu'on y est assis [1]. Il désigne peut-être Paul, à propos de qui le vrai Salomon dit en personne à Ananie : « Va, parce que celui-ci m'est un appareil de choix pour porter mon nom [a] » ; et l'appareil qui porte est ou bien un trône, ou bien une litière. Ailleurs, la sagesse l'appelle trône en disant : « J'étais présente lorsqu'il séparait son trône des vents [b] » et, parce qu'il est ce trône séparé, il dit en personne : « lorsque Dieu qui m'a séparé du ventre de ma mère a jugé bon de révéler son fils en moi [c] ». Il a été séparé des vents par la foule des épreuves et des vicissitudes et parce qu'il les a continuellement supportées et reçues ou qu'il a parcouru la terre d'un pied léger [2] pour le zèle de la proclamation [d]. Paul est donc la litière [3], faisant de son intellect le siège d'or sur lequel se repose l'époux et de sa parole les montants d'argent [4]. Car il fonde sur la parole apostolique la fierté de l'Église. Ses paroles sont donc les montants à cause de leur solidité et de leur

1. L'assimilation de la litière et du trône peut évoquer une sorte de luxueuse chaise à porteur, ce que les Romains appellent *sella portatoria, gestatorium* dans la traduction de Philon de Carpasia par Épiphane.
2. L'expression est un cliché depuis l'*Iliade* ; on la lit en *II Sam.* 2, 18 et elle apparaît dans les *Lettres* pauliniennes.
3. Dans son étude sur « le char d'Elie » comme symbole baptismal, DANIÉLOU, *Testimonia*, p. 77-93, n'évoque pas cette litière, vecteur de la proclamation paulinenne. L'explication de Nil met ici encore en relation le texte du *Cantique* avec un symbole baptismal connu.
4. L'intellect associé à l'or et les paroles à l'argent : cf. n. 2 p. 199 ; DIDYME, *Sur Zacharie* 2, 15, *SC* 83, p. 434 ; *Chaîne palestinienne*, 72b (Didyme), *SC* 189, p. 302 ; ÉVAGRE, *Schol. Prov.*, 307, *SC* 340, p. 398 ; chez lui, « le trône symbolise habituellement l'intellect sur lequel siège le Christ », *ibid.*, 300 et n. p. 393.

λου ἐλέγχθησαν · διὸ καὶ τοῖς σαλεύειν αὐτοὺς βουλομένοις
ἔλεγεν · « ἀλλὰ καὶ ἐὰν ἡμεῖς ἢ ἄγγελος ἐξ οὐρανοῦ
εὐαγγελίζεται ὑμῖν παρ' ὃ παρελάβετε, ἀνάθεμα ἔστω ᵉ »,
τὸ πάγιον τῷ κηρύγματι πραγματευόμενος. Καὶ ἡ ἐπίβα-
25 σις δ' ἐν τούτῳ ἐστὶ πορφύρα, οἱ γὰρ διὰ τῶν τούτου
λόγων ὁδεύοντες εἰς βασιλείαν φθάνουσιν ἄνθρωποι τῶν
οὐρανῶν, τῷ ἀξιώματι ἐπιβαίνοντες ὡς πορφύρᾳ καὶ
λέγοντες μετὰ τοῦ Παύλου · « ἡμῶν δὲ τὸ πολίτευμα ἐν
οὐρανοῖς ὑπάρχει ᶠ. »

74. Καὶ τὸ « ἐντὸς αὐτοῦ λιθόστρωτον » ἡ τιμία τῶν
ἀρετῶν καὶ ὁμαλὴ ἐν ἀπορρήτῳ διάθεσις, ἃς ὅταν μὲν
θεμέλιός ἐστιν ὁ Χριστὸς ᵃ ὡς λίθους τιμίους τούτῳ
ἐποικοδομεῖ ᵇ, ὅταν δὲ βασιλεὺς τῷ τοῦ φορείου ἐδάφει
5 ἐμψηφολογεῖ, ποικίλην δὲ καὶ εὐανθεστάτην τοῖς βασιλι-
κοῖς ποσὶ κατασκευάζων τὴν ἐπίβασιν καὶ τοῖς πολιτευο-
μένοις κατὰ τὴν ἀποστολικὴν παράδοσιν εὐμαρῆ καὶ
λείαν τὴν προκοπὴν ἐργαζόμενος, τοῦ λιθοστρώτου τὸ

21 σαλεύειν V : σαλεῦσαι R ‖ αὐτοὺς V : -τοῖς R ‖ 22 ἀλλὰ καὶ ἐὰν
VR : κἂν γὰρ C ‖ ἡμεῖς — οὐρανοῦ VR : ἄγγελός φησι C ‖ 23 ὑμῖν
VR : om. C ‖ 24 τὸ — πραγματευόμενος VR : om. C ‖ 25 ἐν VR :
om. C ‖ ἐστὶ VR : om. C ‖ τούτου C : -των V τοιούτων R ‖ 26
φθάνουσιν VR : εὑρίσκουσιν C ‖ 26-29 ἄνθρωποι — ὑπάρχει VR : om.
C ‖ 28 τοῦ V : om. R.
74. 1 καὶ VR : om. C ‖ αὐτοῦ VR : om. C ‖ 2 ἃς C : om. VR ‖ 3
τιμίους τούτῳ VR : om. C ‖ 4 δὲ VR : om. C ‖ 6 τὴν VR : om. C

---

e. Gal. 1, 8   f. Phil. 3, 20.
74. a. Cf. I Cor. 3, 11   b. Cf. I Cor. 3, 12.

---

1. Τὸ δόκιμον καὶ ἀνεπίληπτον : le premier mot évoque le *Ps.* 11,
7b ; cf. *Chaîne palestinienne*, 140a, *SC* 189, p. 412 et *SC* 190, n.
p. 724. Nil restreint l'explication origénienne en l'appliquant à la
seule proclamation de Paul. Ἀνεπίληπτον appartient au vocabulaire
paulinien de *II Tim.* 3, 2 ; 5, 7 ; 6, 14.

immuabilité, elles ont été choisies en argent à cause du
caractère éprouvé et irréprochable de l'Apôtre [1] ; c'est
pourquoi il disait à ceux qui voulaient les ébranler : « Mais
si même nous ou un ange du ciel vous annonce un évangile
contraire à celui que vous avez reçu, qu'il soit anathème [e] »
et assurait à la proclamation la solidité. Le marchepied y
est de pourpre, car les hommes qui cheminent grâce à ses
paroles se hâtent vers le royaume des cieux, montant sur la
dignité comme sur de la pourpre [2] et disant avec Paul :
« Notre citoyenneté se trouve dans les cieux [f]. »

L'éclat de la vertu cachée

74. « A l'intérieur, un pavement [3] » :
c'est l'honneur des vertus et l'égale disposition en secret, avec lesquelles, quand le
Christ est pierre de fondation [a], il bâtit sur elle comme
avec des pierres précieuses [b], et quand il est roi, il fait des
incrustations dans le plancher de la litière, disposant pour
les pieds du roi un repose-pied [4] marqueté aux couleurs les
plus éclatantes et ménageant pour ceux qui se conduisent
selon la tradition apostolique la progression aisée, régulière
— puisque le pavement montre la facilité du voyage — et

2. La pourpre est un symbole royal et impérial, cf. GRÉGOIRE, *In Cant. Or.* VII, 210, 20. L'expression ἐπιβαίνειν πορφύρᾳ rappelle πορφύρας πατῶν d'Eschyle (*Agamemnon*, 957). A l'époque de Nil, elle est devenue figée.

3. *Der kleine Pauly*, *s. v.* λιθόστρωτον explique que le mot désigne un dallage de pierres de formes et de couleurs diverses ; c'est pourquoi nous traduisons par *pavement*. Nil utilise le mot dans deux sens différents : ici, il s'agit d'un pavement décoratif, composé d'une marqueterie de pierres colorées ; l. 8, il s'agit du dallage d'une route.

4. Ἐπίβασις ne peut avoir ici le même sens qu'en 73, 24-25, où il s'agit de nommer le ou les degrés qui permettent d'accéder à l'intérieur de la litière, le « marchepied ». C'est maintenant le sol de la litière, incrusté de pierres, sur lequel reposent les pieds du roi quand il est assis : « repose-pied ». Les dictionnaires ne donnent jamais un sens concret à ce mot (cf. ἀνάκλισις et n. 3 p. 199). Grégoire l'utilise une fois au pl. (*In Cant. Or.* VII, p. 210, 13-14) et comprend qu'il s'agit d'une partie liée aux montants.

εὔκολον τῆς πορείας δηλοῦντος, καὶ λεωφόρον ἢ τάχα καὶ
10 τὸ ἀνεπίφαντον καὶ ἀτράγῳδον. Ὡς γὰρ ὁ χοῦς τὸ ἴχνος
δεχόμενος σεσημασμένον φυλάττει τοῦτο, ὁ δὲ λίθος
ἀτύπωτον ποιεῖ τὴν πορείαν οὐ δεικνὺς σημεῖον τοῦ
ὁδεύσαντος, οὕτω τοῦ ἐναρέτου τὴν πολιτείαν κεκρυμμένην εἶναι βούλεται καὶ λαθραίαν, οὐ πρὸς ἐπίδειξιν
15 γινομένην, ἀλλὰ συνειδήσει τοῦ ποιοῦντος μαρτυρου-
μένην, ὅθεν καὶ τὸ ἐντὸς εἶπε λιθόστρωτον τὸ ἀδημοσίευτον δηλῶσαι θελήσας τῆς ἀρετῆς. Καὶ γάρ ἐστιν οἰκου-
ρός, οὐ σόβας τις καὶ τριοδίτις, λαθραίας ἀγαπῶσα καὶ
γνησίας περιπλοκάς, οὐκ αἰθρίας καὶ δημώδεις κατὰ τὰς
20 τῶν ἑταίρων ὁμιλίας, οὐ μόνον τὰς ὄψεις τῶν ἀνθρώπων,
ἀλλὰ καὶ αὐτὸν ἐχούσας τὸν ἥλιον τῆς ἀσχημοσύνης
κατήγορον.

75. Καὶ ἀγάπην δὲ συγκατασκευάσθαί φησι τῇ τοῦ
φορείου κατασκευῇ ἅμα μὲν τῆς λέξεως ἀπάγων τοὺς
ἐντυγχάνοντας, ἅμα δὲ καὶ τὸ ὂν ἀληθῶς σημαίνων, καὶ
δείκνυσιν ὁ Παῦλος ὅτι αὕτη ἐστὶν ἡ συνέχουσα τὴν τοῦ
5 φορείου κατασκευὴν καὶ ὅτι οὔτε στύλων τῶν σημαι-
νόντων τὸν λόγον, οὔτε ἀνακλίτου χρυσέου τοῦ δηλοῦντος

10 καὶ ἀτράγῳδον VR : om. C ‖ 12-13 οὐ - ὁδεύσαντος VR : om. C
‖ 14 καὶ CV : om. R ‖ 17 δηλῶσαι θελήσας C : θ. εἶναι VR ‖ τῆς
ἀρετῆς C : τὴν -τήν VR ‖ 18 σόβας C : σοβαρός VR ‖ 20 τῶν C : om.
VR ‖ ἑταίρων C : ἑταίρας [ἑτέρας R] VR.
75. 2 ἀπάγων CV : ὑπ- R ‖ 3 ὂν ἀληθῶς VR : ἀληθὲς C ‖ 6 τοῦ
VR : om. C

1. Deux autres occurrences de λεωφόρος chez Nil (*Périst.* 896A;
Pauvr. vol. 993C) désignent la voie largement ouverte par Moïse à
travers la Mer Rouge, cf. CLÉMENT D'ALEXANDRIE, *Stomate* V, 31, 2,
SC 278, p. 74; PHILON, *De Congr.*, n. compl. V, de M. Alexandre :
« la grand'route ». Nous comprenons que la « progression aisée et
régulière » est rapide aussi pour un grand nombre de voyageurs,

celle d'une grand-route [1], ou peut-être aussi la réserve sans parade. Car de même que la terre marquée d'une trace en conserve l'empreinte, alors que la pierre ne garde aucune marque de passage et ne fait pas voir l'empreinte d'un voyageur, de même il veut que le mode de vie de l'homme vertueux soit caché et secret, pratiqué sans ostentation mais attesté par la conscience de son auteur. Voilà aussi pourquoi il dit qu'il y avait un pavement à l'intérieur, voulant montrer l'absence de publicité de la vertu [2]. Car elle est une femme d'intérieur, et pas une libertine ou une coureuse de rue ; elle aime l'intimité d'étreintes secrètes, et non la vulgarité des relations à l'extérieur, qui sont celles de ses compagnes, et dont l'indécence est dénoncée non seulement par les regards des hommes, mais aussi par le soleil lui-même [3].

La cohérence de l'amour

75. L'amour assure la cohérence de l'équipement de la litière, dit-il en détournant les lecteurs du mot proprement dit, tout en désignant réellement ce qui est ; Paul montre aussi que l'amour donne sa cohésion à l'équipement de la litière et que ni les montants qui désignent la parole, ni le dossier

comme sur une large route passante, parce que « la litière est le véhicule des faibles » (76, 17).

2. A partir de ἢ τάχα καὶ (l. 9), Nil passe à une seconde explication, de type individuel, où il conserve les deux sens de λιθόστρωτον : le pavement de la route qui ne garde pas de trace d'un passage et le pavement caché à l'intérieur de la litière. L'exercice de la vertu est caractérisé par trois mots négatifs assez rares : ἀνεπίφαντον, ἀτράγῳδον, ἀδημοσίευτον. Ils désignent la discrétion d'un comportement qui ne se montre pas, ne « joue pas la comédie », ne recherche pas la publicité. Le premier et le troisième se trouvent aussi dans *Périst.*, dans des contextes voisins. Sur l'absence d'ostentation nécessaire à la vie vertueuse, cf. n. 1 p. 193.

3. Cette dernière phrase rappelle le changement d'attitude de l'épouse et l'intrigue bâtie par Nil.

τὴν γνῶσιν, οὔτε πολιτείας, οὔτε ποικίλων ἀρετῶν, ἃς ἡ
πορφύρα καὶ τὸ λιθόστρωτον εἰκονίζουσιν ὄφελος, μὴ τῆς
ἀγάπης συνδεούσης τὴν τούτων συνάφειαν· φησί που
10 καλῶς· «κἂν ἔχω προφητείαν καὶ εἰδῶ τὰ μυστήρια
πάντα, κἂν ἔχω πᾶσαν τὴν πίστιν ὥστε ὄρη μεθιστάναι,
κἂν ψωμίσω πάντα τὰ ὑπάρχοντά μοι, κἂν παραδῶ τὸ
σῶμά μου ἵνα καυθήσωμαι, τὴν ἀγάπην δὲ μὴ ἔχω, οὐδὲν
ὠφελοῦμαι ᵃ », καὶ διὰ μὲν τῶν εἰρημένων τὴν τοῦ φορείου
15 κατασκευὴν εἰπών, διὰ δὲ τῆς ἀγάπης τὴν πρὸς τὰ
γινόμενα διάθεσιν δηλώσας. Οὐδὲν γὰρ διαθέσεως ἄνευ
γνησίως πέφυκε γίνεσθαι, τῆς προαιρέσεως ἀποδιακειμένης καὶ τὸ πραττόμενον ποιούσης ἔωλον τῇ ἀποστροφῇ
καθάπερ νόθον γέννημα οὐκ ἐκ νομίμου σπορᾶς, πάθους
20 ὁρμῇ, οὐχὶ δὲ γνώμης ὀρθῆς κρίσει γενόμενον.

76. Ἀπὸ ξύλων δὲ τοῦ Λιβάνου ἐστὶ τὸ φορεῖον, ἐκ
τῶν κατὰ σάρκα συγγενῶν αὐτοῦ Ἰσραηλιτῶν· τούτους
γὰρ ὁ Λίβανος σημαίνει, ὡς ὁ Ἰεζεκιὴλ αἰνιγματωδῶς
τοὺς αἰχμαλωτισθέντας ὑπὸ τοῦ Ναβουχοδονοσὸρ ᵃ δηλοῖ
5 διὰ « τοῦ εἰς τὸν Λίβανον μεγάλου καὶ μεγαλοπτερύγου,
πολυονύχου τε καὶ μακροῦ τῇ ἐκτάσει εἰσελθόντος ἀετοῦ
καὶ ἀποκνίσαντος τὰ ἄκρα τῆς ἀπαλότητος αὐτοῦ καὶ

9-13 φησί — καυθήσομαι VR : κατὰ λόγον γὰρ ἀρετῶν ποιησάμε-
νος C ‖ 11 τὴν C : om. VR ‖ 13 ἔχω οὐδὲν VR : ο. ἔχων C ‖ 14
ὠφελοῦμαι VR : εἶναι ἀπεφήνατο C ‖ καὶ V : κἂν R om. C ‖ 16
γινόμενα C : γενό- VR ‖ 16-17 γὰρ — γίνεσθαι CV : om. R ‖ 17-20
τῆς προαιρέσεως ἀποδιακειμένης [διακειμένης R] — γενόμενον VR :
om. C.
76. 2 τούτους VR : οὓς C ‖ 3 ὁ λίβανος / σημαίνει CV : ∼ R ‖ 3-4
αἰνιγματωδῶς ... δηλοῖ VR : ∼ C ‖ 4 τοῦ VR : om. C ‖ ναβουχοδονοσὸρ CV : ναβουχοδονόσωρ R ‖ 5-6 εἰς — ἀετοῦ VR : ἀετοῦ τοῦ
μεγάλου τοῦ εἰς τὸν λίβανον εἰσελθόντος C ‖ 7-9 καὶ¹ — δηλοῖ VR :
om. C

---

75. a. Cf. I Cor. 13, 2-3.
76. a. Cf. Éz. 17, 12

d'or qui signifie la connaissance, ni le genre de vie, ni les diverses vertus, que figurent la pourpre et le pavement, ne sont d'une quelconque utilité, si l'amour n'est pas le lien de leur union [1]. Il le dit si bien quelque part : « Quand j'aurais le don de prophétie et que je connaîtrais tous les mystères, quand j'aurais toute la foi à déplacer les montagnes, quand je distribuerais tous mes biens, quand je donnerais mon corps à brûler, si je n'ai pas l'amour, cela ne me sert à rien [a] » ; à travers ces mots, il exprime l'équipement de la litière et à travers l'amour, révèle sa disposition à l'égard des événements. Car rien ne se produit naturellement par droit de naissance sans qu'on y soit disposé, quand le choix inspire de la répugnance et rend vain l'acte accompli à contrecœur, comme un rejeton bâtard dépourvu d'ascendance légitime que l'on a conçu sous l'impulsion d'une passion et non par un jugement de l'intention droite [2].

Le rôle d'Israël   **76.** La litière est faite de bois du Liban, de ses parents selon la chair, les Israélites. Car le Liban les désigne, comme Ézéchiel, en énigme, montre les prisonniers de Nabuchodonosor [a] à travers « le grand aigle aux longues ailes, aux serres puissantes et à la vaste envergure, allant vers le Liban et arrachant sa tendre

---

1. Cf. *supra* 37, 21-22 ; Grégoire, *In Cant. Or.* VII, 211, 1-6.
2. L'ἀγάπη de Paul relève de sa disposition ; elle est donc liée à sa liberté et dépend de la rectitude de sa volonté. La phrase résonne du ton de la parénèse monastique avec les expressions de sens négatif pour souligner l'absence de liberté des actions accomplies « sous l'impulsion d'une passion » et surtout le fait que l'homme se détourne ainsi de sa vraie nature ; cf. Grégoire de Nysse, *De la virg.*, XII, 2, 36-43, *SC* 119, p. 404.

ἐνέγκαντος εἰς Βαβυλῶνα ᵇ. » Ἐπεξηγούμενος γὰρ τὴν
παραβολὴν ὁ προφήτης καὶ σημαίνων τι τὸ αἴνιγμα δηλοῖ
10 ἀετὸν μὲν τὸν Βαβυλώνιον, φησί, βασιλέα, Λίβανον δὲ τὸν
Ἰσραήλ, ἄκρα δὲ τῆς ἀπαλότητος αὐτοῦ τοὺς τοῦ γένους
λαμπροὺς καὶ μᾶλλον δοκοῦντας ἐξέχειν ᶜ. Πῶς δὲ τὸ
ξύλον τοῦ Λιβάνου ἐστὶν ὁ Παῦλος; Αὐτὸς ἐκεῖνος δηλοῖ
λέγων · « περιτομῇ ὀκταήμερος ἐκ γένους Ἰσραήλ, φυλῆς
15 Βενιαμείν, Ἑβραῖος ἐξ Ἑβραίων, Φαρισαῖος κατὰ νόμον,
κατὰ δικαιοσύνην τὴν ἐν νόμῳ γενόμενος ἄμεμπτος ᵈ. »
Εἰ δὲ τὸ φορεῖον ἀσθενούντων ἐστὶν ὄχημα, τάχα οὔπω
καλῶς ἐν τοῖς ἀκούουσιν ἔρρωτο ὁ λόγος, συσχηματιζό-
μενος τῇ τῶν μαθητευομένων ἀτελείᾳ, διὰ τοῦτο καὶ
20 Κορινθίοις οὔπω τὸ ὑγιαῖνον βλέπουσι τοῦ κηρύγματός
φησι ποτὲ μέν · « γάλα ὑμᾶς ἐπότισα, οὐ βρῶμα · οὔπω
γὰρ ἐδύνασθε ᵉ » · ποτὲ δέ · « ὁ ἀσθενῶν λάχανα ἐσθίει ᶠ » ·
ἄλλοις τὸ δυνατὸν τοῦ λόγου δηλῶν, φησὶν ὅτι · « ὁ
Χριστὸς οὐκ ἀσθενεῖ, ἀλλὰ δυνατεῖ ἐν ὑμῖν ᵍ ».

---

9 τι V : om. R ‖ 10 φησί VR : λέγει C ‖ βασιλέα VR : om. C ‖ δὲ
VR : om. C et idem 11 ‖ 11 αὐτοῦ VR : om. C ‖ 12-16 πῶς —
ἄμεμπτος VR : om. C ‖ 15 βενιαμείν V : βενιαμὴν R ‖ 19-21 διὰ —
ποτὲ μὲν VR : ὡς C ‖ 21 post γάλα habet C trium foliorum lacunam ‖
22 δὲ V : om. R ‖ 23 δηλῶν V : om.R ‖ 24 ἀλλὰ δυνατεῖ ἐν ὑμῖν V :
ἀλλ᾽ ἐν ὑμῖν ἀδυνατεῖ R.

---

b. Cf. Éz. 17, 3-4   c. Cf. Éz. 17, 12-21   d. Phil. 3,5   e. I Cor. 3,
2   f. Rom. 14, 2   g. II Cor. 13, 3.

cime et la portant à Babylone [b] [1]. » Or, en expliquant la
parabole et en éclaircissant ce qu'il en est de l'énigme, le
prophète montre que le roi de Babylone est l'aigle, dit-il,
le Liban Israël et sa tendre cime les hommes brillants de sa
race, parce qu'ils paraissent plus éminents [c]. Mais comment Paul peut-il être le bois du Liban ? Lui-même le
montre par ces mots : « Par la circoncision, dès huit jours,
de la race d'Israël, de la tribu de Benjamin, Hébreu entre
les Hébreux, Pharisien selon la loi, je suis devenu irréprochable selon la justice conforme à la loi [d]. » Et si la litière
est le véhicule des faibles, peut-être sa parole n'était-elle
pas encore dans la plénitude de sa force pour ses auditeurs,
parce qu'elle se modelait sur l'imperfection de ceux qu'elle
enseignait [2] ; c'est pourquoi il dit tantôt aux Corinthiens
qui ne voient pas encore la santé de la proclamation : « Je
vous ai donné à boire du lait et non une nourriture solide,
vous n'en étiez pas encore capables [e] », et tantôt : « le faible
mange des légumes [f] ». A d'autres, montrant la puissance
de sa parole, il dit : « Le Christ n'est pas faible, mais il est
fort en vous [g] ».

---

1. La citation présente un texte assez différent de celui de la LXX.
2. L'idée que l'enseignement doit être adapté aux capacités
spirituelles des auditeurs vient d'Origène, *ComCant.*, *P.* I, 4.

3,11 Ἐξέλθετε καὶ ἴδετε,
θυγατέρες Σιών,
ἐν τῷ βασιλεῖ Σαλομών,
ἐν τῷ στεφάνῳ ᾧ ἐστεφάνωσεν αὐτὸν ἡ μήτηρ
αὐτοῦ
ἐν ἡμέρᾳ νυμφεύσεως αὐτοῦ
καὶ ἐν ἡμέρᾳ εὐφροσύνης καρδίας αὐτοῦ.

VR. — θυγατέρες σιών VR (A) : om. LXX.

77. Τίς μὲν οὖν ὁ ταῦτα λέγων ἄδηλον · ἴσως δὲ οἱ τοῦ
νυμφίου φίλοι, πλὴν ὃς ἂν ᾖ τοὺς ἀπ' ἐθνῶν καλεῖ. Σιὼν
γάρ ἐστιν ἡ τούτου μήτηρ, ἡ τὸν τοῦ Χριστοῦ νόμον
βλαστήσασα · ὁ μὲν γὰρ πρότερος νόμος ἀπὸ Σινᾶ, ὁ δὲ
5 δεύτερος ἀπὸ Σιών, ὡς ὁ προφήτης ἔλεγεν · « ἐκ γὰρ
Σιὼν ἐξελεύσεται νόμος[a]. » Ἐπειδὴ τοίνυν ἐν σκότει καὶ
σκιᾷ θανάτου ἐκάθητο τὰ ἔθνη[b], προσκαλεῖται αὐτοὺς
τάχα αὐτὸς ὁ ταῦτα εἰρηκὼς προφήτης λέγων · « ὁ λαὸς ὁ
καθήμενος ἐν σκότει[c] », « ἐξέλθετε καὶ ἴδετε » · τί δὲ
10 ἴδετε ; ἐπιφέρει θαυμάζων τὸ τόλμημα · « ἐν τῷ στεφάνῳ
τῆς δόξης αὐτοῦ[d], ᾧ ἐστεφάνωσεν αὐτὸν ἡ μήτηρ αὐτοῦ
ἐν ἡμέρᾳ νυμφεύσεως αὐτοῦ », ἡμέρα δὲ νυμφεύσεως τοῦ
Χριστοῦ καὶ « ἡμέρα εὐφροσύνης καρδίας αὐτοῦ » ἦν ἡ

77. 1 δὲ V : om. R ‖ 7 αὐτοὺς V : -τὰ R ‖ 11 τῆς — αὐτοῦ V : om.
R

77. **a.** Is. 2, 3   **b.** Cf. Is. 9, 1   **c.** Is. 9, 1; Math. 4, 16   **d.** Cf.
Lam. 2, 15; I Pierre 5, 4

1. Le début du passage évoque *Is.* 2, 3 : « [vers elle] marcheront
des peuples nombreux ». Sur la « seconde loi », qui est celle du Christ
(cf. *Matth.* 5, 17), cf. ORIGÈNE, *HomJos.* 9, 3-4.

3,11 Sortez et voyez,
    filles de Sion,
    sur le roi Salomon,
    avec la couronne dont l'a couronné sa mère,
    au jour de ses noces,
    et au jour de joie pour son cœur.

Le jour de la croix,
jour des noces
du Christ

77. Qui donc dit ces paroles ? Ce n'est pas clair ; peut-être les amis de l'époux, mais qui que ce soit, il appelle ceux des nations. Car sa mère est Sion, qui a fait germer la loi du Christ ; la première loi en effet vient du Sinaï et la seconde de Sion, comme disait le prophète : « Car de Sion sortira la loi [a] [1] ». En outre, puisque les nations étaient assises dans l'obscurité et l'ombre de la mort [b], peut-être les appellera-t-il lui-même, le prophète qui a dit en ces termes : « le peuple qui est assis dans l'obscurité [c] », « sortez et voyez ! » Et que voyez-vous ? S'étonnant de son audace, il ajoute [2] : « avec [3] la couronne de sa gloire [d] dont sa mère l'a couronné au jour de ses noces » ; le jour des noces du Christ, « jour de joie pour son cœur », c'était le jour de la croix, où il prenait

2. Finalement, les paroles de *Cant.* 3, 11 sont dites par « le prophète » ; ce sont celles qui inaugurent la prédication du Christ dans *Matth.* 4, 16. La « mise en scène » du texte biblique par Nil se poursuit avec des jeux de lumière (cf. 14, 11-12 ; 15, 7-11) et les deux didascalies à propos du ton sur lequel parle le prophète, étonnement à l'égard des nations (l. 10) et stupeur pour la Synagogue (l. 30).

3. Il est impossible de conserver en français un équivalent de l'anaphore de ἐν qui traduit les divers emplois de la prép. « be » en hébreu. Le premier (ἐν τῷ βασιλεῖ) exprime avec une nuance d'intensité l'objet d'un verbe de perception : Nil paraît le comprendre mais en élude l'explication ; le second est instrumental, les troisième et quatrième sont temporels.

τοῦ σταυροῦ ἡμέρα, ἐν ᾗ τὴν ἐξ ἐθνῶν ἐκκλησίαν ὡς
15 νύμφην ἐλάμβανε, μεμνηστευμένην αὐτῷ πάλαι διὰ τῶν
προφητῶν· ὁ μὲν γάρ φησι ἐκ προσώπου τοῦ νυμφίου·
« καὶ μνηστεύσομαί σε ἐμαυτῷ ἐν πίστει καὶ ἐπιγνώσῃ τὸν
κύριον ᵉ », ὁ δέ· « μνηστεύσομαί σε ἐμαυτῷ ἐν ἐλέει καὶ
οἰκτιρμῷ ᶠ », ὁ μὲν τὸ εὐγνῶμον τῆς νύμφης, ὁ δὲ τὸ
20 φιλάνθρωπον τοῦ νυμφίου προδεικνύοντες. Κἀκείνη γὰρ
προῖκα τὴν πίστιν εἰσήγαγε καὶ οὗτος ἕδνα τὴν φιλανθρωπίαν ἐπέδωκε, χάριν καὶ δῶρον τὴν σωτηρίαν αὐτῇ
παρασχόμενος. Καὶ τοῦτο πάλιν ὁ νυμφαγωγὸς τοῦ
γάμου Παῦλος ἐπιβοᾷ, τῇ νύμφῃ τὴν εὐεργεσίαν εἰδέναι
25 παραινῶν, ὅταν λέγῃ· « χάριτί ἐστε σεσωσμένοι, καὶ
τοῦτο οὐκ ἐξ ὑμῶν, θεοῦ δὲ τὸ δῶρον ᵍ. »

Ὁρῶν οὖν τὴν πολλὰ εὐηργετημένην συναγωγὴν ὁ
προφήτης, οὐ δικαίας ἀποδιδοῦσαν ἀμοιβὰς ʰ τῷ Χριστῷ,
ἀλλ᾽ ἀκάνθινον ἐπιθεῖσαν τῷ Χριστῷ στέφανον ⁱ τῇ
30 κεφαλῇ, ἐκπλησσόμενος ἐπὶ τῷ τοιούτῳ παρανομήματι,
φησί· « ἐξέλθετε καὶ ἴδετε ἐν τῷ βασιλεῖ Σαλομών, ἐν τῷ
στεφάνῳ ᾧ ἐστεφάνωσεν αὐτὸν ἡ μήτηρ αὐτοῦ. » Μητέρα
δὲ αὐτὴν λέγει τοῦ Χριστοῦ, ἐπειδὴ ἐξ ἐκείνης κατάγεται
καὶ τῇ γενεαλογίᾳ καὶ τῇ κατὰ σάρκα οἰκονομίᾳ.
35 « Πρόδηλον γὰρ ὅτι ἐξ Ἰούδα ἀνατέταλκεν ὁ κύριος ʲ »,

19 οἰκτιρμῷ V : -μοῖς R ‖ 20 προδεικνύοντες V : προμηνύοντες R ‖
21 εἰσήγαγε V : εἰσήνεγκε R ‖ 23 παρασχόμενος V : παρέχομενος R ‖
26 δὲ V : om. R ‖ 28 ἀποδίδουσαν ἀμοιβὰς V : ~ R ‖ 29-31 ἀλλ᾽ —
σαλομών V : om. R

e. Os. 2, 22   f. Os. 2, 21   g. Éphés. 2, 8   h. Cf. I Tim. 5, 4   i.
Mc 15, 17   j. Hébr. 7, 14

1. Retour au thème prophétique des noces (cf. 2, 4-6). La mort et
la résurrection du Christ figurent ses noces avec l'Église : thème lié à
la liturgie pascale et au baptême, v. g. Chrysostome, *Catéch. bapt.*

pour épouse l'Église des nations, qui lui avait été fiancée
depuis longtemps par les prophètes [1]. L'un dit dans le
personnage de l'époux : « Je te fiancerai à moi dans la
fidélité et tu connaîtras le Seigneur [e] », et l'autre : « Je te
fiancerai à moi dans la pitié et la compassion [f] » ; le premier
montre la loyauté de l'épouse et l'autre l'amour de l'époux
pour les hommes. L'épouse, elle, a engagé sa fidélité en
dot et il a donné en présent son amour des hommes, lui
accordant le salut en grâce et en don [2]. A son tour, Paul,
le paranymphe du mariage [3], le criait quand il conseillait à
l'épouse de connaître le bienfait, par ses mots : « Par la
grâce, vous êtes sauvés, et cela ne vient pas de vous, c'est
le don de Dieu [g]. »

Voyant donc que la Synagogue, bien qu'elle ait reçu
beaucoup de bienfaits, n'en a pas rendu au Christ un juste
retour [h], mais qu'elle a posé sur la tête du Christ la
couronne d'épines [i][4], le prophète, frappé de stupeur par le
caractère délictueux d'un tel geste, dit : « Sortez et voyez,
sur le roi Salomon, avec la couronne dont l'a couronné sa
mère ». Il appelle la Synagogue mère du Christ, puisqu'il
descend d'elle par la généalogie et par l'économie selon la
chair. « Dès lors il est clair que le Seigneur a jailli de

III, 1-2, *SC* 366, p. 212-214 ; Philon de Carpasia, *Commento*,
p. 122.

2. Sur προῖκα et ἕδνα cf. M. Harl, « Cadeaux de fiançailles et
contrat de mariage » ; cf. Astérius le Sophiste, *Hom. sur les
Psaumes*, VIII, p. 200, XV, p. 231, où l'épouse est aussi l'Église des
nations. Notre *Commentaire* montre l'étroite dépendance entre les
notions utilisées par les exégètes — φιλανθρωπία, πίστις, σωτηρία —
et les textes bibliques sur lesquels elles reposent.

3. Cf. M. Harl, *ibid.* : « Jean est traditionnellement appelé
paranymphe à cause de la proclamation de *Jn.* 3, 27 ». Chez
Chrysostome, c'est Paul qui reçoit le plus souvent ce titre, v. g.
Catéch. Bapt. IV, 12, SC 50 bis, p. 189 et n. 2 ; et Aubineau, *SC* 119,
n. 2, p. 500-501.

4. Cf. Philon de Carpasia, *Commento*, p. 122.

γεννώμενος ἐκ γυναικὸς [k] καί γε νόμος ὑπὸ νόμον καὶ τὴν
ἀγχιστείαν οὐκ ἀρνησάμενος τοῦ γένους [l], ἕως ἠρνήθη
παρ᾽ αὐτῶν, στραφεὶς εἰς τὰ ἔθνη καὶ τὴν τούτων
εὐκαίρως οἰκονόμησας σωτηρίαν. Ταύτην γὰρ προφῆται
40 προεκήρυξαν, οἱ μὲν λέγοντες· « αὐτὸς ἔσται προσδοκία
ἐθνῶν [m] », οἱ δέ· « ἔθνη, ἃ οὐκ ᾔδεισάν σε, ἐπικαλήσονταί
σε καὶ λαοί, οἳ οὐχ ὑπήσταντο, καταφεύξονται ἐπί σε [n] »,
καὶ ἀπόστολοι εὐηγγελίζοντο· « ἰδού, λέγοντες, στρεφό-
μεθα ἐπὶ τὰ ἔθνη [o] », καὶ αὐτὸς δὲ ὁ κύριος, ἐντελλόμενος
45 τοῖς ἀποστόλοις, « πορευθέντες, ἔφη, μαθητεύσατε πάντα
τὰ ἔθνη [p]. »

**4,1 Ἰδοὺ εἶ καλή, πλησίον μου, ἰδοὺ εἶ καλή,
ὀφθαλμοί σου περιστεραί,
ἐκτὸς τῆς σιωπήσεώς σου.**

VR. — καλή[1] VR (B) : + ἡ LXX.

78. Ἤδη μὲν εἴρηται ταῦτα καὶ παλιλλογεῖν περιττὸν
ἅμα καὶ παρέλκον τὸ δὲ « ἐκτὸς τῆς σιωπήσεώς σου »
προκείμενον τοῖς ὀπίσω ἄξιον ἐπισκέψασθαι. Πάντα οὖν
ἐστιν ὡς ἤδη ἀποδέδοται καὶ καλὴ καὶ τοὺς ὀφθαλμοὺς
5 ἔχουσα περιστεράς, πνευματικῶς βλέποντας δηλονότι τῆς
σιωπήσεως οὐκ ἐπαινουμένης. « Καλὴ γὰρ εἶ, φησίν,

36 καί[2] V : om. R ‖ 40 ἔσται V : ἐστι R ‖ 41 ᾔδεισάν V : οἴδασί R ‖
42 ὑπήσταντο V : ἐπίσταντό σε R ‖ ἐπὶ V : εἰς R ‖ 45 τοῖς V : +
ἑαυτοῦ R ‖ ἀποστόλοις V : μαθηταῖς R ‖ πορευθέντες ἔφη V : ∼ R.
78. 4 καί[1] V : om. R.

k. Cf. Matth. 1, 16　l. Cf. Matth. 12, 46-50　m. Gen. 49, 10　n.
Is. 55, 5　o. Act. 13, 46　p. Matth. 28, 18.

Juda [j] », né d'une femme [k] et loi soumise à la loi, sans
renier la parenté de sa race [l], jusqu'à ce qu'il ait été renié
par eux ; il s'est alors tourné vers les nations [1] et leur a
opportunément dispensé leur salut. Des prophètes
l'avaient annoncé à l'avance, les uns disant : « Il sera
l'attente des peuples [m] », et d'autres : « Des nations qui ne
te connaissaient pas t'invoqueront et des peuples qui ne te
supposaient pas se réfugieront auprès de toi [n] », et les
apôtres annonçaient la bonne nouvelle en disant : « Voici,
nous nous tournons vers les nations [o] », et le Seigneur
lui-même, ordonnait aux apôtres en disant : « Allez,
enseignez toutes les nations [p]. »

4,1 Voici, tu es belle, ma proche, voici tu es belle.
Tes yeux sont des colombes,
en dehors de ton silence.

Ne pas taire
les bienfaits
de la vertu

78. Cela a déjà été dit et il est superflu
d'en reparler ; pourtant le passage qui
s'ajoute au précédent : « en dehors de ton
silence » mérite d'être examiné. Tout est
donc comme on l'a déjà expliqué [2] : elle est belle et a les
yeux comme des colombes ; ils regardent spirituellement,
sans qu'évidemment le silence soit mentionné. « Car tu es

---

1. Cf. 1, 14 ; 15, 27.45-52. L'Église des nations ne s'oppose pas
dans le commentaire nilien à la Synagogue comme à une épouse
infidèle. Celle-ci est la mère de l'époux dont les enfants — « les filles
de la Synagogue » (15, 1), « les Juifs qui repoussent le Verbe » (15,
28-29) — ont renié. Le salut dispensé aux nations ne découle pas
d'un refus du Christ de se conformer à sa loi (l. 36). Mais alors qu'il a
été rejeté par la Synagogue, qui accomplit un geste criminel, et ses
descendants, il ne l'a pas été par les nations, dont le salut répondait
au plan divin annoncé par les prophètes (l. 39-40), tout comme celui
des Juifs résultait de l'alliance avec le peuple de la Synagogue.
2. Cf. 33-35 sur *Cant.* 1, 15.

ἐκτὸς τῆς σιωπήσεώς σου. » Τὰ γὰρ πνευματικὰ θεωροῦ-
σα μᾶλλον ἂν ᾖς καλὴ καὶ λέγουσα αὐτά, σιωπῶσα δὲ ἐξ
ἡμισείας εἶ καλή, τὰ πρὸς ὠφέλειαν τῶν πολλῶν
10 ἡσυχάζουσα, κἂν μετριάζουσα τοῦτο ποιῇς. Κρύπτειν μὲν
γὰρ ἔργον ἀρετῆς καλόν, ὅταν ἡ πρόθεσις ῥέπῃ ἐπὶ τὸ
φιλόδοξον, λόγον δὲ τοὺς ἀκούοντας οἰκοδομεῖν δυνάμε-
νον οὐχ ἡσυχαστέον, κἂν πρὸς ἔπαινον οὐ δεόντως ὁ τοῦ
λέγοντος βλέπῃ σκοπός· μεῖζον γὰρ ὂν τὸ ἐκ τῆς πολλῶν
15 ὠφελείας κέρδος μικρὰν ποιεῖ πως τὴν ἐκ τοῦ σκοποῦ
βλάβην, οὐ ποιοῦν αἴσθησιν τοῦ ζημιοῦσθαι τῇ ὑπερουσίᾳ
τοῦ ἀπὸ τῶν πολλῶν συναγομένου πλούτου.

4,1d Τρίχωμά σου ὡς ἀγέλαι τῶν αἰγῶν,
e αἳ ἀπεκαλύφθησαν ἀπὸ τοῦ Γαλαάδ.

VR. — ἀπεκαλύφθησαν R : ἀνε- V.

79. Ὡς μὲν πρὸς τὸ ῥητὸν οὐδὲν ἔχει κοινὸν ἡ
σύγκρισις. Τί γὰρ ὅμοιον τρίχωμα καὶ ἀγέλαι αἰγῶν ; Εἰ
μὲν γὰρ κἂν αἱ τρίχες τῶν αἰγῶν ἦσαν παραβληθεῖσαι τῷ
τριχώματι τῆς νύμφης, εἶχεν ἂν ἴσως λόγον τὸ εἰρήμενον·
5 ἀγέλη δὲ αἰγῶν τὴν πρὸς τρίχωμα γυναικῶν διαφεύγει
ὁμοίωσιν. Ὡς δὲ πρὸς τὴν ἔννοιαν πολλή ἐστιν ἡ
συμφωνία.

79. 7 συμφωνία hic des. VR ; quod sequitur solus habet Procopius
(legimus PMai)

---

1. Cette affirmation, qui minimise les méfaits de la vaine gloire,
paraît unique dans l'œuvre de notre auteur, tant il affirme souvent au
contraire ses effets destructeurs, cf. 26 ; 74, 12-17 ou *Sup. des
moines*, 1089D-1092A. On peut néanmoins rapprocher de cette
phrase un unique passage du *Disc. asc.*, 748B, quoique le contexte

belle, dit-il, en dehors de ton silence » : en effet, puisque tu contemples les réalités spirituelles, tu serais plus belle si tu les disais, mais puisque tu te tais, tu n'es qu'à moitié belle, gardant le silence sur les biens profitables à la plupart, même si tu le fais par humilité. Car il est bon de cacher l'œuvre de la vertu, quand l'intention incline à l'amour de la gloire, mais il ne faut pas garder le silence sur une parole capable d'édifier les auditeurs, même si le propos de celui qui la dit vise à recevoir indûment un éloge. En effet, quand le gain tiré de l'utilité collective est plus important, cela minimise en quelque sorte le tort que cause le propos, puisqu'on n'a pas l'impression de subir un préjudice étant donné la richesse surabondante que presque tous y amassent [1].

4,1d Ta chevelure est comme des troupeaux de chèvres qui sont apparues de Galaad.

79. Combien les termes de la comparaison n'ont rien en commun dans ce passage ! Quoi de semblable entre une chevelure et des troupeaux de chèvres ? Si au moins la toison des chèvres était comparée à la chevelure de l'épouse, le texte contiendrait des éléments parallèles ; mais un troupeau de chèvres échappe à la ressemblance avec une chevelure de femme. Pourtant comme l'accord d'après l'idée est grand [2] !

L'appel des nations

---

soit différent : « C'est le propre de la vertu d'être célébrée et de répandre partout la réputation de ses propres beautés ».

2. Le paradoxe est souligné par la rigoureuse antithèse entre la première et la dernière phrase du §. Les mss **V R** ne transmettent pas la suite de l'explication de ce verset, que nous lisons chez Procope, sans pouvoir expliquer cet arrêt brutal.

Εἴτε γὰρ ψυχή ἐστι τελεία πρὸς ἣν ταῦτα εἴρηται, εἴτε
ἡ ἔνδοξος ἐκκλησία, ἔχει τινὰ ἀκολουθίαν ἡ θεωρία τῆς
10 λέξεως. Καὶ γὰρ τῆς τελείας ψυχῆς τὰ οἱοινεὶ ἀποβλήματα καὶ περιττά, ἅτινά ἐστι τὰ διὰ τοῦ σώματος
ἐπιτελούμενα χρειώδη πράγματα, ἐπειδὴ καθηκόντως
γίνεται καὶ μετὰ τοῦ πρέποντος κόσμου, ἀγέλη αἰγῶν
ὁμοιοῦται συντεταγμένη καὶ εὖ πεφραγμένη καὶ οὐδὲν
15 ἐχούσῃ διατετμημένον, διὰ τὸ ἔχεσθαι τοῦ τῆς φύσεως
ὀρθοῦ λόγου καὶ ἡγεμονεύεσθαι ὑπ' αὐτοῦ δεόντως. Ὅταν
γὰρ τὸ κεχυμένον τῆς ἀσώτου τρυφῆς εἰς τὸ χρειῶδες καὶ
ἀναγκαῖον στέλληται, ἔσται ἀγέλη αἰγῶν τὸ λεγόμενον
τρίχωμα παραπλήσιον. Τὰ τοίνυν σωματικὰ ἐν μὲν τοῖς
20 ἀδιαφόροις ἀδιάφορα, ἐν δὲ τοῖς ἐπιμελεστέροις σπουδαῖα
καὶ χρήσιμα.

Ἐὰν δὲ ἡ ἐκκλησία ἐστί, πρὸς ἣν λέγεται ταῦτα,
τρίχωμα αὐτῆς εἰσιν οἱ μετανοοῦντες ἐπὶ τοῖς ἁμαρτήμα-
σι διὸ καὶ ἀγέλη αἰγῶν, ἀλλ' οὐ προβάτων, παραβάλλον-
25 ται · « ἀπεκαλύφθησαν δὲ ἀπὸ τοῦ Γαλαὰδ » τοῦ μετοική-
σαντος ἀπὸ τῶν Ἰουδαίων ἐπὶ τὰ ἔθνη λόγου. Γαλαὰδ
γὰρ μετοικία μαρτυρίας ἑρμηνεύεται · ὅτε μὲν γὰρ τῷ

9 ἡ ἔνδοξος P : ἐξ ἐθνῶν Mai ‖ 11 διὰ P : om. Mai ‖ 13 τοῦ P : om.
Mai ‖ 15 φύσεως P : συσφίγξεως Mai

---

1. Θεωρία ici comme en 44, 1, désigne l'activité intellectuelle qui
consiste à comprendre le sens du texte biblique au-delà de la lettre
(6, 11-13) ; cette notion est principalement empruntée à l'usage du
mot dans le *Commentaire* d'Origène (v. les occurrences du mot
intelligentia, SC 376, p. 759, n. 1). En outre chez Nil, comme chez
Évagre, θεωρία sert aussi à l'expression de la plus haute spiritualité :
c'est la contemplation, qui est « désir de pensée pure, convoitant une
nourriture appropriée à la raison et à ses représentations » (54, 33-
35). Dans l'unique concept de θεωρία, les deux sens sont évidemment
inséparables, c'est pourquoi nous avons uniformément traduit par
« contemplation ».

En effet, si c'est l'âme parfaite à l'égard de qui ces paroles ont été dites, ou si c'est l'Église glorieuse, la contemplation [1] du texte renferme une certaine continuité. Car les sortes de rejets et de résidus de l'âme parfaite que sont les besoins que l'on satisfait physiquement, quand ils sont accomplis de la façon qui convient et avec l'ordre approprié, ressemblent à un troupeau de chèvres rassemblé bien serré et sans aucun interstice, parce qu'ils sont maintenus par la droite raison de la nature et dirigés par elle comme il faut. En effet quand l'épanchement de la funeste sensualité sera contenu dans l'utile et le nécessaire, la chevelure en question sera comparable à un troupeau de chèvres. Assurément les besoins corporels sont indifférents chez ceux qui y sont indifférents, ils sont recherchés et utiles chez ceux qui y sont trop attentifs [2].

Si maintenant ces paroles concernent l'Église [3], ceux qui se repentent de leurs fautes sont sa chevelure, c'est pourquoi ils sont comparés à un troupeau de chèvres et pas de brebis. « Elles sont apparues de Galaad », parole de celui qui a migré des Juifs chez les nations, car Galaad est expliqué par : migration du témoignage [4]. Quand en effet

---

2. Tout le passage ressortit aux développements sur le mépris « du souci des choses terrestres qui empêche l'âme de jouir des biens divins », *Disc. asc.*, 740C et les ch. centraux de l'œuvre, 740D-744D ; il est surtout remarquable par l'abondance des termes techniques de la morale stoïcienne : ἡ τελεία ψυχή, τὰ ἀποβλήματα, τὰ τοῦ σώματος χρειώδη πράγματα, τὸ καθῆκον, ὁ ὀρθὸς λόγος, ἡγεμονεύεσθαι, δεόντως, τὸ χρειῶδες καὶ ἀναγκαῖον, τὰ ἀδιάφορα, τὰ χρήσιμα, v. g. Diogène Laërce, *Vies*, VII, 126-129.

3. Explication conforme au programme annoncé (l. 9), correspondant au « sens doctrinal », cf. 61, 5.

4. L'origine du sens de Galaad se trouve certainement dans la traduction des LXX, cf. *Gen.* 31, 47, *BA* 1, p. 238 : Jacob dresse un tertre de pierres pour conclure une alliance avec Laban, le lieu est appelé *Galeêd* ; cf. Wutz, p. 169.

Ἰουδαικῷ ἔλεγεν ἔθνει · « ὑμεῖς λαός μου καὶ πρόβατα τῆς
κληρονομίας μου[a] », ἐκείνων ἦν ἡ μαρτυρία, ὅτε δὲ τὰ
30   ἔθνη λαὸν ἐξελέξατο ἑαυτῷ[b], τούτῳ γέγονε μαρτύριον,
μετοικήσας ἀπ᾽ ἐκείνων ἐπὶ τούτου.

31 μετοικήσας P : -κῆσαν Mai ‖ τούτου Mai : -τους P.

79. a. Cf. Éz. 36, 38; Mich. 7, 14   b. Cf. Ps. 78, 1.

il disait à la nation juive : « Vous êtes mon peuple, les
brebis de mon héritage [a] », c'était un témoignage en leur
faveur, mais lorsqu'il a choisi les nations pour son
peuple [b], le témoignage est passé en sa faveur, puisqu'il a
migré de chez eux à chez lui [1].

---

1. Μετοιϰεῖν exprime le fait de partir résider dans un autre pays.
Μετοιϰία est utilisé pour nommer la captivité des Juifs à Babylone.
Le témoignage rappelle évidemment la « tente des témoignages » du
Pentateuque, signe de l'alliance de Dieu avec son peuple. Nil
explique donc un double changement : changement de témoignage,
puisque c'est le Christ qui témoigne (selon la loi de Sion),
changement de pays, par le choix des nations.

NOTES COMPLÉMENTAIRES

I. LA LANGUE ET LE STYLE DE NIL DANS LE *COMMENTAIRE*

La langue de cette œuvre est en accord avec la culture de son auteur, savante, recherchée, souvent technique et au bout du compte difficile. La traduction dans une langue moderne, parce qu'elle oblige à des choix qui risquent d'être réducteurs permet aussi d'en saisir toutes les implications. La syntaxe reflète les caractéristiques de la seconde sophistique et de la prose proto-byzantine avec principalement une inflation des constructions participiales aux dépens de la subordination. Le style traduit une recherche consciente des effets à travers un usage abondant des tropes les plus courants de la rhétorique. Nous tâchons de présenter un aperçu des usages de cette langue qui nous paraissent caractéristiques. Après celle de F. Conca, qui montre l'influence des romans alexandrins et de la tradition rhétorique sur le style de l'auteur, cette étude devra être affinée au fur et à mesure que les autres œuvres de Nil d'Ancyre recevront leur édition critique.

a. Vocabulaire.

Il reflète les habitudes qui se sont généralisées depuis la fin de la koinè, en particulier dans une certaine répugnance à l'usage des substantifs abstraits. Nil leur préfère, et de loin, les adjectifs neutres verbaux : τὸ ἐξαίρετον, 10,

11 ; τὸ δυνατόν, 25, 28 ; ou qualificatifs : τὸ βέβαιον, 34, 14 ;
τὸ ἀγνόν, τὸ ἀδιάφθορον, 35, 3-4 ; τὸ ἄπληστον, τὸ
αὔταρκες, 43, 30-31 ; τὸ διακριτικὸν, 64, 5 ; les participes et
infinitifs substantivés qui sont extrêmement nombreux :
— participes : τὸ φαινόμενον, 33, 9-10 ; τὰ ἐπιτελούμενα,
36, 25 ; τὸν δυνηθέντα, 36, 26 ; τὸ ἐπιφερόμενον, 39, 37 ; τὰ
ἐπικείμενα, 37, 16 ; et aussi 48, 21 ; 53, 10 ; 64, 31 ; —
infinitifs : ἐν τῷ νοεῖν, P. 4, 4 ; τὸ εἶναι, 2, 18 ; ἐν μόνῳ τῷ
ὀφθῆναι, 6, 9 ; διὰ τὸ συνέχεσθαι, μετὰ τὸ κενωθῆναι, πρὸς
τὸ γνωσθῆναι, 7, 2-3 ; et aussi 12, 11 ; 25, 10.13 ; 37, 24 ; 40,
5.

Le lecteur est d'abord frappé par la richesse du
vocabulaire employé dans cette œuvre. Excellent connais-
seur de la Septante, Nil y puise l'essentiel de son lexique,
d'autant plus que les principes de l'homonymie des textes
et de la synonymie des mots de la Bible lui fournissent
toujours un environnement lexical et sémantique abondant. Ses prédécesseurs et contemporains lui fournissent
l'outillage sémantique et conceptuel de ses représentations
théologiques et spirituelles : par exemple θεωρία selon
Origène et Évagre (cf. n. 1 p. 368) ; l'expression de
l'humanité du Christ dans la langue d'Athanase et de
Chrysostome (cf. 24, 3 ; 43, 20-21 et les notes *ad loc.*),
même lorsqu'il en infléchit l'usage dans un sens qui lui est
propre (cf. n. 2 p. 252). Il utilise abondamment le vocabulaire philosophique. Les échos à la langue de Platon sont
innombrables, en particulier lorsqu'il s'agit de dénoter de
façon négative la passion amoureuse (P. 3 : πάθη, πάθους,
ἔμπαθες), maladie (νόσον), folie (μανία, ἐμμανῆ), qui
asservit (δουλοῦν), rend passif (φλεγομένοις, κινηθέντος),
entraîne la condamnation intellectuelle et morale (ἐπ'
αἰσχρὰς ὑπονοίας, ἀκαθάρτου ἐπιθυμίας, βδελυροῖς λογισμοῖς, οἱ δείλαιοι, ἀσεβείας ὄλεθρον, μιαροῖς ἐνθυμίοις). Il est
difficile de ne pas songer à certains passages des *Lois* sur la
nécessité de légiférer pour refréner les désordres de
l'amour (VIII, 835d-842e), ou sur la folie et le feu de

l'amour (VI, 783a) et encore au *Banquet* (218b) et à *Phèdre*, 240d quand il s'agit des jouissances qui accompagnent le désir de percevoir l'aimé par tous les sens. D'autres notions sont issues du néo-platonisme (cf. 7, 4-8 ; 16, 20-22) et du stoïcisme (cf. n. 2 p. 369). Les lexiques des sciences (κύϐος, τετράγωνος, 72, 9-14 ; ὀξυωπέστερον, 55, 10 ; ῥίζη φλογός, 70, 12-13) et techniques lui paraissent tout aussi familiers : qu'il s'agisse de la médecine (P. 4, 13 ; 2, 14-16), de l'architecture (37, 11-31 ; 58, 2), du théâtre (41, 7-9), des techniques agricoles (43, 9-11) ou du travail des métaux (ἐπιδιαστίζειν, 27, 24 ; ἀναχονεύειν, 39, 13), il utilise le mot propre dans son sens technique ; la langue des tacticiens (72, 27-48) et des collecteurs d'impôt (46, 1-7) relevait des réalités quotidiennes pour les hommes de son temps.

A cette recherche d'une langue précise et technique correspond l'emploi de mots composés qui évitent les périphrases. Ce sont presque toujours des verbes et adverbes rares (ἐνευωχεῖσθαι, 44, 9 ; κουροτροφεῖν, 17, 9 ; μαστροπεύεσθαι, 52, 6 ; προκαθιδρύειν, 45, 6 ; προπιστεύειν, 45, 5 ; προσχαίνειν, P. 3, 1 ; ὑποκλύειν, 30, 15), auxquels il faut ajouter un nombre relativement important de mots non attestés par les dictionnaires, dont certains se lisent ailleurs chez Nil : ἀδημοσίευτον, 74, 16 ; ἀμυδρῶς, 57, 31 ; διατετμημένως, 27, 21 ; ἐπιδιαστίζειν, 27, 24 ; ἰσορρεπῶς, 32, 10 ; κατοπτρισμός, 15, 62 ; προηδύνειν, P. 2, 11 ; σκιοειδῶς, 64, 10 ; φατνοειδῶς, 37, 18.

b. Syntaxe.

Comme le lexique, elle est riche. L'emploi des constructions classiques — relatives, infinitives, génitifs absolus, emploi de l'optatif-conditionnel, de ἐάν, subordonnées temporelles, causales, finales et consécutives — a néanmoins tendance à s'appauvrir et décline devant les tournures de la prose de l'époque, caractérisée par d'innombrables constructions participiales en construction nominale ou adjective, sans indication de la nuance circonstancielle, souvent utilisés en « cascades » de participes (36, 21-25), et des infinitifs substantivés en construction prépositionnelle (12, 10 ; 39, 18).

L'auteur fait usage des particules de liaison, mais sans grande diversité : une table de fréquence montrerait la suprématie de γάρ ; καί est presque aussi fréquent. Μέν ... δέ souligne de nombreux parallélismes, et il arrive assez souvent aussi que δέ soit utilisé seul (P. 1, 3 ; 1, 1). Les occurrences de οὖν (19, 1 ; 32, 4 ; parfois γοῦν, 3, 23 ; 25, 7 ; 22, 10.12 ; ou μὲν οὖν, 5, 1 ; μενοῦνγε, 15, 4), καίτοι (3, 3), τοίνυν (15, 7) sont beaucoup plus rares. Διό (16, 12 ; 31, 55), διόπερ (10, 14) ont tendance à marquer un lien causal en tête de phrase comme de simples particules ; ἐπεί est employé au moins une fois en ce sens (19, 3), ainsi que ἐπειδή (26, 39).

On observe une très grande variété dans la longueur des phrases : dans les passages narratifs ou paraphrastiques — les plus nombreux —, elles sont amples, parfois périodiques, sans que ce soit toutefois une règle. Les phrases plus courtes servent surtout à rendre la rapidité d'un mouvement (13 ; 54 ; 59). Les dialogues du texte biblique ont disparu au profit de récits monologués des personnages ou d'exposés assumés par l'auteur.

c. Figures de style et rhétorique.

L'hyperbate — ou disjonction — est d'emploi si courant qu'elle perd presque son rôle de figure pour relever simplement de l'usage de la langue littéraire : τὰ μεθημερινὰ διὰ τῆς φαντασίας ἀνακινοῦσα ἐνθύμια, 4, 9 (ou 36, 30-31) ; τὸ βασιλικὸν εἶχε κράτος, 28, 26 ; τὸ τοῦ σταυροῦ ἀνέτεμεν ἄροτρον, 40, 8-9, sont les types les plus usuels. Associée à des constructions infinitives ou participiales, elle paraît avoir pour fonction essentielle de mettre en

valeur l'épithète ou le complément de détermination. Il
arrive qu'elle soit longue et complexe (cf. 5, 19-21 ; 41, 19-
21 ; 77, 28).

La figure de très loin la plus fréquente est la comparaison. L'abondance de son emploi repose sur la méthode
exégétique exposée par Origène dans le *P. Arch.* IV, 2, 6 et
dans le Prologue du *ComCant.* 1, 4-7. Beaucoup plus
qu'une tournure syntaxique, la comparaison est un mode
d'explication du texte biblique par l'analogie, qui repose
sur les principes exégétiques de synonymie et d'homonymie du texte biblique. Ce dernier fournit à l'auteur ses
propres registres symbolique et métaphorique. D'innombrables passages reposent sur la structure ὡς ... οὕτως (4,
7-13 ; 20, 13-26 ; 41, 9-14 ; 56, 2-7 ; 70, 10-15). Il arrive
aussi que la comparaison se développe à deux niveaux :
p. ex. 7, 1-8 (ὥσπερ ... οὕτω) est repris l. 12 : οὕτως οὖν...

Les parallélismes s'apparentent aux comparaisons. Le
plus grand nombre est souligné par μέν ... δέ. On trouve
aussi ἤ ... ἤ (2, 19-20), εἴτε ... εἴτε (5, 4), ὅπερ ... τοῦτο (15,
58-60), ou simplement un groupe d'homéotéleutes coordonnés (συνοικήσασα τῷ θεῷ λόγῳ καὶ συμβασιλεύουσα νῦν
αὐτῷ, 11, 15-16). Parfois les deux membres de phrase se
répondent dans une symétrie rigoureuse : ἐπί τε ... διὰ ... /
ἐπί τε ... διὰ... (32, 10-12) ou ποτὲ μὲν ... ὡς καὶ ... / ποτὲ
δὲ ... ὡς καὶ (42, 14-17). Le système peut en arriver à une
assez grande complexité, comme en 8, 1-12 où la première
partie (αἱ μὲν ... μετὰ τὴν..., μετὰ τὴν...) présente une
asyndète, alors que la seconde offre une double coordina-
tion (ἐγὼ δὲ ... καὶ πρὸ τῆς ... καὶ τῶν..., καὶ πρὸ τῆς ... καὶ
τῶν...). A cause de l'opposition μετά/πρό, il vaut peut-être
mieux ranger ce dernier exemple parmi les antithèses.
Elles sont relativement moins nombreuses et présentent
aussi plusieurs formes : jeu de mots (τῷ ἀκρατεῖ ἐγκράτεια
/ καὶ τῷ ἀκολάστῳ σωφροσύνη, 52, 27), présence d'homéotéleutes (καὶ ἀπεθέμην μὲν..., / οὐ συναπεθέμην δὲ..., 2,
16-17). Le second membre est introduit par ἀλλὰ quand les

deux membres de l'opposition sont de longueur à peu près égale (εἰ καὶ μή..., ἀλλ' οὖν καὶ..., 10, 18-19; 31, 44); les plus remarquables soulignent l'opposition par des tournures elliptiques (ὄνῳ μὲν καὶ πώλῳ καὶ υἱῷ..., / ἵππῳ δὲ οὐδαμοῦ, 22, 1-4; ... / θνητῷ δὲ οὐδενί, 36, 3-4).

Toutes ces figures qui expriment un mouvement double de la pensée se retrouvent dans les chiasmes : parallélisme (20, 1; 31, 25-26), symétrie (διὰ τῆς θεωρίας τὰς φύσεις..., / καὶ τὰ ... κινήματα διὰ τῆς πρακτικῆς, 21, 17-18; 59, 46-47), antithèse (ὀρθὸς ὢν τῷ βίῳ, / καὶ τῇ γνώμῃ καμπτόμενος, 26, 64). Cette figure couvre parfois une large portion de texte (οὐ μόνον γὰρ οἱ Ἰουδαῖοι, ἀλλὰ καὶ αὐτοὶ οἱ μαθηταί... / τοῦτο ... τοῖς ἀποστόλοις ... οὕτω δὲ καὶ τῶν Ἰουδαίων, 31, 25-34).

L'accumulation est encore un procédé auquel Nil recourt volontiers. Le plus souvent il s'agit d'énumération dont les termes sont coordonnés (μὴ ... προσεχῶς καὶ ἡνωμένως..., ἀλλὰ διατετμημένως καὶ διεσπαρμένως, 27, 19-21; διὰ τὸ πάθος καὶ τὸ θάνατον καὶ τὴν ... ἀδοξίαν, 29, 15-16; 29, 18-20; 29, 43-44; 40, 14-16). Parfois, l'énumération est soigneusement rythmée d'un choix d'allitérations, assonnances, homéotéleutes (τὸ δὲ πάσχοντα καὶ ἐμπαιζόμενον καὶ τὰ τῶν κακούργων ὑπομένοντα ἰδεῖν καὶ μὴ ἐνδοιᾶσαι μηδὲ ἀπορῆσαι, 29, 24-26). Dans des cas plus rares, il préfère l'asyndète (8, 9-17; σταυρῷ, θανάτῳ, τάφῳ, 30, 7; ἐφ' ἧς..., ἐν ᾗ..., ἐν ᾗ..., ἐξ ἧς..., 60, 12-17). La structure de l'accumulation prend aussi des formes très complexes : les sept participes qui décrivent le phénomène du parfum de la pomme (43, 13-18) expriment des rapports divers avec le nom et ne sont pas simplement coordonnés; leur disposition montre que l'auteur y a été attentif : les deux premiers se terminent par -μένην, puis les deux suivants par -ῶσαν/-ουσαν, et enfin par -μένην, -μένην, -ουσαν. On relève bien d'autres exemples d'attention aux sonorités ou de jeu sur les finales flexionnelles (28, 8-11, trois verbes en -θήσεται).

Assez souvent l'attention portée à la lettre du texte engendre des figures portant sur les mots eux-mêmes. Cela peut aller du simple « jeu » sur une expression répétée (ὁμοίωμα θανάτου, 28, 16-20), ou paraphrasée (ἐν σκέπῃ τῆς πέτρας ... τῆς σκεπαζούσης αὐτὴν πέτρας, 60, 11-23), à la recherche des différents préverbes (de -κύπτειν, 58, 1-4), ou des divers mots composés avec le même préfixe (ἀντι-, 42, 6-9).

L'anaphore apparaît comme une forme privilégiée de répétition, et Nil l'utilise, sachant l'effet d'insistance qu'elle produit, avec des mots outils (τίς six fois, 57, 9-24 ; οὔτε quatre fois, (75, 2-7) et aussi de façon beaucoup plus expressive : il faut lire l'explication du v. 2, 10b de la paraphrase amplifiée de ἀνάστα, ἐλθέ (59, 4-21), où l'expression se retrouve huit fois.

Interrogations et exclamations marquent les mouvements psychologiques, ajoutent au texte une certaine émotion. Elles sont mises dans la bouche des personnages (τί οὖν κομπάζετε, 13, 33 ; 16, 20-22) ; les plus nombreuses sont purement oratoires (τί γὰρ δοκιμότερον, 26, 24-26 ; 22, 10-12 ; 31, 14-20 ; 79, 2). Il arrive même à Nil de leur donner une réponse : « Qui est cette génération... ? [...] L'épouse, elle, est sans détour... » (41, 31-35).

Une prose aussi recherchée serait inachevée si l'auteur n'avait pas aussi pris soin de souligner ces diverses figures par des *parisa* (ἄλλο σχηματιζομένην / καὶ / ἄλλο οἰκονομοῦσαν, P. 1, 15 ; ψυχαγωγοῦσα τὸ ἀλύον, / οὐ διακρατοῦσα τὸ ἄτονον, 44, 11-12) et la recherche d'une harmonie colométrique, surtout en fin de développement ou dans une phrase d'allure gnomique (75, 16-20) : οὐδὲν γὰρ διαθέσεως ἄνευ γνησίως [12 syll.] πέφυκε γίνεσθαι [6], τῆς προαιρέσεως ἀποδιακειμένης [12] καὶ τὸ πραττόμενον ποιούσης ἑώλον [12] τῇ ἀποστροφῇ καθάπερ νόθον γέννημα [13] οὐκ ἐκ νομίμου σπορᾶς πάθους ὁρμῇ [11], οὐχὶ δὲ γνώμης ὀρθῆς κρίσει γενόμενον [13]. Son souci d'euphonie est souvent visible. Nous avons déjà noté la présence d'homéotéleutes. Il lui arrive de préférer l'allitération (καὶ δικαίως τὸ δίκαιον διώκουσα, 67, 36) : on remarquera les neuf syllabes en p- lorsqu'il s'agit de décrire la poussière qui s'élève comme de la fumée (καπνός 70, 23-25).

La maîtrise du style et des effets de la rhétorique se manifeste chez Nil de la façon la plus spectaculaire dans quelques passages où plusieurs figures se combinent et qui mériteraient une analyse à eux seuls (13, 1-23 ; 39, 16-38 ; 45, 2-15 ; 72, 14-54). Mais comme c'est souvent le cas, la virtuosité technique, loin de servir la simplicité, n'est pas exempte d'une certaine lourdeur, au détriment même de la clarté de l'ensemble.

Au total, Nil est indubitablement un écrivain : il a reçu une culture littéraire poussée et cherche à la mettre au service de l'Écriture et de sa foi, dans la tradition des lettrés chrétiens hellénophones. Mais on peut aussi se demander si dans cette œuvre le résultat n'excède pas ses prétentions ; il aboutit en effet à un ouvrage extraordinairement compliqué, qui aurait assez rapidement dépassé les capacités des lecteurs. Et ceci pourrait expliquer le relatif discrédit où il serait tombé, sauf sous la forme résumée et simplifiée des « morceaux choisis » de l'*Épitomé* de Procope, puisque nous ne le connaissons que grâce à un tout petit nombre de manuscrits, alors que les ouvrages ascétiques de Nil sont restés des « classiques » du monachisme byzantin.

II. ΚΥΡΙΑΚΟΣ ΑΝΘΡΩΠΟΣ

L'expression κυριακὸς ἄνθρωπος est présente dans notre *Commentaire* une dizaine de fois en tout. Les théologiens modernes ne traduisent pas l'expression. Grillmeier

(« Κυριακὸς ἄνθρωπος » p. 8-9) discutant le sens de κυρια-
κός à partir de *PGL* signale la traduction : « the Christ-
man » (*s. v.* 3) et note son insuffisance. Casey (réf. *ap.*
Grillmeier) traduit, sans doute d'après le latin de Jérôme,
Augustin ou Cassien *Dominicus homo*, un fragment
arménien en écrivant : « Dominical Man ». Après bien des
hésitations, nous avons finalement retenu l'expression
calquée du grec *homme seigneurial*. L'absence de majus-
cules nous sépare de celle de L. Doutreleau dans : Didyme,
Traité du Saint-Esprit, SC 386, p. 349 ; 403.

Le sens de cette expression a donné lieu à de nombreuses études et controverses parce qu'on la trouve
principalement dans des œuvres attribuées faussement à
Athanase, pour des raisons polémiques. Il ressort des
travaux les plus récents qu'elle est utilisée avant tout dans
l'*Epistula ad Antiochenos* et dans l'*Expositio fidei*, qu'il
faut rendre à Marcel d'Ancyre. On la rencontre aussi dans
la *Disputatio contra Arium* et le *Dialogus IV de s.
Trinitate*, de même que dans des écrits de Didyme
d'Alexandrie, Épiphane de Salamine et Grégoire de Nysse.
Elle appartient à la querelle antiarienne comme expression
de la double nature du Christ, permettant la distinction en
lui de la divinité et de l'humanité, tout en évitant l'usage
des substantifs abstraits. Être un (ἄνθρωπος), le Christ est
pourvu de deux aspects inséparables, divin et humain.
Jamais Nil n'emploie le mot φύσις à propos du Christ ou
du Verbe. L'unique groupe nominal doit rendre compte de
cette unicité du Christ, Verbe de Dieu devenu homme.
Pour Grillmeier, « le schéma "Verbe-homme" constitue
manifestement le fondement de la christologie de Marcel
d'Ancyre » (*Le Christ dans la tradition*, p. 290). Nil se
montre très proche de son compatriote sur ce point. En
l'absence d'édition critique des autres œuvres de Nil, il est
pour le moment fort difficile d'aller plus loin. Rappelons
que la même formule se trouve dans *Péristéria*, ce qui
peut contribuer à rattacher les deux textes au début de la

carrière littéraire de Nil d'Ancyre. Il aurait renoncé par la suite à l'usage de κυριακὸς ἄνθρωπος, quand l'expression serait devenue suspecte dans certains milieux, ou tombée en désuétude.

III. SOIXANTE, NOMBRE PARFAIT, CUBIQUE ET CARRÉ

Tout le début du §72 relève du goût des Anciens pour les réflexions arithmologiques (cf. n. 4 p. 343). Peut-être Nil cherche-t-il à expliciter ce qu'écrit Grégoire sur ce même passage (*In Cant. Or.* VI, 193, 5-8) : « Nous ne doutons pas que ce nombre ait une raison mystique (μυστικὸν λόγον), mais claire à ceux-là seuls à qui la grâce de l'esprit révèle les mystères cachés (τὰ κεκρυμμένα μυστήρια) ». Existait-il une tradition de commentaires ésotériques sur le *Cantique*, dont peut-être Méthode d'Olympe (cf. n. 349) se ferait l'écho ?

On lit la définition des nombres parfaits dans le VIIe livre des *Éléments* d'Euclide (déf. 22) : « un nombre parfait est un nombre égal à ses parties » ; la proposition 36 du livre IX contient le raisonnement qui permet de les calculer. Six est le premier nombre parfait ; soixante n'appartient pas à la liste (cf. J. P. Colette, *Histoire des mathématiques*, Ottawa 1973, p. 77-78). Mais pour les Pythagoriciens, qui utilisent une définition différente, les nombres six et dix sont parfaits (cf. *Fragm. der Vorsokratiker*, Philolaos A XIII = Pseudo-Jamblique, *Theologoumena Arithmetica*, 81, 15). On peut rappeler aussi que le système de numération des Babyloniens utilisait la base soixante.

Nombreuses sont les définitions des nombres carrés et cubiques chez les mathématiciens grecs. Nil nous paraît être le plus proche de celle donnée par Aristote (*Métaphysique*, Δ, 14, 1020b), à propos de la notion de qualité (ποιότης) : « les nombres ont une certaine qualité [...], par exemple les nombres composés ; autrement dit non pas les nombres à une seule dimension, mais ceux dont la surface et le solide sont une copie (ce sont respectivement les nombres qui sont les produits de deux facteurs et ceux qui sont les produits de trois facteurs) (οὗτοι δ' εἰσὶν οἱ ποσάκις ποσοὶ ἢ ποσάκις ποσάκις ποσοί) », Trad. J. Tricot, Paris 1962, p. 292. Alexandre d'Aphrodise complète la phrase (*In Aristotelis Metaphysica commentaria*, Berlin 1891, p. 400) : ὧν τοὺς μὲν τετραγώνους τοὺς δὲ κύβους καλοῦσι, « parmi lesquels on appelle les premiers carrés et les seconds cubes ». Soixante est donc à la fois un nombre carré et cubique, puisqu'on peut le considérer comme un produit de deux ou de trois facteurs, à partir de sa décomposition en facteurs premiers : $2^2 . 3 . 5$. Pour Nil ses qualités tiennent visiblement aux diverses décompositions en produits de deux facteurs : 15×4 ; 10×6 ; 5×12 ; 3×20. On a l'impression qu'ils sont remarquables parce qu'ils expriment le même nombre à la fois dans les bases 15, 10, 12 et 20, qui ont été longtemps utilisées pour exprimer les grands nombres. A la différence de Méthode d'Olympe, Nil ne relève pas que 60 peut être considéré comme le produit d'un nombre par l'un des six premiers entiers. Les bases 30 et 60 lui sont inconnues et les deux premiers entiers ne l'intéressent pas. Notons seulement que sa liste de quatre produits de facteurs cite d'abord les deuxième et troisième nombres pairs, puis les deuxième et troisième nombres impairs.

Sur *Cant.* 6, 7 (les soixante reines), ou 8, 11-12 (les mille et deux cents pièces d'argent), Nil n'écrit rien de semblable.

TABLE DES MATIÈRES

Le tome II comprendra la suite du *Commentaire* et les divers index.

SOURCES CHRÉTIENNES

Fondateurs : † H. de Lubac, s.j.
† J. Daniélou, s.j.
† C. Mondésert, s.j.
Directeur : D. Bertrand, s.j.
Directeur-adjoint : J.-N. Guinot

Dans la liste qui suit, dite « liste alphabétique », tous les ouvrages sont rangés par nom d'auteur ancien, les numéros précisant pour chacun l'ordre de parution depuis le début de la collection. Pour une information plus complète, on peut se procurer deux autres listes au secrétariat de « Sources Chrétiennes » — 29, rue du Plat, 69002 Lyon (France) — Tél. : 78.37.27.08 :

1. la « liste numérique », qui présente les volumes et leurs auteurs actuels d'après les dates de publication ; elle indique les réimpressions et les ouvrages momentanément épuisés ou dont la réédition est préparée.
2. la « liste thématique », qui présente les volumes d'après les centres d'intérêt et les genres littéraires : exégèse, dogme, histoire, correspondance, apologétique, etc.

LISTE ALPHABÉTIQUE (1-403)

Exhortation à la chasteté : *319*
La chair du Christ : *216 et 217*
Le mariage unique : *343*
La pénitence : *316*
La pudicité : *394 et 395*
Les spectacles : *332*
La toilette des femmes : *173*
Traité du baptême : *35*

THÉODORET DE CYR
Commentaire sur Isaïe : *276, 295* et *315*
Correspondance : *40, 98, 111*
Histoire des moines de Syrie : *234* et *257*

Thérapeutique des maladies helléniques : *57* (2 vol.)

THÉODOTE
Extraits (*Clément d'Alex.*) : *23*

THÉOPHILE D'ANTIOCHE
Trois livres à Autolycus : *20*

VIE D'OLYMPIAS : *13*

VIE DE SAINTE MÉLANIE : *90*

VIE DES PÈRES DU JURA : *142*

SOUS PRESSE

APPONIUS : **Commentaire sur le Cantique.** Tome I. L. Neyrand, B. de Vregille.

GRÉGOIRE DE NAZIANZE : **Discours 6-12.** M.-A. Calvet.

GRÉGOIRE DE NYSSE : **Homélies sur L'Ecclésiaste.** F. Vinel.

HONORAT DE MARSEILLE : **Vie d'Hilaire d'Arles.** P.-A. Jacob.

HUGUES DE BALMA : **Théologie mystique.** Tome. I. J. Barbet, F. Ruello.

IRÉNÉE DE LYON : **Démonstration de la Prédication apostolique.** A. Rousseau.

JONAS D'ORLÉANS : **De la royauté.** A. Dubreucq.

PROCHAINES PUBLICATIONS

Les Apophtegmes des Pères. Tome II. J.C. Guy (†).

EUDOCIE : **Centons homériques.** A.-L. Rey.

ISIDORE DE PÉLUSE : **Lettres.** Tome I. P. Évieux.

Livres d'heures ancien du Sinaï. M. Ajjoub.

MARC LE MOINE : **Traités.** Tome I. G.-M. de Durand.

OPTAT DE MILÈVE : **Traité contre les donatistes.** M. Labrousse.

ORIGÈNE : **Sur les Psaumes.** L. Brésard, H. Crouzel.

PACIEN DE BARCELONE : **Traités et Lettres.** C. Épitalon, C. Granado.

Passion de Perpétue. J. Amat.

ÉGALEMENT AUX ÉDITIONS DU CERF

LES ŒUVRES DE PHILON D'ALEXANDRIE

publiées sous la direction de

R. ARNALDEZ, C. MONDÉSERT, J. POUILLOUX.

Texte original et traduction française.

ACHEVÉ D'IMPRIMER
EN NOVEMBRE 1994
SUR LES PRESSES
DE
L'IMPRIMERIE F. PAILLART
À ABBEVILLE

DÉPÔT LÉGAL : 4ᵉ TRIMESTRE 1994
Nᵒ. IMP. 9006.